El camino de una nevada

Lila L. Flood

Published by Jensen Cox, 2023.

This is a work of fiction. Similarities to real people, places, or events are entirely coincidental.

EL CAMINO DE UNA NEVADA

First edition. July 15, 2023.

ISBN: 979-8223398608

Written by Lila L. Flood.

Tabla de Contenido

Un secreto preciado que debe ser protegido incluso después de la muerte, un corazón tan blanco como la nieve y un amor que arde como un huracán. Ivy estuvo rodeada por la nieve que adora toda su infancia, creciendo cerca de lagos congelados y hermosos bosques. Como resultado, cuando la obligan a ir a California después de quedarse huérfana, todo lo que puede pensar es en lo que ha dejado atrás. Su país, Canadá, es un vacío que no se puede llenar. La niña tiene tejido en su interior un aterrador secreto de su pasado, al que está tan apegada que lo ha escondido entre esas montañas. John, su amable padrino y su familia son los únicos que quedan. Sin embargo, no le cuesta mucho entender que el hijo de John, Mason, ya no es el niño desdentado que veía en las fotos cuando era niña. Ha crecido ahora y tiene los ojos agudos de una bestia salvaje, una cara como una guarida de sombras. Y cuando sonríe sombríamente por primera vez, frunciendo sus labios perfectos, Ivy se da cuenta de que su vida juntos será más difícil de lo esperado. Mason, de hecho, no la quiere allí y no hace nada para ocultarlo. Mientras él trata de mantenerse a flote en las olas rompientes de su nueva vida junto al océano, Canadá y sus misterios siguen acechando a Ivy. ¿Podrá su corazón, blanco como la nieve, volver a florecer superando las heladas invernales? La nueva novela de Lila L. Flood. Mientras trata de mantenerse a flote en las olas rompientes de su nueva vida junto al océano, Canadá y sus misterios no dejan de acechar a Ivy. ¿Podrá su corazón, blanco como la nieve, volver a florecer superando las heladas invernales? La nueva novela de Lila L. Flood. Mientras trata de mantenerse a flote en las olas rompientes de su nueva vida junto al océano, Canadá y sus misterios no dejan de acechar a Ivy. ¿Podrá su corazón, blanco como la nieve, volver a florecer superando las heladas invernales?

Prólogo

Se dice que el corazón es como la nieve.

Atrevido, tranquilo, capaz de derretirse con un poco de calor.

De donde vengo, muchos lo creen. Es el proverbio de los viejos, de los más pequeños, de los que brindan por la felicidad.

Cada uno de nosotros tiene un corazón de nieve, porque la pureza de los sentimientos lo hace claro e inmaculado.

Nunca lo había creído.

A pesar de que había crecido allí, a pesar de que teníamos hielo incrustado en nuestros huesos, nunca había sido de los que chismeaban.

La nieve se adapta, es suave, respeta todos los bordes. Cubre sin deformar, pero el corazón no, el corazón exige, el corazón grita, chilla y se encabrita.

Entonces un día lo descubrí.

Lo entendí como se entiende que el sol es una estrella, o que un diamante es sólo una roca.

No importa cuán diferentes se vean. Cuenta qué tan similares son.

No importa si uno es frío y el otro caliente.

No importa si uno avanza y el otro encaja.

Había dejado de sentir la diferencia.

Desearía no tener que entender eso. Quería seguir equivocándome.

Pero nada haría retroceder el tiempo.

Nada me iba a devolver lo que había perdido.

Entonces tal vez sea cierto lo que dicen. Tal vez tengan razón.

El corazón es como la nieve.

Con un poco de oscuridad, se convierte en hielo.

1
El canadiense

"¿Hiedra?"

Levanté la vista del mantel blanco. El mundo volvió a llenar mis oídos. Volví a sentir el zumbido a mi alrededor, el tintineo de los cubiertos contra la cerámica.

La mujer a mi lado me miró con una expresión cortés. Y sin embargo, en los diminutos pliegues de su sonrisa construida, pude ver la dificultad de quien esconde el malestar.

"¿Todo está bien?"

Mis dedos estaban apretados. La servilleta era solo una solapa arrugada entre mis palmas blancas. Lo puse de nuevo sobre la mesa, pasando una mano sobre él en un intento de alisarlo.

Estará aquí en cualquier momento. No te preocupes".

No estaba preocupado. A decir verdad, fueron muy pocas las emociones que sentí.

La carabina que me había sido confiada parecía haber sido *perturbada* por mi falta de sentimiento. Incluso cuando habíamos llegado al aeropuerto, y yo había olido el desagradable olor a café y envases de plástico, ella me había mirado como si esperara ver pasar también mi esfera emocional por la correa del rodillo de equipaje.

Empujé mi silla a un lado y me puse de pie.

"¿Ir al baño? Vale, seguro. Así que... te espero aquí..."

Quería decir que estaba feliz de estar allí. Que saber que no estaba sola valió la pena ese largo viaje; que, en el gris de mi existencia, vi una oportunidad para empezar de nuevo. Sin embargo, mientras miraba mi reflejo en el espejo del baño con mis dedos agarrados al lavabo, tuve la impresión de que estaba mirando una muñeca cosida de diferentes piezas, apenas unidas.

Aguanta, *Ivy. Sopórtalo* ».

Cerré los ojos y mi aliento se estrelló contra el cristal. Solo quería dormir. Y tal vez nunca más me despierte, porque en mi sueño encontré la paz que buscaba cuando estaba despierto, y la realidad se convirtió en un universo lejano, al que no pertenecía.

Levanté los párpados y mis iris perforaron el halo que había dejado con mi aliento. Abrí el agua, mojé mis manos y muñecas y finalmente salí del baño.

Mientras pasaba entre las mesas, ignoré las cabezas que se levantaban aquí y allá para mirarme.

Sabía que nunca me veía ordinaria. Pero solo el cielo sabía cuánto odiaba que la gente me mirara.

Nací con una piel sorprendentemente pálida. Siempre había tenido tan poca melanina que solo un albino podía tener una tez más clara que la mía.

No es que nunca haya sido un problema para mí: crecí cerca de Dawson City, Canadá. Allí nevaba las tres cuartas partes del año y las temperaturas en invierno rondaban los treinta grados bajo cero. Para alguien como yo que vivía en la frontera de Alaska, el bronceado no era familiar.

Sin embargo, cuando era niño, había sufrido las burlas de otros niños. Decían que parecía el espectro de un ahogado, porque tenía el pelo rubio muy claro, fino como telarañas, y los ojos del color de un lago helado.

Tal vez por eso también había pasado siempre más tiempo en los bosques que en el pueblo. Allí, entre líquenes y abetos que tocaban el cielo, no había nadie dispuesto a juzgarme.

Cuando regresé a la mesa, noté que mi acompañante ya no estaba sentado.

"Oh, ahí estás", sonrió cuando me vio. 'Señor. Crane acaba de llegar.

Se hizo a un lado. Y ahí fue cuando lo vi.

Era exactamente como lo recordaba.

La cara cuadrada, el cabello castaño ligeramente canoso, el asomo de una barba bien cuidada. Esos ojos confidenciales, vivos, alrededor de los cuales siempre había algunas líneas de expresión.

"Hiedra".

Su voz hizo que todo pareciera repentinamente, terriblemente mal.

No la había olvidado: siempre fue cálida, casi paternal, suya. Sin embargo, ese sello familiar rompió la apatía que me envolvía y me puso frente a la realidad.

Yo estaba realmente allí, y eso no fue una pesadilla.

Era real.

"Ivy, cuánto has crecido".

Habían pasado más de dos años. A veces, mirando por el cristal empañado, me preguntaba cuándo volvería a verlo aparecer por la calle; las botas hundidas en la manta, el gorro de lana roja lleno de bultos en la cabeza. Un paquete siempre en sus brazos, envuelto en una cuerda.

"Hola John".

Su sonrisa se curvó en un pliegue amargo. Antes de que pudiera apartar la mirada, me alcanzó y me rodeó con sus brazos. Su olor llenó mis fosas nasales y reconocí la ligera fragancia a tabaco que siempre llevaba consigo.

—Oh, te has vuelto tan hermosa —murmuró, mientras yo permanecía indefensa como una marioneta, sin responder al abrazo con el que parecía querer mantenerme de pie. "También. Te dije que no crecieras."

Bajé la cara y él intentó una sonrisa que no pude devolver.

Fingí no escucharlo olfatear mientras se alejaba de mí y acariciaba mi cabello.

Luego enderezó los hombros y, asumiendo una expresión más adulta, se volvió hacia la trabajadora social.

"Disculpe, aún no me he presentado", comenzó, extendiendo su mano. "Soy John Crane, el padrino de Ivy".

Siempre habíamos sido papá y yo.

Poco antes de la muerte de su madre, él se retiró del trabajo y juntos se mudaron a Canadá, en la ciudad de Dawson City. Se fue antes de que tuviera algún recuerdo de ella, así que papá me crió solo: compró una cabaña en el borde del bosque y se dedicó a mí ya la naturaleza de ese lugar.

Me había enseñado el esplendor de los bosques nevados: las altas frondas, los caminos ocultos y las ramas cubiertas de hielo, que brillaban como gemas al atardecer. Había aprendido a reconocer huellas de animales en la nieve, los años de un árbol a partir de un tronco recién cortado. Y para cazar. Sobre todo para cazar.

Papá me había llevado con él todos los días, desde que era demasiado joven para llevar un rifle. Con el tiempo, había adquirido una familiaridad que ninguno de nosotros, especialmente él, podría haber imaginado.

Me acordé cuando me llevó a cazar palomas en las explanadas. Esperamos en la hierba alta y, con el paso de los años, había aprendido a no fallar nunca.

Cuando pensé en Canadá, me vinieron a la mente lagos cristalinos y bosques con vistas a fiordos cubiertos de niebla.

Ahora, sin embargo, mirando por la ventanilla del coche, sólo vi hojas de palma y rastros de aviones.

"No pasará mucho tiempo", me aseguró John.

Observé distraídamente cómo las cabañas pasaban una tras otra, como una fila de gallineros blancos. En el fondo, el océano brillaba en las garras de un sol incandescente.

Mientras miraba a los niños en patines y las tiendas de tablas de surf, me preguntaba cómo iba a vivir en un lugar como este.

era california

Ni siquiera sabían qué nieve había allí, y dudé que pudieran distinguir un oso de un glotón , si alguna vez se encontraban con uno.

El calor era infernal y el asfalto apestaba terriblemente.

Nunca hubiera podido integrarme.

John debe haber sabido lo que estaba pensando, porque apartó la vista del camino un par de veces para mirarme.

"Sé que todo es muy diferente", intentó, expresando mis pensamientos. Pero estoy seguro de que con un poco de paciencia te acostumbrarás. No hay prisa, date un tiempo».

Apreté mi collar entre mis dedos. Apoyé la cabeza en mi mano y él esbozó una sonrisa.

"Finalmente podrás ver por ti mismo todas las cosas que te he contado," murmuró, en una nota casi dulce.

Recuerdo cuando nos visitaba y siempre me traía postales de Santa Bárbara.

"Aquí es donde vivo", me dijo, bebiendo chocolate caliente, y miré las playas, los palmerales perfectos, esa mancha azul oscuro que se veía río arriba, cuya inmensidad no podía imaginar.

"Corramos las olas en tablas largas", y me pregunté si domar un caballo sería lo mismo que domar las olas de las que estaba hablando; y le dije que sí, que el océano podía ser grande, pero que también teníamos lagos cuyo fondo no se veía, donde se podía pescar en verano y patinar en invierno.

Entonces papá se rió y sacó el globo. Y, guiando mi dedo, me mostró lo pequeños que éramos en ese globo de papel maché.

Recordé sus cálidas manos. Si cerraba los ojos, todavía podía sentirlos apretándose alrededor de los míos, con una delicadeza que no parecía pertenecer a palmas callosas como las de ella.

"Ivy," dijo John, mientras mis párpados caían y la sensación de ahogo regresaba a mi garganta. "Ivy, va a estar bien".

"Va a estar bien", escuché de nuevo, y era una luz suave y clara, tubos de plástico suspendidos en el aire. Volví a oler el olor a desinfectantes, medicinas, y vi esa sonrisa tranquilizadora que nunca se había desvanecido mirándome.

Todo irá bien, Ivy. Te prometo que".

Me quedé dormido así, contra la ventana, entre recuerdos hechos de niebla y brazos que no quería dejar nunca más.

"Ey".

Algo tocó mi hombro.

"Ivy, despierta. Hemos llegado".

Levanté la cabeza, aturdido. La cadena del collar se me cayó de la mejilla y parpadeé.

John ya se había bajado y estaba hurgando en el maletero. Me desabroché el cinturón y me eché el pelo hacia atrás, poniéndome la gorra de visera.

Cuando bajé del auto, me quedé boquiabierto: lo que encontré frente a mí no era una de las casas adosadas que había visto en el camino; era una gran casa Art Nouveau, quizás más parecida a una villa. El gran jardín, en el que no me había dado cuenta de que estaba, brillaba con un verde exuberante, y el camino de grava parecía un pequeño arroyo que unía la puerta con la entrada. El pórtico estaba sostenido por columnas blancas por las que trepaban pequeñas flores de jazmín, y un gran balcón de mármol blanco coronaba la fachada, dando al conjunto un aire elegante y refinado.

"¿Vive usted aquí?" Pregunté con un toque de escepticismo que me sorprendió incluso a mí.

John dejó sus maletas y se llevó la muñeca a la frente.

"No está mal, ¿eh?" tiró allí, mirando la casa. "Claro, no está hecho de troncos y la chimenea nunca se ha usado, pero estoy seguro de que la encontrarás cómoda".

Sonrió, dejando caer una bolsa de lona en mis brazos.

Lo miré.

"La forma en que lo dices suena como si crecí en un iglú".

Era consciente de que podría parecer... extraño, el estilo de vida que había llevado hasta ese momento. Vengo de un rincón del mundo donde, antes de vivir, nos enseñaron a sobrevivir. Pero para mí todo eso era extraño, y no al revés.

Juan se rió. Me miró suavemente por un instante, luego levantó la mano y giró la visera de mi gorra hacia atrás.

"Me alegra que estes aqui."

Tal vez debería haber dicho: "Yo también". O al menos "Gracias", porque lo que estaba haciendo era más de lo que jamás hubiera imaginado. Se lo debía a él, por no dejarme en paz.

Sin embargo, todo lo que pude hacer fue tragarme un suspiro y curvar una comisura de mis labios en lo que se suponía que era una sonrisa.

Después de depositar todo el equipaje debajo del porche, John sacó un manojo de llaves y abrió la puerta.

"Oh, ya regresó", comenzó, entrando a la casa. "¡Bueno! Para que puedan conocerse de inmediato. Ven, Ivy".

'¿Quién ha vuelto ya?' Pensé, siguiéndolo adentro. Un agradable frescor golpeó la piel de mi rostro.

Dejé caer una mochila en el suelo y miré a mi alrededor. El techo era alto y enlucido, con un hermoso candelabro en el centro compuesto por gotas de vidrio soplado adornadas con facetas.

La amplia sala se abría con un elegante atrio, iluminado por grandes ventanales y las vetas nacaradas del suelo de mármol. Un poco más adelante, a la izquierda, dos puertas monumentales se abrían a un magnífico salón, mientras que, a la derecha, una ecléctica barra de esquina con relucientes taburetes tapizados dominaba el lado corto de la cocina, acentuando su estilo refinado y contemporáneo .

Al final, justo frente a mí, una suntuosa escalera con un amplio pasamanos de hierro forjado alegraba la vista en un juego de garabatos anillados.

Nada como la cabaña a la que estaba acostumbrado.

"¿Juan? ¿Dónde...?"

"¡Masón! ¡Estamos en casa!"

Mi cerebro se congeló. Me quedé allí, en el centro de la entrada, como un mapache disecado.

No.

No podría ser verdad.

No me había olvidado del hijo de John.

Llevé una mano a mi frente y me sentí lleno al darme cuenta de que era un completo idiota.

No, no quería creerlo...

Pero, ¿cómo pude haberlo olvidado?

Durante todo el viaje no había hecho más que pensar en cómo había cambiado mi vida. Me había atrincherado, abrazando la idea de tener a alguien dispuesto a llevarme.

Ese alguien había sido John, y mi mente había borrado todo lo demás.

Pero John tenía un hijo y yo lo sabía, maldita sea.

De niño me había mostrado la foto que guardaba en su billetera, orgulloso, diciéndome que teníamos la misma edad.

«Mason es un terremoto» me había revelado, mientras observaba a ese niño de sonrisa desdentada cerca de una bicicleta con manillar de plástico; tenía dos guantes de boxeo colgando de su cuello, que ostentaba casi con orgullo. Y, mientras preparaba el chocolate caliente, dijo que "ya es tan alto como yo", o "odia las matemáticas"; y nuevamente "se unió al club de boxeo" y luego se refirió a todos los partidos a los que asistió, aliviado de que su hijo hubiera encontrado un deporte capaz de mantenerlo a raya.

"Hiedra".

La cabeza de John se asomó por detrás de la pared y me sacudí.

"Bien, ven. Deja tu equipaje allí".

Miré a mi alrededor con incertidumbre y dejé mis maletas para seguirlo.

En ese momento me di cuenta de que ni siquiera papá había conocido en persona al hijo de John. Y ahora fui yo quien lo conoció por primera vez. Sin él...

"¡Masón!" llamó John, abriendo una ventana. Parecía ocupado haciendo la casa lo más agradable posible, probablemente para mí. "Espera aquí", ordenó, antes de deslizarse por un pasillo y desaparecer.

La inmensidad que me rodeaba era sugestiva. Mi mirada se deslizó sobre las pinturas de arte moderno y las numerosas fotos enmarcadas aquí y allá, mostrando destellos de su vida cotidiana.

Estaba viendo la gran televisión de plasma cuando una voz rompió el silencio de la casa.

"¡Ey!"

Me volví hacia las escaleras que conducían arriba.

Un chico estaba bajando. Inmediatamente noté la camiseta color ladrillo y el pelo tan corto que estaba rapado.

Era tan fornido que los músculos de sus brazos parecían a punto de estallar; tenía un rostro ancho, algo tosco, que no tenía nada de John.

Lo observé atentamente, tratando de captar gestos que me recordaran al hombre que siempre había conocido. Bajó el último escalón calzándose las chancletas y sólo entonces me di cuenta de que tenía un gran tatuaje en la pantorrilla.

"HOLA". Sonrió , y pensé que al menos en carácter debía de haberlo tomado de mi padrino.

"HOLA".

Nunca he sido bueno socializando, pero cuando vives entre osos y caribúes, es difícil desarrollar una aptitud para las relaciones humanas. Sin embargo, al ver la forma insistente en que me estudiaba, agregué: "John me ha hablado mucho de ti".

Una luz divertida iluminó sus ojos.

"¿Oh sí?" preguntó, como si tratara de no reírse. "¿Él te habló de mí?"

"Sí", respondí sin tono. "Tú eres Masón".

Bueno, en ese momento no pudo más y se echó a reír. Lo observé inexpresivamente mientras el sonido recorría la casa.

"Oh, lo siento", logró decir entre risas, "Simplemente no puedo creerlo".

Noté que, debajo de la camiseta sin mangas, su piel tenía un color totalmente antinatural: parecía brandy quemado. Yo había visto menos alces marrones que él.

Le tomó un tiempo unir dos palabras sin sonreírme en la cara. Cuando se enderezó, esa chispa de alegría aún brillaba en sus ojos.

"Creo que hay un error", comenzó, "mi nombre es Travis".

Lo miré estupefacto y él se aclaró la garganta.

"Verás..."

" *Soy* Masón".

Me volví hacia las escaleras.

Antes de que mis ojos se posaran en el verdadero hijo de John, no sabía lo que esperaba ver. Probablemente un chico rechoncho, de cuello bastante grueso, frente cuadrada y nariz rota en varios lugares. Seguramente el que bajaba las escaleras no parecía un boxeador.

Siempre había pensado que los californianos eran rubios, grandes y bronceados, con los músculos brillantes por el aceite bronceador y la piel reseca por el exceso de surf.

Mason, por otro lado, no era ninguno de estos. Tenía cabello castaño espeso y ojos igualmente comunes, el color avellana más común. La camiseta de manga corta delineaba un pecho fuerte y entrenado, y su piel no era como la de Travis, sino solo... piel. Sin coloraciones antinaturales, solo el tono que debe tener una persona acostumbrada a vivir en un clima soleado.

Era un chico normal. Ciertamente más normal que yo, que parecía sacada del cuento de hadas de Andersen *La reina de las nieves* . Y sin embargo... en el momento en que se detuvo en el último escalón y me miró, me di cuenta de que 'trivial' era el último adjetivo que podía atribuirle.

No sabía por qué, pero cuando lo vi, me vino a la mente Canadá.

Que no era solo un bosque, que no era solo nieve, montañas y cielo. No, porque tenía ese *algo* que la hacía cautivadora como ninguna otra en el mundo, con sus senderos impermeables, sus increíbles auroras y sus amaneceres a caballo entre cumbres heladas.

Y Mason era así. La violenta belleza de sus facciones, con esos labios carnosos y mandíbula bien definida, hacía superfluo todo lo demás. Tenía una nariz recta, con una punta definida, que nunca imaginé que pudiera tener alguien que constantemente le daba puñetazos en la cara.

Pero sobre todo sus ojos: profundos y afilados, sobresalían por debajo de las cejas y me miraban directamente a la cara.

"¡Oh, por fin estás aquí!"

John se unió a nosotros, dándole a su hijo una sonrisa. Luego puso una mano en mi hombro.

Quiero que conozcas a Ivy. Se volvió e inclinó su rostro hacia mí. —Ivy, este es Mason. ¿Te acuerdas?"

Quería decirle a John que era un poco diferente al niño desdentado que me había mostrado en la foto, y que en realidad no , hasta unos minutos antes ni siquiera recordaba su existencia, sin embargo guardé silencio.

"¿ *Ivy?* " preguntó Travis, tal vez intrigado por un nombre tan inusual, y John pareció darse cuenta de su presencia solo en ese momento. Empezaron a hablar, pero yo apenas me di cuenta.

Los ojos de Mason bajaron a la camisa a cuadros que llevaba puesta, que era unas cuantas tallas más grande que yo, y lentamente subió a mi cara. Permanecieron en mi mejilla y me di cuenta de que probablemente todavía tenía el signo del collar impreso en mi piel. Finalmente, magnetizaron mi gorra, una de las pocas cosas que me gustaban, con una cabeza de alce bordada en el frente. Por la forma en que ella lo miró, sentí que esta reunión no iba exactamente como había imaginado que sería.

John volvió a prestarnos atención, y solo entonces levantó una comisura de la boca y me sonrió.

"HOLA".

Sin embargo, estaba seguro de haberlo visto, su mirada en mi hombro. Allí mismo, donde su padre había puesto su mano.

Después de que el otro tipo se fue, terminé de cargar las bolsas.

"Las habitaciones están arriba", resopló John, colocando un par de cajas de cartón en el suelo. "Ya puedes empezar a traer algo. Estaré allí en un minuto".

Sacó las llaves de su auto, probablemente para sacarla del camino de entrada, y le indicó las escaleras.

"¡Mason, ayúdala, por favor! Enséñale su habitación, la que está al final del pasillo» me dedicó un atisbo de sonrisa. "Era la habitación de invitados, pero ahora es tuya".

Miré rápidamente a Mason y me agaché para tomar un par de bolsas de lona. Lo vi levantar una caja que yo no podría ni despegar del piso: ahí estaba mi material de pintura y solo los colores pesaban un quintal.

Mientras lo seguía escaleras arriba, observé su espalda ancha y sus movimientos confiados; se detuvo frente a una habitación y me dejó pasar.

Era grande y brillante. El yeso era de un azul suave, y el piso alfombrado color crema se sentía como caminar sobre una nube de algodón. Había un armario empotrado y la ventana daba al jardín trasero donde el coche de John estaba dando marcha atrás.

fue sencillo Nada pretencioso, sin espejos con marco de bombilla u otros adornos similares. Sin embargo, no podría haber sido más diferente de mi antigua habitación.

Un golpe violento me hizo saltar. Me di la vuelta y perdí el agarre de la maleta, que aterrizó en mis zapatillas.

Una lata de pintura rodó perezosamente por la alfombra. Los cepillos sobresalían de la caja de cartón volcada en el suelo cerca de los pies de Mason.

Lo miré. Sus manos aún estaban abiertas pero sus ojos estaban fijos en mí, sin expresión.

" *Ups* ".

Escuché sus pasos haciendo eco a través de la puerta mientras se alejaba.

Más tarde, John pasó a comprobar que todo estaba bien.

Me preguntó si me gustaba la habitación, si quería mover algo; se quedó allí por un rato, observándome desempacar lentamente, luego se fue para darme tiempo para calmarme.

Mientras guardaba mis cosas en los cajones, me di cuenta de que la ropa más liviana que tenía eran jeans gastados y camisetas viejas de papá.

Saqué mi cámara, algunos libros de los que no quería separarme y mi marioneta con forma de alce.

Me quité una escarapela triangular con la bandera de Canadá, y por un momento se me pasó por la cabeza la idea de colgarla sobre el cabecero de la cama, como en casa. Entonces me di cuenta de que había algo terriblemente definitivo en clavar clavos y lo dejé pasar.

Cuando terminé, el sol se estaba poniendo afuera. Anhelaba tomar una ducha. Hacía mucho calor y no estaba acostumbrado a esas temperaturas, así que agarré mis provisiones y salí al pasillo.

Me tomó un tiempo encontrar el baño, pero una vez que llegué a la puerta correcta, me deslicé y fui a cerrarla, sin embargo, la cerradura estaba vacía. Por lo tanto, opté por colgar mi camisa afuera y refrescarme antes de que se hiciera tarde.

El agua lavó el sudor, el agotamiento, el olor del avión y el viaje. Una vez que terminé, me envolví en mi toalla y me puse ropa limpia.

Cuando salí del baño, noté el tentador olor que flotaba en el aire.

En la cocina encontré a John, buscando a tientas entre sartenes chisporroteantes y el olor a pescado asado.

"¡Oh, estás aquí!" empezó a verme en el umbral. "Iba a venir a buscarte. Ya está casi listo". Salteó unas verduras y alcanzó un poco de especia. "Espero que tengas hambre. ¡Te he preparado tu plato favorito!»

El olor era tan familiar que despertó en mí sentimientos encontrados. Presioné contra la puerta y miré la mesa puesta para tres.

John fue a la nevera y sacó el agua pero, cuando cerró la puerta, se detuvo.

"¿Eh! A dónde vas?"

Mason pasaba por delante de la cocina y se dirigía al vestíbulo. Tenía una bolsa de lona colgada del hombro y vestía una camiseta deportiva con pantalones grises. Se volvió para lanzar una mirada indescifrable a su padre, sin detenerse.

"Tengo entrenamiento."

"¿No te vas a quedar a cenar?" iglesias

"No. Llego tarde".

"No creo que sea una tragedia por una vez", trató de persuadirlo, pero Mason negó con la cabeza y apretó la correa de su bolso. "¿No puedes quedarte un rato?" ella volvió a insistir, siguiéndolo con la mirada. "¡Al menos dale a Ivy un recorrido por la casa! ¡Solo un par de minutos, solo para mostrarle dónde están el baño y esas cosas!

"No importa, John," intervine. "No hay necesidad. Ya lo he pensado".

Se volvió hacia mí, pero Mason se detuvo detrás de él. En la tenue luz del pasillo, lo vi darse la vuelta. La mirada que me dio fue tan aguda que casi me estremecí. Luego, sin una palabra, se fue.

"Oh, bueno..." Escuché a John decir. "Habrá más para nosotros".

Me invitó a sentarme y yo, tras una última mirada a la entrada, me acerqué.

La cena fue muy tentadora. Llenó mi plato con un filete de salmón humeante y comimos en silencio.

Estuvo bien. Fue realmente bueno. Sin embargo, aunque John lo cocinó exactamente como a mí me gustaba, sin el aire fresco de la noche canadiense parecía tener un sabor diferente.

"Ya he arreglado todo con la escuela".

Deslicé un brócoli en mi plato, antes de llevármelo a la boca.

"No tienes que preocuparte por nada", continuó, cortando un trozo de salmón con el borde de su tenedor. "Pensé en todo. Creo que mañana es un poco temprano para empezar, pero ya podrías estar asistiendo a clases a partir del miércoles».

Levanté la vista y me encontré con sus ojos alentadores.

"¿Qué dices?"

Asentí sin mucha convicción. De hecho, sentí una tremenda incomodidad ante la idea de comenzar una nueva escuela. Ya podía sentir las miradas de los demás sobre mí, los susurros que dejaría atrás.

"Y tal vez deberíamos comprarte algo de ropa", continuó John, "bueno, algo que no te haga quemarte hasta morir".

Asentí de nuevo, distraídamente.

"Y te haré un par de llaves", lo escuché agregar mientras la realidad se desvanecía y yo, de nuevo, me sumergía en mis pensamientos. "Así no tendrás ningún problema para entrar y salir".

Quería darle las gracias por todo lo que pensaba. O al menos regalarle una sonrisa, aunque me costara, por la forma en que había tratado de proveerme sin que yo tuviera que pensar en nada. Pero la verdad era que nada de eso me interesaba.

Ni colegio, ni ropa, ni la comodidad de un par de llaves.

Y mientras con el enésimo bocado me llenaba de recuerdos que aún me dolían demasiado, John me miró y sonrió dulcemente.

"¿Te gusta el salmón?"

"Es muy bueno".

Después de la cena volví a mi habitación y me senté en la cama, envolviendo mis brazos alrededor de mis rodillas. Miré alrededor de mi habitación y me sentí aún más fuera de lugar que en el primer momento que puse un pie en ella.

Pensé en dibujar, pero la idea de hojear mi cuaderno me trajo recuerdos que no quería volver a ver.

Apoyé la cabeza en la almohada, encontrándola increíblemente suave, y antes de apagar la luz extendí la mano y apreté el collar que papá me había regalado.

Sin embargo, después de varias horas, todavía estaba dando vueltas en la cama. El calor no me dio tregua y ni siquiera la oscuridad fue capaz de arrullarme para dormir.

Me senté, pateando las sábanas. Tal vez un vaso de agua ayudaría...

Me levanté y salí de la habitación.

Traté de ser lo más silencioso posible mientras me dirigía a las escaleras; Bajé las escaleras, orientándome en la penumbra, y traté de recordar dónde estaba la cocina. Cuando llegué a la puerta y encendí la luz, casi me rompo.

Masón estaba allí.

Apoyado contra el fregadero, tenía los brazos cruzados y un vaso de agua en una mano. Sus mechones marrones caían alrededor de sus ojos dándole una mirada casi salvaje, y su rostro estaba inclinado hacia un lado en una pose indolente.

me habia asustado. ¿Qué estaba haciendo allí, en la oscuridad como un ladrón?

Sin embargo, cuando vi la expresión de su rostro, todos los pensamientos se desvanecieron. En ese momento tuve la confirmación de algo que ya había adivinado, algo que se había apoderado de mí desde el primer momento en que pisé esa casa. No importaba de qué manera me pusiera. Esa mirada no cambiaría.

Mason vació su vaso y lo dejó a su lado. Luego, sin prisa, se desprendió del fregadero y avanzó hacia mí. Me alcanzó y se detuvo a una pulgada de mi hombro, lo suficientemente cerca para que yo sintiera su imponente presencia cerniéndose sobre mí.

"Que te quede claro", escuché claramente, "no te quiero aquí".

Pasó a mi lado y desapareció en la oscuridad, dejándome solo en la puerta de la cocina.

Ya. había entendido

2
Donde no estas

No dormí ni un ojo esa noche.

Sentí la falta de mi cama, de mi cuarto, de la naturaleza reposando en su helada quietud más allá de la ventana.

No era solo mi cuerpo el que se sentía en el lugar equivocado. Era lo mismo para mi mente, mi corazón, mi espíritu, todo: estaba completamente fuera de eje, como una pieza encajada a la fuerza en una articulación que no es la suya.

Cuando la luz entró a través de las cortinas, me rendí y me puse de pie. Estiré mi cuello que había estado buscando el frescor de la almohada toda la noche y pasé mis dedos por mi fino cabello, sintiéndolo despeinado. Me puse unos vaqueros y una camiseta vieja de papá, metiéndola en la cintura y alrededor de las mangas. Luego me puse los zapatos y bajé.

En la planta baja se hizo el silencio.

No sé qué esperaba encontrar. Tal vez John estaba en la cocina preparando el desayuno a tientas, o tal vez las ventanas estaban abiertas y estaba leyendo el periódico, como lo había hecho las veces que vino a vernos.

Pero no había ni un ruido. Todo estaba quieto, congelado, desprovisto de vida o familiaridad; solo estaba yo.

Antes de que pudiera detenerlo, los recuerdos volvieron a desdibujar la realidad. En un instante se me apareció una encimera de roble, un atisbo de la parte trasera de la estufa. Un soplo de viento entró por la ventana abierta, dejando entrar el olor a troncos y tierra mojada.

Y él estaba allí , silbando canciones nunca escuchadas. Llevaba puesto su suéter azul, y en sus labios tenía una sonrisa esperando dar los buenos días...

Retrocedí, tragando un trozo de saliva. Me arranqué de esos recuerdos y crucé el pasillo con tanta prisa que, cuando agarré las llaves del cuenco del pasillo, ya estaba a un pie de allí.

La puerta se cerró detrás de mí como una tumba. El aire pareció cambiar repentinamente, se hizo más fácil respirar. Parpadeé varias veces, haciendo un esfuerzo apresurado para empujarlo todo hacia abajo.

"Estoy bien", dije en un susurro. "Estoy bien".

Lo vi por todas partes.

En la carretera.

En el hogar.

En extraños en el aeropuerto.

En los reflejos de los escaparates y en el interior de las tiendas, a la vuelta de la esquina de un edificio o en la acera.

Todos tenían algo de él.

Todos siempre tenían un detalle que me enganchaba el corazón, lo detenía y lo hacía hundir.

era insoportable

Apreté el puente de mi nariz, cerrando los ojos. Traté de recomponerme, de no dejar que mis sienes latieran o que mi garganta se cerrara como una trampa. Tragué profundamente y después de mirar hacia el jardín, caminé hacia la puerta.

La casa de John estaba en un vecindario tranquilo y elevado, con vallas blancas y buzones de correo a lo largo del camino de entrada en suave pendiente.

Aparté la mirada hacia el océano: amanecía y los techos de las casas brillaban como corales con los primeros rayos del sol.

Casi no había nadie en la calle. Sólo pasé junto al cartero ya un hombre bien peinado que hacía jogging y me miró de soslayo.

En Canadá, a las seis de la mañana, las tiendas ya tenían las persianas abiertas y los rótulos encendidos.

Allí los amaneceres eran espléndidos. El río parecía una lámina de plomo fundido y la niebla en el fiordo era tan espesa que parecía un valle de algodón. fue tan hermoso...

Para mi sorpresa, divisé a lo lejos una tienda con las persianas ya abiertas. Sin embargo, a medida que me acercaba, mi asombro solo aumentaba.

Era una tienda de artesanía. La vitrina estaba repleta de herramientas de dibujo y pintura: lápices, gomas de borrar, borrones, una magnífica hilera de pinceles con virolas relucientes; Observé aquella maravilla y moví los ojos adentro, curioso por volver a ver. La tienda era pequeña y abarrotada, pero fue agradable recibirme tan pronto como entré.

Un anciano me sonrió desde detrás de sus lentes.

"¡Buen día!"

Era tan pequeño que cuando se acercó a mí, fui yo quien lo miró desde arriba. "¿Puedo ayudarle?" preguntó amablemente.

Ese lugar estaba tan lleno de colores, bolígrafos y carboncillos que tenía muchas opciones.

No teníamos esas tiendas: en Dawson solo teníamos una pequeña papelería, y algunas de las cosas que tenía papá me las compró en una ciudad más grande.

"Me gustaría un lápiz", dije, encontrando mi voz. "Un sanguíneo".

"¡Ja!" se iluminó, mirándome con admiración. "¡Tenemos un tradicionalista!" Se inclinó para abrir un cajón y lo oí hurgar en las cajas. "Todos los verdaderos artistas tienen un sanguíneo, ¿lo sabías?"

No, no lo sabía, pero siempre había querido uno. Durante un tiempo incluso intenté hacer bocetos con lápiz rojo, pero no era lo mismo: la sanguina tenía una suavidad particular, capaz de difuminarse muy fácilmente y crear efectos maravillosos.

"Aquí tienes", anunció. Pagué y me dio el cambio, luego deslizó el lápiz en una bolsa de papel.

“¡Y pruébalo en arena gruesa!” me aconsejó, cuando ya estaba en la puerta. "Sanguine se ve mejor en papel rugoso".

Le hice un gesto de agradecimiento y me fui.

Miré la hora: no quería que John se despertara y no me encontrara en casa. Él asumiría lo peor y darle un ataque al corazón por la mañana ciertamente no era lo que yo quería. Así que volví sobre mis pasos y volví.

Cuando crucé el umbral, todo seguía en silencio. Dejé las llaves en el cuenco y me dirigí a la cocina, impulsada por una ligera languidez. Era refinado y de gusto contemporáneo, con tonos oscuros y geometrías lineales. Las estufas relucientes y la enorme nevera salpicada de imanes crearon un fuerte impacto estético, pero también una poderosa sensación de hospitalidad. Me acerqué y abrí la puerta cromada. En el compartimento lateral encontré tres botellas de leche: una con sabor a fresa, otra con vainilla y la última con tapa marrón, caramelo. Fruncí los labios ante las inusuales variaciones. Tomé el de vainilla, recurriendo al menos peor, finalmente identifiqué el aparador donde, con un poco de esfuerzo, encontré una cacerola; mientras lo llenaba con leche, un pensamiento cruzó por mi mente.

Tal vez debería haberle dicho a John que no le caía bien a Mason.

En mi vida había aprendido a no preocuparme por el juicio de las personas, pero esta vez fue diferente. Mason no era una persona ordinaria, era el hijo de John. Y seguía siendo el ahijado de mi padre, aunque nunca se habían conocido.

Además, iba a tener que vivir con eso, me gustara o no. Y la parte de mi alma que estaba más cerca de ellos me punzaba, ante la idea de que pudiera despreciarme.

"Le di a Mason tu dibujo", me había dicho John hace mucho tiempo, cuando aún era lo suficientemente pequeño como para subirme a sus piernas. "Le gustan mucho los osos; estaba feliz, ¿sabes?"

¿Qué había hecho mal?

"¡Oh, buenos días!"

El rostro de mi padrino apareció en la puerta; Leí en él un placer real y brillante al encontrarme allí, en su cocina, preparando la leche yo solo.

"Hola", lo saludé mientras se unía a mí en su pijama todavía puesto.

"¿Cuánto tiempo has estado despierto?"

"Por un momento."

Nunca había sido una niña de muchas palabras. Me expresaba más con los ojos que con la voz, pero hacía mucho tiempo que John había aprendido a conocerme y comprenderme. Me dejó un tarro de miel en la encimera, porque sabía que me gustaba, y cogió la cafetera.

"Salí esta mañana".

Se congeló. Volvió la cara hacia mí, la lata de café entre los dedos.

"Di un paseo afuera mientras salía el sol".

"¿Solo?"

El matiz en su tono me hizo fruncir el ceño. Lo miré a la cara y debió adivinar mis pensamientos, porque se humedeció los labios y desvió la mirada.

"Dijiste que me darías un par de llaves," le recordé, incapaz de entender si había algún problema con eso. "Ir y venir cuando yo quisiera".

"Claro", estuvo de acuerdo, con una vacilación que nunca antes había tenido. No entendía qué le pasaba. Nunca había sido su invitado, pero lo conocía lo suficientemente bien como para saber que no era un padre aprensivo y estirado. ¿Por qué ahora parecía querer retractarse de sus propias palabras?

Sacudió la cabeza.

"No, está bien. Lo hiciste bien" me dio una sonrisa insegura. "En serio, Ivy... es que llegaste ayer y... no estoy acostumbrada."

Lo observé atentamente. Mientras se dirigía a la nevera, me pregunté qué le estaba molestando. John siempre había sido una persona muy diplomática. Él siempre era el que negociaba por mí, cuando papá le explicaba por qué estábamos de mal humor en ese momento en particular y yo prefería sentarme a su lado. ¿Por qué se veía diferente ahora?

"Vuelvo enseguida", me informó, "voy a buscar el periódico".

Salió de la cocina mientras yo terminaba de hacer la leche. Usé una de las tazas que había dejado sobre la mesa, la que tenía la aleta de tiburón pintada en la cerámica, y después de agregarle dos cucharaditas de miel la llevé a mis labios para soplarla.

Cuando levanté la vista, mis ojos se clavaron en Mason.

Estaba parado en la entrada, su cabello desordenado casi tocaba la parte superior del poste de la puerta. Su grandeza me impresionó más que el día anterior. Sus pestañas proyectaban largas sombras sobre sus pómulos afilados y su labio superior se curvaba con molestia.

Me sentí desaparecer cuando se apartó de la puerta y caminó lentamente en mi dirección. Incluso yo, que siempre había tenido una estatura digna, apenas podía alcanzar su garganta.

Caminó hacia mí con un paso depredador casual, deteniéndose a una distancia que parecía diseñada para intimidarme. Luego, sin una palabra, cerró su mano alrededor de la taza que yo sostenía. Fue inútil tratar de retenerla: me la alejó con tal firmeza que me vi obligado a soltarla.

Luego balanceó su brazo y tiró mi leche en el fregadero.

"Esto es *mío* ".

Hizo especial hincapié en ese 'mia', y tuve la sensación de que no se refería sólo a lo que tenía en la mano, sino a muchas otras cosas.

Pero, ¿qué diablos le pasaba?

"¿Es posible que el repartidor no tenga cambio?" John gimió cuando Mason me pasó. Dejó el periódico sobre la mesa y se fijó en él.

"¡Oh hola!" comenzó, y pareció recobrar un atisbo de alegría. "¡Bueno, veo que estamos todos aquí!"

Si por *todo* se refería a mí, a él ya Mason, entonces para mí eran demasiados.

Y probablemente Mason también pensó lo mismo, dada la mirada hostil que me dio desde detrás de la puerta de la despensa sin que su padre lo viera.

Si hubiera pensado que mi problema era tener que adaptarme a un nuevo estilo de vida, no había tenido en cuenta un par de cosas.

El primero era ese chico guapo y gruñón que me acababa de incinerar con su mirada.

En segundo lugar, la forma en que cada centímetro de él parecía gritarme: "No perteneces aquí".

Después del desayuno, Mason se fue a la escuela y yo subí a mi habitación. Había cometido el error de dejar la ventana abierta y me di cuenta demasiado tarde de que el calor se había instalado.

John me encontró tumbado como una piel de oso sobre la alfombra, con el pelo todavía mojado por la ducha y sólo con una camiseta que me llegaba a los muslos.

"¿Qué estás haciendo?" iglesias

Estaba completamente vestido. Lo miré fijamente, echando la cabeza hacia atrás.

"Me muero de calor".

Me miró estupefacto. "Ivy, pero... hay aire acondicionado. ¿No viste el control remoto?

Nos miramos durante mucho tiempo.

¿Acondicionador?

Además del hecho de que ni siquiera sabía cómo era un acondicionador de aire, pero había sudado más en esas veinticuatro horas que en toda mi vida, ¿y él solo me estaba diciendo ahora?

"No, John," dije, tratando de contenerme. "En realidad no lo he visto".

"Está aquí, mira", dijo en voz baja, entrando con el maletín en la mano. "Te mostrare".

Tomó un control remoto blanco del escritorio y me mostró cómo ajustar la temperatura, luego me dejó probar. Lo dirigí a una especie de baúl encima del armario y sonó. Al instante siguiente, con un zumbido imperceptible, comenzó a soplar aire frío.

"¿Esta mejor ahora?"

Asentí lentamente.

"Perfecto. Ahora me estoy escapando, ya llego tarde. Tengo algunas cosas en las que puedo trabajar desde aquí, así que estaré de vuelta en la tarde, ¿de acuerdo? La nevera está llena, si quieres prepararte algo».

Dudó, y en sus ojos volví a ver esa aprensión con la que no podía dejar de mirarme.

“Recuerda comer. Y para cualquier cosa, llámame."

Después de que se fue, pasé el resto de mi tiempo dibujando.

Me gustaba perderme entre las sábanas, creando escenarios únicos. No fue sólo un regalo para mí. Era una necesidad, una forma íntima y silenciosa de cerrar el mundo y sofocar su caos. Me permitió *sentir* . En Canadá me armé con mi libreta y un lápiz y dibujé todo lo que estaba a la vista: hojas, montañas, bosques escarlatas y tormentas eléctricas. Una casa recortada en la nieve y dos ojos claros, idénticos a los míos...

Tragué. Las pestañas revolotearon y la respiración se ahogó, como a través de un cristal. Apreté la sanguínea entre mis dedos, sintiendo la oscuridad dentro de mí vibrar por un peligroso instante. Me olfateó, trató de acariciarme, pero yo me quedé inmóvil como muerta y no me dejé llevar. Al instante siguiente, impulsado por una fuerza invisible, aparté un par de páginas y les di la vuelta.

Me encontré con su mirada impresa en el papel. Me quedé mirándolo en silencio, incapaz incluso de tocarlo.

Así fue como siempre me sentí.

Incapaz de sonreír, de cuidar, a veces de respirar. Incapaz de ver más allá de extrañarlo, ya que terminé buscándolo por todas partes, pero solo en mis sueños realmente lo volví a ver.

Me decía: "Llévatelo conmigo, Ivy", y el dolor que sentía era tan real que deseaba estar realmente allí, con él, en un mundo en el que aún pudiéramos estar juntos.

Y entonces pude agarrarlo. Solo por un momento, antes de que la oscuridad lo envolviera y me despertara respirando con pánico, estiré mi mano y sentí ese calor que nunca volvería a tocar.

John regresó a casa temprano en la tarde.

Cuando vino a saludar, su corbata estaba aflojada y algunos botones de su camisa estaban abiertos.

"Ivy, he vuelto... ¡ *Dios mío!* abrió mucho los ojos. "¡Hace mucho frío aquí!"

Levanté la vista de mi cuaderno y lo miré. Por fin mi clima ideal.

"HOLA".

John se estremeció y miró desconcertado mientras el aire acondicionado sonaba.

"¡Es como estar entre pingüinos! ¿Pero a cuántos grados lo pusiste?»

"Diez", respondí con franqueza.

Me miró estupefacto. Sin embargo, no vi ningún problema en absoluto. Fue tan agradable que tuve que ponerme una camisa de manga larga, solo porque se me estaba poniendo la piel de gallina en los brazos.

"¿Y cuentas con no tener tanto frío?"

"Cuento que no estoy caliente".

"¡Dios mío! ¿No vas a dejarlo puesto toda la noche?"

Tenía *la absoluta* intención de dejarlo puesto toda la noche, pero decidí que no había necesidad de hacérselo saber. Así que no respondí y volví a mis dibujos.

"¿Has comido, al menos?" preguntó desanimado, cuando vio que yo no tenía intención de responder.

"Sí".

"Bien". Luego, después de una última mirada de desánimo al aire acondicionado, fue a cambiarse.

Mason no apareció en todo el día. Llamó a John para decirle que estaría cenando en casa de unos amigos, con los que aún no había terminado de estudiar. Los escuché discutiendo por teléfono durante mucho tiempo y, por primera vez, me pregunté algo en lo que no había pensado en absoluto hasta entonces.

¿Dónde estaba la madre de Mason?

¿Y por qué John nunca la había mencionado?

Sabía que era padre soltero, pero había una ausencia en esa casa grande que no había podido ignorar. Parecía algo borrado con un borrador, un extracto que había dejado una marca ahora distorsionada y descolorida.

"Somos tú y yo otra vez esta noche", finalmente me informó, apareciendo en la puerta. Estudié su rostro y sonrió, pero vi una pizca de arrepentimiento entre sus labios que no pudo ocultar.

Me pregunté si estaba acostumbrado a que Mason lo defraudara.

Me pregunté si ella a menudo lo esperaba en casa por las noches, con la esperanza de estar juntos por un tiempo.

Me pregunté si se quedó solo.

Esperaba con todo mi corazón que la respuesta fuera no.

"Entonces, ¿tienes todo?" John me preguntó a la mañana siguiente.

Asentí sin mirarlo, atando mi sombrero a la bandolera de mi mochila.

Al menos habría tratado de compartir su entusiasmo, si tan solo pudiera expresar algo.

"Mason te mostrará dónde están las clases", continuó con esperanza, y yo dudaba mucho que ese fuera el caso. «El viaje es un poco largo pero no te preocupes, iréis juntos en coche...»

Inmediatamente levanté la cara.

¿Juntos?

"Gracias", respondí, "pero prefiero caminar".

Él frunció el ceño. Es una caminata larga, Ivy. No te preocupes, Mason conduce a la escuela todas las mañanas. Es mejor, créeme. Y además... prefiero que estés con él —añadió, en un tácito pedido de comprensión. "No quiero que vayas solo".

Fruncí el ceño. "¿Por qué? Mira, no me estoy perdiendo", señalé sin arrogancia. Sabía lo bueno que era para orientarme, incluso en lugares de los que sabía poco, pero John parecía no escucharme.

"Aquí está Mason", agregó, cerrando esas preguntas de mis labios. Un sonido de pasos detrás me advirtió de la presencia de su hijo. "No será nada terrible, ya verás. Estoy seguro de que harás amigos".

Olía a mentira, pero el saludo que me dio estaba lleno de confianza. Le di una última mirada antes de irme, caminando hacia el coche que me esperaba en la entrada.

Subí al auto de Mason con la cara hacia abajo, mirándolo lo menos posible; No me emocionaba en absoluto hacer el viaje con él, pero me abroché el cinturón y puse mi mochila cerca de mis pies, con la intención de ignorarlo.

La grava crujió debajo de nosotros cuando llegamos a la puerta, y antes de salir a la calle vi a John en el espejo retrovisor saludándonos desde el porche.

Miré por la ventana. Vi grupos de muchachos en bicicleta, el quiosco de un restaurante repleto de gente dispuesta a desayunar. Algunos caminaban con un paraguas bajo el brazo y por momentos hasta captaba el mar, de fondo, detrás del perfil de los edificios. Todo el mundo en Santa Bárbara parecía extremadamente relajado: tal vez era el calor y la luz del sol lo que hacía que la gente fuera amable, algo que me resultaba extraño.

Cuando el coche se detuvo, me pareció que acabábamos de salir. Luego vi el taller de pintura al otro lado de la calle y me di cuenta de que no era solo una impresión.

Realmente nos acabábamos de ir.

"Bajar".

Parpadeé y me volví hacia Mason. Sus ojos estaban fijos en el camino.

"¿Qué?" Pregunté, seguro que no entendí.

"Te dije que te fueras", repitió, lapidario, plantando sus ojos en mí.

Me encontré mirándolo desconcertado, pero la mirada que me dio fue tan fulminante que entendí que si no hubiera bajado me habría defraudado, y no quería saber cómo.

Me desabroché el cinturón de seguridad y salí del auto, cerrando la puerta a tiempo. Con un suave retumbar, el auto cambió de marcha y arrancó.

Me quedé allí, en medio de la acera, observándola desaparecer bajo la luz del sol.

Cuando, después de media hora, atravesé las puertas de la escuela, mi sombrero estaba al revés y ríos de sudor me corrían por la espalda.

Ni siquiera sabía cómo había llegado allí: tuve que parar y pedir direcciones, hasta que en la distancia vi un par de banderas y lo que parecía un edificio escolar.

Un chico me golpeó el hombro antes de detenerse a mirarme, pero no me di la vuelta: estaba tan molesto que ni siquiera me di cuenta.

Esperaba que al menos una gaviota hubiera defecado en la carrocería de Mason mientras caminaba por el amplio pasillo. Pronto logré a duras penas abrirme paso entre la gente, sumergido entre mochilas y un bullicio de voces ensordecedor por decir lo mínimo.

No había clubes deportivos, cursos o equipos en Dawson. Apenas teníamos un comedor escolar, y la cocinera era una mujer tan brusca como para sugerir una relación con algún oso pardo local. Nunca llegaba gente nueva.

Aquí, sin embargo, era el caos.

Pero, ¿cómo diablos todos esos estudiantes nos enseñaron?

Alguien se detuvo a observarme. Atraí muchas miradas, varias miradas cayeron sobre mi ropa y mi gorra al revés, como si fuera extraño lo que estaba usando, o cómo lo estaba usando.

Evité mirarlos a los ojos y me dirigí directamente al buzón de voz, donde obtuve el número de mi casillero. Lo encontré con dificultad en ese bullicio de gente y cuando abrí la puerta y escondí mi rostro dentro, lamentándome una vez más de no estar más en el bosque.

Suspiré y me quité el sombrero; en ese momento una sombra cayó sobre mí y un ligero movimiento de aire rozó mis hombros.

"Asegúrate de mantenerte fuera de mi camino".

Me giré a tiempo para ver a Mason pasar con una mirada de advertencia.

La sangre hervía en mis manos.

Por supuesto, porque después de que me tiró en medio de la calle, todavía existía el peligro de que lo rodeara, ¿ *verdad* ?

"Vete al infierno," siseé enojado. Cerré la puerta del gabinete y él se detuvo.

No vi su expresión, porque ya había tomado la dirección opuesta.

Nunca imaginé que mi primera frase para el hijo de John sería una invitación a ir al infierno.

En clase me sentaba al fondo, cerca de la ventana.

El profesor me presentó y me pidió que me pusiera de pie, leyendo unas notas escritas en el registro.

"Dawson City está muy lejos, ¿eh?" bromeó, después de anunciar que yo era de Canadá. "Bienvenida entre nosotros, señorita Nolton..." vaciló, y sentí un hormigueo en la piel de la nuca. -Nolton, yo...

"Ivy", interrumpí con voz firme. "Solo hiedra".

Se ajustó las gafas y sonrió.

"Está bien, Ivy", cruzó las manos y me indicó que me sentara. "Estamos felices de tenerte entre nosotros. Si necesita información sobre los cursos, no dude en venir a mí. Estaré encantado de ayudarte".

Cuando comenzó la lección, los demás gradualmente dejaron de observarme. Solo el chico que estaba a mi lado parecía tener dificultades para apartar los ojos del alfiler de la pata de oso sujeto a mi mochila.

No vi a Mason en toda la mañana.

Cuando, al final del día, lo vi al final del pasillo, rodeado de un enjambre de personas, me di cuenta de que no tenía ningún rumbo en común con él. Esto solo podría complacerme.

"Oye", estalló una voz. "¡Bonito broche!"

Abrí la puerta del gabinete y vi una cara familiar.

"Eres Ivy, ¿verdad?" El chico me dio una sonrisa. Soy Travis. Nos conocimos en la casa de Mason.

¿Cómo puedo olvidar la tontería que había hecho...

Le asentí con la cabeza y, sin saber qué más hacer, volví a darme la vuelta. Debe haber notado que yo no era del tipo hablador, porque lo intentó de nuevo.

"Por supuesto que es difícil no notarte", le restó importancia, asintiendo con la cabeza ante mi apariencia de estar lejos de California. "Cuando te vi por detrás no tuve ninguna duda de que eras tú".

"Sí", anuncié. "Un poco molesto".

"Mason es un idiota", continuó, y sorprendentemente coincidimos en eso, "nunca me dijo que vendrías a vivir con ellos. Ni siquiera sabía que tenía un primo..."

"Lo siento", lo interrumpí, "¿ *qué* ?"

"¡Lo sé, es absurdo! Y somos grandes amigos, lo que te dice todo. Pero bueno, está bien: podemos conocernos ahora " .

"Espera un segundo", le dije entre dientes. "¿Soy primo de quién?"

Me miró estupefacto y luego miró a Mason al final del pasillo.

"Bueno, digamos... *¡oh!* Pareció llegar al fondo del asunto de una sola vez. «Agarré... Pero mira, no tienes por qué avergonzarte. Mason es bastante popular y..."

Cerré la puerta con fuerza.

Travis se quedó en silencio y ni siquiera perdí el tiempo en disculparme, porque ya marchaba hacia el chico que, con una precisión inmensa, había comenzado a deslizarse en los lugares más desagradables de mi ser.

3
El compromiso

"Creo que te gustaría mucho Mason, ¿sabes?" John me había dicho una vez.

Sus labios se curvaron en una sonrisa cuando vio mis manos sucias y el barro en mis rodillas. "A él también le encanta revolcarse en la tierra. Es un desastre menor, como tú. Creo que os llevaríais muy bien.

'Como el diablo y el agua bendita' pensé, mientras cargaba contra Mason. Aunque lo estaba señalando como un halcón peregrino, no se dignó notar mi presencia hasta que estuve a su lado.

"Me gustaría saber", gruñí, "por qué le dijiste a la gente que soy tu prima".

Exigí su atención con todas las fuerzas de las que era capaz, pero la puerta se cerró con extrema calma.

Su cara apareció desde arriba, el labio superior obedientemente fruncido en una mueca insolente.

"No hice nada en absoluto". Su voz me golpeó en el estómago con un golpe impactante. Mason tenía un timbre sumamente marcado, un tono cálido, suave y profundo como el de un adulto. Me dio escalofríos, y por alguna razón me cabreó.

Estuvo a punto de abrir la puerta de nuevo y volver a ignorarme, pero alargué la mano y la sostuve quieta.

"Sí, sí", le dije, mirándolo directamente a la cara. Lo miré desafiante y él apretó la mandíbula.

"¿Crees que quiero estar asociado contigo?" casi me siseó. Se inclinó un poco hacia delante y sus duros ojos se clavaron en los míos, teñidos de advertencias hostiles. Al instante siguiente, Mason empujó con fuerza y cerró el casillero de una vez por todas.

Me dejó allí, en el pasillo que se estaba vaciando, y ese fue el momento en que comencé a cansarme de que se fuera con la última palabra.

Cuando llegué a casa más tarde, encontré su auto ya estacionado al final del camino de entrada.

Tan pronto como entré, John se volvió hacia mí, sorprendido.

"¿Por qué no volvieron a estar juntos?"

"Oh, Ivy insistió", Mason me precedió por detrás de él, diciendo mi nombre por primera vez. "Después de todo, estaba ansioso por señalar que prefería caminar".

Le di una mirada caliente, queriendo cerrar su gran boca. Quería patearlo, increíblemente, pero en ese momento hubo algo que me presionó mucho más.

Me volví hacia John, mirándolo severamente.

"¿Por qué dijiste que soy tu sobrina?"

El silencio cayó en el pasillo.

John me miró con asombro en sus ojos; Al instante siguiente, una expresión complaciente me dijo que él fue quien le dijo a Travis cuando llegué.

Con un toque de sorpresa, vi a Mason darnos la espalda y alejarse. Estaba seguro de que me escucharía, pero me equivoqué.

"Te lo habría dicho", me confesó John.

No lo dudé, pero lo que se me escapó fue el por qué. Sabía lo mucho que me importaba mi identidad, lo orgulloso que estaba de quién era y de dónde venía, y sin embargo había mentido.

"Sé que es posible que no compartas", comenzó con cuidado, "de hecho, lo más probable es que no compartas, pero pensé que era más seguro de esa manera".

"¿Más seguro para qué?"

"Más seguro para ti".

Me miró a los ojos y tuve el presentimiento de algo que ya sabía pero que no quería entender.

"La gente habría hecho menos preguntas pensando que eras mi sobrina. No habría parecido extraño, no se habrían preguntado qué estás haciendo aquí, ni habría habido rumores sobre ti. Se llevó una mano a la nuca . "Lamento no haberte contado sobre eso. Debería haberlo hecho inmediatamente, tan pronto como llegaste.

"No deberías haber dicho eso," lo contradije. "No me importa lo que pregunte la gente, lo sabes perfectamente".

"Sí. Ivy, esto no es Canadá." Su voz se volvió más segura, como si abordar el tema le hubiera dado resolución. "No estás en tu casa de troncos aquí. El centro de población más cercano no está a millas de distancia. Las noticias de tu padre ya se habrá extendido por todo el continente, y poco después llegas aquí, directamente desde Canadá, justo cerca de Dawson. Y, dicho sea de paso, tu apellido es Nolton.

"John."

"Tu padre me pidió que te protegiera", se calentó, ignorando mi firme llamada. "Era mi mejor amigo y me pidió que no te dejara sola. Y se lo prometí, Ivy. Si puedo mantenerte a salvo así, entonces..."

« *John* », declamé en voz alta, con los dedos cerrados en puños. " *No lo tengo* ".

Esas palabras resonaron en el silencio.

Mis muñecas temblaban dramáticamente. Quería ocultar mejor mi reacción, pero no pude en ese momento. Por un instante, reviví el recuerdo de las paredes del hospital y los hombres de traje a quienes les había dicho lo mismo. El *pitido* en el aire acababa de dejar de sonar. Los había mirado sin siquiera verlos, el grito de mi dolor como un filtro entre el mundo y yo.

"Han venido a buscarte", supuso John, con un tono afligido y desolado en su voz. Aparté la vista y añadió: "Han venido por ti".

"Eran agentes del gobierno", escupí con resentimiento, desatando el bulto acre que estaba empujando en mi pecho. "Querían saber dónde estaba. 'No mientas' me dijeron, 'No puede haber desaparecido en el aire'. Tal vez pensaron que papá me lo dejó a mí. Pero no es así", aclaré. "Papá no me dejó nada más que mi nombre. Pensé que lo sabías".

Juan bajó los ojos. Vi una sensación más suave en su rostro y supe que estaba pensando en papá.

"Nunca tuve el corazón de preguntarle a tu padre dónde lo puso", confesó en un susurro. "Hasta el final, esperé a que me dijera algo. Que me dio una pista, alguna sugerencia, pero nunca lo hizo. Sólo dijo 'Proteger a Ivy'» John tragó saliva y tuve que apartar la mirada de él. "'Llévatelo contigo, continúa donde yo ya no puedo más'. Pero el gobierno no es el único interesado en lo que creó tu padre, ahora que estás aquí, ahora que todos saben dónde se jubiló, que vivía con una hija... otras personas podrían venir a buscarte».

Volví a mirarlo a la cara, pero su expresión había cambiado.

"Gente que podría creer que te lo dejó a ti".

"No entiendo lo que quieres decir", le dije.

"Sí, lo entiendes", me miró con frialdad, serio. "Ivy, ya no estás entre tierras y valles de hielo. El mundo no es una bola de cristal, hay hombres que harían papeles falsos para ponerte las manos encima, si estuvieran convencidos de que puedes tener respuestas».

"Ahora estás exagerando", le dije, tratando de restaurar el tono de la conversación. "Papá no era tan famoso".

"¿No era famoso?" John repitió estupefacto.

"¡En aquellos días las noticias habían sido censuradas! Su nombre nunca ha sido de dominio público, lo sabes".

Traté de hacerle entender que estaba cayendo en el ridículo, pero John sacudió la cabeza con gravedad, firme en su posición.

"No tienes idea... no tienes idea del valor que tiene."

Estábamos en dos caminos diferentes. Para mí ese asunto era algo lejano e inalcanzable, porque se trataba del trabajo de papá antes de que yo viniera al mundo. No me di cuenta de que John, por otro lado, tenía mucho miedo de que alguien pudiera venir a buscarme.

"¿Y crees que correr la voz de que soy tu sobrina es suficiente para mantener alejados a los malos?" Me entregué a esa tontería por un momento. "Si alguien quisiera investigarme, bastaría que leyera mi apellido para entender que soy yo".

"No lo dudo". John me miró impotente. "No puedo mantenerte en una jaula de cristal, no puedo quitarte tu identidad. Nunca llegaría tan lejos, porque sé que te rebelarías. Se acercó a mí lentamente y me quedé quieto, dejándolo unirse a mí. "Te conozco, Ivy, y sé lo que es importante para ti. un poco más tranquilo de esta manera, no veo por qué no debería hacerlo. Al menos ahora, cuando la gente del vecindario te vea yendo a la escuela, pensarán: 'Ella es solo la sobrina de John'. Nadie se quedará allí preguntándose qué hace un extraño en mi casa durante la noche. Te sorprendería lo rápido que viaja una voz por aquí. Aunque parezca poco, cuanto menos hablamos de ti, más seguro me siento".

Por eso esa expresión cuando le dije que salí sola.

Por eso quería que fuera a la escuela con Mason.

John creía que el pequeño párrafo de la muerte en los periódicos podría atraer el interés de aquellos que realmente sabían el nombre de mi padre.

Y sin embargo ... había crecido con un hombre que me llevaba a cazar, que cortaba leña por la espalda y tenía las palmas de las manos ásperas por el frío. Del ingeniero informático que había sido antes, no sabía qué historias.

"Es solo una pequeña precaución", intentó, "tan pequeña que apenas la notarás. Prometido. No creo que te esté pidiendo mucho".

Lo observé pensativo; su mirada volvió a ser clara y familiar, ya pesar de todo pensé que no me costaría nada decir que sí, por una vez. Él había hecho mucho por mí. Después de todo, eso era todo lo que me pedía a cambio. Además, no podía decir que no estaba de acuerdo con su idea de pasar desapercibido: si no podía pasar desapercibido, mejor para mí.

Así que bajé la mirada y acepté.

Él sonrió, aliviado. Y me di cuenta de que con solo asentir con la cabeza acababa de adquirir un tío y un primo muy, muy molestos.

Durante el resto de la tarde, John estuvo de un humor espléndido.

Se ofreció a llevarme a comprar libros para la escuela, me preparó un sándwich de aguacate para la merienda, dejó un gel de baño de pino silvestre en mi escritorio con un lindo castor sonriente en el paquete. Cuando se lo mostré con escepticismo, levantó el pulgar y me guiñó un ojo con satisfacción.

Mason, por otro lado, no apareció en todo el tiempo.

Permaneció encerrado en su habitación hasta la cena.

"¿Te gustaría hacer algo después?" preguntó John en la mesa, llevándose la copa a la boca. "Podríamos ver una película y... ¡ *oh!* Se volvió hacia mí. "Voy a volver a pintar una habitación en el sótano. Ahora que estás aquí también, ¿podrías echarnos una mano, qué te parece?» Él me sonrió. "¡Ciertamente tienes más experiencia que yo con el cepillo!"

"Salgo".

La voz firme de Mason eliminó todo entusiasmo del rostro de su padre.

"¿Ah, de verdad?" preguntó, en un tono que parecía esperar mucho un *no* .

"Sí", respondió, sin levantar la vista de su plato. "No voy a volver tarde".

Tomé un sorbo de agua mientras John preguntaba con quién se reuniría. Pensé que su entrometimiento lo molestaría, pero Mason le respondió con sencillez, levantando la cara hacia la luz.

"Con Spencer y otros niños en su año", dijo solo.

"¡Oh, viejo Spencer!" Juan sonrió, feliz. "¿Cómo le va en la universidad? ¡Dile que salude a su madre! Creo que la vi en la gasolinera hace un par de semanas, pero no estoy seguro de que fuera ella. ¿Sigue siendo esa rubia?

Miré a Mason cuando respondió. Me sorprendió verlo tan comunicativo. Cuando miró a su padre, sus ojos oscuros sobresalieron de las sombras de sus mechones castaños y brillaron como monedas.

Me di cuenta de que era la primera vez que cenamos juntos.

"... Pero aparentemente está bien", decía, "Le preguntaré esta noche".

Podrías llevarte a Ivy contigo. Tal vez hacer un recorrido y presentarle a Spencer y sus amigos.

"No".

John se volvió hacia mí y me apresuré a corregir el tiro.

«Gracias, pero... estoy cansada y prefiero irme a dormir».

Lamenté aplastar así su enésima propuesta, pero la mera idea de pasar una velada en compañía de su hijo y otros extraños de la misma calaña me revolvía el estómago.

Mason le informó de una reunión que tenía a finales de mes y la conversación se desvió hacia eso; Cuando terminó la cena, me levanté y me ofrecí a sacar la basura. Cuando entré por la puerta y arrastré la bolsa por el camino de entrada, recordé la mirada arrepentida de John y suspiré.

Con el corazón todo arrugado, levanté la cara y me perdí en ese azul delicado. Nuevamente, no pude evitar pensar en mi hogar.

Allí, al anochecer, el bosque era un laberinto de luces y lágrimas de hielo; la nieve brillaba como un manto de diamantes, pero hubo un momento preciso, antes del anochecer, cuando el cielo se volvió de un azul increíble. Era como caminar en otro planeta: los lagos lo reflejaban como espejos perfectos y la tierra se llenaba de estrellas.

Era un espectáculo que no se podía imaginar...

«... ¿No puedes oírnos?»

Me hicieron a un lado. No fue un gesto agresivo, pero no me lo esperaba: perdí el agarre de la bolsa, que se me escapó por error y cayó al suelo.

No hacía falta levantar la vista para saber quién era. Ni siquiera necesitábamos escucharlo hablar. Su presencia ya era bastante vergüenza.

"¿Podemos saber cuál es tu problema?" Gruñí, levantando mi rostro hacia el miserable a mi lado. Quería derramar el saco y todo lo que contenía sobre él.

Sus pupilas se clavaron en mi cara.

" *Tú* eres mi problema".

Vamos, que originalidad.

"Si crees que he elegido venir aquí, te has volado los sesos", le respondí con enojo. "Si pudiera volver, ten por seguro que lo haría".

"Oh, pero vas a volver", dijo sin moverse. "Yo no me molestaría en desempacar si fuera tú".

Su insolencia me irritaba los nervios, haciendo que mis puños se apretaran. Tal vez pensó que me estaba intimidando, pero yo estaba acostumbrado a tratar con bestias mucho más peligrosas que él.

"¿Crees que quiero quedarme aquí *contigo?* Bueno, buenas noticias: hasta hace unos días ni me acordaba de que existías».

Aquellas palabras surtieron efecto: una ligera contracción de los párpados, como un áspero temblor, endureció imperceptiblemente los rasgos de su rostro. Algo pareció espesarse en sus iris, el brillo de una confirmación de que su mirada me cosió.

"No, *por supuesto* . ¿Por qué deberías?" siseó con una pizca de resentimiento que me golpeó.

Le fruncí el ceño, incapaz de entenderlo. En ese momento un coche se detuvo junto a la acera.

La ventanilla bajó y apareció el rostro de una niña sonriente.

"Hola", dijo, mirando a Mason. Tenía un pañuelo llamativo en la cabeza y labios brillantes como caramelos.

"¡Oh Grulla!" fue el grito del conductor. "¡No te quedes esperando por una vez!"

Mason se volvió hacia ellos, con los ojos entrecerrados surcando el aire de la tarde. La hostilidad en su rostro adquirió un contraste irreverente: los miró por encima del hombro y levantó una comisura de sus labios carnosos.

"¿Estás listo? Vamos, sube", le ordenó el que estaba casi seguro de que se llamaba Spencer, antes de notarme. Dudó, luego guiñó un ojo en mi dirección. "¿Quién eres?"

"Nadie", respondió Mason. Es sólo la señora de la basura. ¿Vamos?"

Saltó al auto, entre saludos y palmaditas varias. La chica subió la ventanilla y, en el reflejo del cristal, vi mi cara de asombro, antes de que Spencer pusiera la marcha y el coche se alejara a toda velocidad.

Me quedé allí en la acera, el saco negro envuelto alrededor de mi pierna.

No, detente un momento... ¿Realmente me hizo pasar por ecologista?

4

Convivencia imposible

Sólo había una cosa más insoportable que el calor de California: Mason.

En el transcurso de los días siguientes, repetidamente contemplé hacerle a John una prueba de paternidad cuando me encontré tratando con su hijo. A pesar del parecido físico, realmente no podía creer que compartieran ningún gen.

Al menos nunca me arriesgué a terminar en el auto con él otra vez. Después de ese día siempre salía temprano de la casa: le decía a John que por la mañana, por lo menos por la mañana, quería caminar. No creí la historia del peligro, pero si íbamos a encontrar un compromiso era necesario que respetara al menos algunas de mis libertades.

Mason, sin embargo, comenzó a ignorarme.

En casa rara vez lo veía y en la escuela siempre estaba a un pasillo de distancia, rodeado de un alboroto ruidoso que lo hacía parecer a años luz de mí.

Lo cual, como puedes imaginar fácilmente, no me importó en absoluto.

"Señorita Nolton".

Parpadeé. Las lecciones de ese día habían terminado, así que me sorprendió encontrarme frente al secretario de la presidencia. Miró mi sombrero de alce y luego se aclaró la garganta.

"Me gustaría informarle que aún no ha presentado un programa de estudios completo. Las horas semanales deben corresponder a un número obligatorio, por eso te invito a que las integres lo antes posible» me dirigió una mirada autoritaria, entregándome una lista. "Les recuerdo que tenemos una lista de actividades recreativas. Dado que ya ha optado por un programa educativo integral, puede elegir uno.'

"¿Tienes una clase de arte?" Pregunté con una pizca de interés, mirando el papel que me había dado.

Se ajustó las gafas a la nariz.

“Cierto. El curso se lleva a cabo a última hora de la mañana. Si estás interesado, también puedes unirte al club de arte que se reúne por la tarde, pero para esto tendrás que hablar directamente con el Sr. Bringly, el profesor del curso» .

No iba a unirme a ningún club, pero pensé que tal vez como clase no sería una mala elección. Al menos no debería haber optado por algo que no me interesaba, como clases de economía doméstica o clases de cantonés.

"¿Dónde está el aula?" Le pedí doblando el papel para meterlo en mi bolsillo.

"Edificio B, primer piso", dijo con naturalidad. Tienes que salir de aquí y cruzar el patio. Se encuentra en el edificio contiguo a este. Luego lo lleva al lado derecho. No el primero, el segundo. Ten cuidado... en el primer piso, en la parte inferior de la..." Ella negó con la cabeza ligeramente y se enderezó con molestia. Buscó entre la multitud al miserable justo y ladró: "¡Grúa!"

¡No!

"¡Sí, tú! ¡Ven aquí!" ordenó perentoriamente.

"Lo haré yo mismo", dije rápidamente. "De verdad, ya entendí todo".

No digas tonterías. Necesita que alguien le muestre dónde está.

"¿Pero por qué él?" susurré, más ásperamente de lo que quería.

Ella me frunció el ceño. “¿No es el Sr. Crane un pariente suyo? Estoy seguro de que no tendrá problemas para mostrarle dónde está la sala del tribunal.

'Estoy seguro', pensé mientras Mason se acercaba como si prefiriera pegarse un tiro en la rodilla.

Maldice a Juan.

Ella le preguntó si podía acompañarme; No me di la vuelta, pero lo escuché estar de acuerdo a regañadientes.

"Muy bien", dijo la secretaria, volviéndose hacia mí, "si decides asistir al curso, dímelo de inmediato".

Empecé a marchar por el pasillo sin siquiera esperarlo. Ya era demasiado humillante tenerlo cerca, y mucho menos seguirlo como un estudiante de primer año.

Escuché sus pasos detrás de mí en el corredor ahora vacío. Mientras pasaba junto a la puerta exterior, vislumbré su silueta en el reflejo del cristal.

"¿No te dije que te mantuvieras fuera de mi camino?" murmuró.

"Tú también puedes irte", le respondí picada. "No necesito tu ayuda".

"Me parece que sí. Vas por el camino equivocado".

Me detuve en seco, mirando alrededor. El salón de clases estaba en el edificio de al lado, pero al otro lado del patio pude ver dos complejos. Rechacé la idea de no saber a dónde ir y obstinadamente me dirigí al primero.

"Él no está allí", escuché decir a Mason, y en privado me pregunté si había alguna esperanza de verlo terminar bajo la cortadora de césped del conserje.

Cuando llegué a la entrada, ahora decidido a seguir mi propio camino, una mano vino detrás de mí y presionó la puerta, cerrándola de nuevo. Los dedos bronceados se extendieron por la superficie y los nudillos desataron un poder indiscutible.

"Te lo dije", vino el siseo detrás de mí, "él no es de aquí".

Miré nuestro reflejo. Todo lo que vi de Mason fue su pecho, su mandíbula se contrajo a una pulgada de mi cabeza. Antes de que me diera cuenta de que era su aliento el que estaba rozando mi cabello, ya me había vuelto para mirarlo.

"¿Quieres irte?"

"No voy a seguirte en la escuela".

"Nadie te preguntó," escupí amargamente.

Su actitud me puso de los nervios. ¿No fue él quien me dijo que me alejara de él?

"Y en lugar de eso, realmente me preguntaron", articuló, en el tono de alguien que estaba luchando por mantener el control. Clavó sus agudos ojos en los míos y parecía querer aplastarme.

"Bueno, no por mí."

Empecé a tirar de nuevo, pero no me dejaba. Mason no necesitaba imponerse para ejercer su voluntad, tenía mucha más fuerza que yo. Era gigantesco, todo en él irradiaba un vigor orgulloso y decidido, incluso su postura, que dictaba una certeza casi irritante. No le tenía miedo, pero al mismo tiempo su proximidad creaba una tensión inusual en mi cuerpo.

me habías pedido que no estaría aquí en este momento".

Sostuve obstinadamente su mirada y me mordí la lengua. Luchamos con nuestros ojos, luchando entre nosotros en una lucha que vibró hasta que casi crujió en el aire. Por primera vez, me arrepentí de las bondades que le había dado al niño en las fotos de John cuando era niño.

"Ahora deja de discutir y sigue adelante", ordenó definitivamente, en un tono que no admitía réplicas. Empecé a replicar, pero él me dio una mirada de advertencia.

Me encontré siguiéndolo tan a regañadientes que, cuando entró al otro edificio, ya había descubierto formas alternativas de terminar esta conversación. Pero yo tenía un rifle en la mano y él estaba corriendo en un campo de tierra.

Mason se detuvo al pie de un tramo de escaleras y asintió hacia mí arriba.

"Es la segunda puerta a la derecha".

Empecé a pasar junto a él sin siquiera mirarlo a la cara, pero su mano me detuvo.

"Mira que no te pierdas".

Sacudí mi hombro, dándole una mirada que expresaba toda mi aversión. Ni siquiera le di las gracias: comencé a subir las escaleras para alejarme de él, y solo entonces se fue.

El eco de sus pasos se mezcló con mi ira. Intenté quitarme de la cabeza el insoportable sonido de su voz, pero fue imposible.

Fue intenso. Intruso. Se deslizó en la mente y tocó los rincones más escondidos.

¿Cómo diablos podía pensar en vivir con alguien así?

Apreté mi agarre en la correa de la mochila, tratando de sacarlo de mis pensamientos. En cambio, me concentré en lo que tenía que hacer y subí las escaleras.

La segunda puerta estaba abierta.

El aula era grande, con las persianas bajadas a media asta y los caballetes dispuestos en ordenadas filas. El piso brillante y el leve olor a limón me dijeron que probablemente todavía estaba recién limpiado.

Entré con cautela.

Mis pasos resonaron suavemente. Miré a mi alrededor, estudiando mi entorno, cuando de repente una voz resonó en el aire.

"Oye, ¿te importaría ayudarme?"

Me volví. Un par de manos sobresalían de detrás de un gran cartel, sosteniéndolo con dificultad. ¿El conserje?

«Quería arreglar un poco, pero ya no puedo colgarlo en la pared. La vejez me juega una mala pasada..."

Ciertamente era irónico, porque por su voz y sus dedos sin arrugas parecía extremadamente joven.

Sin embargo, no respondí e hice lo que me pidió.

Agarré los bordes y con cierta dificultad logramos unirlo a los dos grandes ganchos clavados en la pared.

-Gracias- dijo satisfecho. "Sabes, es importante motivar a los estudiantes. A veces todo lo que necesitas para crear una obra maestra es la inspiración adecuada».

Me llamó la atención la valla publicitaria: representaba un evento de feria, con lienzos a la vista frente a pequeños grupos de personas.

Lo sentí volverse hacia mí y estudiarme con interés.

"¿Qué estás haciendo aquí?"

Aparté la vista, esquivé. De repente, por alguna razón absurda, me sentí totalmente fuera de lugar.

¿Qué tenía que ver alguien como yo con un lugar donde trabajaban en equipo? ¿Dónde promovieron el compartir, el trabajo en equipo y la participación mutua?

"Nada", murmuré. "Pasaba por casualidad".

Caminé rápidamente hacia la puerta, con el sombrero bien calado en la cabeza.

"¿Quieres inscribirte en el curso?"

La forma en que hizo esa pregunta, como si me hubiera expuesto desde el principio, hizo que me detuviera.

Fue solo cuando finalmente miré al hombre que me di cuenta de mi error. Los conserjes ciertamente no usaban camisas de lino en el trabajo.

El profesor Bringly exhibía labios arqueados y una mirada confiada y progresista: tenía el pelo rubio bien peinado y unos ojos brillantes que destacaban sobre la piel ambarina. Sus antebrazos estaban desnudos, con las mangas arremangadas hasta los codos. Las manchas oscuras en sus manos, que a primera vista parecían residuos de polvo, ahora eran claramente manchas de carbón negro.

"Tú dibujas, ¿no?" preguntó, sorprendiéndome.

¿Cómo había...?

"Tienes un callo en el dedo medio de la mano derecha. Me di cuenta mientras me ayudabas a colgar el panel. Es propio de alguien que ejerce demasiada presión al sujetar un lápiz sobre una superficie vertical». Me sonrió simplemente. "Muchos diseñadores lo tienen".

Lo miré con un destello de vacilación y él ladeó la cara.

"¿Cómo te llamas?"

—Ivy —murmuré lentamente. Hiedra Nolton.

"Ivy", repitió, con más confianza de lo que esperaba. "¿Cómo estás con el plan de estudios?"

En el camino de regreso fui al taller de pintura.

El profesor Bringly me había dejado una lista de materiales necesarios y faltaban un par de lienzos en blanco de mi caja.

El anciano propietario estaba feliz de verme de regreso.

"¡Oh, la hermosa jovencita!" me saludó cuando entré. "¡Buenas tardes!"

Me pidió mi opinión sobre la sanguínea y pareció complacido de saber que ya la había probado.

Compré lo que necesitaba y luego me dirigí a casa, donde, una vez dentro, coloqué los lienzos cerca de la mesa del recibidor.

La voz de John vino del pasillo. Me quité la mochila para ir hacia él: lo encontré al teléfono, con una mano en la barbilla y expresión pensativa.

"Entiendo".

Se dio cuenta de mí y me saludó.

"Claro", murmuró, y su rostro estaba serio. "Entiendo la necesidad de ello. ¿Cuántos días serían?

Dejé mi mochila en el sofá y me acerqué cuando se puso el teléfono en la otra oreja y levantó el brazo izquierdo para mirar su reloj de pulsera.

Sabía que John era el asesor financiero de una gran firma de inversión, pero esta era la primera vez que lo veía sumergirse en su campo profesional.

"De acuerdo. Déjeme volver a llamar tan pronto como programe la reunión. Póngase en contacto con la oficina e informe al cliente del aplazamiento de la sesión informativa".

Terminó la llamada. Antes de que pudiera preguntarle si todo estaba bien, comenzó a revisar sus correos electrónicos con el ceño fruncido.

"Hola, Ivy", me saludó, antes de comenzar otra llamada.

Estuvo al teléfono durante casi una hora; Lo escuché hablar desde la cocina mientras bebía un vaso de leche apoyado contra el mostrador.

"Disculpe". Entró cansado y se hundió en una silla. La camisa que vestía estaba enrollada en los codos, pero no por eso menos elegante. Lo miré con un toque de curiosidad, porque no estaba acostumbrada a verlo así.

John siempre me había parecido una persona modesta y sencilla, como papá y yo. Sin embargo, pude cambiar de opinión en el momento en que vi la casa donde vivía. O los trajes impecables con los que salía todas las mañanas, la profesionalidad que había demostrado antes por teléfono.

"Hay algo importante que tengo que preguntarte", comenzó, pasándose la mano por el cabello. "A veces sucede que tengo que irme. Estos no son viajes de negocios, porque generalmente no duran más de un par de días, sin embargo... cuando hay múltiples transacciones en juego, es necesario seguir de cerca las operaciones». Suspiro. «Un cliente ha decidido a última hora que quiere trasladar la reunión prevista para este fin de semana a Phoenix. Su agente hágamelo saber ahora mismo. Lamentablemente tengo que cumplir con lo que se me pide, y no tengo forma de negarme..."

"John", interrumpí en voz baja, escuchando el estrés en su voz. "No hay ningún problema".

Sé que acabas de llegar. Mason nunca tuvo problemas para estar solo por unos días, pero tú..."

"Estaré bien", le aseguré. «Puedo sobrevivir sin ti, puedes estar tranquilo».

Me miró con un toque de incomodidad y sentí la necesidad de suavizar mis palabras.

"De verdad. No hay razón para preocuparse. Puedo manejarlo, a veces pareces olvidarlo".

Relajó los hombros y una leve sonrisa suavizó sus facciones.

«Lo sé. Pero me preocupo por ti. Y *tú* , a veces, pareces olvidarlo».

Bajé la cara, apretándome imperceptiblemente contra el mostrador. Bajo la mirada de John todavía había momentos en los que podía sentirme pequeño. Como cuando me compró ese baño de burbujas para niños, o cuando dijo que me iba a llevar a comprar ropa.

O cuando me había abrazado la primera vez que me había vuelto a ver, en ese restaurante: me había abrazado tan suavemente que había sentido cada borde dentro de mí clavándose en mi corazón.

"Le prometí que te protegería", me pareció oír de nuevo, mientras me miraba con una dedicación que nadie más habría cumplido.

"¿Quieres que te prometa que no saldré solo?"

Mi rostro aún estaba bajo, pero claramente vi sus ojos decididos a mirarme.

"Yo no te preguntaría".

"Si ayuda a calmarte, entonces eso es lo que haré".

Juan estaba estupefacto. No había esperado tal compromiso de mi parte, pero justo cuando parecía a punto de decir algo, la puerta se abrió y Mason entró en la casa.

"Hola", lo saludó mientras se unía a nosotros en la cocina.

Se demoró en la entrada y su mirada inmediatamente se posó en John.

"¿Qué sucedió?" preguntó ella, notando su expresión.

"Recibí una llamada. Tengo una reunión programada para el fin de semana y debo estar fuera por un par de días. Ha habido un cambio de planes por parte del cliente.

"¿Y?" Mason presionó.

"Así que tengo que ir a Phoenix".

Espero que no esperen que vayas solo.

"No", aseguró John. "Froseberg y O'Donnel también vienen de la oficina. No se trata de eso. Es solo que un cambio de última hora no estaba planeado, y... quiero decir, hoy es viernes y debo irme temprano mañana por la mañana..."

"Si los demás van contigo, entonces no veo el problema", dijo Mason. Por un momento me pareció el adulto y John el niño sentado en la silla que no quería ir a la escuela.

"Es por tu culpa que no me siento seguro. Legalmente no podía ni dejar solos a dos menores en casa..."

En el instante exacto en que pronunció esas palabras, la misma conciencia que vi en el rostro de Mason me golpeó.

Si aún no me había dado cuenta de que tenía que quedarme en esa casa a solas con él durante los próximos dos días, sus ojos, de repente fijos en mí, se encargaron de hacerlo inequívoco.

A la mañana siguiente, John se fue muy temprano.

Me informó que la nevera estaba llena y que había leche para mí en el compartimento inferior. Había tomado lo que a mí me gustaba, sin azúcar añadido ni aromas varios, porque sabía que yo lo bebía natural. Me dio las últimas precauciones y me recomendó que lo llamara si lo necesitábamos.

Lo acompañé hasta la puerta, donde lo vi caminar hacia el taxi. Cargó el pequeño carrito en el maletero, sonrió al conductor y, antes de marcharse, se volvió para echar un último vistazo. No entendí por qué, pero sentí una sensación extraña.

Le devolví el gesto cuando levantó una mano para saludarme. Lo observé alejarse hasta que el auto desapareció.

De vuelta dentro de la casa, opté por tomar una ducha, luego tomé mi cuaderno de bocetos y bajé las escaleras, donde desayuné.

No vi a Mason hasta el mediodía.

Cuando salió al porche, bendiciendo finalmente al mundo con su *indispensable* presencia, yo estaba allí, en la silla de mimbre. No levanté la vista, pero decidió que ahora era el mejor momento para empezar con una buena dosis de arrogancia.

"¿Es esta una invitación para que entre algún ladrón?"

Miré hacia arriba. Tenía una mano en la puerta abierta y me miraba malhumorado.

"No quería dejarme fuera", le expliqué. "Y de todos modos estoy aquí".

"Una fortuna, entonces", respondió con dureza, antes de adelantarme y desaparecer en dirección al garaje.

Reapareció poco después en su auto, y esta vez lo ignoré abiertamente; Consideré enjuagar su estúpido vaso con aguarrás, para que al menos escupiera veneno por una buena razón.

Me alegré de que no viniera a casa a almorzar. Mordisqueé algo cerca del fregadero, bebí un vaso de jugo de naranja y robé un par de galletas con chispas de chocolate, las que Mason comía todas las mañanas, mordiéndolas con gran satisfacción.

Cuando me senté en mi escritorio por la tarde para estudiar, se me ocurrió que había que pintar esa habitación, en algún lugar, y que John me había dado permiso para poner mis manos sobre ella. Por un momento cruzó por mi mente la idea de árboles gigantes y un cielo muy azul; y tal vez, con el aire acondicionado encendido y una gota de baño de espuma de pino justo en el cuello, realmente me hubiera hecho la ilusión de estar al aire libre, a kilómetros y kilómetros de allí...

Algo me hizo abrir los ojos.

Aturdido, levanté la cabeza y traté de concentrarme: una sábana se me cayó de la mejilla y quedó sobre el escritorio.

¿Me quedé dormido?

Incluso antes de que pudiera conectar dos pensamientos, un estruendo ensordecedor rompió el silencio.

Me enderecé abruptamente.

«Q... Qué... qué...» tartamudeé.

Otro choque, y esta vez estaba de pie. Mi corazón saltó a mi garganta. Traté de razonar, porque Mason estaba demoliendo el piso de abajo o no estaba haciendo todo ese ruido.

En un relámpago de terror recordé la pequeña indirecta sobre los ladrones, sobre la invitación a entrar, y nunca más que en ese momento esperé que se equivocara.

En Canadá, el único riesgo de dejar la puerta abierta era que entrara un zorro o un mapache atraído por la comida, y en ese momento bastaba blandir una escoba para verlos huir. Si realmente tenías mala suerte, te encontrabas un oso negro en el jardín, que ni siquiera podía subir las escaleras de la entrada porque era torpe, y en ese caso había que esperar a que se fuera solo.

¡Pero nunca ladrones!

Tragando, decidí caminar hacia la puerta. Acerqué el oído a la superficie y escuché.

Desde abajo llegaban varias voces, ruidos y... ¿risas?

Después de un momento de desconcierto, salí al pasillo y me dirigí hacia las escaleras. Mientras descendía, atraído por ese ruido, me di cuenta de que había más voces de las que había imaginado.

Cuando llegué a la planta baja, encontré solo un par de cosas que no estaban como las había dejado.

El primero fueron las innumerables cajas de cerveza apiladas contra la pared, junto con paquetes de bocadillos y paquetes de papas fritas al menos tan grandes como yo.

El segundo era la manada de extraños que llenaban la casa.

Había gente por todas partes: alguien charlaba, otros entraban con cosas que acababan en los sofás o directamente en la nevera.

Travis estaba tratando de hacer pasar un sistema estéreo del tamaño de un elefante bebé a través de la puerta de la sala de estar.

"¡Cuidadoso!" gritó el chico detrás, y se estrellaron contra el marco de nuevo.

Ciertamente no fue Mason quien demolió el piso inferior.

Observé esa invasión cuando algunos baldes llenos de hielo y uno con una isla de palmeras inflables pasaron junto a mí gritando: "¡Permítanme!"

Ni siquiera tuve tiempo de reaccionar cuando vi a Mason cargando en mi dirección.

Me agarró del brazo y me arrastró por el pasillo detrás de mí con tal velocidad que me desestabilicé.

"Vuelve arriba".

Retrocedí un paso para buscarlo en la oscuridad: se alzaba ante mí en toda su grandeza, con ojos brillantes y cabello oscuro enmarcando su rostro oscuro.

"¿Qué estás haciendo?" Pregunté cuando mi mirada captó el contorno de su rostro.

"No es de tu incumbencia", respondió en tono de amonestación. "Y ahora vete".

"Vas a tener una fiesta en casa", señalé con amargura. "Explícame cómo *no debería* preocuparme".

“Entonces no entiendes...” Dio un paso hacia mí, acercándose a mí con la clara intención de intimidarme. “Lo que pase en esta casa no es asunto tuyo. ¿Estoy *claro* ?"

Lo fulminé con la mirada, casi quemando mis entrañas.

Pero ¿cómo se atreve?

¿Cómo diablos podía hablarme así?

Siempre me pisoteaba, me aplastaba, como si quisiera imponerme constantemente su autoridad. Me intimidaba todo el tiempo, pero si era cierto que yo era una persona paciente, por otro lado no podía tolerar esa arrogancia.

No tenía idea de quién estaba frente a él.

Podría abrumarme, rayarme palabra tras palabra, pero no me intimidaría.

"Me pregunto cómo piensa John al respecto", dije maliciosamente. "Le diré que le digas hola".

Lo escaneé y saqué mi teléfono, preparándome para marcar el número.

Pero no llegué a tiempo.

Solo sentí el movimiento del aire. En un instante mis pies tropezaron hacia atrás, mi espalda se estrelló contra la pared.

Antes de saber lo que había sucedido, contuve la respiración. El pecho de Mason estaba a una pulgada de mi nariz.

Levanté la cara y lo miré con los ojos muy abiertos. Una cuchilla de luz cortó su rostro, cortando una comisura de sus labios carnosos. Su aliento entró en mi boca y sentí que casi me ahogaba como un veneno, pero nada era como cruzar sus iris: densos y chispeantes, me agarraron y me encadenaron en un agarre implacable.

"Ahora te diré cómo va", comenzó, su voz goteando lentamente de sus labios. Vuelve arriba ahora. No bajas aquí, te quedas en tu habitación ocupándote de tus propios asuntos como siempre lo haces. Ya no quiero verte abajo. ¿Entendiste?"

Mi orgullo temblaba como una bestia encadenada, pero permanecí en silencio. En otra ocasión no lo hubiera permitido, pero por más que lo quise, en ese momento, con mis omoplatos pegados a la pared y su aliento chocando contra mi piel, no pude hacer otra cosa .

Sus dedos agarraron mi muñeca. Sentí que la piel se cerraba en su mano, pero antes de temer que pudiera lastimarme, me soltó y me quitó el teléfono.

No tenía sentido tratar de retenerlo, porque Mason ya lo había cerrado entre sus dedos y me miraba con ojos mordaces, desafiándome a retirarlo.

"Asegúrate de que no te atrapen escaleras abajo otra vez, o podría enfadarme".

En general, hubiera preferido a los ladrones.

Mientras azotaba la puerta de mi dormitorio con tanta fuerza que temblaba, deseé con todo mi corazón que Mason se fuera a la mierda.

"¡Vete a la mierda!" espeté, con los puños apretados.

Pero, ¿quién se creía que era?

¿Cómo diablos podía tratarme así?

Pateé mi mochila a un lado y me quité los zapatos con enojo, arrojándolos al otro lado de la habitación. Entonces me detuve abruptamente y revisé el collar: se había girado completamente cuando golpeé la pared. La delgada cadena de oro brilló en mi piel blanca, e inmediatamente un alivio inexpresable llenó mi pecho.

Todavía estaba allí. Siempre estaría allí.

Toqué con delicadeza el colgante que colgaba de él: una pequeña astilla de marfil, delgada y casi opalescente, colgaba bajo mis ojos con su presencia tranquilizadora. Lo cubrí con la palma de la mano y lo metí debajo de la camisa.

Un par de chicas estacionaron sus bicicletas en la parte de atrás y las escuché cacarear a través del vidrio como tetas azules.

Rechinando los dientes, corrí las cortinas, maldiciendo a Mason una vez más.

¿Cómo podría haber pensado llevarme bien? ¿Como?

Dios, no quería verlo más.

"'Creo que te gustaría mucho'... ¿Pero en qué vida?" Grité molesto.

Me senté en la cama y pensé por un momento en salir corriendo por la ventana e ir a John para decirle lo repugnantemente adorable que era su hijo. O podría haber huido directamente a Canadá, por lo que nunca más tuve que sufrir ese calor infernal, o Mason, o las miradas que todavía recibía de la escuela.

De repente la necesidad de partir se hizo insoportable, como una sed muy fuerte.

¿Qué diablos estaba haciendo allí?

¿En un lugar que no quería?

¿En que no me querían?

Hubiera sido suficiente para empacar mis cosas, hacer mis maletas y subirme a un avión.

En realidad no, solo una mochila, una foto de papá y mi gorra de siempre. No necesitaba nada más para que todo volviera a la normalidad.

Pero no , susurró una voz dentro de mí, *no sería suficiente* .

Me mordí el labio con fuerza, los dedos se clavaban por encima de mis codos.

El se fue.

Sentí que se me cerraba la garganta, que me ardía la lengua. Ese sentimiento de desapego, como si me desarraigaran de mí mismo.

No, quería afirmarme, pero mi cuerpo se arrugó como una cerilla quemada. Traté de pelear, pero perdí de nuevo.

De repente sentí que me derrumbaba, sin siquiera saber cómo. Cuando la oscuridad volvió a tragarme como a un viejo amigo, enterré la cabeza entre mis brazos y apreté los puños temblorosos.

Solo deseaba que alguien me entendiera.

Que escuchó mis silencios.

Los gritos en mis ojos vidriosos.

El tormento de un corazón partido por la mitad.

Quería vivir, pero tenía la muerte plantada en mi pecho. Y cuanto más trataba de arrancarlo, más lo sentía clavarse en mi carne, echar raíces en mí, hacerme pudrir día tras día.

Ya no podía contener el dolor. Traté de sofocarlo, de ocultarlo, pero era como luchar contra un monstruoso huracán. Eso no era vida. Era el remanente de un alma que avanzaba por inercia.

Lo extrañaba como loco. Extrañaba su abrazo, su perfume, el sonido de su voz. Me estaba perdiendo todo.

"Dóblalo", susurró mi dolor, acariciándome suavemente, y lo empujé con enojo.

Yo era el espectro de un destrozo, un envoltorio cosido que corría el riesgo de desmoronarse a cada paso. Me quedé sin aliento y me ahogué en una agonía ensordecedora.

No sentí nada más que ese dolor.

No sentía nada más que ese vacío inhumano.

yo no estaba vivo Ya ni siquiera sabía lo que era...

De repente un ruido me sobresaltó. Levanté la cabeza, poniéndome rígida. Al instante siguiente, mi puerta se abrió de golpe.

Travis apareció en la puerta, tambaleándose, y luego hizo una mueca tonta.

"¡Mierda, hace mucho frío aquí!"

Escondí mi rostro, pasándome rápidamente una mano por los ojos. No quería que viera el estado en el que me encontraba, pero debe haber dejado su sobriedad abajo porque le tomó mucho tiempo darse cuenta de mí.

«Ah» salió, mirándome desconcertado. "¿No es ese el baño?"

"No," le dije suavemente. Es la otra puerta.

Rompió en una sonrisa apagada.

«Sí, sé qué puerta es... ¡Estoy aquí desde antes que tú! He dormido en esta casa un par de veces..."

"Bien," lo interrumpí. "HOLA".

Pero no fue despedido muy fácilmente. Entró y comenzó a pasearse por la habitación con una expresión absorta.

"¿Es aquí donde vives ahora? Pero entonces es cierto que te quedas con ellos... Y yo no lo creía... Sin embargo, es realmente así... Loco...» Sonrió como un idiota, luego parpadeó un par de veces. «Oye, pero... ¿Por qué te quedas en tu habitación?»

Hubiera sido interesante explicarle que Mason al menos me escupiría si alguna vez me atrevía a bajar.

"No me gustan las fiestas", espeté, ansiosa por deshacerme de él. "Esta muy ruidoso."

"¿Y esto te parece un problema? ¡Vamos, ven y mira cuánto te diviertes!"

"No gracias," dije, notándolo tambaleándose hacia mí. "Quiero ir a dormir".

" *Quiero ir a dormir* ", imitó, y luego se rió entre dientes de nuevo. "¡No eres el primo de Mason si estás lloriqueando aquí!"

De hecho, ¡no soy el primo de Mason!

"No me importa", respondí secamente, "solo quiero..."

"¿Hacer el calcetín?"

"Escucha," gruñí, volviéndome con vehemencia. "No voy a bajar. ¿Entiendes o tengo que repetirlo? ¡Y ahora sal de mi habitación!"

Le fruncí el ceño, señalando la puerta. «¡Después de ti! Sal de mi...» Pero se me cortó el aliento en la garganta: todo se puso patas arriba, giró y en un instante estaba boca abajo, con el pelo echado sobre los ojos y los brazos colgando.

"¡Ja!" Lo escuché reír detrás de mí. "¡Pero realmente no pesas una mierda!"

Sentí que el destino se burlaba de mí.

Y cuando golpeé con mis puños la espalda de Travis, gritando blasfemias por su nombre, él salió de mi habitación y caminó, cantando, hacia el último destino que alguna vez quise ser.

5
La fiesta

Ni siquiera sé cómo me encontré allí.

Un momento estaba en mi habitación, pensando en mi vida, y al siguiente estaba en el sofá de la sala, apretujado junto a un par de tipos que se devoraban la cara.

Travis se había reído como una mula cuando mi trasero golpeó el marco de la puerta: en ese momento, mientras me sacaba el pelo de la boca, tuve que recordarme a mí mismo que el asesinato era en efecto un crimen.

Ahora, mientras un grupo de matones tan grandes como él lo abordaba y el ruido de succión golpeaba mi oreja izquierda, me encontré pensando en diferentes formas de embalsamarlo.

"Si le diera un cerebro a Travis, lo usaría como una pelota de fútbol..."

Me volví. Fue la chica sentada en el reposabrazos a mi derecha quien habló. Tenía el pelo castaño y corto y un rostro jovial, con ojos astutos y vivaces.

"Un dólar que tiene al menos tres golpes y un moretón en el culo mañana", agregó.

"Pero por favor."

Un sonido de tonto y la rubia a mi izquierda recuperó su rostro, girándose para mirarla.

"Travis tiene la resistencia física de un bisonte acorazado. La única protuberancia que puede presumir de tener está en el cerebro.

«Qué duro eres» le regañó su amiga entre risas.

"Solo digo la verdad. Y luego" continuó, empujando una mano sobre el rostro del chico que estaba tratando desesperadamente de llamar su atención, "es demasiado musculoso. En resumen, míralo" indicó con una mueca. "Parece un toro".

“Hasta el mes pasado te gustaba mucho ese toro ”, replicó el otro con una sonrisa. El otro la miró y agitó una mano.

"Sí, bueno, agua debajo del puente", interrumpió ella, irritada. La observé con un poco de atención. Tenía las cejas más oscuras y un lunar en el pómulo que la hacía parecer una diva. Su cabello, de un rubio mucho más bronceado y cálido que el mío, caía espeso y ondulado alrededor de su atractivo rostro. Continuaron discutiendo conmigo en el medio, pero esta vez apenas los escuché. En ese momento, el caos se abrió y vislumbré a Mason.

Destacaba entre todos, guapo como un dios, y sostenía una cerveza en la mano. Tenía una sonrisa en los labios mientras escuchaba a uno de los chicos que lo acompañaban: en un momento gritó algo y todos se echaron a reír, incluido Mason.

El fuerte pecho vibró y los labios carnosos se abrieron como una obra maestra, liberando un carisma disruptivo. Mi vientre se apretó. No podía escuchar el sonido de esa risa, pero podía imaginarla: suave y sensual, poderosa como un perfume que se me subiera a la cabeza.

Una vez más comprendí lo diferentes que éramos.

Estaba perfecto en ese tumulto, entre luces de colores y vasos de plástico rojo. Parecía un príncipe en un reino de ruido, una criatura de otro mundo en su maravilloso caos.

Y cuando levantó la cerveza a sus labios, mis ojos se posaron en la chica a su lado.

embrujado _ Eso es lo que era. La expresión hambrienta con la que ella lo miraba me picó como una espina empapada en veneno.

Ella lo miró como si fuera un ángel, como si tuviera un halo alrededor de su cabeza y no fuera el ser autoritario al que no le importaba ponerme contra la pared.

¿Qué diablos sabía ella sobre él?

"¡Atención!"

Un tipo tropezó y me cayó encima con la niña que cargaba, quien me derramó cerveza por toda la camisa.

"¡Qué carajo, Tommy!" la rubia a mi lado gritó enojada, subiéndose encima de su novio. "¡Aprende a caminar!"

"¡Oh, Dios, lo siento! ¿Te lastimé?" La chica que me había atropellado parecía abatida. "¡Te juro que no fue mi intención! ¡Te lavaré la camisa si quieres! ¡Lo dejaré como nuevo otra vez!"

Agarró los bordes de mi camiseta y trató de desnudarme.

"¡No! ¡No hay necesidad!" Respondí mientras ponía una mano sobre su cabeza y trataba de apartarla.

"¡Basta, Carly!" intervino la chica del reposabrazos. —¿Quieres lavar la ropa ahora? ¡Ni siquiera puedes ponerte de pie!"

"¡No es verdad! ¡Soy muy lúcido, es Tommy el que es torpe!"

"Me pediste que te dejara volar , volar", estalló Tommy, frotándose la cabeza. "Si estás loco, ¿quién tiene la culpa?"

Carly lo señaló con el dedo, enderezándose en una pose digna.

"¡Porque pensé que podías pararte sobre tus piernas! ¡Pero ni siquiera puedes caminar, y ahora ella me odia!", concluyó dramáticamente, señalándome enfáticamente.

"Nadie te odia, Carly", continuó la chica en el reposabrazos, y Carly me miró con ojos que estaban líquidos por el arrepentimiento.

"¿De verdad no me odias?"

"De verdad", dije, retrocediendo para estar lo más lejos posible de ella.

Se subió al sofá y me miró feliz, como un perrito de la calle que acaba de encontrar un amo.

"¡Soy Carly, por cierto ! Ah, son mis amigos, ¿sabes? dijo señalando a las dos chicas. "Fiona no hace más que besarse, pero cuando te mira te juro que es agradable".

"¡Ey!" la rubia estalló indignada, dándose la vuelta con el ceño fruncido.

"Este es Sam en su lugar. ¡Y yo soy Carly!".

Sí, entendí eso, pero al verla mirándome lleno de esperanza, decidí asentir.

"¿Cómo te llamas?"

Sentí los ojos de los demás sobre mí. Incluso Fiona, que se había subido al regazo del chico al que aún no había terminado de besar, ahora me miraba expectante.

—Ivy —dije, acercando mis rodillas a mi estómago—.

"¿Hiedra? ¿De Ivonne? preguntó Fiona, mirándome de cerca.

"No..."

"¿Eso es un diminutivo?"

"¿Como *Hiedra Venenosa* ?" preguntó Carly con franqueza, levantando un dedo índice.

"Solo Ivy", concluí, con una nota final apresurada que esperaba que nadie notara.

"Nunca te he visto en fiestas", comenzó Fiona, inspeccionándome. "¿Estás con la gente de la universidad?"

"Ella es la prima de Mason", dijo Tommy. Eres el primo de Mason, ¿verdad? Te vi en la escuela.

No.

"¡Sí! ¡Así es, eres tú! ¡Eres el nuevo!" Carly movió las manos con entusiasmo y luego las colocó sobre las rodillas de Sam. "¡No te reconocí en estas luces! ¡Eres el todo blanco! Tienes que ver de qué color es su cabello", le dijo a su amiga con el corte alegre, y supuse que Sam no fue a nuestra institución. "¿Los tiñes? los blanqueas? ¿Cómo los haces así?"

"No hago nada al respecto", murmuré, "soy así".

Ahora Sam estaba encaramado en el reposabrazos y me miraba con la curiosidad que todo el mundo siempre me había reservado.

"Es cierto", declamó después de un momento de silencio. "Tu luces como una muñeca".

"¿Cómo te bronceas?"

"¿Todos en Canadá son como tú?"

"¿No estás usando maquillaje?" Fiona preguntó, entrecerrando los ojos mientras se acercaba para verme mejor.

"Él no es un extraterrestre", espetó Tommy, y fue solo entonces que me di cuenta de que me había acurrucado aún más, que mi cabello estaba cerca de mis pómulos, y los estaba mirando como un animal salvaje.

"Lo siento", murmuró Carly, con una sonrisa triste. «Aquí nos hacemos amigos rápidamente...»

Un grupo de tipos nos pasó cargando a un tipo muy borracho. Solo después de un momento me di cuenta de que era Travis.

"Ni siquiera debería estar aquí", murmuré.

Fiona se volvió hacia mí mientras Carly saltaba y convencía a Tommy para que la levantara de nuevo.

"¿Por qué?"

"Mason", dije solamente, lanzando miradas inquietas a mi alrededor.

"No me digas que no quiere verte bebiendo", dijo, haciendo una mueca. "Realmente sería un maldito hipócrita".

"Oh, no creo que debas preocuparte", me aseguró Sam, balanceando las piernas con una sonrisa aguda. "Dudo que Mason esté en posición de decirte algo".

Cuando levanté la vista, supe lo que quería decir.

Mason tenía su brazo alrededor de los hombros de un amigo, su pecho ardiendo de risa. Sus ojos eran solo dos rayas brillantes, y sus labios brillaban con una calidez tan luminosa que era imposible dejar de mirarlo.

No podía imaginarme todavía asombrado por la forma en que arrugó la nariz, echó la cabeza hacia atrás y se echó a reír con tanta facilidad que no parecía hecho para nada más .

Me di cuenta en ese momento que tal vez yo también podría haberlo visto así, como un tipo normal, si Mason no hubiera sido el bastardo arrogante que era.

Tal vez no me hubiera molestado verlo allí, en un mundo que, a pesar de mi repugnancia, no tenía permitido tocar.

Tal vez solo hubiera sido Mason, ese niño pequeño en la foto, el niño al que había tratado de poner cara tantas veces, mientras miraba la nieve con John a través de la ventana.

"¿Eh! A dónde vas?" preguntó Sam, perplejo, mientras me ponía de pie.

"En mi cuarto."

Tuve que alejarme de él.

Tenía que alejarme de sus ojos, de esa visión y de todo lo que era. Me provocaba emociones molestas e inexplicables, que se me pegaban y hacían ruido.

Empujé a una pareja borracha que se me acercó y atravesé el pasillo.

La canica era un campo minado de virutas y colillas. Había varios vasos en el suelo y esperaba que alguien estuviera vomitando en la casa, dadas las muchas manchas de ponche que cubrían el suelo.

Además, el precioso jarrón de cristal sobre la mesa de café había desaparecido misteriosamente.

Oh, qué satisfacción habría tenido de ver a Mason romperse la espalda limpiando todo ese desastre.

“Ouch”, escuché cuando alguien corrió hacia mí.

Me di la vuelta para encontrar la cara de un larguirucho colgando frente a mi nariz. Parpadeó, mirándome fijamente.

«Lo siento... Debe haber sido el destino» rumió, guiñando un ojo.

"Definitivamente", respondí entre dientes, antes de darme la vuelta y dejarlo allí.

"Oye, ¿a dónde vas corriendo?" me abrazó, y olí el olor a alcohol que emanaba de él. "No seas un snob".

Lo miré con molestia.

"¿De qué círculo eres? ¿Tienes alguna red social? ¿Cuál es tu *apodo* ?"

No entendí ni una palabra de lo que estaba diciendo, por lo que fue natural para mí esquivarlo cuando trató de acercarse a mí.

“¡Hola, Nate!”

Travis se zambulló por él. Me imaginé verlo desplomarse en el suelo, pero lo tomó sin pestañear, con los párpados a media asta.

No tienes que coquetear con ella. Ivy solo me quiere a mí. ¿Verdad, hiedra?

—Por el amor de Dios —grité, empujándolo lejos cuando frunció los labios hacia mí. Travis se rió y pasó un brazo alrededor de su amigo, a quien no parecía importarle.

“Agrégame a Instagram”, seguía diciendo, empujándome con la cerveza.

Con mucho gusto se lo habría metido en la cabeza pero, justo cuando estaba formulando este pensamiento, sucedió lo peor.

“¡Hola, Mason!” gritó Travis, y salté. "Aquí hay gente que coquetea con tu..."

Una patada lo alcanzó en la espalda y Travis jadeó, se tragó un grito ahogado y luego se derrumbó en el suelo.

Me encontré agradeciendo al destino tan intensamente que ni siquiera me pregunté si estaba vivo.

"¡Oh querido!" Escuché a Carly gritar cuando Tommy la bajó. —¡Travis, lo siento mucho! ¿Te lastimé mucho?".

Retrocedí aún más, moviéndome lentamente, pero un destello de luz escarlata y el rostro de Mason atravesaron la multitud.

Sus agudos ojos me encontraron y me congelé.

Desearía ser invisible. escondeme. Desaparecer. Quería que el suelo me tragara, y cuando él comenzó a avanzar instintivamente retrocedí.

Empujé mi espalda hacia adelante, empujando hacia atrás con la urgencia creciendo con cada paso. Mason se movió como un tiburón en la corriente y me invadió una punzada de pánico.

Me volví y me deslicé entre la gente, chocando y moviéndolos. Logré salir del pasillo. En un momento ya estaba en las escaleras, ya casi estaba, ya estaba casi...

Casi...

Su mano agarró mi hombro.

Mis ojos se abrieron y un escalofrío me recorrió la espalda. Me di la vuelta con el corazón apretado en la garganta y en ese momento de frenesí delirante su rostro fue lo único que vi.

"Te lo dije..." escuché, antes de que una sombra cayera sobre mí.

Entonces un peso violento se derrumbó sobre mí.

Tropecé y me estrellé contra la pared. Visión borrosa. Un dolor abrasador invadió la parte de atrás de mis ojos y no me di cuenta de que había cerrado mis párpados hasta que luché por volver a abrirlos.

El ambiente tembló a mi alrededor. Mi cabeza palpitaba, pero después de unos momentos me di cuenta de la realidad. Estaba sentado en el suelo. Mis rodillas estaban dobladas contra mi pecho y mis tobillos encajados en una posición dolorosa.

Algo me estaba aplastando.

Incluso antes de comprender, noté que mis manos estaban apoyadas en... ¿ *un par de hombros* ?

Abrí mis ojos.

Mason estaba encima de mí.

Su pecho presionaba mis rodillas, su cabeza encajaba en el hueco de mi cuello. Su cabello rozó mi pómulo y su mano se posó en la pared detrás de mi cabeza.

Por un momento no pude respirar.

Sentí su aliento en mi piel. Lo sentí como si *me estuviera respirando* , como si fuera un estremecimiento, una sacudida brutal, una inclinación.

Un extraño pánico cerró mi garganta. Inmediatamente lo agarré por la camisa y traté de alejarlo.

Pero cuando mis dedos se apretaron sobre la tela, separó los labios. Solo entonces me di cuenta de que estaba jadeando.

"Estoy a punto de vomitar..."

Siempre había sido una persona coherente.

Esto me repetí a mí mismo, pensando en las firmes creencias con las que había crecido.

Sin embargo, en ese momento cuando el hedor de la cerveza llenó mis fosas nasales y mis rodillas parecían estar a punto de fallar, me prometí hacer un buen examen de conciencia pronto.

Porque no era absolutamente lógico. No, no era *posible* que estuviera caminando penosamente bajo el peso de un chico que solo me había odiado y que ahora estaba tratando de cargar escaleras arriba, con su brazo sobre mis hombros y su cabeza colgando.

No, no quería creerlo.

Era cierto que siempre había tenido instinto de guardabosques, una vez que encontré un castor atrapado en una trampa para tímalos y llamé a la policía forestal y me quedé con él hasta que llegaron. Mientras tanto, le tendí brotes de helecho, con cuidado de que no me mordiera, retirando la mano cuando masticaba y se retorcía el bigote hacia arriba.

Pero Mason no era un maldito castor, maldita sea, y cuando se tambaleó peligrosamente en el enésimo escalón, tuve un deseo extremo de dejarlo allí y verlo rodar escaleras abajo.

—Te mato si me vomitas encima —gruñí, dándole un respingo, pero él ni siquiera trató de enderezar los pies, así que terminamos contra la barandilla de nuevo.

Apreté su muñeca y logré arrastrarlo con dificultad hasta la entrada del corredor.

Mientras nos tambaleábamos hacia el baño, con él el doble que yo y mis dientes cementados por la frustración, me pregunté de nuevo quién diablos me había obligado a hacer esto.

Mason no merecía mi ayuda.

Después de lo que me había hecho pasar, debería haber disfrutado verlo reducido a ese estado. Debería haberme reído de él, humillarlo y alejarme como cualquiera hubiera hecho en mi lugar.

Pero no yo. Obviamente.

Fui lo suficientemente estúpido como para quedarme allí y tratar de ayudarlo.

Estaba compadeciendo a una persona que no sentiría lo mismo.

"Espera..." El jefe se tambaleó hacia un lado y golpeó su cabeza contra la pared. Inmediatamente lo escuché quejarse con un murmullo poco claro.

Bueno, en general le sentaba bien. Tuve que tomar alguna pequeña venganza.

Sin embargo, al instante siguiente, apartó la cabeza y su mejilla se deslizó hasta mi frente.

"¡Ey!" Entrecerré los ojos, sombrío, tratando de quitármelo de encima. Lo deslicé en el baño, pero Mason luego se deslizó sobre el tapete. Perdí el equilibrio y colapsamos a un paso del inodoro. Por suerte no me hice daño, sin embargo, cuando vi que su estómago se contraía debajo de la camiseta, me lancé sobre él y lo empujé a un lado antes de que fuera demasiado tarde.

Su espalda se sacudió y sentí que los dorsales se ponían rígidos bajo mis manos: decidí que era mejor no mirar.

Mientras ese terrible momento cobraba vida, mantuve una mano apretada en su espalda y mi rostro se giró, medio escondido en el codo apoyado en la rodilla.

Deseé no haberlo escuchado, hubiera preferido ver a Travis bailar semidesnudo sobre la mesa de la sala otra vez.

Intenté aislarme, pero parecía imposible. Sentí sus músculos vibrar bajo mis dedos. Los temblores que recorrían su cuerpo eran como descargas que llegaban a mi muñeca.

¿Cómo llegaste a ese estado?

Lo miré.

Su cabello cubría sus ojos, solo podía ver su mandíbula, sus labios entreabiertos y rojos. Estaba sudando frío debajo de su ropa y podía sentir la tensión de su piel a través de la tela. Estaba temblando.

Debería haber estado feliz de verlo así. Debería haber sentido satisfacción al escucharlo sentirse mal. Y sin embargo... no podía.

Lo único que sentí, en los recovecos de mi espíritu, fue de nuevo esa emoción conflictiva.

No era ira. No fueron resentimientos.

era amargura.

Por mucho que quisiera, por mucho que lo intentara... algo en mí no era capaz de odiarlo.

En él vi el reflejo de John, los mismos ojos, la misma risa alegre. Tenían la misma sonrisa, la forma de caminar, ese brillo en el fondo de los ojos cuando disfrutaban de algo.

Y odiarlo... odiarlo era simplemente imposible para mí.

Un hilo húmedo asomó en su ojo rojo. Parecía arder como el infierno, y no me di cuenta de que había levantado la mano y la estaba apartando.

De verdad, yo no... ni siquiera me di cuenta de ese gesto...

Fue mi error.

Mason se sobresaltó y solo en ese momento pareció darse cuenta de mí: se dio la vuelta y dirigió sus ojos rojos y líquidos a los míos.

Entonces su brazo me apartó.

La colchoneta se curvó debajo de mi espalda cuando me deslicé lejos de él. Puse mis manos en el suelo, sorprendida, y levanté mi rostro hacia su figura.

"Vete. No quiero tu ayuda".

Lo miré con los ojos muy abiertos. Sentí que algo subía dentro de mí, como una carga de animales enloquecidos: la frustración latía en mis venas, apreté los puños y me puse de pie.

"Ah, ahora ¿no quieres mi ayuda? ¿Después de que te cargué escaleras arriba, después de que te caíste sobre mí? Después de todo lo que he hecho, ¿incluso si eres *tú* ?" Lo miré furiosa y humillada, apenas conteniendo mi ira. "Realmente eres un imbécil".

Le di la espalda y me fui, marchando a mi habitación. Sentí tanta ira hacia mí mismo que sentí una sensación de ardor estallar en mi pecho.

Pero, ¿qué diablos había creído? ¿Me estaba dando las gracias? ¿Tomarme de la mano y disculparme por comportarme como un bastardo?

Llegué a mi habitación y cerré la puerta con más fuerza que antes. Los marcos de las ventanas temblaron. Ni siquiera podía recordar la última vez que había sentido tanta ira, una emoción tan poderosa.

Tuve suficiente.

Fui a las cajas detrás del armario, cogí una muy pesada y la empujé por el suelo hasta la puerta cerrada. Luego llegué a la cama y con vehemencia me quité la camisa que olía a alcohol y sudor; La tiré, odiándola por los momentos en que entró en contacto con él.

Me puse uno limpio y apagué la luz.

Me habría dormido y fin de la historia. Simplemente dormía, deseando que Mason vomitara sus sesos y que John volviera a casa temprano y encontrara la casa en ruinas.

Y muchos saludos.

Horas más tarde, sin embargo, todavía no había podido conciliar el sueño.

Me di la vuelta varias veces, tratando de dormir. Lo intenté por todos los medios, insistí hasta la exasperación y, sin embargo, nada.

Inquieto, me levanté y encendí la luz. Cuando puse los pies sobre la alfombra, me detuve a escuchar atentamente: la música había cesado.

Me levanté y salí al pasillo para asegurarme. Dirigiéndome a las escaleras, solo di unos pocos pasos cuando tropecé con algo. Casi tuve un derrame cerebral.

Una masa oscura yacía a mis pies, sin forma y aterradora. Todo eran golpes, curvas, tentáculos y...

Lo miré de cerca.

Era Travis.

El inflable en forma de islote con la palmera rodeaba su pecho. Había perdido un zapato y la camisa descansaba sobre sus hombros como una toalla usada.

Miré hacia abajo, viendo otras formas amalgamadas en la oscuridad.

Exhalé exhausto.

Por un momento extrañé a John, el orden impecable en su presencia.

¿Cuándo volvería?

¿Había ido bien el vuelo?

Estaba seguro de que nos contactaría una vez que llegara a Phoenix, pero él no había sido así...

Me llamó la atención la luz del baño. Alguien debe haberlo olvidado, así que caminé en esa dirección. Una vez allí, sin embargo, me quedé incrédulo.

"¿Sigues aquí?" susurré con voz débil.

Mason no se había movido de donde lo había dejado. Estaba desplomado en el suelo, con los ojos cerrados y un brazo doblado debajo de la cabeza. Su cabello estaba despeinado, el rostro destrozado por alguien que, después de intentar ahogarse, se había abandonado a las consecuencias de ese gesto ingobernable.

Me abandoné contra la jamba, observando aquel espectáculo lastimoso sin siquiera fuerzas para moverme.

Debe haberse quedado dormido poco después de que me fui.

Me echó, dijo que no quería mi ayuda incluso antes de admitir que nunca lo habría hecho solo.

¿Por qué?

"Tonto", murmuré, sin que él reaccionara. Miré su rostro demacrado y de repente me sentí vacío de todo, incluso de la ira.

Tal vez porque los tontos nunca aprenden. O tal vez porque, en el piso de ese baño en medio de la noche, no podía ver nada más que al hijo de John.

Y era cierto: Mason nunca había hecho nada por mí.

Sin embargo, si me hubiera alejado en ese momento, no habría sido diferente.

Y no lo estaba haciendo por él, me dije mientras lo observaba desde la puerta.

No.

Esta vez lo hubiera hecho por John, y por todos los momentos en los que fue él, con sus brazos, quien me levantó del suelo.

Me tomó un tiempo convencerlo de que me escuchara: dejó escapar algunos murmullos y apartó la cara, tratando de ignorarme.

Finalmente, después de poner su brazo alrededor de mis hombros, logré ponerlo de pie.

Caminamos por el corredor en silencio, paso a paso, y el único sonido era el sonido incierto de sus zapatos junto a mis pies descalzos.

Cuando llegamos a nuestro destino, bajé la manija con el codo y abrí la puerta.

Su habitación era un ambiente de colores oscuros y armoniosos, en tonos de gris antracita. Una fila de trofeos de boxeo brillaba en un estante sobre el escritorio, y el diseño moderno estaba acompañado por muebles con detalles en negro, que le daban carácter al contexto.

Nos acercamos a la cama doble y me incliné para apartar la mochila y la ropa que estaba encima; finalmente, después de agacharme, lo dejé ir.

Mason cayó sobre el colchón, un gemido reprimido por la almohada. Lo empujé allí, y cuando se ganó su espacio, decidí que era suficiente. En silencio caminé hacia la puerta.

Pero algo me detuvo.

En la penumbra, me di la vuelta y vi una esquina de mi camisa cerrada entre sus dedos.

Observé ese gesto por debajo de mis pestañas. Levanté mis pupilas y las apunté a su rostro en silencio. No esperaba nada de él, se lo comuniqué con esa mirada. Y sin embargo, me pareció sentir sus dedos apretarse imperceptiblemente, como si, por un instante, quisiera imprimirme algo.

Qué, nunca lo sabría.

Su mano me soltó.

No vi sus ojos. No vi la forma en que me miraron.

Sólo vi el movimiento con el que volvió a deslizarse hacia atrás, y la oscuridad se lo tragó de una vez por todas.

6

La carta de triunfo

Cuando me desperté al día siguiente, el sol ya estaba alto en el cielo.

Me estiré lentamente, comprobando la hora.

Pasadas las doce.

Era la primera vez que dormía hasta tarde.

Me froté la cara con las manos, recordando el estado de la villa la noche anterior. Había sido delirante: no me atrevía a imaginar cómo se vería a la luz del día, por eso decidí sacudir la cabeza, levantarme y salir al pasillo. Un soplo de frescura golpeó mi rostro.

Fruncí el ceño. El suelo estaba despejado.

Travis y los demás deben haberse ido antes de que me despertara.

Eso es mejor.

Bajé las escaleras con un poco de alivio, pero tan pronto como bajé, el buen humor se desvaneció al instante.

El piso brillaba como la madreperla y las pinturas brillaban en las paredes pálidas. La mesa era una lámina de cristal brillante y de las ventanas abiertas de par en par salían rayos de luz, el susurro del viento y algún que otro chirrido.

Una colonia de mujeres de la limpieza asediaba el salón, los pasillos, incluso el jardín exterior: unas barrían y quitaban el polvo, otras esponjaban los cojines del sofá; Se llenaron sacos negros llenos de todo y luego se sacaron, mientras uno de ellos lustraba el piso del pasillo.

El olor era ahora más fuerte que nunca: detergente y limón, un olor fresco, un buen olor.

Desde luego, no el olor de Mason, que se esforzaba descaradamente.

Mientras estaba allí, con los ojos petrificados y el mal humor creciendo en mi cuerpo, me di cuenta de que había sido un tonto. Mason no iba a cometer un desliz tan fácilmente.

Por la forma en que lo habían arreglado, debería haber sabido que no era la primera vez que organizaba una fiesta.

Probablemente nunca había estado realmente solo cuando John se fue al trabajo.

Irritado, di media vuelta y me dirigí a la cocina, con la esperanza de que al menos el jarrón de cristal se hubiera roto o alguien lo hubiera robado para venderlo en el mercado negro.

Cogí una taza, leche y galletas y me senté en el taburete del bar de la esquina.

Mientras tomaba un sorbo de mi desayuno, escudriñé a las señoras de la limpieza preguntándome si estaban al tanto de la conspiración en la que se estaban involucrando.

¿También fueron cómplices?

¿Era posible que John no sospechara nada?

Mason apareció en el instante en que mi galleta se partió en la leche. Al verlo hundirse, pensé que no había sido un accidente.

Traté de ignorar su presencia y tomé otra galleta.

Sin embargo, el mármol bajo mis dedos me sugirió que el paquete había desaparecido.

"Te dije que no volvieras a bajar anoche".

Su voz sonó increíblemente cerca.

Me volví. La tez uniforme y los mechones ligeramente húmedos que enmarcaban su rostro me hicieron suponer que estaba de regreso en todos los aspectos.

"Me gustaría adivinar dónde estarías ahora si no lo hubieras hecho", dije lentamente. "Tal vez encajado en el jardín de rosas detrás de la casa".

Mason me miró con su mirada espesa y oscura y mordió una galleta. Cogió una miga con la lengua, molesto, y me perdí por un momento.

"Lo que yo haga no es asunto tuyo", murmuró. "No te quiero cerca, ya te lo dije".

"Por la forma en que colapsaste encima de mí, diría que hiciste todo", repliqué con amargura, poniéndome de pie. «Échale la culpa a las lamentables condiciones en las que te encontrabas».

Me dio una mirada severa. Tomó otra galleta y se la llevó a la boca carnosa, mordiéndola con una lentitud indecente.

Dios mío. ¿Podría dejar de comer?

«Sin mí todavía estarías en el baño vomitando el alma» espeté frustrado, invadido por la repentina necesidad de desahogar ese exceso de ira. "Lo mínimo que debes hacer es agradecerme por no dejar que te pudras allí".

Mason me observó en silencio. Por un momento tuve la impresión de que me estaba evaluando. Luego, de la nada, echó la cabeza hacia atrás y chasqueó la lengua.

"No tengo idea de lo que estás hablando".

Parpadeé, frunciendo el ceño.

"Sí, lo haces", señalé con fuerza, negándome a ser engañado.

"No, no lo sé", bromeó Mason, sus labios se curvaron en un pliegue burlón, y supe de inmediato lo que estaba tratando de hacer. Quería burlarse de mí, el bastardo.

Pero no pudo.

Dejo la taza sobre la mesa.

"¿Seguro?" —pregunté sibilina, disfrutando de su mirada victoriosa. "Porque todo este vómito me parece tuyo".

Mason palideció cuando le mostré la Polaroid.

En mis dedos había una hermosa foto de él tirado junto a la taza, con la camisa arrugada y el brazo torcido en una pose de contorsionista.

No había sido capaz de resistir.

Lo había tomado en medio de la noche, después de haberme convencido de llevarlo a mi habitación contra todos los propósitos del mundo.

Después de todo, nunca dije que era un santo.

Además, Mason todavía tenía mi celular, y al menos ahora tenía una manera de hacerle entender que no podía jugar conmigo como quisiera. No era fuerte ni intimidante, pero sabía cómo devolverle el favor.

"¿No eres tú este de aquí?" Pregunté con franqueza, apoyando mi dedo índice en su rostro demacrado, y su rostro estalló.

"Dámelo ahora", siseó, dando zancadas hacia adelante, pero rodeé la mesa, escapé de él y deslicé la foto en mi bolsillo.

"Ah, ¿ahora te acuerdas?" Empecé con un desafío.

"Dámelo, o..."

"¿O?" Yo lo provoqué.

El fuego en su mirada presagiaba una respuesta obvia. Sus ojos se deslizaron sobre mí, recorrieron mi esbelto cuerpo y cuando regresaron a mi rostro, estaba lista.

Tiré hacia un lado, pero sus reflejos me sorprendieron: me agarró por la camisa holgada y sentí su presencia detrás de mí con cada vértebra de mi espalda. Me giré para alejarlo, pero sus dedos ya me habían agarrado, tirando de mí contra él.

Me encontré con él con un gemido de sorpresa. Sentí su escultural cuerpo bajo mis dedos y me puse rígido. Su vigor me envolvió y su olor me golpeó: acababa de darse una ducha y cada centímetro de su piel olía como el infierno.

Traté de apartarlo, aturdida, pero me sujetó por los codos: se inclinó sobre mí y su cabello oscuro rozó sus pómulos.

"Ahora..."

"¿Usted está aquí?"

Mason se dio la vuelta y aproveché la oportunidad para liberarme. Sus dedos me soltaron tan a regañadientes que pensé que me sujetarían.

"Oh, Masón". Una mujer estaba de pie cerca del bar de la esquina. Sonrió y noté que sus facciones eran afables y sinceras. "Ya casi terminamos aquí".

"Gracias, Miriam".

"¿Arriba también?" preguntó ella, y él asintió.

"Solo el baño y las habitaciones."

—El baño sobre todo —estallé, y por suerte Mason no respondió a esa provocación, o al menos su mirada me hubiera prendido fuego.

La mujer llamada Miriam desvió su atención hacia mí con asombro; sus ojos me miraron con evidente asombro.

"¡Perdóname querida!" se disculpó, como si fuera la primera vez que encontraba a una chica en la casa. "¡No te vi!"

"No importa, Miriam", Mason lo cortó en seco, pero ella ni siquiera lo escuchó. Me miró embelesada, deslizándose por mis facciones como si yo fuera algo angelical, raro y particular.

"¡Qué esplendor!" exclamó en éxtasis. El cumplido me confundió y retrocedí como si me hubiera abofeteado, desconcertado. "Mason", dijo con voz temblorosa, volviéndose hacia él, "¿Ese es tu ... ?"

"No", comencé sucintamente, antes de que pudiera siquiera imaginar el sonido de esa palabra.

"Oh," murmuró disculpándose, y decidí que era hora de huir.

Pasé a Mason y salí de la cocina. Lo escuché despedirla en pocas palabras y lo encontré pisándome los talones.

"Ven aquí", susurró con entusiasmo, como si yo fuera su perro travieso, pero crucé el pasillo, deslizándome con guantes de plástico y uniformes negros.

En la mesita junto a la puerta vi mi sombrero. Lo agarré cuando salía de la casa: la idea de haberlo dejado allí, a merced de cualquiera, me hizo ponérmelo al instante.

Al menos todas esas personas impidieron que Mason se presentara como le hubiera gustado. En parte me divirtió escucharlo gruñir por lo bajo, ordenándome que me detuviera, escondiendo el ímpetu entre sus dientes.

En silencio me dirigí a la puerta y recogí el correo dejado allí desde el día anterior.

«Realmente un pequeño teatro agradable» felicité, cerrando la caja con calma. "Mientras están en eso, ¿también lavan tu auto?"

Mason me miró con ojos ardientes. Parecía a punto de decir algo, pero al momento siguiente su atención se desvió.

"Buenos días, señora Lark".

A unos metros de distancia, una anciana miró hacia arriba. Sonrió cuando lo vio, y me pregunté cómo alguien podía dejarse engañar por sus modales de chico bueno, cuando en realidad era todo lo contrario.

"Ah, Mason querido", lo saludó. "¡Qué bueno verte! Un hermoso domingo, ¿no crees?"

"Perdón por el ligero alboroto de anoche", le oí decir en voz muy alta. "Sabes, he invitado a algunos amigos... Espero que no haya sido demasiado problema".

Ligera raqueta?

¿Demasiado problema?

¡Era un milagro que la policía no hubiera venido! ¡Solo necesitábamos a alguien para montar una cuadrilla y podríamos haber comenzado un circo!

"Oh, pero ni siquiera bromees sobre eso", gorjeó la anciana, golpeando el aire. "¡Puedes estar tranquilo! Sabes que apago mi audífono por la noche", concluyó, dejándome estupefacto.

Obvio. El único vecino era medio sordo.

'¿Cuál es el caso?' pensé, mirando al chico a mi lado.

¿Quizás había algo que no le había llovido del cielo?

"¿Y quien eres tu?" preguntó la señora Lark con un toque de curiosidad
.

"Oh, nadie", dijo Mason, volteando la visera de mi gorra. "Solo la repartidora".

"¡Deja de hacerme parecer a cualquiera!" Protesté pero me hizo callar poniendo una mano en mi cara y empujándome hacia atrás.

"Le saludaré a mi padre", terminó cordialmente, y la Sra. Lark chilló con entusiasmo antes de desearle feliz domingo nuevamente.

Soplé el cabello de mi cara, mirándolo.

Regresé a la casa pero me sentí agarrado por el hombro: me liberé de un tirón y de inmediato lo miré a los ojos.

"Ya es suficiente", comenzó con autoridad. "Dame esa foto".

"¿De lo contrario?"

Mason me miró fijamente.

"De lo contrario, lo tomaré yo mismo".

Ese fue el momento en que me di cuenta de que ya no había nadie a nuestro alrededor. Miriam debió haber llevado al equipo al piso de arriba, pero sostuve su mirada, decidido a no ceder. Tenía un espíritu endurecido por el hielo, rígido como el viento del norte. Me negué a doblegarme a la voluntad de los demás.

En sus ojos, sin embargo, vi lo mismo. El coraje, el orgullo, el orgullo que ardía en mí en ese mismo momento.

Y al instante siguiente sus manos se cerraron.

Lo empujé con fuerza sobre su pecho, sin moverlo un milímetro; me agarró de la muñeca y el sombrero cayó al suelo.

Intenté hacerle frente, pero fue inútil. Mason me atrajo hacia sí y mi confianza se quebró cuando sentí su cuerpo esculpido contra el mío otra vez. Su olor masculino me envolvió de nuevo y esta vez sentí que me ahogaba en él. Sentí su fuerza, el calor vibrante de su enorme pecho bajo mis dedos, y se me hizo un nudo en el estómago. Antes de que pudiera apartarlo, me soltó.

Sentí que el suelo se deslizaba bajo mis pies.

Vacilé y levanté la cara. Mason me miró sin pestañear y levantó la mano con la Polaroid. Lo miré con los ojos muy abiertos y sin aliento.

Mientras la aplastaba frente a mí, su consternación se convirtió en ira abrasadora.

"Eres... eres..." Apreté los puños, murmurando. «Eres el ser más tiránico... perra y prepotente que...»

"¿Eso?"

Lo miré, apenas conteniendo mi frustración.

"Tengo otros", me atreví, señalando la foto.

Mason inclinó el rostro hacia un lado e inesperadamente levantó una comisura de la boca en una sonrisa irreverente.

Sabía que no debía dejarme intimidar, pero cuando se acercó con confianza e inclinó su rostro a un suspiro del mío, lo odié aún más.

"Mentiroso", murmuró con esa voz espeluznante.

Un ardor inexplicable inflamó mi pecho. Era una sensación insoportable: me parecía que alguien me estaba jodiendo el corazón como a un bombillo.

Lo empujé con fuerza, obligándolo a alejarse. Luché contra la emoción desconocida que acariciaba mi alma como si fuera una enfermedad.

"¡Mantente alejado de mí!" Le dije furiosa. Mi corazón latía más rápido de lo normal. Me sentí mareado, eléctrico y nervioso.

Pero no me haría débil.

Nunca.

"Dame mi celular. Lo quiero de vuelta."

Hizo un puño imperceptible con la foto, y las venas resaltaron su definido antebrazo. Me miró durante mucho tiempo, con evidente sospecha.

"¿Para que puedas contarlo todo?"

"¡El mundo no gira a tu alrededor!" espeté enojado. "¡Es mío y debes devolvérmelo!"

Me importaba un carajo su estúpida fiesta. Me importaban un carajo sus amigos ni nada de él. Solo quería recuperar mi teléfono y eso fue todo.

Me miró con cautela por un momento, pero cuando comenzó a hablar, Miriam apareció en lo alto de las escaleras.

"Mason", lo llamó, llevándolo a unirse a ella. Abrí la boca para protestar, pero la dulce sonrisa que me dedicó me hizo tragarme una mala palabra. "Todo listo..."

Desaparecieron escaleras arriba y me di la vuelta, furiosa. Caminé hasta el porche y me quedé allí, dejando que la brisa me hiciera cosquillas en el pelo.

Quería... Quería comprobar si John me había llamado.

No había forma de que no hubiera tenido tiempo de hacerlo.

¿Por qué no había hablado todavía?

¿Y por qué no lo había probado en casa?

No me sabía su número de memoria pero él sabía que yo estaba allí, sabía que sería suficiente para descolgar el teléfono...

"Adiós", me saludó Miriam. Le hice pasar con su equipo y ella, una vez más, me sonrió con una apreciación que no entendí.

Ahora la villa era una caja de dulces impecable. El jarrón de cristal estaba nuevamente sobre la mesa de la sala, acompañado de un espléndido ramo de lirios en plena flor.

Una casa de muñecas perfecta.

Busqué a Mason por todas partes, pero parecía haber desaparecido de la circulación. Supuse que se había encerrado en su habitación de nuevo. Sin embargo , cuando me aventuré a bajar la manija y mirar dentro, me di cuenta de que ni siquiera estaba allí.

¿Dónde diablos había ido?

De repente, un trino muy fuerte me hizo saltar.

Me volví, como golpeado por un rayo.

¿John?

Bajé a la planta baja y llegué a la puerta lleno de expectación: cuando la abrí, sin embargo, estaba decepcionado.

"Oh, hola", me saludó la Sra. Lark. «Yo, bueno... encontré la puerta abierta. ¿Yo molesto?"

La miré parpadeando, luego bajé los ojos: enganchados en sus manos había dos carritos de compras abultados.

"Realmente soy un tonto. Por favor, perdona mi descuido... No te reconocí antes. ¡Debería haber sabido que eras tú, la querida sobrina de John! Mason realmente le gusta bromear, ¿eh? ¡Es un tesoro ese chico!"

"Encantador", comenté, como si fuera algo indigesto.

"Definitivamente," me sonrió, y su mirada brilló con dulzura. "Tienes la misma edad, ¿verdad? Espera... No puedo recordar de dónde... Sin embargo, John me dijo... ¿Nebraska? lo intentó, con los ojos entrecerrados, pero antes de que pudiera decir algo, continuó: "Por supuesto que eres blanco, hijo mío. ¿Estás seguro de que te sientes bien? ¿Comes regularmente?"

"John no está aquí," dije en voz alta, esperando que la noticia llegara alto y claro. Se fue de viaje de negocios y aún no ha regresado.

Ella se rió; una risa fina, como de alondra.

"Oh, pero lo sé. ¡Vine por ti!"

"¿Como?"

«Sí, aquí» se sonrojó un poco, pasándose la mano por el moño plateado, «¿John me dijo que su nieta venía... de Minnesota...? De todos modos, el caso es que también lo conocí hace dos semanas y me dijo que habría necesidad de comprarte algo de ropa , pobre estrella, porque no tienes ropa para un clima cálido como el nuestro.

Agarró los dos carritos y los acercó.

"Así que pensé: ¡Sabes, mi sobrina está en la universidad ahora, se fue de casa hace un par de años y dejó tantas cosas aquí! Ya no lo usa, pero tal vez te guste. Me dio una sonrisa cortés, empujando los carros cerca de la puerta. Incluso hay un par de zapatos, si quieres. No sé qué número tienes, pero de paso te los puse también».

No podía abrir la boca.

A mi alrededor vi chicas con blusas de cuentas, sarongs coloridos y camisetas sin mangas que dejaban el estómago expuesto. no era para mi Había crecido con suéteres de lana cruda y calcetines térmicos, pantalones comprados con descuento en los departamentos de niños.

Había un abismo entre los vestidos de encaje y yo.

Pero la Sra. Lark estaba allí, sonriéndome como si ya me amara. Así que me acerqué a un carrito y, después de acercarlo un poco más, murmuré: "Gracias".

Floreció como un girasol.

«¡Hasta te puse un disfraz, sabes! Era pequeño para Katy ahora, pero inténtalo, ¿de acuerdo?

"Gracias", dije de nuevo, y cuanto más lo decía, más feliz parecía.

"Oh, pero por supuesto", sonrió con aire de suficiencia, golpeando el aire. "¿Puedes recordarme tu nombre?"

"Hiedra"

"¿Víspera?"

"No. Ivy", repetí más fuerte, acentuando el final.

Ella separó los labios y un asombro aflautado se pintó en su rostro.

"Oh, Ivy... *Ivy* ", murmuró, como para probar el sonido en su lengua. "¡Qué bonito nombre! Muy delicado".

La miré a los ojos, en silencio, íntimamente impresionado.

"Gracias," susurré de nuevo, pero con más sentimiento.

"Bueno, me voy entonces", dijo felizmente. "Feliz domingo, querida. ¡Saluda a John cuando regrese y dale un beso a Mason de mi parte!".

No pude contener una mueca. Por suerte, ella no se dio cuenta: se fue y volvió a casa. Arrastré todas esas cosas adentro, con cuidado de no pisarme los dedos de los pies.

Ella fue amable...

"Moviente".

Me di la vuelta.

De pie a unos metros de mí, Mason me miraba con una toalla alrededor de los hombros y las manos enganchadas en los dobladillos de felpa; su cabello estaba desordenado y su camisa estaba ligeramente húmeda.

Pero, ¿dónde diablos se había ido?

¿Cómo había aparecido de la nada después de haberlo buscado por toda la casa?

"¡Ey!" Protesté cuando se dio la vuelta y se alejó. Me liberé de esa maraña de mangos y fui tras él. "Dame mi celular. ¡Después de usted!"

Mason redujo la velocidad. Su figura se instaló en medio del pasillo antes de girarse para mirarme.

"Ya es suficiente", insistí, señalando con el dedo al suelo. "Devuélvemelo, de lo contrario..."

"¿O lo tomarás tú mismo?" murmuró, sus labios se separaron, y una comisura de su boca se deslizó hacia arriba.

"Tengo que llamar a Juan".

Me mordí la lengua. Demasiado tarde. Mason me observó atentamente, sondeando mi rostro con una profunda sombra en las pupilas.

"¿Por qué?"

"Ciertamente no es lo que piensas," repliqué con dureza, pero desvié la mirada cuando me encontré con la suya. Mechones muy pálidos se deslizaron por mis mejillas, protegiéndome. "Necesito hablar con él."

Hubo un largo momento de silencio. Él no se movió y yo me quedé con la cara hacia un lado, incapaz por una vez de sostener sus ojos. Luego, lentamente, se estiró detrás de él y sacó su teléfono celular del bolsillo de su overol. Su *celular* . Presionó un par de teclas y me alcanzó en unos pocos pasos: lo colocó frente a mi nariz y vi el ícono de la llamada en curso.

Tenía todo en su rostro que no confiaba en mí, así que lo miré y me estiré, de espaldas a él.

Sabía que estaría pendiente de que no le dijera a John sobre la fiesta, pero cuando puse el teléfono en mi oído, todo lo demás se desvaneció.

Un anillo, dos, tres.

Agarré mi teléfono celular. Esperé a escuchar su voz, pero no sucedió.

Los trinos se sucedían uno tras otro sonando vacíos.

¿Por qué no respondía?

Por qué no...

"¿Listo?"

Me quedé inmóvil, mis ojos se abrieron como platos.

Era la voz de John. solo era ella...

"¿Masón? ¿Listo?"

"No", dije con voz ronca. "Soy Ivy".

"¿Hiedra?" El tono de John sonaba sorprendido. "¿Por qué me llamas desde el teléfono celular de Mason?"

"El mío está vacío", mentí, evitando la mirada de su hijo.

"Oh, ya veo", dijo. «¿Rompiste el cargador de batería? Tal vez debería cambiarse. ¿No piensas? Es tan viejo que ya no aguanta. Si te encontraras afuera sin un teléfono..."

"Juan," lo interrumpí. "¿Por qué no me llamaste?"

Me di cuenta demasiado tarde del borde de urgencia en mi voz. Inmediatamente me pregunté si Mason se había dado cuenta.

"Oh, Ivy, yo..." John parecía preocupado. "Lo siento... no me di cuenta... me fui ayer", dijo con una sencillez encantadora, y no podía entender por qué parecía mucho más. «No estoy acostumbrado, si algo anda mal Mason me llama y... Bueno, no pensé que...»

Apreté los labios, rígida.

"Lo siento", murmuró, y sentí que algo se apretaba dentro de mí. Debería haberte llamado. Lo siento por preocuparte".

Deseé que el volumen no fuera tan alto, porque estaba seguro de que Mason estaba escuchando todo.

"Estoy bien", me aseguró, haciéndome desear que su hijo no estuviera detrás de mí. " *Estoy bien* , Ivy. De verdad. Vuelvo mañana".

No pude responder. Asentí, olvidando que él no podía verme, pero John pareció sentir por mi silencio que lo entendía de todos modos.

"Ahora disculpe, pero estoy en medio de una reunión. Nos veremos pronto. ¿DE ACUERDO?"

"Está bien", tragué saliva.

"Hola", me saludó en voz baja.

Escuché el final de la llamada. En silencio, me quité lentamente el teléfono de la oreja y llevé el brazo a mi costado.

No me di la vuelta. No quería ver cómo me miraban *sus ojos.*

Extendí mis dedos y dejé caer su teléfono celular en el cojín del sofá.

Luego, sin una palabra, salí de la habitación.

No salí de mi habitación hasta la noche.

No quería toparme con Mason, no después de esa llamada telefónica: si había una persona frente a la cual no quería parecer débil, era él.

A medida que se acercaba la hora de la cena, me encerré en el baño para ducharme y quitarme el calor del día. Usé la mitad del gel de baño de pino silvestre que John me había comprado y, sin saber cómo, ese aroma artificial me dio un toque de alivio que nunca hubiera imaginado.

Recordé su sonrisa cuando me lo compró, la expresión tonta con la que lo agitó frente a mí. Sin darme cuenta, me encontré pasándolo por mi cabello también.

Con un aroma a pino que me llegaba hasta los dedos de los pies, salí del cubículo, me sequé y volví a vestirme. Me puse una camisa limpia, la que tenía el estampado de alces que papá me había comprado en Inuvik, y la tela fría contra mi piel me dio una sensación invaluable. Finalmente bajé.

Cuando llegué al piso inferior descalzo, vi que se abría la puerta principal. A medida que me acercaba, un destello de comprensión cruzó por mi mente: Mason estaba allí, en el porche. La presencia alta e inconfundible me llamó la atención, al igual que los ojos bajos y lo que sostenía en sus manos.

Mi cuaderno de bocetos.

Lo había dejado allí la mañana anterior, pero en ese momento noté que los papeles estaban arrugados entre sus dedos.

Mi corazón se vació. Instantáneamente olvidé la burla, la vergüenza, todo. Solo sentí un sordo desconcierto montar.

Lo alcancé y se lo arrebaté de la mano: Mason me miró y, a pesar de todo, sentí incredulidad al ver el papel arrugado y las páginas arruinadas de mis dibujos.

Levanté mi rostro y toda la frustración que sentía explotó de mis ojos brillantes.

"Realmente me pregunto cómo puedes ser el hijo de tu padre", siseé, haciendo que se detuviera.

Era demasiado: mi celular, las constantes pullas, la actitud despótica, eso sí.

Estaba cansada de él, cansada de su comportamiento, había llegado al límite.

Masón se congeló. Me miró fijamente al principio golpeado, luego su mirada se oscureció como una tormenta: un velo oscuro nubló sus iris y tuve la duda de que lo que le había dicho lo hubiera arañado profundamente.

"¡Oye, mira quién está aquí!"

Me volví. Travis caminó por el camino de grava, sus ojos sonriendo como medias lunas.

"¿Cómo vamos?" preguntó, saludándome como si estuviera feliz de verme. "¿Te divertiste anoche?"

Aparté la mirada, tratando de que no notara mi expresión, y él tomó mi silencio como un exceso de timidez.

"¿Comes con nosotros? Queríamos pedir una pizza..."

"No".

Las pupilas de Mason me inmovilizaron sin piedad.

"Ella ya ha comido".

—Ah —exhaló Travis—. «Lástima...» Se rascó la cabeza, luego la sonrisa volvió incierta a sus labios. "Pensamos en pedir Coca-Cola también. Si quieres..."

"No, gracias," me negué con fuerza, sin apartar mi atención de Mason.

Estábamos literalmente mirándonos a los ojos. Nuestras almas mordían y arañaban, embistiendo en una lucha invisible pero destructiva.

Siempre había tenido un carácter apacible, de sentimientos tibios, pero la ira que él era capaz de provocar en mí hacía temblar hasta el hielo de mi interior.

Éramos polos opuestos.

Sal de albañil, sol, fuego y soberbia. Ojos de tiburón y corazón de volcán.

Me congelo, silencio y hierro en bruto. Y como el hierro, podría ser quebradizo, pero me rompería antes que doblarme.

Nunca nos hubiésemos llevado bien.

No dos como nosotros.

Dirigí mi mirada a Travis, quien ahora me miraba con una extraña luz en sus ojos.

«Vale...», le oí decir, antes de darme la vuelta y volver a entrar por la puerta.

Tenía la intención de salir de allí lo más rápido posible, pero casi me tropiezo con las cosas de la Sra. Lark en el pasillo.

No quería que Travis me sirviera de ninguna anécdota de la fiesta, así que traté de liberarme sin que me escucharan.

Incluso habría tenido éxito si no hubiera escuchado esas palabras de repente.

"Hombre", el aire se rompió de repente, "tu primo haría demasiado".

7

Lo que los ojos no cuentan

Abrí mis ojos.

¿Estaba hablando de mí?

Me aplasté contra la pared cuando la voz de Mason retumbó clara y limpia: "No me estoy riendo".

"Y no estoy bromeando", dijo Travis, tranquilo, casi soñador. «Ella tiene... no puedo explicarlo: es diferente».

"Tal vez porque parece que es de otro planeta", espetó Mason irritado. A pesar de que habló con la misma ira que antes, esas palabras todavía me astillaron.

En ese momento me di cuenta de algo que debería haber sabido todo el tiempo: *él era como todos los demás.*

Por un instante lo vi como el niño de la foto, con esa sonrisa desdentada y grandes guantes de boxeo colgando alrededor de su cuello, apuntándome con el dedo junto con muchos antes que él.

Apreté el dobladillo de mi camisa y mi cabello se deslizó hacia adelante.

"Oh, vamos", dijo Travis pacientemente. "Usted sabe lo que quiero decir. Es tan fuera de lo común... Y luego tiene esa forma, siempre solo, como si no quisiera que se le acercara. No sé... Es jodidamente intrigante. Las chicas generalmente no hacen más que ventilar sus bocas, pero ella... casi nunca habla. Más que hablar, observar".

Metí un mechón detrás de mi oreja, mirando hacia la puerta donde podía escuchar todo.

"Así es", continuó con firmeza. Además, ahora entiendo por qué nunca me lo contaste: es jodidamente bonito, maldita sea.

Fruncí el ceño. Fue una de las pocas veces que se veía casi... *¿serio?*

"Travis", comenzó Mason, "no quise decírtelo, pero tu cerebro está podrido".

Travis se quedó en silencio. Me imaginé su expresión confundida, e inmediatamente lo escuché murmurar, "¿Disculpa?"

"¿Desde cuándo estás interesado en chicas así? En caso de que no lo hayas notado, apenas merece su atención".

Travis pareció sorprendido.

"¿Tuviste una pelea por casualidad?" preguntó, y supuse que Mason nunca le había dicho lo que realmente pensaba de mí.

«No tiene nada que ver con eso» masticó, fuertemente molesto. Pero me parece absurdo que entres en éxtasis por alguien como ella.

Esas palabras se quedaron dentro de mí. Ni siquiera entendía por qué, en realidad. Por primera vez tuve la confirmación de que Mason no estaba fingiendo despreciarme: realmente lo hacía.

Bajé la cara, tragando algo amargo.

Óptimo. una conquista

—Vale, está bien, no me lo quieres decir... —murmuró Travis, impresionado. "¿Pero no crees que estás exagerando?"

"No", dijo Mason. «Se alimenta continuamente de carne y pescado, siempre deja sus cosas por ahí. Bebe litros de leche y parece repudiar todo lo que no sea de sus partes. Sin mencionar el fetiche obsesivo que tiene por los alces".

¿Qué?

¡No tenía ningún fetiche de alces! Solo tenía mi marioneta, y el sombrero, y si en ese momento llevaba una camiseta con un estampado de alces, era pura coincidencia. Me gustaron moderadamente, no fue nada morboso!

Además, ahora que ella está aquí, todo en esta casa huele a pino para el dolor de cabeza. Es como vivir en un maldito bosque. A mi padre se le ha metido en la cabeza que pinte una habitación, y no me atrevo a imaginar cómo llenará las paredes».

Casi pareció un estallido, como si fuera la primera vez que hablaba de eso con alguien. Travis suspiró suavemente.

"No digo que no sea raro. Definitivamente se destaca entre la multitud, solo mírala. Tiene una piel loca y ni siquiera puede encontrar ropa de su talla. Pero... no sé... hay algo sensual al respecto. .. Su manera tan intensa de mirarte me da ganas de... *Cristo* .. Y luego tiene esos labios de muñeca, con las comisuras hacia abajo, que siempre parecen pedirte un beso.'

Hice una mueca, mirando por encima del hombro.

¿Qué demonios estaba diciendo?

Toqué mis labios, y me di cuenta solo después de un momento que el silencio había caído ante esas palabras.

Mason no dijo nada; no respondió, justo después de las tonterías que Travis acababa de decir.

Por la frialdad que incluso yo podía sentir, sabía que debía haber asumido su expresión silenciosa y antipática.

"Bueno. No diré nada más, ¿de acuerdo?", intentó su amigo después de un rato. "No es que quise ponerte nervioso. Pero en serio, no entiendo si no quieres admitirlo o realmente no lo haces". "No te diste cuenta... pero ¿de verdad no te diste cuenta de cómo la miraron en la fiesta? Atrapé a Nate esforzándose tanto, y ni siquiera fue el único que me preguntó su nombre".

"Nate estaba completamente borracho", señaló Mason, "y terminó liándose con un estudiante de primer año después".

"Estábamos todos empapados, ¡pero eso no cambia las cosas!" Travis parecía exasperado. "Diablos, está bien, ella es tu prima y no se toca, pero quiero decir, Mason, ¿la has visto?"

Me quedé con los ojos fijos frente a mí, las manos detrás de la espalda, apoyada contra la pared.

En el silencio con el que miré la oscuridad, no pude distinguir los contornos del desprecio de Mason por mí.

No importaba lo que hiciera, o cómo me comportara.

Ya sea que lo ayudara o extendiera mi mano, nada habría cambiado.

De él siempre vería esa mirada hosca, esa expresión mordaz con la que me quería decir: "No tienes que quedarte aquí".

"Sí. Yo... la vi".

Esa noche me encerré en mi habitación sin cenar. Me recluí en mi soledad, y por un momento me pareció que había vuelto a cuando me refugiaba en la espesura del bosque sólo para escapar de las palabras de la gente.

Por un momento, me pareció que nada había cambiado.

Cuando, en medio de la noche, bajé a comer algo, todavía sentía esas palabras grabadas en mi cabeza.

Solo una vez que entré en la cocina noté el leve brillo que atravesó la penumbra.

Mi celular estaba ahí, en el centro de la mesa perfectamente despejada.

" *Me parece absurdo que entres en éxtasis por alguien como ella* ".

"¿Hiedra?"

Parpadeé y miré hacia arriba.

El profesor Bringly me miraba, confundido.

"¿Qué estás haciendo? Este no es el tema que te di".

Observé el maniquí, colocando el plato con el temple en mis rodillas.

"Puedo dibujar un cuerpo humano", murmuré, preguntándome si era una lástima que estuviera haciendo otra cosa.

«No lo dudo», comenzó, mirando estupefacto mi lienzo. Estaba lleno de corazones, pero no de figuras regordetas y redondeadas, corazones de verdad con válvulas, aurículas y ventrículos.

«Pero me gustaría ver cómo dibujas un cuerpo humano. Vamos —me instó, moviéndose hacia el taburete contiguo al mío, donde había un enorme bloc de papel sobre su caballete—.

El profesor Bringly levantó la primera página y alisó la hoja en blanco para mí.

Tomé un lápiz y me acerqué a él, indeciso, luego comencé a trazar el boceto.

"Tu nombre", me detuvo rápidamente, "es incorrecto".

Me volví hacia él, con la mano todavía levantada.

"¿Como?"

"Así es como te salen los callos", explicó con calma, tomando mi muñeca. "Aplicas demasiada presión en tu dedo medio. Cuando haces el boceto no puedes sostenerlo así. Primero necesitas poder cubrir grandes distancias. ¿Ves que no tienes suficiente alcance? movió mi mano, mostrándome dónde podía ir. "Así que tienes que apoyarte en él y hacer palanca en tu muñeca. Eso no es bueno".

Me quitó el lápiz y lo sostuvo en mi lugar.

"Intenta sostenerlo de esta manera. Más lejos de la punta".

Me lo entregó y lo tomé de vuelta, sosteniéndolo como me había dicho.

"No puedo hacerlo así", dije, dejando líneas temblorosas en el papel.

“Hay que acostumbrarse. Para hacer detalles, o pequeños bocetos, estaba bien como antes. Pero no con grandes diseños. Espera". Se acercó a una mesa, donde recuperó una caja de metal. "Prueba uno de estos".

Tomé un trozo de tiza negra entre mis dedos. Luego, como antes, puse la punta en el papel y comencé a dibujar.

"¿Aquí ves?" explicó Bringly, acercándose. "Está bien. Así que tienes un yeso, ¿verdad? De la misma manera hay que sujetar el lápiz, al hacer estructura y lineamientos. Es cuestión de acostumbrarse , pero ya verás cuánto más rápido lo haces más tarde".

Le di una mirada no del todo convencida, y él me sonrió brillantemente.

El profesor Bringly no se parecía mucho a un profesor. Más un joven soltero atractivo para madres solteras, o uno de esos presentadores de televisión que ofrecían descuentos imperdibles; a veces me parecía que el hecho de ser maestro era más una etiqueta que le ponían los demás, y no tanto algo que él sentía por dentro.

Te habría hecho más paisajista. Bringly miró mi lienzo con curiosidad. "¿Qué estabas pensando?"

Miré todos esos corazones llenos de válvulas. Corazones de carne, corazones que laten, que *sienten* , sin escarcha ni hielo.

"Nada", murmuré.

Cuando, al terminar la lección, recogí mis cosas y salí del aula, el profesor me saludó recomendándome que practicara.

La ventaja del edificio B era que no había demasiada gente: los cursos que se daban allí eran los electivos, muchas veces relacionados con los clubes de la tarde.

Afuera, sin embargo, estaba lleno de gente: algunos se detuvieron para hablar, algunos se fueron, algunos repartieron volantes.

Estaba prácticamente en las puertas cuando una chica saltó frente a mí.

"¡Eh, Hola!" estalló de alegría. "¿Estás ocupado? ¿Puedo robarte cinco minutos?"

Ni siquiera tuve tiempo de responder cuando ella sonrió y puso un volante frente a mi nariz.

“¿Por qué no pones a prueba tus habilidades expresivas?” preguntó como si estuviéramos en un eslogan. "¡Únete al club de teatro!"

Miré la hoja durante mucho tiempo.

¿Estaba bromeando?

En resumen, habilidades expresivas, ¿yo? ¿Pero al menos había visto mi cara?

"No me interesan los clubes". Pasé junto a ella, pero otro saltó y me cerró el paso.

“¡Eso es lo que todo el mundo dice al principio! Pero ¿sabes qué alegría? Me miró con ojos brillantes, se movió y trató de tomar mis manos. "¡Se mete dentro de ti! ¡Se vuelve parte de ti!»

" *Ser o no ser* ", declamó un tercero algo al azar, supongo que por apoyo moral.

Probé varias formas de escabullirme pero, sin saber cómo, terminé acercándome cada vez más al stand donde estaba la hoja de participación.

«Imagínate...» murmuró un chico, pasando un brazo por mis hombros. “Solo tú, el escenario y los focos. Nada más". Hizo un gesto con la mano, pero yo tenía mis ojos en su brazo. "Oh, y la gloria, por supuesto".

“Y la audiencia,” dije entre dientes, encogiéndome de hombros.

Él se rió y enganchó su brazo alrededor de mí.

“Pues sí, me parece obvio. ¿Aún no te he convencido?"

"No".

“Entonces deberías venir y verlo por ti mismo. Va en contra de las reglas traer a personas no registradas, pero ya sabes... Podría hacer una excepción. Apuesto a que cuando veas dónde ensayamos..."

" *Lo siento* ", interrumpió una voz, "ahora viene conmigo".

Me di la vuelta.

A un paso de mí, con el pelo revuelto por la luz del sol, Mason tenía los ojos fijos en el chico que estaba a mi lado.

Sostenía las llaves del auto en una mano y sus labios carnosos estaban apoyados en un pliegue fruncido.

Lo miré sin siquiera darme cuenta; luego parpadeé y me di cuenta de que ya no había ningún brazo alrededor de mis hombros.

El chico del club se había ido.

Miré a mi alrededor y apenas lo vi detrás del quiosco, con el sombrero calado en la cabeza, que buscaba insistentemente algo debajo de la mesa.

"Vamos", ordenó Mason perentoriamente, tirando de mí por la correa de mi mochila.

Vi su auto estacionado afuera de las puertas. Era un Ford Mustang gris oscuro con una línea armónica y moderna, una joya de estilo. Siempre estaba allí cuando salía de la escuela, pero otros días un grupo de personas lo rodeaba y él solo se apoyaba contra el capó, descarado y sonriente.

"Espera un segundo", dije entre dientes, plantando mis pies. "No iré a ninguna parte contigo en absoluto".

Solo el hecho de que él pensó que podía venir allí y recogerme como un paquete postal me molestó un poco. "¡Ey!" Protesté, sacudiéndome. Lo obligué a detenerse y él me miró molesto.

"Pocas historias", replicó con esa actitud insolente que me irritaba a muerte.

"No recibo órdenes tuyas". Lo miré fijamente por debajo de mis cejas y las palabras de Travis me vinieron a la mente por un momento. ¿Era esa la mirada profunda y ardiente de la que hablaba?

Mason caminó hacia mí.

Sentí su cuerpo con un repentino agarre en mi estómago. Tuve que inclinar la cabeza para hacer frente a su inmensa estatura y me tensé cuando inclinó su rostro hacia el mío, acortando esa distancia aún más. Traté de alejarme pero él me detuvo, su expresión amenazadora y sus ojos de gato brillando como el ámbar.

Ahora sube al coche. Mi papá regresó y no voy a llegar tarde al almuerzo por tu culpa. ¿Te quedó claro?"

Alternó los iris en los míos, pero los suyos parecían resina a la luz del día. Desde esa distancia me di cuenta de que, golpeado por el sol, sus ojos brillaban con rayos inesperados.

"Y ahora muévete".

Caminó hacia el auto, molesto como solo él podía estarlo. Lo vi entrecerrar los párpados, pero cuando se volvió para darme una mirada de advertencia me obligué a seguirlo.

Caminé hacia su auto mientras él abría la puerta.

"Podrías haberme dicho antes que era para John", respondí con amargura, tirando de la manija con fuerza.

Tiré la mochila adentro y, sin mirarlo, me subí a su estúpido Mustang.

Aparté la cara cuando él se sentó a mi lado y encendió el auto.

No pude soportarlo. Ese fue el pensamiento que cruzó por mi mente, antes de darme cuenta de que el ardor que sentía se debía a otra cosa también.

¿Por qué John no me había escrito?

¿Por qué no me había informado a mí también? Hubiera bastado un mensaje, tres palabras: estoy en casa.

Y en cambio tuve que averiguarlo por las maneras bruscas de su hijo.

No: estaba enojado con Mason, no con John.

Siempre estuve enojado con Mason.

Lo observé desde el reflejo de la ventana, resentido.

El contorno de la mandíbula viril, la línea recta de la nariz, el perfil arrogante de la boca llena. Resbalé en la mirada fija, que desprendía fuerza, y sin entender por qué mi ira aumentó.

" *Me parece absurdo que entres en éxtasis por alguien como ella* ", y odiaba ese pensamiento solo porque no podía sacármelo de la cabeza.

¿Por qué?

¿Qué me importaba lo que pensara Mason?

Nací en las montañas, como uno de esos líquenes que parten piedras para crecer en el hielo.

Mi piel se había vuelto marfil.

Y mi carácter, una armadura contra el mundo.

Hacía tiempo que había dejado de preocuparme por el juicio de las personas. Él era solo uno de muchos.

Permanecí obstinadamente en silencio durante todo el viaje. Después de un rato, Mason detuvo el auto en el estacionamiento de un buen restaurante.

Me desabroché el cinturón y salí sin siquiera esperarlo.

Caminé hacia la entrada y tiré de la puerta de vidrio, y su mano pasó sobre mi cabeza para mantenerla abierta. Sentí su presencia detrás de mí y por un momento pensé que su mirada perforaba la parte de atrás de mi cuello.

Inmediatamente vino a recibirnos un camarero.

"¿Puedo ayudarle?"

"Tenemos una reserva bajo Crane", dijo Mason directamente mientras me quitaba el sombrero.

La sonrisa del camarero se ensanchó.

"Por supuesto. Por favor, por aquí".

Vi a John ponerse de pie cuando nos acercamos a la mesa.

Impecable, aún vestido con chaqueta y corbata, nos recibió con una sonrisa llena de calidez.

"¡Aquí estás!" el empezó. "¿Tuviste problemas para encontrar el lugar?"

"No, nadie", dijo Mason, sentándose frente a él, quien le dio una palmadita en el hombro.

"Intenté llamarte", me dijo cuando yo también me senté. Sin embargo, su teléfono celular estaba apagado. Te dejé un mensaje. ¿Lo has leído?"

Lo miré fijamente, desconcertada. Me agaché para sacar el teléfono de mi mochila y solo entonces... ¿Cómo no me había dado cuenta?

"No..." murmuré. "Yo no... me di cuenta."

Él me sonrió. "Oh bien. Lo importante es estar aquí ahora. ¿Cómo estás? El mío fue un viaje de terror. El avión se retrasó dos horas porque el piloto estaba atascado en el tráfico.

John comenzó a contarnos sobre el trato, feliz, y Mason a mi lado permaneció totalmente concentrado en él; se llevó una copa a los labios y escuchó atentamente.

Mi mirada cayó sobre el mantel blanco y me desvié por un momento; la última vez que estuve en un restaurante estaba con la trabajadora social.

No me di cuenta de inmediato que estaba tocando algo caliente. Aparté la vista y vi la mano de Mason junto a mis dedos blancos.

Dejó de escuchar a John y me miró.

Lo encontré a un soplo de distancia, tan cerca que sentí su aliento, su cuerpo, su mirada cavando dentro de mí, violándome, estudiándome, quemándome el corazón...

Aparté mi mano de un tirón.

Sentí que me quemaba el aliento y escondí los dedos debajo de la mesa, como si fueran un crimen. *Pero solo fue un error, solo fue...*

La silla a mi lado chirrió y John levantó la vista, perplejo.

"Voy al baño", escuché decir a Mason, un momento antes de alejarme.

No entendí por qué. Pero no podía levantar la cara.

Solo cuando estuvo lo suficientemente lejos vi, en el vislumbre entre las mesas, el instante en que desapareció detrás de la pared, su mano se contrajo y luego se cerró lentamente.

"*Sí. Yo... la vi*".

¿Qué había querido decir?

8

Bajo la piel

Parece que la luna afecta al océano para hacer cosas impredecibles.

Es atracción, dicen. Un magnetismo incontenible y profundo. Así nacen las mareas.

El océano es tenaz e independiente, pero no puede escapar al poder de ese llamado: es más fuerte que la propia naturaleza.

Algunas leyes tienen reglas, pero no excepciones.

El regreso de John hizo que todo volviera a la normalidad.

Mason y yo volvimos a vivir en nuestros mundos espejo: el suyo, hecho de ruido y luces acristaladas, y el mío, aislado en silencio.

Mi padrino no era solo nuestro terreno común. Él era el único vínculo que nos mantenía unidos: sin él, dudaba que nuestros universos se tocaran alguna vez.

Mason rara vez estaba en casa; en la escuela, sin embargo, la situación era siempre la misma. Estaba de pie entre sus amigos, envuelto en una nube de sonrisas, y sus ojos nunca se encontraron con los míos.

Lo observé entre esas luces brillantes y, por momentos, realmente tuve la impresión de que estaba a estrellas y planetas de mí.

A veces, incluso me preguntaba si podría verme.

Y luego estaban las lecciones de arte.

Fue extraño, pero esa fue quizás la única vez que no preferí irme a casa.

"Así que realmente me escuchas", me dijo una tarde.

No me di la vuelta. Continué dibujando líneas en el papel, mirando de vez en cuando al maniquí.

"No puedo creer que hayas dominado la técnica tan rápido. Así que ahora tengo que hacerte una pregunta." Él sonrió, engreído como un castor. "¿Tenía razón o no?"

Le di una mirada de soslayo; Fingí estar demasiado concentrada para responder, así que asomó la cabeza a mi vista.

"¿En ese momento? Mucho mejor que antes, ¿verdad?"

"Todavía no puedo hacerlo bien", murmuré, pero él frunció los labios y levantó una ceja.

"No lo creo. Yo diría que estamos en la técnica básica». Miró mi hoja y luego asintió hacia mí. "Sígueme".

Dejé mi lápiz y me limpié las manos en los pantalones antes de ir tras él.

Se detuvo frente a un escritorio en el centro de la habitación. Puso su mano sobre una pila de volantes y me miró.

"¿Recuerda eso?" señaló la pared con la barbilla. "Me ayudaste a colgarlo la primera vez que viniste aquí".

Observé el gran panel con la dirección de la feria: las fotos de los stands, las filas de personas, los estudiantes exponiendo sus trabajos.

"Nuestra escuela ha estado participando en este evento durante cinco años. Es un evento importante en el que participan muchos otros institutos. Viene mucha gente a mirar, es un día muy significativo». Dio unas palmaditas a la pila de papeles ligeramente. "Cada año un panel de jueces revisa cada trabajo que se presenta. Evalúan los lienzos en varias métricas; ahora, eso se reduce a su discreción y probablemente a una buena cantidad de gusto personal. Básicamente, el lienzo más hermoso... gana. ¿Y sabes a quién irá el dinero recaudado? A mi".

Lo miré, alucinada.

"¡Estoy bromeando! Serán donados a una buena causa. Varias organizaciones benéficas asisten al evento y el dinero recaudado con las entradas se utiliza en varios sectores. Pero eso no es todo... para la escuela ganadora es un gran honor. La reputación escolar se beneficia de ello, es una forma de darse a conocer y promover la creatividad en los ámbitos educativos».

Lo observé, esperando, y él sonrió.

"Me gustaría que tú también participaras".

"¿Qué?"

"Sé que no has estado aquí mucho tiempo", anticipó. "Y sé que la idea puede asustarte, pero... créeme, eres perfectamente capaz de hacerlo. Todo depende de ti: no hay un tema subyacente, no hay límites; tienes pura libertad de expresión. Puedes representar lo que quieras".

Lo miré durante mucho tiempo, con calma, esperando a que terminara de hablar. Cuando estuve seguro de que no había nada más, dije rotundamente: "No, gracias".

Parpadeó. "Lo siento, ¿cómo?"

"No, gracias", repetí con voz apagada, "me niego".

Cierto. Porque yo, que recién había aprendido a sostener un lápiz en la mano, ahora comenzaba a participar en el evento más importante de mi carrera artística. Y tal vez incluso tuve que quedarme allí, junto a un cuadro que olía a abandono, mientras un mar de extraños nos miraba sin restricciones.

Era solo mi lugar.

Bringly me miró confundido.

—No puedes negarte, Ivy. No te estaba preguntando. Ahora eres parte del curso, y el curso participa del proyecto».

Miré a mi alrededor: los demás estaban jugueteando con los lienzos, ajustando el caballete, y ahora entendí por qué. El profesor debió notar mi expresión , porque suspiró y ladeó la cara.

"Ven conmigo".

Encontré el paquete de volantes en mis manos.

"Chicos, adelante. ¡Volvemos enseguida!"

Inmediatamente un cuerno.

Bringly me arrastró por la escuela colgando volantes en todas las superficies verticales: casilleros, tableros de anuncios, puertas de vidrio, incluso la cafetería.

Fuimos también a la secretaría, y no sé si me molestó más pegar papeles escupiendo escoceses o ver a la secretaria coqueteando con él desvergonzadamente.

Hizo un gran esfuerzo por despegarlo y, cuando finalmente logramos salir, tenía un Post-it azul con su número de teléfono pegado a su camisa.

«Ah, la pasión por el arte...» murmuró avergonzado, quitándose la nota.

Sospeché que lo estaba haciendo para involucrarme en el proyecto. Tal vez quería intentar un enfoque menos directo, o tal vez estaba tratando de exasperarme con esa historia hasta el punto de inducirme a aceptar.

"Vamos a poner algo ahí abajo".

Lo seguí a regañadientes donde me había señalado.

"Sabes, nuestra escuela nunca ganó", dijo casualmente. "Ni una sola vez". Me miró fijamente mientras clavaba un volante en la pared. "No te gusta que otros vean algo tuyo, ¿verdad?"

Miré el papel en la pared; No respondí, pero la verdad era que no, no me gustaba que la gente viera mis dibujos. Eran la forma en que me expresaba, la única forma en que podía sentir algo.

Había intimidad en esos bosques carboneros, en esos paisajes que hablaban de hogar. Habría sido como dejar que alguien mirara dentro de mí con una lupa, y eso no era lo que quería.

¿Por qué tuve que exponer una parte de mí al crudo juicio de la gente?

«No importa lo que los demás vean de ti... sino lo que tú quieras que los demás vean. Todo el mundo tiene algo que decir, Ivy, y estoy bastante seguro de que tú también".

Me miró, y esta vez lo miré a los ojos.

«Toma una idea, transfórmala en lo que quieres contar. ¿Qué hace vibrar tu corazón? ¿Qué es lo más hermoso del mundo para ti? Expresa lo que te apasiona, que todos lo vean. Muéstrales a los demás cuánta belleza puedes encontrar donde no pueden ver nada".

En ese momento un crujido cortó el aire. La puerta del aula de al lado se abrió y un profesor asomó la cabeza.

"Bringly", pronunció con una mirada malévola. "¿Puedo preguntar qué estás haciendo?"

«Oh, Patrick» Bringly sonrió agitando el whisky. "Disculpe. Estamos colocando volantes para la feria. Lo tomaremos con más calma".

"Están perturbando mi lección", nos informó.

Detrás de él vi una amplia visión del salón de clases. Había una computadora en cada escritorio y los estudiantes estaban divididos en parejas: algunos estaban charlando con sus vecinos, mientras que otros parecían estar navegando en sitios prohibidos por las normas escolares.

Mis ojos se posaron en el centro de la sala del tribunal.

Mason estaba allí, con los brazos cruzados sobre el pecho.

Estaba conversando con los que estaban detrás del mostrador y su rostro estaba abatido, una vaga sonrisa en sus labios.

A su lado, Travis jugueteaba con la computadora de manera un tanto conspiradora.

Esa fue la primera vez que lo vi sentado en clase. Ni siquiera entendí por qué, pero pensé que estaba espiando en su privacidad.

Parecía tan... él mismo, cuando estaba con los demás, que a veces me costaba encuadrarlo, definir sus contornos.

Mason se rió; su pecho se agitó, y esa visión fue por un momento todo lo que llenó la habitación.

Poseía un carisma que nadie tenía.

Esa capacidad de... *fascinar* , de hechizar a cualquiera que se pusiera a la vista, a cualquiera a su alrededor, con una mirada, una sonrisa, el movimiento de sus muñecas o simplemente su forma de caminar. Y por si fuera poco, *esa mirada* , ese cuerpo viril que destilaba desparpajo, ese rostro armonioso de cejas afiladas y ojos profundos que creaban algo morbosamente atractivo.

Ni siquiera parecía darse cuenta. Emitió esa luz ardiente sin darse cuenta de que él era el sol, y todo lo demás orbitaba a su alrededor, todo lo demás ardía en el resplandor de esa luz...

Un compañero suyo me señaló. "Oye, ¿no es ese tu primo?"

Aparté la mirada antes de que él se diera la vuelta.

"Estoy enseñando aquí. Agradecería al menos un poco de silencio —estaba diciendo Fitzgerald, el profesor de informática.

"Tienes toda la razón", estuvo de acuerdo Bringly, luego asintió amablemente hacia mí. "Es su culpa. Le dije que se callara pero ella no tiene respeto por mi autoridad".

Le di una mirada. Sacudió la cabeza como si yo fuera un cachorro que acaba de orinar en la alfombra.

"Creo que nunca la he visto aquí", siseó Fitzgerald, mirándome de arriba abajo.

"Es nuevo. Solo ha estado aquí por unas pocas semanas".

Y me hubiera gustado volver al lugar de donde vengo, aunque sea inmediatamente.

Miré a la clase.

Mason tenía la cara hacia abajo, los brazos aún cruzados, pero sus ojos en mí. Y no era el único: algunos susurraban, Travis se había inclinado para verme mejor.

"Bueno, volvamos al trabajo entonces". Bringly puso una mano en mi hombro. "Lamento molestarle de nuevo. Vamos, Nolton. Vamos".

Lo sentí incluso antes de que sucediera, como una vibración imperceptible.

Fitzgerald frunció el ceño por un momento. Luego me miró.

"... ¿Nolton?" murmuró. Una extraña sensación se apoderó de mí en alguna parte, como un gancho clavado en los huesos. Me congelé cuando ese presentimiento se abrió paso en mi carne.

"Sí, Ivy Nolton", escuché que Bringly respondía con orgullo, como si yo fuera su hija; pero Fitzgerald no sonrió. Continuó mirándome, como si me estuvieran sometiendo a una autopsia.

Su mirada inquisitiva amplificó ese algo incómodo dentro de mí. Sin siquiera saber por qué, sentí una repentina necesidad de alejarme, de irme, de desaparecer.

Observé la clase.

Los ojos de Mason estaban fijos en nosotros. La repentina intensidad de su mirada aumentó la sensación de escalofrío que sentí.

"¿De dónde dijiste que vino?" Oí preguntar a Fitzgerald y volví a mirarlo a los ojos. Mi disposición se quebró a la defensiva, la expresión de mi rostro era tan fría como el hielo e impenetrable como una fortaleza.

"Yo no dije eso".

Bringly pareció sorprendido por mi reacción. Parpadeó y miró entre mí y su colega ligeramente desconcertado.

"Tu lección, Patrick. ¿No estabas en medio de algo importante? Ya te hemos robado demasiado tiempo.

Fitzgerald finalmente apartó la mirada de mí, frunciendo el ceño.

"Sí... claro", dijo vacilante. «Mi lección... por supuesto».

"Buena explicación, entonces. Ven, hiedra.

Lo seguí de inmediato.

Mientras me alejaba y la puerta de la sala de ordenadores se cerraba detrás de mí, sentí la intensidad de dos ojos quemarme la espalda.

Y no eran las del profesor.

Cuando, unos minutos después, terminó la clase de arte, todavía sentía esa sensación de escalofrío en mí.

El nombre de Robert Nolton había estado enterrado en el polvo durante diecisiete años. Diecisiete años en los que había dejado el país, en los que había cambiado de vida, en los que el mundo se había olvidado de él.

Sin embargo, fue suficiente escucharlo decir para que Fitzgerald lo reconociera.

¿Cómo es posible?

"¡Maldición!"

Miré hacia arriba. Un niño estaba atrapado en la puerta: tenía un caballete enorme en los brazos y estaba tratando de tirar del mango hacia abajo con el codo.

Me acerqué y, cuando me abrí para que pasara, casi se cae hacia adelante.

"Te lo agradezco. Este estúpido caballete..."

Se deslizó y se llevó una muñeca a la frente. Cuando me miró a los ojos, me di cuenta de que me resultaba familiar.

"Oye, te conozco... Ivy, ¿verdad?"

Tuve un vistazo de él, en nuestra sala de estar, levantando a Carly para hacerla girar.

—Tommy —murmuré.

"Thomas, en teoría", dijo, poniendo su peso de nuevo en sus brazos. «Pero quien lo use de todos modos...»

Era extremadamente delgado, con hombros pequeños y una cara juvenil y sin barba; su cabello oscuro enmarcaba su frente como una cabeza de lechuga, siempre terminando frente a sus ojos.

"¿Tomas clases de fotografía?"

"Sí", dijo mientras caminábamos. "Pero últimamente ha sido una rutina. El profesor Fitzgerald no quiere que usemos el armario de la sala de ordenadores para dejar nuestras cosas, así que tengo que llevármelas a casa. Pero yo digo, ¿qué le cuesta? ¡No lo usan!"

Abrí la puerta del edificio principal y Tommy entró detrás de mí.

"¿Qué estás haciendo en el B?"

"Arte", respondí.

Entonces nos cruzaremos. Tenemos horarios similares..."

A nuestro alrededor, los estudiantes convergieron en las salidas abiertas de par en par, riendo y charlando.

"Por cierto, siento otra vez lo de la otra noche. Por enamorarme de ti con Carly".

"No importa".

Cogió un hombro de una chica que no lo había visto, y continuó: «Te estaba buscando esta mañana. Carly, quiero decir. Quiere saber si tu camisa se arruinó. Le dije que solo era cerveza, pero no me hizo caso.

Carly definitivamente había sido el problema menor. El mal olor que emanaba se lo debía a Mason y su lamentable estado.

Pasé por mi casillero. Estuve a punto de decirle que había llegado, pero se me adelantó.

"¿Y eso?"

Sus ojos estaban en mi brazo, en la funda de cuero que apretaba contra mi costado.

"¿Por qué lo tienes?"

"Porque es mío", dije solamente, apretando imperceptiblemente mi agarre en mi cuaderno de bocetos. Era un cuaderno de billetera marrón, cerrado con una cuerda que se enrollaba alrededor. Me gustaba mucho. Las páginas todavía estaban arrugadas, pero al ponerlo bajo el peso de las cajas noche tras noche, las arrugas mejoraron.

Pareció sorprendido.

"Pensé que era de tu tío..."

Fruncí el ceño.

¿Sobre Juan?

«Vi unos cretinos que la tiraron en la fiesta, tras encontrarla debajo del porche. Cuando Mason intervino, pensé que era de su padre..."

Me puse tan rígida que cerré los ojos por un momento.

"¿ *Qué* ?"

"Se las arregló para quitárselo de la mano, pero estaba bastante enojado. Creo que lo puso debajo del cojín de una silla, para evitar que nadie más lo encontrara. Lo siento. Espero que no se arruine..."

Mi cuerpo estaba allí, inmóvil, pero apenas podía sentirlo.

«¿Eres... es esto una broma?» Dije suavemente, con cautela.

«No sabía que era tuyo» Tommy lo miró con un suspiro. "Al menos no lo rociaron con alcohol..."

Lo miré fijamente tratando de averiguar si estaba bromeando.

No podía ser la verdad.

Mason nunca haría tal cosa.

No para mí.

En ese momento recordé su expresión cuando se lo arrebaté. La maldad que le había dirigido, el tinte de desconcierto en sus ojos...

"Realmente tengo que irme," Tommy me sacudió. Parpadeé, tratando de recuperarme de esa revelación. Mi mente estaba frenética y mi cuerpo entumecido. "Gracias de nuevo por lo de antes. Nos vemos, ¿de acuerdo? HOLA".

"Hola", murmuré, confundida y con el ceño fruncido.

Lo vi alejarse y luego miré mi cuaderno.

Lo abrí, hojeando lentamente las páginas color crema: animales, árboles, perfiles de montañas... Vi los ojos de papá, los mismos que había dibujado en decenas de otros cuadernos, y fruncí los labios.

Lo cerré y negué con la cabeza.

Está bien. ¿Y qué?

Esto no cambió nada.

Seguramente Mason no tenía corazón de repente, no después de la forma en que me había tratado.

No me quería allí, no me quería cerca, y no quería estar asociado conmigo. Había sido bastante claro al respecto. Me vio como una intrusión, algo que no podía controlar, porque esa intrusión tenía un perfume, dos ojos claros y una piel de alabastro.

Deambuló por la casa.

Tocó sus cosas. Siempre caminaba descalza y dejaba su presencia en todas partes, incluso en el aire.

Apreté la visera de la gorra, ajustándola en mi cabeza. Lo que pasó no hizo ninguna diferencia. Borré las palabras de Tommy y caminé a casa.

Cuando entré en el vestíbulo de la mansión, casi tropecé con los carritos de la Sra. Lark. Todavía estaban allí, desde hace días; Recordé que Mason me había regañado por dejar siempre mis cosas tiradas, así que decidí llevarlas arriba.

En la habitación me quité los zapatos y el sombrero: el aire frío golpeó mi frente, dándome un alivio que me hizo suspirar.

Después de sentarme en el centro de la habitación, desplegué los carritos y comencé a sacar la ropa, apilándola frente a mí sobre la alfombra.

Había de todo: minifaldas, pareos de colores, un par de cinturones con brillantes que no sabía ni dónde comprar; Cogí una camiseta con dos cupcakes colocados en una... *posición estratégica* , y la miré durante interminables minutos.

Rebusqué un poco entre las cosas y encontré un par de camisetas oscuras que debían ser de mi talla. Los dejé a un lado, junto con dos camisetas sin mangas de canalé blancas y una camisa a rayas. Luego saqué el disfraz que me había puesto la señora Lark.

Evidentemente, en su cortesía, no se había percatado de que me faltaba algún requisito indispensable: no podría haber llenado dos tazas así aunque me lo hubiera atado a las nalgas. Lo puse de nuevo donde estaba.

Lo último fueron los zapatos: unas sandalias de cuerda que no sabría ni cómo ponerme, y unas converse viejas. Una vez debieron haber sido negros, pero ahora tenían ese color descolorido que tenía el lienzo después de repetidos lavados. Eran solo la mitad de un tamaño más grandes que los míos, así que traté de ponérmelos. Ellos fueron a mi.

Estiré las piernas y balanceé un poco los pies, mirándolos.

Solo entonces me di cuenta de que todavía quedaba algo en el carrito.

¿Una caja?

Lo saqué; Metí un mechón de cabello detrás de mi oreja mientras la estudiaba. Era blanco, sencillo, con solo la escritura de una tienda en letras plateadas impresas en el lomo. Lo abrí y dentro encontré varios velos de papel de color rubor. Entonces toqué algo más. Me congelé en el instante en que sentí la tela.

Fue inmensamente suave. Y muy suave, como el interior de los pétalos de una flor, donde son más tiernos.

Descubrí el dobladillo de un vestido. Era de una delicada glicinia, un tono precioso y elegante; contra la luz enviaba reflejos ocultos, e inmediatamente comprendí lo que era: era satén.

Lo supe porque de niño había tenido una baratija con una borla del mismo material; No tenía ningún recuerdo en mi vida de algo tan sedoso y lustroso.

Dios, fue... *fue...*

"¿Hiedra?"

Jadeé y empujé el vestido de vuelta a la caja.

John vaciló en la puerta.

"¿Todo está bien?"

"Sí", dije, volviendo a colocar rápidamente la tarjeta en su lugar.

No me importaba mucho. Nunca hubiera hecho por mí, un vestido así...

"¿Encontrar cualquier cosa?" preguntó en el mismo tono de suficiencia que tenía cuando le dije que la Sra. Lark me había traído algo de ropa.

"Sí", dije en voz baja, y estaba seguro de ver a John sonreír. "Solo un par de cosas".

Tomé la caja con el vestido y la metí dentro del armario, en la parte de atrás, debajo de una pila de suéteres.

"Tengo la tarde libre".

Levanté la vista, y en su rostro vi esa expresión ligeramente vacilante, pero aún llena de calidez.

"¿Tienes hambre?" preguntó esperanzado.

Elegí asentir, aunque no era cierto. No tenía apetito, pero si había algo que realmente me dolía era decepcionar los esfuerzos con los que intentaba estar cerca de mí.

Vi lo que hizo. Lo sentí con una dulzura casi dolorosa.

Esos gestos fueron una flor que no supe hacer crecer. John me los entregaba todos los días, pero siempre terminaban marchitándose en mis manos.

Me llevó a un quiosco en los cerros, besada por el viento y el frescor de las palmeras.

Estacionó el auto a la sombra de las frondas y me dijo que lo esperara en una mesa. Mason, como siempre, había llamado para decir que volvería por la noche.

"Son típicas de aquí", dijo alegremente, entregándome una salchicha empanizada en un palito. "Toma, pruébalo".

"¿Cosas?" Pregunté, tomándolo con sospecha.

"Un *perrito de maíz* ". Se rió cuando me vio estudiándolo. "Vamos", y se mordió el suyo.

lo imité; Le di un mordisco, encontrándolo extrañamente suave y carnoso, pero en general sabroso.

"¿En ese tiempo?"

Mastiqué con cautela mientras sostenía mi mirada esperando mi veredicto.

"Tiene una textura extraña", murmuré, pero él frunció los labios y lo tomó como una victoria.

Comimos en silencio, sentados en las mesas de picnic con los pies en los bancos. El viento sopló entre las hojas y, en ese momento de intimidad, le conté a John sobre el proyecto de arte.

No había tenido mucha elección: o participaba, o no me hubieran otorgado los créditos necesarios para completar el plan de estudios.

"¿Así que ahora también estás en esto?" preguntó, arrugando su servilleta.

Asenti.

"Me parece una cosa muy hermosa. Tendrás la oportunidad de demostrar de lo que eres capaz, ¿verdad? Te he visto pintar toda mi vida. Sé lo bueno que eres» sonrió, pero lo miré con recelo y no le correspondí. "Al menos ahora tienes la oportunidad de involucrarte".

Maldito sea él y su papel de padrino informado y presente.

Maldita sea la clase de arte y Bringly.

Quería que me dejaran en paz, ¿era mucho pedir?

"Sé que da miedo", continuó John, "exponerte. Mostrándote a la gente... Pero tienes tiempo para elegir qué representar. Estoy seguro de que se te ocurrirá algo increíble".

Suspiré con los labios cerrados. El brillo del sol brillaba entre mis pestañas mientras giraba el palo entre mis dedos.

"También sucedió algo más".

John escuchó mientras le contaba lo que había sucedido con Fitzgerald. No entendí por qué sentí la necesidad de decírselo, pero lo hice de todos modos.

Todo el tiempo, sentí por el rabillo del ojo el foco de su mirada en mí.

"¿Reconociste el nombre?" finalmente preguntó, dejando que su sorpresa se mostrara.

"No lo sé. Tal vez sí".

"¿Él te conectó con él?"

Me quedé en silencio y John apartó la mirada, como si lo atormentara la preocupación.

"Él es un maestro," le recordé, tratando de razonar con él. "Es un profesor de secundaria".

¿Qué pensó que podía hacer?

"Si se corre la voz..." Sus ojos vagaron, inquietos. "Si... si alguien..."

"Nadie vendrá a buscarme".

"¿Qué hay de los hombres del gobierno, entonces? Los oficiales que vinieron al hospital cuando tu padre..." Ella se mordió el labio, apartando la mirada.

"No tienes que preocuparte por ellos".

"¡No estoy preocupada por ellos, Ivy!"

"¿Entonces quién?" Pregunté con exasperación. No quería que fuera así, solo había tratado de confiar en mí mismo para no repetir ese discurso otra vez. "¿Quién te asusta, John? ¿Algún loco trastornado? ¿Un grupo de hackers? ¿OMS?"

Sacudió la cabeza, renunciando a responderme.

Era una conversación irrazonable y ridícula, pero yo parecía ser el único que pensaba eso.

"No entiendo de qué tienes miedo", admití en voz baja, con sinceridad. "Estoy aquí contigo. Estoy aquí, John. En California, en tu casa. Tú mismo lo dijiste : Este es el mundo real. No estamos en una película. Realmente no puedes creer que alguien pueda secuestrar yo. Es absurdo".

"No te das cuenta", susurró.

"Tal vez. Pero no soy yo quien está flipando solo porque un profesor como los demás reconoció mi apellido».

La reacción del profesor me llamó la atención, al principio: después de todo, vengo de un lugar donde 'Robert Nolton' era simplemente una persona común. Nunca necesité temer el nombre de mi padre y no podía creer que tenía que empezar ahora mismo.

Pero Fitzgerald era un científico informático, y era simplemente concebible que le sonara familiar.

Pero eso no significó nada.

Papá terminó con esa vida antes de que yo naciera.

Había enterrado, borrado, archivado su pasado hace años y años.

¿Por qué John seguía viendo un monstruo listo para devorarme?

"No fue nada", dije, mi voz tranquila y firme. "De verdad. Solo pensé que querrías saberlo".

John no respondió; solo guardó silencio, pero fue suficiente para intuir que lo veíamos de otra manera.

Mientras conducíamos a casa, y él conducía en silencio, me pregunté si no debería decirle nada más.

Era una tontería, pero había decidido decírselo porque sabía que le gustaría saber. Sin embargo, alimentar sus preocupaciones no lo ayudaría a sentirse tranquilo, sino todo lo contrario. Tal vez, en lugar de cumplir con ellos, debería haberlos reconocido y dejado de lado.

Cuando llegamos a casa, John inmediatamente desapareció en la cocina para encender el horno; Me ofrecí a ayudarlo, pero se negó.

"Todavía tienes tu atuendo de esta mañana", señalé. "Al menos ve y cámbiate ".

"No te preocupes, estoy acostumbrado", respondió sin mirarme, y sentí que la historia realmente lo había molestado.

Debió adivinar mis pensamientos, porque se giró e intentó sonreír.

"Vamos a cenar en breve. ¿Puedes ir a buscar a Mason, por favor?

Yo dudé. Una parte de mí deseaba no haberlo hecho, especialmente después de lo que Tommy me había dicho. No quería verlo y mucho menos hablar con él, sin embargo dejé mis reservas a un lado y decidí obedecer.

Lo busqué por toda la casa, pero no lo encontré por ninguna parte.

"Estará en el sótano", sugirió John. "¿Miraste allí?"

Lo miré inquisitivamente.

¿Por qué, había un sótano?

"La puerta después de las escaleras. ¡El blanco!" me informó, antes de continuar removiendo la salsa dorada para asar.

Volví sobre mis pasos y di la vuelta a la escalera; allí en la pared había solo una puerta blanca, entreabierta.

Un pequeño corredor conducía hacia abajo, flanqueado por paredes claras.

¿Cómo era posible que nunca me hubiera dado cuenta?

Ahí es donde fue Mason cuando pareció desaparecer en el aire. Así es como solía reaparecer en cualquier momento.

Mientras descendía, un olor familiar me picó en la nariz y tuve una intuición.

era la habitación. Aquel del que me habló John, el que hay que repintar.

Las paredes estaban desnudas y el suelo cubierto de plástico; había varios botes de pintura aquí y allá, con unos cuantos pinceles de ala ancha y un par de rodillos de pintor.

Era una habitación espaciosa, con un techo no muy alto; Estaba mirando las paredes cuando una serie de golpes sordos llamaron mi atención hacia una puerta en la parte de atrás. Un destello de luz atravesó la penumbra y me acerqué lentamente.

Empujé la puerta a un lado. Apareció una habitación llena de trastos: había una vieja tabla de surf, algunas canastas apiladas, sillas y cajas apiladas contra las paredes.

En el centro, un espacio completamente despejado dio paso a una estructura metálica maciza formada por paneles planos acolchados, dispuestos a diferentes alturas.

Y Mason estaba allí, a la luz de una lámpara de escritorio.

Él era el que hacía todo ese ruido; era el repiqueteo de sus nudillos, el chirrido del soporte mientras cobraba violentamente.

Su cabello mojado caía sobre sus ojos. Las mangas de la camisa estaban arremangadas para revelar los hombros, y los músculos tensos emitían un vigor abrumador.

Observé esa escena sin respirar; sus manos estaban envueltas en vendas blancas que le llegaban hasta las muñecas y, bajo sus largas pestañas, sus pupilas inmóviles se llenaban de concentración.

Me encontré casi haciendo una mueca bajo el ataque detonante de sus golpes. Cada golpe era brutal, preciso, una aterradora explosión de poder.

Mason sabía exactamente dónde golpear para causar dolor.

Sabía romper una costilla, dislocar un hombro, era una máquina perfecta de rigor y violencia.

¿Qué podrían haber hecho esas manos, si tan solo quisieran?

Él me notó.

El brillo de sus ojos atravesó la oscuridad y me sentí clavado al suelo. Sentí la necesidad de correr. De repente me arrepentí de haberme quedado en la puerta, en silencio, como si lo estuviera espiando.

"Está listo ", dije como si necesitara justificarme.

Mason levantó el brazo y detuvo el pequeño reloj negro que envolvía su muñeca: supuse que se usaba para controlar el ritmo cardíaco y el número de brazadas durante la preparación.

Luego agarró el dobladillo de su camisa y lo levantó para limpiarse la mandíbula: me llamó la atención su abdomen bronceado, sus músculos palpitaban y se contraían. Vislumbré la piel temblorosa, los abdominales marcados, el sudor corriendo por el torso. Mi estómago ardía y aparté la mirada de inmediato.

Apreté una esquina de la camiseta y me di la vuelta.

"Espera un momento".

Me quedé quieto, antes de darme la vuelta de nuevo. Lo encontré absorto, decidido a apretar el cierre de las bandas alrededor de su muñeca.

"Hoy... ¿qué pasó con Fitzgerald?"

Esa pregunta me llamó la atención, pero pronto fue reemplazada por otra más importante.

¿Por qué me preguntaba?

No le había importado cuando hablé con John sobre por qué me había hecho pasar por su sobrina. Efectivamente, recordaba perfectamente que se había marchado.

Parecía enojado en ese momento. Como si ni siquiera quisiera escuchar, como si no le importara. ¿Qué había cambiado?

"No pasó nada".

Elevó sus pupilas hacia mí. Me encerró en una poderosa mirada y sentí que algo fuerte agarraba mi vientre. Era tan raro que Mason me observara que me estaba impacientando con sus ojos.

"Parecía nada".

"Entonces, no debes tener miedo de que pueda preocuparte", le respondí con dureza mientras me alejaba rápidamente de él. Salí casi por necesidad, como si su presencia fuera una luz muy fuerte, deletérea, que no necesitaba ser fijada.

Sin embargo, seguí viéndolo, su mirada.

En todas partes, como una luz muy fuerte, incluso sin mirarla.

Esa noche, después de la cena, me quedé en mi habitación.

Una extraña sensación recorrió mi sangre. Me sentí enojado, acalorado y nervioso sin razón aparente.

La pregunta de Mason quedó grabada en mi cabeza.

En general, yo también había sido sincero en mi respuesta: no había pasado nada. No importa cómo lo expresara John, así eran las cosas.

Fui *yo* quien vivía con papá, *yo* quien lo conocía por el hombre en que se había convertido.

Durante diecisiete años, su pasado nunca había representado ningún peligro. ¿Por qué alguien me estaría buscando ahora?

Porque está muerto, respondió una voz furtiva dentro de mí, *porque ya no vives entre hielos perdidos, porque eres todo lo que queda de él.*

Porque murió.

Parpadeé. Volví a sentir la sensación acre detrás de la lengua. Traté de apartarla, pero mi corazón se desaceleró con latidos pesados y sofocantes, un moretón con cada latido.

Retrocedí un paso como para alejarme del dolor. Mientras mis ojos se movían alrededor, cálidos y perdidos, mi mirada se posó en una caja con cinta azul.

Me acerqué a él y saqué un recorte de periódico. La fecha fue justo antes de mudarme a Santa Bárbara.

'Famoso ingeniero informático muerto' decía el pequeño párrafo. Robert *Nolton, estadounidense, murió a la edad de cuarenta y dos años en un lejano pueblo de Canadá, donde vivía con su hija. La causa de la muerte parece haber sido un tumor grave, que era incurable. A pesar del prematuro retiro de su carrera, en los años de actividad Nolton ha brindado una contribución indispensable en el campo de la innovación, representando a un pionero de la ingeniería informática y del diseño tecnológico de vanguardia. Ha confiado todos sus legados a su amada hija, con la esperanza de que esta, con el tiempo, llene el gran vacío debido a su pérdida.*

Sentí el papel arrugarse entre mis dedos.

El dolor subió hasta mi corazón y traté de no deformarme bajo ese peso, pero fue inútil. El desfiladero se cerró y la visión se volvió borrosa.

"No", tragué mientras mi alma se derrumbaba. Su ausencia se derrumbó sobre mí de repente.

A veces no parecía posible.

A veces era como si esos días en el hospital nunca hubieran existido, como si todavía esperara que cruzara la puerta, me saludara y me llevara a casa.

A veces hasta me parecía verlo entre la gente, detrás de un sombrero de hombre oa través de la ventanilla de un coche. Fue sólo un instante, pero mis ojos me engañaron y mi corazón cayó en la trampa.

"Sopórtalo", susurró la voz de papá, y el dolor alcanzó un punto insoportable.

Sentí los escombros dentro de mí pidiéndome gritar, desahogarme, estallar de una vez por todas.

Salí de mi habitación y me dirigí a la puerta del baño. Abrí el agua y el chorro frío salió disparado del fregadero. Mojé mi cara varias veces, tratando de tragar todo, para refrescarlo dentro de mí.

Me estaba comiendo por dentro.

Pronto se llevaría todo: mi alma, mis ojos, hasta mi voz.

Dicen que hay cinco etapas de duelo.

La primera es la negación. La negación de la pérdida, la incapacidad de aceptar un impacto tan radical. Los otros son la ira, el procesamiento, la depresión y finalmente la aceptación.

No me reconocí en ninguno de ellos.

No quería *rechazar* la realidad. No pude hacer que sucediera. Me engañé a mí mismo pensando que estaba pasando, reprimiendo un dolor que luego explotó como una criatura en una jaula. Había puesto una llave en mi corazón, pero el sufrimiento no es algo que se pueda domar.

Ella respira contigo.

Se alimenta de tus esperanzas. Bebe tus sueños, tus miradas y tus miedos.

Se sienta a la mesa y te observa comer.

Puedes fingir que no la ves, pero ella no te dejará.

De vez en cuando te susurra algo. Tiene la voz más dulce del mundo, pero es una canción desgarradora.

No puedes olvidarla. Ella aprende a esperar por ti.

Y se adapta a ti, como un ser vivo. Aprende a vivir en tu silencio, vuela entre tus pesadillas, escarba en la oscuridad y echa raíces.

Se parece a ti más que a nadie.

El sufrimiento eres tú.

Respiré profundamente, atravesando mi reflejo. Los ojos rojos contenían un dolor que ya no podía sofocar. Seguí estrangulándolo, reprimiéndolo, cerrándolo y amordazándolo en mis rincones más recónditos.

Con un corazón tembloroso toqué la pequeña astilla que colgaba de mi cadena.

Cerré mis párpados. Bosques frescos y un cielo azul como papel de azúcar pintado en mi cabeza. La mecedora y nuestro porche de madera donde papá leía todas las noches.

Como un desesperado, mi corazón se aferró a él. Lo envolvió para aplastarlo, para aplastarme, se agachó como una bestia y se quedó con él.

Y mirando ese rostro familiar en mi alma, recé para poder volver a verlo algún día.

Para mostrarle el cascarón vacío que yo era sin él – y entonces hubiera sido yo quien lo acariciara, pero con su propia dulzura.

Sujetándolo hasta el punto de fundirlo con mi corazón, le habría dicho: "Agáchate conmigo, que yo solo no puedo".

Estuve allí tanto tiempo que perdí la noción del tiempo.

Después de lo que pareció una eternidad, me pasé la mano por los ojos y mi mirada se posó en la bañera detrás de mí. Era grande y blanco, como un barco de porcelana.

Me acerqué lentamente y abrí el jet. El ruido, suave y burbujeante, tenía el poder de relajarme y traerme el recuerdo de nuestros manantiales. Cuando el agua tibia comenzó a fluir sobre mis dedos, decidí que me iba a bañar. Luego, con los huesos entumecidos, me dormía y nunca más pensaba en nada. Empujé la gorra hacia abajo y comencé a desvestirme. Todavía aturdido, colgué distraídamente una prenda en la manija y cerré la puerta.

Recuperé el baño de burbujas de pino silvestre y lo olí antes de verterlo. Un olor balsámico familiar flotaba en el aire, capaz de relajar mis nervios.

Lentamente me sumergí y apoyé la cabeza contra el borde, suspirando. Necesitaba mantener mi mente ocupada, así que le di la vuelta a la botella de baño de burbujas y leí la etiqueta.

'Para un aroma a bosque de ensueño, con extractos naturales. Edad recomendada: niños hasta siete años.

Miré al castor, indescifrable.

No quería imaginarme la escena de John en el supermercado, caminando hacia el departamento de niños y saliendo con eso, *para mí* .

Todavía estaba tratando de quitarme esa imagen de la cabeza cuando, de repente, la manija se bajó.

El paquete se me cayó.

Apenas tuve tiempo de darme cuenta de lo que estaba pasando: la puerta se abrió, como en cámara lenta, y ante mis ojos apareció la última persona que hubiera querido encontrarme en esa situación.

El ceño de Mason estaba fruncido y miraba fijamente lo que sostenía en su mano.

Y como si no hubiera límite para lo peor, lo que sostenía entre sus dedos era realmente mi sostén.

"Qué..." comenzó, antes de mirar hacia arriba.

Sus ojos se posaron en mí y me sonrojé.

Me quemé por un momento insoportable, y en un ataque de vergüenza, agarré lo más cercano y se lo lancé con todas mis fuerzas.

La vela perfumada de lirio de los valles de John lo golpeó de lleno en la cara y Mason se tambaleó hacia atrás, desconcertado.

La escuché maldecir cuando salí de la bañera, agarrando la primera toalla que estuvo a mi alcance. Lo envolví a mi alrededor con gestos frenéticos, tirando de él lo más posible para cubrirme porque definitivamente era demasiado pequeño.

Miré a Mason con los ojos muy abiertos, luchando por respirar; me miró bruscamente, frotándose donde lo había golpeado.

"Pero quiero decir, ¿estás loco?" gruñó enojado.

Me envolví alrededor de la toalla con dignidad y cargué hacia él, arrebatándole el sostén de los dedos.

Observó mi gesto y en un ataque de ira vino hacia mí.

"Estaba colgando del mango", ladró indignado, como si estuviéramos hablando del cadáver de un animal. "¿Qué diablos estaba haciendo allí?"

"Me equivoqué", siseé. "¡Ciertamente no fue una invitación para entrar!"

"¿Te equivocas? ¿Te equivocaste al dejar tu ropa tendida en la puerta del baño?"

"¿De quién creías que era? ¿Ves a otras mujeres en esta casa?

Mason apretó la mandíbula, destellos de alteración en sus ojos.

"Afortunadamente solo tú".

Una rabia furiosa hizo temblar mis manos.

¿Tuvo siquiera el coraje de desquitarse conmigo? ¡Yo era el cabreado!

"Él estaba allí por una razón", señalé. "¿Eso no te hizo pensar?"

"¿Y qué crees que debería haber pensado?"

"¡Tal vez estoy *desnudo* !"

lo había gritado.

El eco de mis palabras retumbó en el pasillo como un cañonazo.

Mason no se movió. Su mandíbula todavía estaba apretada, pero el matiz de emoción que nunca había visto pasó a través de sus pupilas.

Al instante siguiente, como si se hubiera dado cuenta repentinamente, sus ojos se posaron en mí.

Resbalaban sobre mi piel pálida, sobre los riachuelos de agua que corrían en el surco de mis senos, sobre la toalla diminuta de la que sobresalían los muslos mojados, que él observaba desde arriba.

Jadeé por aire y la sangre subió a mis mejillas. Traté de moverme, pero mi cuerpo estaba caliente y congelado, y no respondía. Casi sentí que podía sentirlo *tocándome,* sentir su mirada acariciándome con una lentitud caliente a lo largo de mi columna. Apreté la tapa de la esponja mientras Mason se elevaba sobre mí, como una pira que me quemaba violentamente.

no fue el

Él no era el que me sacudía por dentro de esa manera.

No fue él , me convencí fuertemente, *no fueron sus manos, ni sus muñecas de hombre* . Era mi malestar, mi dolor, mis sueños rotos. Era lo que llevaba dentro, *él no* tenía absolutamente *nada que ver* .

Cerré mis párpados y con un gran esfuerzo lo pasé.

Me alejé rápidamente, llevándome esa sensación que sentía hundirse más y más en mis huesos. Como una telaraña cerca de los pulmones, la médula, la garganta, pero tan sensible como un nervio; y cuanto más trataba de arrancarlo, más lo sentía aferrarse a mí.

Acabo de tragar.

¿Qué me estaba pasando?

John levantó la vista del periódico cuando me vio; observó mi lamentable estado, el sostén de algodón que sostenía en una mano y se quitó el cigarro de la boca.

"Ivy, qué..."

"¡John, quiero una maldita llave en el baño!"

9
Como una bala

Solía evitar a la gente.

Siempre había tenido un carácter cerrado, anguloso como el hielo, que nunca me había ayudado a hacer amigos.

Pasé mucho tiempo solo, en compañía de la naturaleza, porque solo en el silencio podía escucharme a mí mismo.

Aun así, esta era la primera vez que evitaba a alguien con quien vivía.

La presencia de Mason se me había vuelto intolerable. Sentirlo cerca me inquietó, tenerlo cerca me causó una turbulencia tan profunda que sentí el repentino deseo de salir de la habitación y respirar un aire que no lo había tocado. Aunque él fue el primero en alejarse de mí y nunca mirarme, cada contacto entre nosotros me volvía intolerante.

Por otro lado, no fue difícil averiguar por qué.

Mason era engreído, arrogante y egocéntrico. Me irritó muchísimo y me recordó todas las razones por las que prefería la soledad a la gente.

Sin embargo había más.

Algo que parecía incluso peor que sus innumerables defectos, que me hizo alejarlo con más fuerza de la que debería haberlo hecho.

Algo que caminó dentro de mí, que quedó a la sombra de mis respiraciones y se escondió en lo más profundo.

No sabía qué era, pero estaba seguro: no me gustaba.

Mientras bajaba las escaleras al sótano esa tarde, me preguntaba cuánto tiempo podría seguir ignorando su existencia.

Tal vez para siempre...

Me froté los ojos. El sueño que tuve esa noche me había impedido descansar adecuadamente. Todavía lo sentía vivo en mi piel, como una huella que había quedado dentro de mí. Parpadeé varias veces, y cuando localicé mi cuaderno sentí una punzada de alivio. Debo haberlo dejado allí la noche anterior, después de que bajé para sacar un momento en esa habitación para dibujar. Me agaché y lo recogí.

Estaba a punto de volver arriba cuando noté la luz que venía de la puerta trasera.

Mason debió de dejarlo puesto porque, al detenerme en la puerta, confirmé que no había nadie allí.

Me acerqué a la lámpara del armario y la apagué. Afuera estaba soleado, por lo que entraba suficiente luz a través de las persianas de las ventanas para ver con claridad.

Noté que en el escritorio de al lado había un sobre transparente: adentro, varias hojas reportaban sus datos de salud, su peso y hasta su altura.

Un metro ochenta y ocho.

Mason alcanzó una altura vertiginosa. Y solo tenía diecisiete...

Me llamó la atención la larga lista de visitas a la clínica requeridas para ser elegible: electrocardiogramas, monitoreo del tórax, resonancias magnéticas del cerebro. Había muchos requisitos que cumplir y me di cuenta de que el boxeo no era para todos. Requería constancia, seriedad y una absoluta determinación hecha de rigor y entrenamiento.

¿Por qué me sorprendió esto?

Me volví hacia los grandes puños americanos. Recordé la facilidad con que lo había visto crujir bajo los golpes de Mason y lo palpé con la punta de los dedos. Casi se sentía suave.

Cargué el brazo y traté de asestar un golpe.

No lo moví ni un centímetro. El golpe fue patético: puse los ojos en blanco y me agarré la mano dolorida, con el cuaderno de bocetos bajo el brazo.

"¿Qué estás haciendo?"

Hice una mueca.

Su presencia encerró mi corazón en una posición extraña: los ojos oscuros me clavaron donde estaba con un vigor desarmante.

"¿Que estas haciendo aqui?" continuó, territorial como siempre. Había vuelto a invadir su espacio y no tardó en hacerme dar cuenta, sin embargo un profundo impulso me hizo bajar la cara.

Empecé a salir sin siquiera contestarle, pero Mason puso su mano en la jamba y me impidió pasar.

"Estoy hablando contigo". Su voz salió baja y vibrante de sus labios carnosos, provocando un extraño estremecimiento en mis vértebras. Retrocedí contra el marco de la puerta, sintiendo que regresaba esa inexplicable sensación de frustración.

"Me di cuenta de eso", respondí, dándole una mirada de reojo.

"Entonces respóndeme".

"Nada", repliqué. "Yo no estaba haciendo nada".

Mason me miró desde su altura de seis pies. Su mirada me desnudó, se volvió persistente, íntima, ardiente.

Apreté mi agarre en mi cuaderno. Se dio cuenta de lo que estaba sosteniendo entre mis dedos y un viejo rencor brilló en sus iris.

Yo no toco tus cosas. Ves *para* no tocar el mío».

"Vamos, todavía no lo has dejado claro", respondí, siseando como un animal salvaje. Aunque tuve la culpa, reaccioné aún más duramente de lo necesario. Me sentí malhumorado y nervioso, como si me perturbara una herida abierta que no sabía que tenía.

Era un sentimiento de odio, uno que me hacía sentir vulnerable.

Y yo no estaba acostumbrado.

"De todos modos, dejaste la luz encendida", agregué. "Solo vine por eso".

Lo empujé con un movimiento decidido de mi hombro y me alejé, ocultando la urgencia con la que quería alejarme de él.

Mientras subía las escaleras, sentí que su pensamiento ardía como una quemadura.

¿Cómo podía ser tan insoportable?

¿Como?

Y pensar que era el ahijado de papá...

Por un momento traté de imaginarlos juntos, riendo y bromeando, pero fue imposible. A papá nunca le hubiera gustado.

Claro, amaba cualidades como el ingenio y la determinación, y Mason, en algunos rasgos como los ojos, el porte y la risa, incluso se parecía a John... Pero a él no le hubiera gustado. De la manera más absoluta.

Caminé hacia mi habitación, irritado. Sentí un hormigueo en mis mejillas: los sentí y en ese momento noté mi reflejo en el espejo. Tenía un tipo de piel que nunca se sonrojaba, lo que rara vez ocurría, y generalmente solo por el frío. Me sorprendió, por lo tanto, ver el ligero calor carmesí en mis pómulos.

Aún más nervioso, me acerqué al escritorio y puse mi cuaderno de bocetos en él.

Me llamó la atención la caja con la cinta azul. Todavía estaba abierto desde que saqué ese recorte de periódico. Me acerqué lentamente, como si fuera una criatura dormida. Dentro había algunas cosas: la billetera de papá, papeles, las llaves de la casa en Canadá.

En la parte inferior, un álbum de recortes azul decía simplemente "Ivy".

Él me lo había dado.

Dentro solo había dibujos, postales y algunas polaroids que había guardado. Sabía que me dolería mirarlos, pero no pude evitarlo.

Lo tomé en mis manos y lo abrí.

Las postales eran todas de nuestra zona: el valle, el lago cercano, el bosque detrás de la casa. No estaban llenos, pero eran suficientes para evocar recuerdos que aún estaban vivos en mi piel. Los dibujos, en cambio, eran un par de garabatos míos en viejas hojas de periódico. No entendía por qué los guardaba, no tenían nada especial excepto que eran divertidos, desordenados y enredados. Finalmente, solo quedaron dos Polaroids. El más antiguo tenía colores ligeramente desteñidos y representaba a tres personas. Yo era solo un pequeño bulto blanco; Papá era muy joven, con una mata de pelo imposible y las orejas agrietadas por el frío. Y a su lado estaba su madre.

Siempre la encontré hermosa: su cabello rubio nacarado enmarcaba un rostro en forma de corazón, orgulloso y dulce al mismo tiempo; su piel era blanca como la porcelana, y sobre sus pómulos brillaban dos deslumbrantes ojos verdes. Sus labios se parecían a los míos, pero una hermosa sonrisa brillaba en los suyos.

Su nombre era Candice. A diferencia de papá, ella era canadiense. Se habían conocido allí en California, en la Universidad de Berkeley, él en la facultad de ingeniería y ella en la facultad de Recursos Naturales; había muerto en un accidente poco después de mudarse a Dawson City, cuando yo tenía apenas un mes.

Toqué su figura. Tenía su cabello claro y esa mirada profunda, con largas cejas arqueadas y ojos de antílope afilados.

Quería decir que me lo perdí. Pero eso habría sido una mentira.

No conocía el tacto de sus manos. No conocía su perfume ni el sonido de su voz. Sabía que era ingeniosa, que su risa podía romper el hielo, era tan cálida y envolvente. Papá dijo que me parecía mucho a ella, pero viendo la calidez que desprendían esos ojos no podía estar de acuerdo con él.

Ojalá pudiera enseñarme a sonreír así. Para hacerme amarlos de esa manera brillante y espontánea que tanto los admiraba. Pero no había tenido tiempo.

Suavemente, cambié mi mirada a la página siguiente y miré la segunda Polaroid. Me representaba a mí y a papá al borde de un bosque encalado. Me sostenía sobre una rodilla y yo sonreía sin dientes, apretándole el cuello con mis guantes azules. Mis pantalones tenían suciedad en las rodillas, probablemente por una caída.

Había algo especial en esa fotografía, pero no podía recordar qué...

"¿Hiedra?"

John estaba en la puerta de mi habitación.

"Me voy", me informó, entrando con cautela. Había regresado para el almuerzo, pero sus compromisos en la oficina lo estaban llamando. "Solo quería recordarles que el electricista llegará en breve. Probablemente Mason esté fuera, ¿podrías abrirle la puerta? No te preocupes, viene desde hace muchos años. Ya sabe lo que tiene que hacer.

Me limité a un movimiento de cabeza. John había llegado a conocer mis silencios, pero siempre parecía estar esperando una frase, una respuesta que yo no sabía cómo darle.

Sus dedos rozaron mi cabello y una sonrisa amarga curvó sus labios. "Son largos".

Me llegaban entre la clavícula y los pechos, pero para mí era un largo récord: siempre los había llevado dos dedos por debajo de los hombros.

"No puedo recordar la última vez que te vi así". Escuché una pizca de vacilación en su voz. "Si quieres cortarlos... Sé que nunca te gustó cultivarlos..."

"No me molestan tanto," murmuré sin mirarlo. En Canadá nunca me había ayudado ir a la peluquería: siempre era mi padre quien me cortaba el pelo en el porche, pero en los últimos meses ya no había podido hacerlo.

Juan pareció entender.

"Bueno. Si cambias de opinión... solo tienes que decírmelo».

Puso una mano en mi cabeza. Luego salió, dejándome sola.

Todavía tenía el álbum de papá en la mano, así que lo miré por última vez antes de volver a cerrarlo.

En ese momento me di cuenta de algo. En la parte inferior, justo debajo de la Polaroid de nosotros dos juntos, había una oración escrita. Leo esas palabras como si vinieran de otro planeta.

'No todas las naves espaciales van al cielo.

¿Quién dijo esta frase?

Era *su* letra.

La letra de papá.

¿Que significaba eso?

Jadeé en el instante en que sonó mi teléfono celular.

"Ivy, cuando llegue el electricista, asegúrate de que suba a la camioneta", dijo John tan pronto como respondí. "No quiero que vaya y venga y deje la puerta abierta. ¿Aceptar?"

De nuevo sentí su aprensión, pero esta vez no discutí.

Murmuré una respuesta antes de colgar y volví a mirar la escritura desconocida.

La tinta parecía reciente.

Solo abrí ese álbum una vez, tan pronto como papá falleció. Nublado por el dolor, no había tenido la presencia de ánimo para notar ese detalle.

Mientras, poco después, me preparaba para tomar una ducha, volví a pensar en esas palabras sin poder entender su significado.

Papá nunca había sido como los hombres de nuestras partes. Me habló de números, de mecánica celeste, me enseñó las constelaciones. Siempre le encontraba un *pero* a las cosas, incluso cuando yo no veía ninguna de ellas.

¿Nos atrapó la lluvia?

" *Pero piensa en cuántas flores nuevas* ".

¿Estuvo nevando durante días?

" *Pero escucha qué hermoso silencio* ".

¿Nos perdimos en un camino impermeable?

" *Pero, ¿has notado qué espléndida vista?"* »

Sabía mirar las cosas de otra manera, con un color que nadie más podía ver.

A menudo, yo tampoco.

'No todas las naves espaciales van al cielo.

¿Quién dijo esta frase?

El timbre sonó en toda la casa.

¡El electricista!

Maldije el tiempo y cerré el agua, saliendo de la ducha. Me envolví en la toalla y goteé por todas partes mientras, en un estado lamentable, me deslicé rápidamente en mis calzoncillos.

Lástima que olvidé mi ropa limpia.

Maldije y me envolví en la toalla mientras salía del baño. Metí la mano en el armario de mi habitación y fui a buscar una de las camisas que usaba todos los días, pero cuando abrí el cajón estaba vacío.

"¿Estamos bromeando?" siseé sombríamente. No tenía sentido rebuscar en los otros cajones, debido a ese calor infernal todas mis camisas estaban siendo lavadas.

El timbre volvió a sonar y me mordí la lengua. ¡Ciertamente no podría abrirlo desnudo!

En ese momento recordé la pequeña habitación al final del pasillo. Una vez había visto a Miriam meter camisetas en él.

¿Habían terminado allí?

Pisoteé el suelo con mis pies descalzos, mi cabello goteando por mis hombros. Cuando llegué a la pequeña puerta de madera oscura, la abrí y encendí la luz. Era un armario diminuto , formado por varios estantes repletos de abrigos, zapatillas y mochilas deportivas.

Rebusqué entre los estantes con gestos febriles, sin encontrar sin embargo lo que buscaba.

¿Será que no había ni uno solo?

El enésimo trino de la campana me hizo apretar los dientes. Vi algunas camisetas que parecían nuevas en una caja y, en mi prisa, agarré una camiseta de los Chicago Bulls y me la puse.

Fue enorme para mí.

La tela cubría mis nalgas como mi vestido. Me di cuenta de que no era un atuendo apropiado, pero aun así decidí bajar corriendo las escaleras e ir a contestar el timbre.

Me aseguré de que el electricista había entrado con su camioneta, pero cuando abrí la puerta principal, no estaba allí.

Al enésimo trino, exploté.

"¡Maldita sea!" Seguí ese sonido vibrante marchando hacia la parte trasera de la mansión. Abrí la pesada puerta de metal que conducía al garaje, abriéndola de par en par para que no se cerrara de nuevo, y abrí la pequeña entrada que conducía al jardín.

Un hombrecito impertinente se levantó la gorra de trabajo.

"Ah, quise decir."

Lo miré con ojos sombríos.

"Yo he escuchado."

"Claro", sonrió ingeniosamente, entrando como si fuera su casa. "Señor. Crane me advirtió que estaría fuera. Ya me ha dicho todo. ¿Puedo?"

Lo dejé pasar y tomó la entrada que conducía a la casa.

Suspiré molesto cuando la puerta se cerró de golpe detrás de ella.

Un momento... ¿Golpe?

"¡No!"

Lo cogí y traté de abrirlo, pero fue inútil. Esa puerta no se abre desde afuera sin la llave.

"¡Ey!" Protesté, golpeando la superficie con la esperanza de que el electricista me escuchara. "¡Esperar!"

Cerré los puños en la puerta con nerviosismo, llamándolo.

Realmente estaba a punto de maldecirlo cuando la puerta se abrió de nuevo.

"Muchas gracias," espeté irritada.

Lo lamenté al instante.

No fue el electricista.

Dos lirios bruñidos me escrutaban desde una altura imponente, en su cruda intensidad. Mason me fulminó con la mirada, el sudor le corría por la mandíbula. Debió escuchar mis gritos y patadas mientras entrenaba: tenía bandas elásticas en los nudillos y el cabello húmedo le caía alrededor de los ojos bordeado de pestañas oscuras.

"Se puede *saber* que eres..." Las pupilas bajaron sobre la camisa que llevaba puesta.

No entendí lo que pasó. O tal vez, en cambio, lo entendí demasiado bien.

Una sorpresa tonta y fría bloqueó su mirada, haciéndola sombría y deslumbrante al mismo tiempo.

Mason miró lo que llevaba puesto con iris cristalizados con una furia brutal que habría puesto en fuga a cualquiera.

"Quítatelo", dijo en voz baja.

Di un paso atrás. Ese tono me hizo temblar, pero nada era como su mano: se acercó a mí y agarró la camisa de mi hombro, estrujándola lentamente entre sus fuertes dedos.

"Quítatelo *ahora* ".

Debió haberse vuelto loco, porque no parecía él mismo en este momento. Ni siquiera me miraba a mí, solo a lo que llevaba puesto, y no tuve el valor suficiente para decirle que no llevaba nada debajo.

"I..."

"¿Dónde diablos lo conseguiste?" susurró tan ásperamente que me hizo estremecer. Sabía cuánto odiaba que tocara sus cosas, pero esa reacción llenó mi piel con mil campanas de alarma. El corazón se aceleró. Apretó los dedos y la tela se levantó casi hasta dejar al descubierto mi entrepierna cubierta por las bragas.

Así que hice lo único que se me ocurrió: de un tirón, agarré la manguera para regar el jardín y de un tirón le di la vuelta a la manija.

La corriente congelada explotó.

Mason apartó la cara y me empujó hacia atrás, sosteniéndome por la camisa. Tropecé con sus pasos. Se desató un caos de salpicaduras y nuestros cuerpos chocaron, lucharon, intentaron dominarse el uno al otro.

Terminé contra la pared con agua cayendo sobre mí, pegando la tela a mi piel. Luché por empujar el chorro hacia su cara y hacer que me soltara, pero sus dedos se cerraron alrededor de mi muñeca y me sujetaron la mano contra la pared.

Esa locura cesó abruptamente.

El mundo goteaba a nuestro alrededor, húmedo y brumoso. Mi piel estaba resbaladiza por el calor, mis piernas desnudas estaban cubiertas de gotas heladas. En la sombra que se cernía sobre mí, mis ojos estaban en el rostro sobre mí.

La cabeza de Mason estaba inclinada, su camiseta estaba húmeda debajo de la cual su pecho subía y bajaba con fuerza. De los labios hinchados y entreabiertos salía un aliento cálido y jadeante.

Todavía tenía puesta mi camisa, pero eso no era lo que hacía que mi sangre latiera con fuerza.

Era su aliento, tan apremiante y cercano, que chocaba contra mi boca como un oasis de veneno.

"¿Qué está pasando en tu cerebro?" Lo escuché gruñir suavemente, casi en mi oído.

Y algo en mí tembló, giró, estalló como una enfermedad. Sentí que mi corazón bombeaba una sensación similar al miedo, pero más fuerte, más enorme, visceral y aterradora.

Sus pantalones de chándal se frotaron contra la parte interna de mis muslos, y un escalofrío me recorrió. Mi piel ardía, gritando algo que no quería admitir.

Giré mi muñeca y el agua salió disparada hacia adelante.

Mason cerró los ojos, cegado, y aproveché su distracción para empujarlo.

El tubo cayó al suelo.

Tropecé con mis pies descalzos cuando tomé la puerta abierta de par en par como una liebre, corriendo lo más lejos posible de allí.

Me escapé de él.

Huí como ni siquiera lo hice en Canadá, en esos bosques que tanto conocía, por caminos que nunca me hubieran asustado.

Mientras corría a mi habitación con el corazón acelerado, repasé el sueño que había tenido esa noche.

Había árboles, nieve y montañas.

Un silencio de cristal.

Su dedo estaba en el gatillo, la bala lista para golpear. Frente a mí, dos ojos brillantes rompieron el blanco.

Pero la bestia no estaba huyendo. Él estaba frente a mí.

yo era la presa

El rifle era su mirada, y lo apuntó directo a mi corazón.

10

La playa

“Ahora presta atención. En el movimiento circular, la velocidad y la aceleración varían en función del cambio de dirección del movimiento...»

La clase de física aguijoneó mis pensamientos.

Con mis ojos en el otro lado de la ventana, vi las nubes blancas correr por el cielo. Yo no estaba siguiendo. Mi mente estaba desconectada, fluctuante y errática.

He estado distraído últimamente. Estaba luchando por concentrarme, por concentrarme en cualquier cosa. Siempre había sido una chica diligente, pero perder a alguien tan importante creó un lío en mi alma que me hizo difícil incluso escuchar.

A veces me perdía dentro de mí. Los fragmentos rotos brillaban en la oscuridad, pero si miraba de cerca en su reflejo, vi hombros envueltos en una camisa a cuadros y una sonrisa familiar. Vi dos ojos azules tan parecidos a los míos, pero no podía tocarlos sin cortarme con el cristal.

Escuché el sonido de un silbato. En el campo de fútbol, fuera de la ventana, el profesor de educación física estaba animando a un grupo de estudiantes.

Algunas chicas se rieron mientras se calentaban. Se inclinaron para estirar los músculos de sus piernas y uno de ellos miró hacia atrás para asegurarse de que estaban admirando sus nalgas.

Seguí su mirada a un grupo de hombres. Eran cuatro, todos mayores. Inesperadamente, me congelé cuando vi a Mason entre ellos.

Hablaba mientras se estiraba; los labios estaban curvados y me fascinaban los movimientos con los que los dedos empujaban el codo para tirar de los músculos tónicos.

Hacía días que prácticamente no lo veía.

Después de lo que había sucedido en el garaje, había vuelto a evitarlo con más terquedad que antes. Él, además, había pasado la mayor parte de las tardes fuera y siempre volvía tarde.

Por un lado, estaba agradecida de no tener que volver a pasarlo por la casa. Por otro lado, sin embargo, no había sido capaz de explicar esa sensación desconocida que había quedado enredada dentro de mí, entre jirones de luz y alma.

Lo miré fijamente sin siquiera darme cuenta.

Había una brillante alegría en su rostro cuando dijo algo, y después de un rato todos los demás se echaron a reír juntos. Uno le dio un codazo y él se dio la vuelta, su cabello era un halo bruñido y esa sonrisa descarada aún en su boca.

Negarlo no lo habría hecho menos real: Mason... hechizado.

Tenía *ese* algo que era imposible no notar, como una naturalidad que lucía de maravilla. Casi parecía estar hecho de un material único, diferente, como un fragmento de la luna en una canasta de mediocres piedras.

Y *ese algo...* me habría vuelto loco buscando sus contornos. No podía ver dónde empezaba ni dónde terminaba.

Simplemente estaba allí.

Estaba en sus gestos, en su forma de reír, en el movimiento armonioso de su cuerpo; estaba en todo acerca de él, y cuanto más lo mirabas, más no podías detenerte.

Porque ese algo se te quedó pegado a las pupilas y ya no podías ver nada más. Se metió debajo de tu piel, se mezcló con tus pensamientos y te hizo preguntarte... *¿por qué... por qué no me mira?*

"¿Nolton?"

Jadeé. Casi sentí un tirón en mi corazón cuando me di la vuelta, angustiado.

El profesor señaló la fórmula en la pizarra.

"¿Quieres responder?"

Parpadeé con confusión momentánea. Miré la fórmula mientras los demás en la clase me miraban.

"Yo... no... no estaba escuchando."

"Me di cuenta de eso", me regañó el profesor, irritado. "La próxima vez, en lugar de perderte en la contemplación fuera de la ventana, será mejor que tengas cuidado".

Se dio la vuelta para continuar, sin dejar de explicar. Encontré los ojos de mis compañeros y miré el libro, tratando de no distraerme más.

Cuando llegué a mi casillero al final de la clase, parecía que todavía sentía esos pensamientos atrapados en mi cabeza.

"¡Ey!" una voz me llamó. "¡Hiedra! ¡HOLA!"

Me di la vuelta y encontré una cara pecosa a una pulgada de la mía. Aparté la cabeza y Carly me tocó los brazos varias veces, haciéndome feliz.

«¡Qué bueno, por fin puedo conocerte! ¡No sabes cuánto traté de hablar contigo, pero cada vez que te veía partir antes de que pudiera alcanzarte! ¿Cómo está la camisa?

"Bien", solo respondí, "lo lavé".

"¿Estás seguro? ¿No se va a manchar por mi culpa?"

"No", dije, mirando a mi alrededor como si fuera una niña perdida esperando que alguien la recogiera. "Es como antes".

Carly me miró como si acabara de quitarle un peso del pecho.

“Gracias a Dios... Tenía miedo de haberlo arruinado. Siento mucho haberme caído encima de ti. Tommy se pone bastante cobarde cuando bebe.

Quería recordarle que ella fue quien aturdió a ese búfalo de Travis, pero decidí esperar.

"¿Adónde vas ahora?"

"En casa".

Ella sonrió y me miró emocionada.

"¡Entonces es perfecto! ¡Vamos a la playa porque otros quieren surfear! Sam y Fiona también vienen, ¡vamos, únanse también!" Aplaudió y me sonrió. "Todavía no has estado allí, ¿verdad? ¡Oh, ya verás, te encantará! Sabemos de un lugar poco concurrido a unos kilómetros de..."

"No, yo... espera," la detuve, levantando una mano. "No puedo".

Carly se congeló. Sus ojos perdieron su vitalidad.

"¿Por qué no?" preguntó, con voz de niña.

La observé, buscando palabras con una dificultad inesperada. Parecía que se iba a quedar... enfermo. "No es para mí. No estoy hecho para el océano".

"Pero si nunca has estado allí", respondió ella con voz débil.

Bueno, no es como si pudiera culparla. Solo lo había visto desde lejos, una raya azul marcando el horizonte, pero nunca lo había visto realmente.

Sin embargo, no era por eso que no quería ir.

La mera idea de estar en un grupo de extraños me inquietaba profundamente.

—Vamos, Ivy —gorjeó Carly, rogándome con sus grandes ojos. "Tú vienes".

La miré por un momento, luego desvié la mirada. Me giré para cerrar el casillero.

"No, gracias. Prefiero irme a casa".

"¿Pero por qué?"

"Por qué no. No conozco a los demás. Y luego..." Vacilé. Mason no quiere que vaya.

Esas palabras tenían un sabor extraño y me arrepentí de haberlas dicho. Eran solo un pretexto, pero en el fondo sabía que era verdad. Él nunca me hubiera querido con ellos.

"¿Qué?" Carly parecía confundida. "¿Por qué no?"

¿Sí, por qué?

¿Por qué Mason siempre me había tratado así?

¿Por qué era todo luz y sonrisas con los demás y conmigo actuaba como un animal salvaje al que no quería que se le acercara?

Me había estado preguntando eso durante tanto tiempo que terminé manteniéndolo como una pregunta sin respuesta.

"Es una larga historia", murmuré, evitando su mirada.

Carly inclinó la cara, mirándome durante mucho tiempo.

"¿Es por eso que no tienes ganas de venir?"

Yo estaba en silencio. Entonces ella sonrió.

"No hay problema, Ivy. Hablaré con Mason al respecto".

Abrí mis párpados.

"No...!"

Pero me mordí la lengua, porque ya me había dado la espalda y se alejaba por el pasillo.

Miré hacia arriba y vi a Mason cerca. Estaba empacando sus libros en su casillero, pero bajó los ojos cuando ella se unió a él con su cabello bailando; entonces Carly juntó sus manos detrás de su espalda y comenzaron a hablar.

Quería irme, pretender estar ocupado, no quedarme allí mirándolos como si estuviera esperando su permiso. Sin embargo, no podía hacer otra cosa.

Estudié el rostro de Mason para tratar de entender lo que decían.

Carly se rió y él se apoyó contra el casillero, parándose sobre ella. Vi el amplio pecho al que apenas llegaba, los atléticos brazos entrelazándose lentamente.

Tragué saliva, cuando de repente levantó las comisuras de su boca. El hoyuelo se hundió en su mejilla y me quedé atrapado en él con una sensación de vértigo tan áspera que me carcomió el hígado.

¿Por qué? ¿Por qué les sonreía a todos así?

¿Por qué no yo?

¿Qué le había hecho?

¿Por qué... no me estaba mirando?

¿Por qué nunca me miró?

Me retiré de esos pensamientos casi asustada. Fruncí el ceño y tensé los brazos cruzados, sintiéndome atrapado por una perturbación espinosa, espinosa. Cargué un candado hacia atrás, perturbado por esa incomodidad, y solo entonces me di cuenta de que ya no sonreía.

Observó a Carly, que ahora hablaba con calma, pero había un velo de seriedad en su rostro. Al instante siguiente sus ojos me encontraron.

El corazón saltó. Me obligué a reprimir la sensación que me invadió, como si de repente me destacara contra el metal de los casilleros. En cambio, sostuve su mirada, encogiéndome de hombros tan imperceptiblemente que esperaba que no se diera cuenta.

Ni siquiera la dejó terminar: se enderezó desinteresadamente y, sin prestarme más atención, dijo algo que no entendí.

Carly se quedó en silencio por un momento, luego asintió. Después de darle una última mirada, Mason se fue.

Ella volvió a mí cuando él se había ido.

Me preparé para irme a casa, pero ella me miró desconcertada.

"¿A dónde crees que vas? ¡Mira, ella dijo que sí!"

De hecho, descubrí que Mason no había dicho "Sí" en absoluto.

La forma en que Carly me lo explicó fue más como: 'Lo que quieras, no me importa'.

Sin embargo, en ese momento no me preocupé mucho por eso, apretujado por Fiona que, en los brazos de un tipo diferente al de la última vez, estaba haciendo sonidos viscosos de succión a mi izquierda.

“Carly, ¿adónde vas? ¡Está allí!" gritó Sam desde el asiento delantero.

"¡Es más rápido aquí!"

"¡Pero es contra el tráfico!"

Ayuda.

El auto se desvió y nuestras cabezas se balancearon. Alguien llamó, sacudiendo el puño al guía enloquecido e imprudente.

Ni siquiera había dicho hola a John. Me pregunté si sería demasiado tarde para escribir un testamento en el reverso de la caja. Debería haberle dicho que su pastel de patata en realidad sabía a cartón, o al menos que me enterrara en Canadá.

"¡Carly, es rojo!"

Me hubiera gustado la ceremonia al aire libre. Posiblemente algo simple, sin el habitual "Era una buena chica" u otros adornos de cortesía. John habría llorado mucho, colgando mi sombrero en la lápida y abrazando el cielo, habría gritado: "¿Por qué?".

Carly se puso firme y decidí subastar los lienzos. El resto de mis cosas también, excepto la casa. Todo, pero la casa nunca.

"¡Carly, me gustaría llegar a la playa sin pasar a la siguiente vida!" protestó Fiona aferrándose a su novio como un gato en un avión.

“¡Bueno, al menos te estarás besando! ¿Puedes quejarte?"

«No me mires... ¡mira hacia adelante! ¡Después de usted!"

"¡El poste, *cuidado* !"

"Moriremos todos", murmuró el tipo, casi resignado.

Siempre había sido una persona de poca fe, pero cuando llegamos a la playa, tuve la certeza de que era por ayuda divina.

Salimos del auto como un grupo de hacedores de milagros, Carly, sin embargo, salió tan brillante como un rayo de sol. Cuando vio que habíamos llegado primero, dijo con satisfacción: "¡Además, dicen que las mujeres no saben conducir!"

Fiona maldijo por lo bajo, alisándose el cabello con el ceño fruncido.

"¡Vamos!" Carly nos instó y comenzó a corretear hacia la duna que precedía a la playa.

Un fuerte ruido azotó mis oídos, pero yo parecía ser el único que se dio cuenta.

Cuando llegué a la cima, el viento golpeó mi cara y el océano se abrió ante mí.

Y yo... jadeé.

Fue colosal. No, *más* , era lo más grande que he visto nunca, como no lo eran nuestros valles ni nuestras montañas. Casi me mareo al mirarlo, como si mis ojos no pudieran contenerlo.

No había horizonte. *Él* era el horizonte.

Y era azul, azul como en las postales de John, azul como nunca he visto nada más en el mundo.

Me quedé al borde de esa pendiente, golpeado por un viento que olía a sal. Y por un momento me pregunté cómo era posible haber vivido toda una vida sin ver semejante espectáculo.

"¿Hermoso, no?" Carly susurró.

Si fue bueno. Pero de una belleza impetuosa, agresiva, que se clavaba en ti, que erosionaba tu corazón.

Y nunca pensé que lo encontraría ahí, entre edificios relucientes y olor a asfalto.

Sin embargo, estaba equivocado .

—Ivy, ¿vienes?

Los seguí sin dudarlo.

La arena brillaba caliente a nuestro alrededor. El sol caía como el infierno y estaba agradecido de tener mi pequeño sombrero para protegerme la cara.

"Aquí." Carly me entregó un tubo naranja. "Es protección total. Con una tez como la tuya, es mejor no arriesgarse.

Seguí su consejo. Extiendo la crema en mis brazos y otras áreas expuestas por mi ropa, encontrándola muy espesa contra mi piel. No me gustó nada la sensación que me dejó, pero no tenía otra opción.

"Ojalá tuviera un poco de helado ahora", se quejó Fiona, tomando el sol. Su piel dorada brillaba como caramelo al sol. ¿Cómo no se incendió?

La vi abrir un ojo y mirar al chico a su lado.

" *Oh* ", exhaló enfáticamente, y detrás de ella Sam puso los ojos en blanco. "Realmente quiero."

Le dio un codazo al chico, quien saltó cuando soltó el teléfono celular.

"¿No lo quieres?" preguntó ella molesta.

"Sí, bueno... en realidad sí..."

"Perfecto entonces," sonrió, volviendo a ponerse sus lentes de sol. "Yo una paleta de fresa".

Se incorporó, avergonzado, y detrás de él vi a Tommy descendiendo la colina.

"Hola, amigos", suspiró con cansancio, desplomándose en el suelo.

"No te derritas conmigo", se quejó Fiona, alejándose. Luego, después de escudriñarlo, ella le preguntó: "¿Quieres un helado?"

"Amaría eso".

«Hasta un croissant», ordenó a la víctima, sonriendo brevemente. "¿Tú?"

"¡Oh, oh, tomaré un cremino de chocolate!" Carly arrulló, levantando una mano.

«Quisiera esos favores de crema... ¿cómo se llaman? ¡Ah, sí, los *Bon Bons* !"

"¿Y tú? ¿Qué quieres?" Fiona me preguntó.

Me sorprendió un poco que se dirigiera a mí directamente.

«No, yo... nada».

"Haz dos croissants", agregó, y luego con un movimiento de su mano despidió al niño, quien caminó hacia el quiosco más cercano.

"¿En ese tiempo?" preguntó Tommy. "¿Cómo está yendo?"

"¡Bueno, yo cuido niños! ¿Sabías?"

Todos giramos en la misma dirección, alucinando.

Carly sonrió con orgullo.

"¿Tú? ¿Cuidas a otros seres humanos? ¿ *Niños?"* preguntó Tommy, incrédulo.

"¡Cierto! ¡Nos estamos divirtiendo mucho!"

"Y... ¿sobreviven?"

"¿Por qué? Mira, me adoran", aclaró, molesta.

"Ah, no lo dudo. Entre similares..."

Carly buscó algo para tirarle, pero como solo teníamos arena alrededor, le tiró una concha. Tommy trató de esquivarlo, pero recibió un golpe entre los ojos.

"¡No todos son tan malos como tú!" Le sacó la lengua.

Vi sus orejas sonrojarse bajo su cabello. Pero entonces Tommy volvió a mirarla, cuando ella se distrajo; él la miró disimuladamente y fue el último en darse cuenta de que habían llegado los helados.

Fiona le lanzó el croissant y luego me lanzó otro; Observé con asombro mientras desenvolvía su paleta.

"¿Bien?" iglesias "¿No vas a saltarte el almuerzo?" y mordió su helado.

"Gracias," murmuré, untando la crema en mis dedos.

"¡Oye, aquí están finalmente!"

La voz de Sam me hizo rodar los ojos. A lo lejos vi un pequeño grupo de personas que llegaban a la playa desde un punto diferente al nuestro. Carly se levantó para ir hacia ellos.

"¿Pero a quién trajeron con ellos?" preguntó Tommy, parpadeando.

"Ay, no me digas..."

"Es una plaga", nos aclaró Fiona, mientras se levantaba las gafas.

"¿OMS?" Me encontré preguntando.

Entonces la vi. En el mismo instante vi a Mason.

La chica a su lado, con un par de amigos a cuestas.

Caminó por la arena con pulseras en las muñecas y sandalias en una mano. Tenía el pelo castaño, largo y muy cálido, que brillaba al sol, y un rostro que habría esperado ver en una revista de moda. Las uñas estaban lacadas como caramelos; los llevó a su boca risueña y luego los extendió al brazo a su lado.

Rozó a Mason y no me di cuenta de que el helado se estaba derritiendo en mis dedos.

"Mira cómo se pega", escuché, pero apenas me di cuenta.

Mason levantó una esquina de su boca; solo estaban hablando, pero ella nunca perdía la oportunidad de tocarlo, sonreírle e inclinarse hacia él.

"Dios, la odio", comenzó Fiona, con una punzada de envidia que me excitó.

"¿Quién es?"

"¿Quién? ¿La hermosa diosa coqueteando con Mason? Solo Clementine Winson", respondió Tommy, poniéndose de pie. "La chica más popular de la escuela, la reina del anuario... Ya sabes, las cosas habituales", concluyó con ironía mientras se sacudía la arena.

"¿Adónde vas?" preguntó Sam, frunciendo el ceño.

"Voy a encontrarme con ellos. Imagínate si vienen hasta aquí». Puso los ojos en blanco y se alejó; desde la distancia, Travis levantó un brazo para saludarnos, y Sam hizo lo mismo.

El sonido de los retoños se reanudó al instante. Me giré para ver a Fiona devorando la cara de su novio con tal ímpetu que pensé que en realidad se lo iba a comer. Estaba prácticamente en su regazo, con los muslos alrededor de sus caderas, y él le respondió alegremente antes de que ella se pusiera de pie, sosteniendo su mano con firmeza.

"Nos reuniremos contigo más tarde". Miró hacia donde estaban los demás, luego lo arrastró hacia el estacionamiento.

Vi a Sam sacudiendo la cabeza, así que no pregunté.

Volví a darme la vuelta y vi que algunos habían puesto sus tablas en la arena; Mason, que no parecía querer ir a surfear, estaba sentado junto a un amigo suyo. Y ella estaba junto a él.

Era tan hermosa como una rosa criada en un caso. Esos ojos llenos de pestañas se deslizaron sobre el magnífico cuerpo junto al suyo, sobre la ancha muñeca apoyada en su rodilla y los dedos masculinos que transmitían una fuerza tranquilizadora. Había algo codicioso en la forma en que ella lo miraba, apenas contenida. Aprovechó que estaba distraído y estudió el perfil de la boca llena con un ardor tan indecente que hasta yo me tensé.

"Clementine nunca se rinde", murmuró Sam.

"¿Interesado en Mason?" Pregunté con voz ronca, mientras la chica se reía y sacudía su hermoso cabello. Era una pregunta tan obvia que me sentí como un completo tonto, pero la respuesta llegó de todos modos.

«Oh, eso es un poco un eufemismo, en realidad. Llevo meses intentando atraparlo. No es nuestro regazo, pero da la casualidad de que siempre lo encontramos alrededor. Es terriblemente hermosa y lo sabe, así que es divertido verla luchando por llamar la atención".

Los observé y sinceramente no vi ese muro infranqueable que ella vio entre ellos.

"La haces parecer como si no tuviera remedio".

Se encogió de hombros.

"Siempre ha sido así. Mason... Él... nunca se dejaba acercar mucho. No es que no tenga éxito con las mujeres, cualquiera con un par de ojos lo notaría. El caso es que a Clementine le gustaría meterlo en su preciosa jaula dorada, pero no ha entendido quién tiene delante».

Sam lo miró durante mucho tiempo y me di cuenta de que debía conocerlo desde hace mucho tiempo.

"Personalmente, nunca lo he visto ceder a las persuasiones de las chicas que zumbaban a su alrededor, por muy traviesas que fueran. Mason sabe lo que quiere, dos palabras provocativas o un cuerpo para gritar no son suficientes para hacerlo capitular. Eso es lo que los vuelve locos. Realmente los he visto hacer todo lo posible para llamar su atención, locuras". Sus ojos se iluminaron divertidos. "Recuerdo cuando lo acabábamos de conocer: para él solo había boxeo, y deberías He visto a las chicas de nuestra edad, realmente no tenían control. Se le acercaron con las excusas más estúpidas, y Mason también debe haberlo notado, porque vamos, vamos, siempre ha sido *guapo* . Incluso a los catorce años. Se rió, doblando los dedos de los pies. "Y Fiona no podía creer que los alejara a todos, así que insistió en que era gay. *¡Ay* , qué divertido!" espetó con lágrimas en los ojos. "¡Su cara cuando lo vio besando a uno detrás del patio de la escuela!"

Sacudió la cabeza en un ataque de alegría.

"Por supuesto, incluso Fiona tuvo que admitir que a Mason le gustaban las chicas. Y lo confirmó a lo largo de los años, aunque nunca lo he visto vincularse realmente con nadie. Creo que también tuvo medio romance con su vecina, pero no acabó demasiado bien».

"¿La sobrina de la Sra. Lark?" Pregunté en voz baja, mis ojos se abrieron como platos.

—Exacto. Ella salió bastante quemada. Al poco tiempo él se fue a la universidad en otra ciudad y desde entonces no se han vuelto a ver.

Sentí un malestar indefinido al hablar de él en esos términos. Mason besando a alguien, poniendo sus manos sobre ellos, *abrazándolos* , y tuve que alejarme de esos pensamientos como si fueran veneno.

"Si no está prestando atención, no veo por qué las chicas deberían intentarlo".

Sam se rió entre dientes.

"Usted lo hace fácil. Mason no es exactamente del tipo que te deja frío, ¿no crees? Y no es solo la apariencia... Es un amigo extremadamente leal. Siempre está ahí si lo necesitas, incluso si no lo muestra abiertamente. Tal vez no sea bueno con los sentimientos, tal vez no pueda transmitirlos de la manera correcta, no sé... pero haría cualquier cosa por alguien a quien ama. Una vez lo vi golpear a un estudiante de último año solo porque insultó a Travis. Y Mason sabe cómo lanzar golpes. Se rompió el pómulo".

La miré con sorpresa. No podía creer que estuviéramos hablando de la misma persona, era surrealista. Me había mostrado un lado completamente diferente de sí mismo, un carácter hostil y mordaz que me había impedido mirar más profundamente y comprender más. *¿Podría haberlo hecho a propósito?*

De repente, la mirada de Sam se volvió distante, lánguida, casi absorta.

"Imagina tener un novio como él", susurró, "y saber que no miraría a nadie más. Imagina todas las miradas de adoración, todos los gestos y atenciones de las chicas, y saber que eres el único que ella elige para estar. Imagina robarle el corazón, meterte en su cabeza, saber que siempre y solo te querrá a ti, porque un chico así solo se une con quien realmente siente. Imagina ser exactamente eso, para él..."

Sus palabras se perdieron en el viento. Lo que acababa de pintar parecía un cuento de hadas, el deseo con el que toda niña sueña frente a la belleza que encarna ese rostro. La miré en silencio, mi garganta se contrajo, y todo lo que salió fue una sílaba entrecortada.

"Tú..."

Ella notó mi mirada. Bajó la cara y una sonrisa melancólica curvó sus labios.

"Hace mucho tiempo. Por un tiempo... pero eso es agua debajo del puente. Más que desaparecido".

Tuvo un efecto extraño en mí. Sam era sarcástica, alegre y en el fondo no podía imaginarla suspirando por Mason.

¿Cuántas chicas había dejado atrás?

¿A cuántos les hubiera gustado esa pizca de atención, esa mirada extra con la que hubieran podido decir: *eres sólo mía* ?

Por un terrible instante casi pensé que podía *entenderlos* .

Envolví mis brazos alrededor de mis rodillas y miré hacia la playa.

Clementine tenía las piernas extendidas frente a ella, como para mostrarlas, y me pregunté si Mason las habría notado.

Ella le dio un empujón, todavía tocándolo con esas manos, y sentí una sensación de repugnancia rasgándome la garganta, *porque él la miró de nuevo, clavó sus ojos en los de ella y le sonrió como nunca me lo había hecho a mí.*

En ese momento parecían estar a años luz de distancia.

Eran perfectos juntos, dos piezas idénticas de un mosaico increíble, un collar de diamantes en el que brillaban como estrellas.

Y allí estaba yo, en el borde más lejano del universo. Los vi orbitar y me sentí como un meteorito a la deriva, un planeta estéril que nunca notaría.

"Nos vamos ahora. ¿Nos estás mirando desde aquí?" Escuché a mi lado, alguien se había unido a nosotros, pero no me di la vuelta.

"Sí", respondió Sam.

"Hoy está perfecto", comentaron, "¡mira esas olas!".

"Asegúrate de no actuar fenomenal..."

"No hay nada que temer", dijo uno de ellos. "¿Alguno de ustedes quiere probarlo?"

Lentamente levanté mi rostro.

Observé el océano agitándose en la distancia mientras el viento agitaba mi cabello con su vehemencia.

Luego, con determinación en mi voz, con la impronta de un rostro que nunca se volvería hacia mí, levanté la vista y exclamé: "Yo".

11
Hasta el final

Tres pares de ojos se fijaron en mí.

"¿Tú?" preguntó Sam, atónito.

"¿En serio?" preguntó Travis mientras me ponía de pie y me quitaba la arena de los pantalones.

"Sí, quiero intentarlo".

"Pero miras", dijo la tercera voz. "Esto es inesperado".

Me giré para observar al chico que estaba con ellos, ahora decidido a estudiarme con interés. Inmediatamente tuve la impresión de haberlo visto antes: era el tipo alto que me había tropezado en la fiesta y al que Travis había derribado, ordenándole que no me coqueteara.

"No creas que es genial, Ivy", dijo Travis, como si hubiera peligro, "Nate es bastante bajo en la mesa".

El otro se echó a reír.

"Te gustaría eso, ¿eh? La última vez hice cinco crestas y tú solo tres».

Travis resopló, murmurando algo incomprensible, y se volvió hacia mí.

"¿En ese momento? ¿Quieres intentarlo?"

"Nate, Ivy vio el océano por primera vez hoy. No creo que ese sea el caso..."

"Pero lo es," dije por encima de la voz de Sam. Pareció sorprendida de que me sintiera tan decidido, me miró a los ojos y dijo:

"Enseñame".

Él sonrió.

"¿No tienes un disfraz?" me preguntó unos momentos después mientras nos acercábamos a donde estaban los demás.

Asentí con la cabeza.

"Está bien... Alguien debería tener el traje de neopreno del tamaño correcto. Espera, iré a escuchar".

Lo observé alejarse hacia el grupo, su cabello rubio captando la luz del sol. Tenía una figura extremadamente esbelta, más alta que poderosa, con una piel delicada y un bronceado casi dorado que hacía juego con sus pálidas facciones. Todavía estaba estudiándolo cuando la sombra de un tonelaje musculoso se superpuso a la mía.

"Hola, Ivy".

Travis se acercó a mí, pateando un caparazón. Sus manos estaban enterradas en los bolsillos de sus pantalones y su expresión fruncía el ceño como la de un niño.

"Aquí, primero... ¿A dónde fue Fiona?"

Levanté la cara, pero él evitó cuidadosamente mirarme o mirarme a los ojos.

Dijo que se uniría a nosotros más tarde.

Travis se rascó la cabeza, asimilando mis palabras. "Um... está bien", murmuró pensativo, pero supe por la forma en que se quedó en silencio que no era la respuesta que quería.

Nos unimos a los demás, caminando entre personas sentadas y niños que intentaban raspar la cera vieja de las tablas.

El rugido del océano me hizo dar la vuelta: las olas devoraban la costa, pateando como caballos salvajes. Casi parecía un ser vivo, un ente inmenso y ancestral que hacía temblar la tierra con su aliento.

"Toma, hiedra". Nate me entregó un paño negro y me sonrió. Me costó un poco enmarcarlo. Al principio había percibido bravuconería en su actitud, pero había una especie de prisa en su forma de moverse y caminar que en lugar de darle confianza lo hacía casi cohibido. "Hiedra, ¿verdad? Realmente no nos presentamos..."

Agarré mi traje de neopreno y ladeé la cabeza.

"'Destiny' ya se ha ocupado de eso, ¿no es así?"

Se sonrojó pensando en lo que me había dicho en la fiesta.

"¿Te acuerdas, eh? yo no tanto Ya sabes, todas esas cervezas... Las luces no ayudaron mucho... Él se enderezó y se apoyó contra la mesa, tratando de verse bien. «Pero... Jejeje... No hay peligro. ¡Soy un gobernante, yo! Nadie tiene una tripa como la mía, no me llaman el rey de la..."

"Travis me dijo que te encontraron en el jardín al día siguiente sin pantalones. Con la cabeza clavada en el jarrón de cristal del salón».

Palideció todo a la vez.

«'S... Sí... Bueno, pero eso no fue por el alcohol... O sea, el vidrio tiene que tomar aire de vez en cuando, ya sabes... Es bueno para el material... y luego...'

"Me voy a cambiar", lo interrumpí, poniendo fin a su tartamudeo incoherente.

Él asintió vigorosamente.

«M... Por supuesto. En efecto. Las cabañas están allí.

Empecé en esa dirección y, detrás de mí, lo escuché silbar lo que parecían ser coloridas maldiciones a Travis.

Me metí el traje de neopreno bajo el brazo y caminé entre la gente sentada en la arena.

Sabía *que* estaba allí, en el centro de un pequeño grupo. Cada sentido mío percibía su presencia como si fuera el núcleo de una energía incontenible y poderosa, capaz de atraerme y repelerme en igual medida. Tenía la intención de pasar junto a él sin dignarme una mirada, pero el destino no me lo permitió.

Todo sucedió en un instante: alguien vino hacia mí con la tabla y perdí el equilibrio, pero no pude detenerme. Mis párpados se abrieron cuando tropecé con mis propios pies.

Me estrellé contra el centro del grupo.

Algunos saltaron, otros se movieron para ver qué había estado removiendo toda esa arena.

" *Oh, Dios...* " susurré, demasiado avergonzada para darme cuenta de lo que acababa de suceder. La vergüenza me mordió el estómago, pero obviamente eso no fue lo peor.

Lo peor fue cuando levanté la cabeza y me encontré frente al mismísimo Mason.

Tenía la boca entreabierta, la cara vuelta hacia otro lado, pero los ojos bajos. Da la vuelta hacia mí.

Deseé que la playa me tragara. Literalmente había caído a sus pies , pero cuando me encontré con su mirada esa era la única luz que llenaba la inmensidad del mundo. Sus iris brillaban con sentimientos contrastantes, como gemas que, golpeadas por el sol, mostraban venas ocultas e insospechadas. Me miraron con genuina sorpresa, y su fuerza impetuosa me azotó como nunca antes. Y ya no sentí la arena. El océano. El calor, el sol, el viento...

"¡Hiedra!"

Me sentí levantada por mis axilas y el contacto entre nosotros se rompió. Era como si me hubieran arrancado de mí mismo. Vacilé cuando me ayudaron a ponerme de pie, mirándome con preocupación.

"¿Estás bien? ¿Te lastimaste?"

Travis comprobó que no me habían arañado, mientras me sacudía débilmente la arena de la ropa, todavía aturdida.

«No... solo me tropecé».

"¿Seguro?" preguntó Tommy.

"Sí, yo... Uno vino sobre mí, y..."

Mason todavía estaba allí.

"No podía parar..."

Él estaba allí, él...

"Estoy bien".

Él me estaba mirando.

Instintivamente bajé los ojos. Y perdí el hilo cuando lo encontré observándome.

Su mirada sobresalía bajo las cejas esculpidas, inescrutable y profunda. Me ahogué en esos serios iris antes de darme cuenta.

«Oye, pero... ¿adónde vas con eso?»

Me recuperé con dificultad. Tommy señaló el traje de neopreno que sostenía, pero Travis se me adelantó.

"¡Esta loca quiere aprender a surfear en un día! ¡Acaba de ver cómo son las olas y ya quiere montarlas!".

"¿Quieres aprender a surfear? ¿Pero en serio?"

"Yo también se lo dije", coincidió Travis, robando un refresco helado de un cajero que pasaba. "Ni siquiera me deja enseñarle".

"¡Oh, hiedra!"

Carly se acercó, sonrió, balanceando su largo cabello y me entregó una botella.

"¿Ya te has derretido del calor? Consíguete un trago... ¡Travis, no! No es para ti. ¿Pero me crees estúpido? ¡Veo que ya estás escondiendo uno a tus espaldas!"

"Ivy quiere probar el surf", dijo Tommy, y Carly se quedó helada. Entonces ella me sonrió con asombro.

"¿En serio? ¿Tú? ¿Pero en serio?"

Y dos.

«¿Y quién te enseña? Espero que él no —gorjeó, y vi a Travis sorber su bebida, frunciendo el ceño.

"Bueno, ciertamente tendría más que aprender. Por cierto, no, dijo que Nate le enseña.

"¿Pero Nate vio lo ventoso que está hoy?" preguntó Tommy. "¡Mira esas olas!"

Incluso Carly, que siempre fue la viva imagen del entusiasmo, se volvió para mirar el océano. La vacilación en su rostro traicionó una inseguridad inesperada.

"Tú... sabes nadar, ¿verdad, Ivy?"

"Por supuesto que puedo nadar", respondí, frunciendo el ceño. "Tenemos lagos en Canadá".

"No es como nadar en el océano..."

"Vamos, Nate solo les enseña", intervino Travis. "Además, él no es un idiota".

"Nate se sobreestima mucho a sí mismo", murmuró Tommy, pero su voz se perdió en una ráfaga de aire. Empezaron a discutir entre ellos, y decidí que ya había perdido suficiente tiempo.

"Nos vemos luego". Me di la vuelta y, sin siquiera mirar a Mason, reanudé mi camino hacia las cabinas, ubicadas en lo alto de una pequeña elevación a la vuelta de la esquina de una fábrica. Me metí en uno al azar y colgué el traje en el gancho.

Me di un momento. Levanté las manos y vi que me temblaban los dedos.

¿Realmente iba a tirarme al océano montando una tabla?

Después de todo, había algo completamente normal.

Era un poco como cazar en mi área. Probablemente, si hubiera dicho que cazar para nosotros era tan natural como ir a la escuela, nadie me hubiera creído.

Pero en Canadá lo hice porque era una tradición entre papá y yo. Porque había un significado detrás de esos paseos juntos, detrás del inconmensurable silencio de la naturaleza.

Ahora, sin embargo... ¿por qué estaba haciendo esto?

Negué con la cabeza y comencé a desvestirme; Dejé mi ropa en el suelo y me puse el traje de neopreno. Era negro, elástico y ligeramente afelpado, y se ajustaba al cuerpo. Estaba acostumbrada a ropa holgada y cómoda, así que era extraño sentirla pegada a mí como una segunda piel.

La levanté hasta las caderas y le puse las mangas largas, luego me miré en el reflejo del espejo. La tela siguió cada pequeña curva. Nunca había tenido un cuerpo próspero, siempre había sido esbelto, con piernas flexibles y formas muy delicadas. Sin embargo, mientras lo estudiaba y pasaba mis dedos sobre él, me di cuenta de que extrañamente no me hacía sentir incómodo. En lugar de hacerme sentir expuesta, me hizo sentir protegida.

Estaba ajustando la tela alrededor del tobillo cuando me di cuenta de una sombra.

Había alguien en la puerta.

Me congelé con la respiración contenida y la pierna levantada. El cabello rozó mis mejillas mientras permanecía inmóvil, escuchando el sonido inaudible de la respiración lamiendo el aire. Del otro lado me parecía sentir la presencia moviéndose, vacilando...

Al instante siguiente, la sombra se desvaneció.

Los pasos se alejaron y perdí el equilibrio, estrellándome contra la pared. Con gestos apresurados cerré apresuradamente mi traje de neopreno, agarré mis pantalones, camisa y zapatos, y abrí la puerta abruptamente.

No había ninguno.

Miré a mi alrededor, buscando por todas partes con mis ojos.

¿A quién esperaba ver?

Las risas de los demás venían de la playa. Caminé lentamente en esa dirección, pero pronto me detuve.

Nate estaba al pie de la elevación que conducía a las cabañas. Y a su lado, de espaldas a mí, estaba Mason.

Se tocaban del brazo, como si estuvieran frente a frente. Nate fruncía el ceño; Mason, por el contrario, tenía rasgos duros y labios apretados, como si acabara de pronunciar la última palabra.

De repente, se dio cuenta de mi presencia y se volvió para mirarme largamente por encima del hombro. Sentí su mirada penetrante deslizarse sobre mí mientras el viento movía mi cabello pálido, acariciando suavemente mi figura vestida con traje de neopreno. Miró mis piernas envueltas en tela, mi delgado cuello blanco asomando por mi ajustado cuello, y finalmente mis ojos sombreados de largas pestañas que sostenían los suyos como minerales brillantes. Luego dio media vuelta y se alejó.

Mientras lo veía alejarse, no pude evitar preguntarme.

¿Estaba fuera de mi cabaña?

¿Y por qué había venido aquí?

¿Querías... hablar conmigo?

Sentí esas preguntas presionarse en mi garganta mientras alcanzaba a Nate; comenzó a caminar hacia la orilla y me uní a él.

¿Qué quería Mason?

Mi pregunta pareció irritarlo aún más. Se acomodó la mesa bajo el brazo y sacudió la cabeza, frunciendo el ceño.

«Nada... no te preocupes».

"Parecía nada".

Apartó la mirada, pero no me perdí la línea de molestia en su rostro.

Mason no está muy de acuerdo con dejarte intentarlo.

"¿Por qué?"

"Porque hace mucho viento. Las olas son grandes, la corriente fuerte y dice que no quieres empezar hoy. Se giró para mirarme, frunciendo el ceño. "¿Pero crees que no me di cuenta? ¡No te llevaré fuera de la costa!"

Tuve sentimientos encontrados cuando volvió a mirar al frente, atrapado en la molestia del momento. Bajé la cara y miré la arena mientras Nate a mi lado seguía murmurando.

"¿Eres tú y Mason amigos cercanos?" Yo pregunté. Me di cuenta de lo que pedí y me mordí el labio. ¿Qué demonios me importaba?

Nate pareció pensarlo.

«No... En realidad, no tanto. En resumen, estamos en el mismo grupo. Pero no tengo un vínculo particular con Mason. Todos salimos, pero yo soy más de las conexiones de Travis. Los dos son muy buenos amigos." Me estudió por un momento. "¿Por qué estás interesado?"

"No me importa", respondí rápidamente. "Era tanto... mucho pedir."

Sentí su mirada posarse en mí. Me pregunté si esa pregunta me había parecido extraña, si sentí la incomodidad de haberla hecho, sin embargo cuando decidí levantar la cara me di cuenta que Nate me miraba de una forma completamente diferente.

"¿Qué pasa?" —pregunté, porque sus pupilas parecían incapaces de desprenderse de mí. Parpadeó y miró hacia otro lado, aclarándose la garganta.

"El traje de neopreno... te queda bien", respondió ella, forzando un tono casual. Ella olió y me quité un mechón de la cara, bajando los ojos hacia mi cuerpo. Tal vez esperaba verme sonrojarme, pero no fue así: no creía mucho en los cumplidos, no era bueno reconociéndolos y ni siquiera estaba seguro de que lo fuera.

El silbido del viento se hizo más ensordecedor. En el mástil, la bandera ondeaba violentamente, presagio de la fuerza que sacudía la inmensa extensión frente a mí.

Observé el océano, el rugido poderoso de las olas, y en el brillo del agua vi a varias personas.

"Bien", dijo Nate. "Empecemos".

Descubrí que el surf era una forma de vida en California.

Desde que llegué, había visto tiendas en cada esquina, hombres de negocios sacando su equipo del auto después del trabajo con sus corbatas todavía puestas.

Parecían vivir para eso.

"La mesa te guía. ¿Tu escuchas? Ahora intenta inclinarte. Piso..."

Seguí la voz de Nate, inclinándome hacia un lado.

"Está bien, ahora en el otro lado".

Yo había estado de pie en esa tabla durante una hora y media ahora. No podía entender para qué había que hacer tanta práctica en tierra firme, si luego tendría que entrar al agua.

"El *despegue* es la parte más importante", me repetía. "¿Sientes la parafina bajo tus pies? Tienes que dejar que la fricción te mantenga firme, o caerás en la primera inclinación.'

Tocó mi costado, pero no me moví.

"Entonces," sonrió, satisfecho. "¿Entonces? ¿Cómo te parece?"

"Fácil", me atreví, y se echó a reír.

"Es justo lo que parece... ¿Y qué se necesita para estar de pie sobre una tabla? Pero en el agua es una auténtica proeza. El océano tiene vida propia, créeme.

Miró las olas y luego sonrió en la comisura de sus labios.

"¿Quieres intentar meterte en el agua?"

Asentí y me bajé de la mesa. Se inclinó para atar algo alrededor de mi tobillo.

"¿Cosas?" Pregunté, viéndolo apretar una correa de velcro.

"La correa. Ayuda estar pegado a la tabla, sino las olas la empujan y pierdes mucho tiempo recuperándola».

Luego lo levantó y juntos fuimos hacia el océano.

Cuando llegamos a la orilla, el agua me golpeó los tobillos.

Reprimí un escalofrío. *Hacia muchísimo frío.*

El rugido atronador de las olas llenó mis oídos, pero seguí adelante mientras el viento soplaba en mi espalda, tratando de empujarme fuera de la costa.

"Está bien, Ivy", dijo mientras el agua llegaba a su estómago ya mí, casi hasta mis pechos. "Ven aquí. Sales".

Sostuvo la mesa con firmeza para mí y yo me senté a horcajadas sobre ella.

Las olas rompían a nuestro alrededor, apenas tocándonos; Me acosté boca abajo e hice algunas brazadas como él me había mostrado, sintiendo las ondas fluir entre mis dedos. Escuché su voz dirigirme, corregirme y darme consejos, luego traté de ponerme de pie.

Me levanté lentamente y fue mucho más difícil que en la playa. La superficie del océano era demasiado inestable, no podía mantener las piernas quietas a pesar de mis movimientos cautelosos y los brazos extendidos: titubeé y traté de mantener el equilibrio, pero fue inútil. Perdí el equilibrio y caí al agua.

La escarcha me golpeó con tanta violencia que por un momento me quedé sin aliento. La corriente tiró de mí, pero la correa me mantuvo anclada a la mesa, sujeta firmemente en las manos de Nate.

Salí con una bocanada generosa, entre burbujas efervescentes.

"¿Todo está bien?" preguntó preocupado, mientras la espuma corría por mi traje, haciéndome cosquillas.

Por un momento *casi* sonreí.

El frío, la piel de gallina, los latidos del corazón... Mi cuerpo acogía esas sensaciones que se sentían como en casa como un pájaro herido que finalmente abraza de nuevo el cielo, encontrándose en su inmensidad. Ese agarre helado limpió mi corazón, lo liberó del polvo y sacó a la luz destellos de emociones que creía haber olvidado.

«Sí... todo está bien» respondí con voz débil y serena. Nate me miró sorprendido. "Quiero intentarlo de nuevo".

Me preguntó si estaba seguro, pero ya había vuelto a subir.

Me senté a horcajadas sobre la tabla, arqueando la espalda para igualar el movimiento de las olas. Sentí sus ojos deslizarse sobre mi figura fuerte y arqueada, los elegantes pómulos que mi cabello dejaba al descubierto y los mechones plateados más allá de mis hombros. Limpié un goteo de mi mandíbula con mi muñeca y curvé mis dedos alrededor de los bordes, justo en frente de mis rodillas. El viento soplaba sobre mí, el frío se mezclaba con el toque abrasador del sol. Esperé a que pasaran un par de crestas y luego lo intenté de nuevo.

Esta vez lo iba a lograr.

Fue difícil, tomó tiempo. Seguí los trucos de Nate mientras me levantaba de nuevo, tratando de tener éxito en ese esfuerzo. Después de varios minutos y mucha paciencia, finalmente pude ponerme de pie.

«¡Estás ahí... estás allí!»

Me temblaban los tobillos, pero estaba de pie. Levanté la cabeza con los brazos extendidos y el sol me dio en la cara, como si quisiera besarme por esa victoria.

Nate me dio una sonrisa de satisfacción.

"Diría que eres bueno en..."

Una ola pasó demasiado cerca de nosotros. No tocó el suelo bajo sus pies y, sin darse cuenta, perdió el control sobre la tabla.

"¡Hiedra!" me llamó, tratando de agarrarme de nuevo.

"Puedo hacerlo", traté de tranquilizarlo mientras la cresta me alejaba más.

Mantuve el equilibrio, empujé sobre mis talones como él me había dicho, el agua galopaba debajo de la tabla. Con un poco de suerte logré no caerme.

"¿Has visto?" dije con entusiasmo. "Lo tengo...!"

Pero entonces mi cuerpo se desequilibró. Me sentí arrastrado hacia atrás y por un instante me elevé en el vacío antes de hundirme.

Ese mundo frío me invadió de nuevo. Resurgí con una visión ligeramente borrosa, oídos tapados y sal en mi lengua. En ese momento me di cuenta de que no estaba tocando allí. Luché por mantenerme a flote, ahogado por un estruendo rugiente.

"¡Hiedra!" Escuché a lo lejos.

Alcancé a ver a Nate agitando un brazo. Levanté una mano para decirle que estaba bien, pero no dejó de llamarme.

"¡Hiedra! ¡Desprenderse!" Escuché, y cuando enfoqué, pude ver en su rostro aterrorizado que estaba gritando.

Pero no era él quien hacía ese ruido. Ese tremendo choque vino detrás de mí.

Me di la vuelta, pero ya era demasiado tarde. Era como si me viniera encima una avalancha, un muro letal e imparable que me arrancaba de mí mismo.

El impacto fue monstruoso: la ola me abrumó, fui empujado hacia abajo y el océano se cerró sobre mí.

Sentí un tirón muy fuerte en el tobillo y violentos golpes me vaciaron los pulmones: el rodar me mareó, sonaba como el gruñido de una inmensa bestia dispuesta a devorarme.

Pateé, tratando de recuperar el control para volver a la superficie, pero era como si una fuerza invisible me estuviera reteniendo. La tabla estaba a merced de las olas y los tirones de la correa no me permitían nadar bien.

Sentí que se me apretaba la garganta, que me ardía el pecho. no tenia aire

Levanté la mano, con los ojos muy abiertos. Vi destellos de luz ondeando sobre mí y luché por alcanzarlos.

Casi estaba allí, casi en la superficie, y *aire, necesitaba aire,* pero fue devastador cómo me absorbió.

Todo tembló como un terremoto colosal. El mundo se derrumbó hacia atrás y fui empujado hacia abajo nuevamente.

Mi rodilla se clavó en mi vientre y chasqueé los dientes con tanta fuerza que sentí el sabor de la sangre en la boca. Visión borrosa. El agua retrasó el dolor, pero lo sentí explotar bajo mi piel como una herida sin herida.

Las venas de mi garganta temblaban como si alguien me estrangulara. Puse mis dedos en mi cuello con desesperación. No podía respirar. Luché por nadar, moverme, hacer cualquier cosa para salvarme.

No era posible, no podía ahogarme así. Solo tenía que nadar, solo estirarme, parecía tan simple, pero era como si el océano tuviera voluntad propia.

Los pulmones ardieron, se contrajeron, se aplastaron en el agarre de la caja torácica. Los latidos de mi corazón se ralentizaron hasta convertirse en un retumbar en mis oídos y mis extremidades se entumecieron. Me sentí impotente.

En el enésimo torbellino, las violentas sacudidas me dieron la vuelta como un cadáver.

Ya no sentí nada.

Solo esa confusión negra.

Solo las energías dejándome.

Con mi visión fallando, apenas incliné mi rostro. Estaba boca abajo, el cabello flotando y la luz de la superficie ondeando en la distancia.

En esa agonía vi el final de todos mis días. En la enorme masa que se cernía sobre mí, la impotencia de mi cuerpo indefenso.

Y mientras la oscuridad caía sobre mí, con las últimas fuerzas había estirado una mano hacia arriba. Allí, donde mi salvación era inalcanzable. Allí, donde una casa de troncos iluminada apareció en la oscuridad.

Entonces el agua se precipitó dentro de mí de una vez. Invadió mi garganta, penetró en cada rincón y grieta y fue un ardor inimaginable, lo último que sentí.

Entonces... nada más.

Solo la nada.

12

Fuera de sus ojos

No estaba frío.

no estaba oscuro

Me encontré en él como en sueños, sin fin y sin principio.

Había algo suave bajo mis pies.

Algo familiar dentro de mi corazón.

Y, cuando abrí los ojos, me bastó una mirada para comprender.

Delante vi picos de montañas y bosques inmortales, lagos bordeados de helechos en los que se veían las profundidades. Vi valles sin límites y esas nubes que conocía, los ríos que brillaban como cintas de cristal.

Era mi Canadá.

Todo estaba como lo recordaba, una perfecta armonía entre el cielo y la tierra.

Fue allí donde lo vi.

En el reflejo del horizonte, como si brillara con luz propia.

Proyectaba a su alrededor sombras que no tenía en mis sueños, un reguero de huellas que secaba la tierra.

Papá se acercó a mí, más sincero que nunca. No lo vi claro, pero lo sentí como nunca antes. Sentí los contornos de su cuerpo, el aura de su presencia, la dulzura de sus ojos tan parecidos a los míos. Se detuvo frente a mí y me sonrió.

—Ivy —dijo, con una voz que no era la suya. Absorbí desesperadamente cada rincón de su rostro, pero había una luz extraña, casi suave. Extendí mi mano.

Pero no lo tomó y quise decirle: "Quédate conmigo, nunca más me dejes", pero mi garganta estaba cerrada, como si estuviera llena de agua. No podía hablar.

"Ivy", dijo de nuevo, sin mover los labios. Era hermoso y familiar, y mis dedos se entumecieron cuando traté de tomar su mano. Su piel era hielo.

"No me dejes, por favor", pero las yemas de mis dedos ardían, y cuanto más lo alcanzaba, menos podía sentirlas.

Sentí que mis pies se hundían en la tierra mientras el sol salía detrás de él.

Se volvió inmenso, monumental, y ocupó el espacio de todo.

"Ivy..." escuché, antes de que el cielo colapsara.

Pero yo no, yo quería quedarme ahí, en ese maravilloso lugar.

Allí, donde estaba él, donde estaba mi hogar, donde incluso mi piel blanca parecía brillar con esa luz.

Entonces todo se desvaneció, y el frío cayó sobre mí.

Fue una sacudida del alma.

Un chorro de intimidación surgió en mi boca y salió de mis labios.

La primera sensación que escuché fue mi respiración: un siseo hueco, ronco y áspero.

Otro espasmo me retorció las entrañas. Vomité más agua, mi cuerpo temblaba. Sentí la sal en mi lengua, mi pecho ardiendo, mi piel gruesa y tensa.

Mi cuerpo estaba rígido, pesado, invadido por calambres imperceptibles a lo largo de mis músculos.

La visión volvió gradualmente, borrosa e incierta. Me di cuenta de que estaba acostado.

Había arena debajo de mí.

Estaba soleado. El viento. El rollo del océano.

El océano.

La realidad se derrumbó sobre mí de golpe. *Y entonces recordé.*

El latido, la corriente, la sensación con la que había sentido morir segundo a segundo, contracción a contracción, y el terror volvía a vivir en mi piel. Empecé a inquietarme. Volví a ver esa negrura a mi alrededor y el pánico se convirtió en un grito que me subió desde el vientre, me levantó el pecho hasta dejarme sin aliento y luego... murió en mis labios.

Mis pupilas dejaron de vibrar como insectos enloquecidos y se enfocaron en lo que estaba encima de mí.

Y fue como ver el cielo colapsar por segunda vez.

Como si el mundo entero se quedara en silencio, finalmente reducido al silencio, frente a la falta de aliento que golpeó la piel de mi rostro.

Encima de mí, llenando mis ojos muy abiertos, estaba Mason.

No papá.

No Juan.

Él.

Su boca estaba entreabierta, sus labios de un rojo mortal, su cabello húmedo del que caían gotas frías que terminaban en mi mejilla.

Él ahora me miraba con los párpados muy abiertos, como si yo fuera algo aterrador y hermoso al mismo tiempo.

Y cuando me encontré con esos ojos, tan únicos y brillantes a la luz del día, *definitivamente perdí la primera parte de mí.*

—Ivy —murmuró su voz.

Y escuché el universo explotar en mis oídos.

Algo se rompió, un rugido que me partió en dos: mi corazón tronaba, ardía, los latidos latían en mi garganta. Me estremecí, sorprendida, mientras trataba de unirme lo mejor que podía. Pero fue demasiado tarde.

Ahora no tenía escapatoria.

Porque no importaba que yo estuviera allí, con la boca llena de sal y los muslos temblando de frío.

No importaba que aún sintiera que la oscuridad me tragaba, o los golpes me lastimaban.

No...

Todo lo que quería, todo lo que quería... era que me mirara como lo estaba haciendo en ese momento, *como solo miras cuando estás a punto de morir.*

Quería sus ojos sobre mí. Su aliento en la piel.

Quería su perfume y sus miradas profundas.

Quería hablar con él, entenderlo. Conócelo y escúchalo.

Y quería verlo sonreírme, porque cuando lo hizo me rompió el corazón.

A pesar de que nunca me dejó acercarme... a pesar de que siempre me ahuyentó, me empujó, me hizo sentir como un extraño... Podía sentir su voz plantada en algún lugar dentro de mí.

Y traté de arrancarlo, pero se había fusionado con mis huesos antes de que pudiera detenerlo. Se había mezclado con mi oscuridad, una hermosa armonía, e incluso mis esqueletos ahora bailaban con esa música.

No.

Traté de luchar contra esa verdad, de apartarla. Fruncí el ceño y habría llorado si hubiera podido, pero sus ojos me acunaron y me llevaron con ellos.

Me llevaron a un lugar seguro. Y al mismo tiempo me condenaron para siempre.

Porque cuando Mason me miró yo era nieve al sol, y todo menos que nada.

Era de mil colores y yo, que era blanca como el marfil, me teñía con él, con cada pensamiento, toque, mirada o aliento suyo.

Y ahora allí estaba, una hermosa visión en medio de escalofríos de terror, la luz al final de un abismo donde pensé que me había perdido, y en lugar de eso lo encontré a él.

Y como cada vez... fue dolorosamente hermoso.

Dios, Mason era tan bueno que podría haber muerto con sólo mirarlo.

Yo, qué fascinante me parecía un capullo de campanillas o el brillo de unas escamas cuando pasaba un dedo por él... Quería tocarlo, perseguir las gotas en su rostro, sentir el calor de su piel bajo mis palmas frías.

Y en la locura de ese momento quise quedarme allí para siempre, en el reflejo de sus ojos, con la arena caliente bajo mis manos y la muerte aún pegada a mí...

Mason alargó una mano. La incertidumbre lo congeló, hizo temblar sus dedos y los míos, y no me di cuenta de que la gente se unía a nosotros hasta que estuvieron a nuestro lado.

"¡Hiedra!"

"¿Está bien? Dios mío, ¿estás respirando?"

"¡Dale aire!"

Estaban todos allí, a mi alrededor. Una mano masculina intentó tocarme, pero no tuvo tiempo.

La mandíbula de Mason se apretó y vi el resplandor de sus ojos oscuros y feroces alzarse detrás de mí.

Al instante siguiente me atrajo bruscamente hacia él, lejos de su toque, y mis párpados se abrieron.

"¡Nate, te voy a matar!" fue el gruñido que sentí salir de su pecho. En mi oído fue como la erupción de un volcán, el impacto de un terremoto hasta los huesos.

Mason estaba tan frío como el hielo, tal vez más frío que yo, pero su cuerpo vibraba con fuerza y vida. Su respiración palpitante llenó la mía, y fue como si yo también viviera de los latidos de su corazón, que era un tumulto con cada latido, un martillazo justo en el alma.

Podría haber seguido existiendo con sólo sentirlo en contacto conmigo.

Sólo podría haber sobrevivido así, en esa simbiosis desesperada en la que su corazón latía contra el mío.

Mientras sentía esos latidos tallarme pieza por pieza, me di cuenta de que aquí era exactamente donde quería estar.

No.

No importaba cómo.

No importaba cómo.

Por mi propio bien... tenía que deshacerme de esos sentimientos a toda costa.

Había permanecido en la torre de salvavidas durante un número interminable de horas.

Después de que el Jeep de rescate llegó al lugar y evaluó mi conciencia, me llevaron allí casi de inmediato.

Me dieron oxígeno y me envolvieron en una manta térmica. Había un protocolo a seguir para situaciones de ese tipo: me habían hecho un cribado para comprobar que no había sufrido traumatismos evidentes, insistiendo en conocer la dinámica del accidente. Se habían asegurado de que no hubiera sonidos pulmonares anormales, sibilancias o cualquier tipo de dolor en el pecho.

No había sido muy bueno respondiendo preguntas. Tenía taquicardia, mi respiración se aceleraba, como si estuviera inflando un globo diminuto. Eso me asustó, pero me dijeron que era una reacción predecible.

Mientras conducía a casa a última hora de la tarde, el coche de Mason estaba en silencio.

Experimenté una especie de alienación extraña: el cielo era azul, los pájaros seguían cantando, pero mi mundo se había puesto patas arriba.

Esos sentimientos habían estallado, habían amordazado mi mente y mi corazón, nublando mi lucidez.

Incluso ahora, con Mason respirando cerca de mí, sentí su cuerpo tan claramente que me temblaron los dedos.

"No se lo digamos a mi padre".

Había detenido el coche en la parte trasera de la villa. Todo el tiempo, mis ojos permanecieron en mis manos en mi regazo.

«No... No se lo diremos».

John se habría vuelto loco por lo menos después de todas las precauciones que había tomado para mantenerme a salvo. Por primera vez, me sentí avergonzado de mis acciones. No era una persona desconsiderada, siempre había sido reflexiva, tranquila y responsable. En cambio, actué como un tonto.

Sin embargo... no pude evitar hacer esa pregunta.

"¿Fuiste tu?" Yo pregunté.

"¿Hacer que?"

"A..."

Mason se dio la vuelta y deseé no haberle preguntado. Tenía miedo de la respuesta pero, cuando lo miré a los ojos, cada partícula de mí se encontró esperando que sí, que hubiera saltado al océano y me hubiera sacado a rastras. Que lo había hecho por impulso, por una inexplicable y profunda necesidad, la misma que me devoraba en ese momento.

Y sobre todo... que lo hizo por mí, *por mí* , y no por John.

"Dijeron que podrías sentirte mareado", murmuró, desviándose a asuntos más importantes. Su voz sonaba suave y gentil mientras me miraba. "Náuseas o ataques de pánico..."

"Estoy bien," interrumpí. Pero era una mentira.

yo *no estaba* bien.

Persistí en mostrarme fuerte, independientemente de todo lo demás, pero no fue así.

Me senti mareado. Vulnerable.

Me sentí asustado.

Andaba a tientas en un mundo que no conocía, sumergido en una oscuridad que me había quitado la luz. Estaba luchando constantemente contra un dolor que me partía el alma, y no habría sentido atracción por un chico que me había apartado, rechazado y apartado.

No podía soportar más rasguños.

No...

Casi había muerto. Y Mason me había parecido un ángel a la luz, pero eso fue solo consecuencia de un fuerte shock emocional, nada más. Incluso cuando un animal es rescatado, desarrolla una especie de vínculo empático con su salvador que, en algunos casos, incluso va más allá de la naturaleza.

Fue solo eso.

Sólo un momento de debilidad.

Habría enterrado esos sentimientos.

Aparté la vista y abrí la puerta.

Por una fracción de segundo, me pareció captar un asomo de sorpresa en su rostro por la brusquedad con la que me di la vuelta.

Me bajé del auto decidida a alejarme de él, pero no di un solo paso. Una punzada repentina me hizo agarrar la puerta y el dolor me debilitó momentáneamente, latiendo en mi tobillo como una maraña de sangre. Solo entonces me di cuenta de lo hinchado y dolorido que estaba.

Recordé el tirón bajo el agua, la correa cortando mi piel.

¿Cómo no me había dado cuenta?

"¿Qué tienes?" Mason preguntó, desconcertado.

"Nada".

La mía fue una respuesta demasiado cortante, pero no quería que él entendiera que estaba en problemas.

¿Me estaba declarando emocionalmente independiente de él y ya necesitaba su ayuda?

con repollo

Vengo de Canadá, de inviernos de infarto, sabía cómo sobrevivir sola en el bosque y ¡ciertamente sabía cómo cuidarme!

Acomodé la mochila sobre mis hombros y comencé a caminar con toda mi dignidad.

Con cada paso, el dolor me mordía con fuerza, y solo después me di cuenta de que no importaba cuánto lo intentara, no podía evitar cojear. Debo haber sonado realmente patético, porque Mason no se demoró.

"Ivy", me llamó, pero no lo escuché. Llegué a la puerta principal y entré.

Sus pasos uniformes resonaron detrás de mí mientras caminaba penosamente hacia la escalera que conducía al piso de arriba.

Tragué saliva y miré hacia esa interminable secuencia de pasos.

¿Siempre había sido así de largo?

"Oye", repitió Mason de nuevo, y fue el incentivo que me empujó a dar el primer paso.

Pero el esfuerzo fue demasiado grande.

Mi tobillo se dobló y me mordí la lengua por el dolor. Me habría caído si una mano no me hubiera agarrado por encima del codo.

"Pero, ¿podemos saber lo que estás haciendo?" Mason replicó con dureza.

Le lancé una mirada y su mano se apretó, como para acercarme a él.

"Me voy a la habitación".

Sentí su perfume. Su pecho ancho y fuerte irradiaba una llamada irresistible: aunque tuviera la camisa pegada, había algo bajo el olor salado que le pertenecía.

"Ni siquiera puedes caminar", me contradijo con dureza, como si mereciera siquiera un regaño de él. "¿Qué tienes?"

Aparté la cara, porque su cercanía, su voz penetrante y la forma en que se elevaba sobre mí me llenaron de sensaciones que estaba tratando de suprimir.

"Tobillo". Me costó orgullo admitirlo, pero al final me rendí. "Cuando estaba atado a la mesa, la correa me tiró un par de veces".

Mordí mi labio. *¿Feliz?*

Mason guardó silencio. Acababa de admitir que no podía hacerlo por mi cuenta y eso me rompió el ánimo.

Solo por un momento, deseé que me viera en mi casa. Que fijó sus ojos en el verdadero yo, el que cargaba rifles al hombro entre extensiones de hierba sin cultivar y amaba leer a la luz de la chimenea por la noche...

"¿Por qué no dijiste eso antes?" preguntó.

Miré a un lado, obstinadamente, y lo escuché suspirar, un suspiro paciente y exasperado al mismo tiempo.

Entonces sus dedos resbalaron del pasamanos y se acercó más.

"Aceptar".

Abrí mis párpados.

Mason me recogió y el universo se puso patas arriba.

Me quedé sin aliento: me aferré a su camisa y ni siquiera tuve tiempo de respirar antes de que me abrazara, apretándome contra su poderoso pecho.

"No..." Traté de decir, pero mi garganta se cerró.

"No," quería rogar, "No tienes que tocarme, no tú. Te lo ruego".

"Cállate," murmuró, su tono suave y débil. Empezó a subir las escaleras, y mi corazón luchó por darse cuenta de lo que estaba pasando.

Sentí su cuerpo sólido contra el mío, el vigor tranquilo con el que me sostenía. Su calor me envolvió como un guante seductor, silenciando cualquier protesta.

Mason me estaba cargando hasta el dormitorio .

Quería liberarme, alejarme de ese chico que se abría paso dentro de mí, pero no tenía fuerzas.

Paso a paso repasé cada palabra, cada comparación... Desde el primer día que lo conocí había sido una batalla perdida.

Siempre me había derrotado.

Y ahora que el premio había cambiado, ahora que más que nada quería ganarme una mirada de él, o una sonrisa de él... No tenía ninguna posibilidad de lograrlo.

Me atraía su terquedad, la fuerza que emanaba, la forma en que, desde el primer momento, no me había mirado con lástima, no me había tratado como a una muñeca a punto de romperse.

Mason me había visto, antes de mi dolor. Y tal vez esa era solo la salvación que necesitaba. Gritar, desahogarme, soltarme... dar voz al caos que tenía dentro, sin sentirme diferente por ello.

Pude ser yo mismo con él. Y de alguna manera... eso había cambiado todo.

Arrugué el ceño, angustiado por ese conocimiento. Quería alejarlo, pero en vez de eso, apoyé la cabeza contra su pecho fuerte y cálido, y entrecerré los ojos.

El latido constante de su corazón besó mi oído. Quería meterme bajo su piel, hundirme en él hasta fusionarme con ese sonido. Quería recorrer sus pensamientos, explorar su alma, conocer la faceta sincera y leal de la que me habían hablado.

Mientras sus pasos resonaban por el pasillo, me pregunté si alguna vez me dejaría tocarla...

El mundo había dejado de bailar. Nos habíamos detenido.

Un poco aturdido, volví a la realidad y vi los contornos de mi habitación.

Todo estaba como lo había dejado. La cama, el armario, las cajas... pero era un balde de agua helada, cuando me encontré con nuestro reflejo en el espejo del fondo.

Mason tenía una expresión de asombro, los labios entreabiertos. Y la mirada se posó en mí.

Yo, que estaba cerca de él como si quisiera pertenecerle.

Yo, que tenía mi mano cerrada justo al nivel de su corazón, como en el acto de querer agarrarlo.

Inmediatamente me aparté de sus brazos. Retrocedí sin aliento mientras él estaba allí, incrédulo, con las manos aún abiertas.

"¿Qué sucede contigo?" Dio un paso hacia mí, pero me aparté de un tirón, como si me quemara.

"Nada".

Vi sus cejas fruncirse; me alcanzó, confundido, y mi corazón se disparó.

"¡No te acerques!"

Lo dije en voz alta. Muy fuerte.

Mason se volvió salado. Un velo de desconcierto atrapado en los ojos.

Emociones aterradoras se arremolinaron a través de mí y temí que él *entendiera,* temía que se burlara de mí y me humillara y todo lo que pude hacer fue protegerme y alejarlo. Esperando que no sintiera lo mucho que estaba temblando, espeté, "No... te acerques a mí. No necesito tu ayuda".

Cuando me arrepentí, ya era demasiado tarde.

Como en cámara lenta, vi cada reacción de su cuerpo cambiar bajo mi mirada.

El asombro goteaba de su rostro; su mano, la que había estado acercándose a mí por un momento, bajó lentamente.

Y los ojos... Los ojos eran lo más doloroso.

Los miré y los únicos sentimientos que leí fueron el resentimiento y ese rechazo que ya había visto tantas veces. También había algo más...

escondido, hundido en las profundidades de esos hermosos iris. Pero no pude averiguar qué.

Sin una palabra, dio media vuelta y se alejó.

Y me quedé allí, solo, en el centro de mi habitación.

Pero eso no fue lo peor.

Lo peor fue darme cuenta de que había dicho las mismas, idénticas palabras que me habían lastimado hace un tiempo.

13

Ganadores y perdedores

Al día siguiente me desperté con fiebre.

Solo yo podría haberme enfermado allí, con treinta grados a la sombra. Sin embargo, después del trauma físico que había sufrido, no me sorprendió.

Los días que me quedaba en casa y no iba a la escuela, todo lo que podía hacer era pensar en Mason. Sobre lo que le dije, la forma en que me alejé de él y le grité que no se acercara.

Yo había sido un tonto.

Sólo había tratado de ayudarme. Desde que me desperté en la playa esa tarde, nunca me había dejado. Todo lo que hice en su lugar fue dar un paso atrás y pagarle con los ojos llenos de horror.

Lamenté el error que había cometido, pero no la razón que me impulsó a hacerlo.

había tenido miedo

Miedo de que lo viera. Que entendía lo que estaba sintiendo.

Porque aunque ahora sabía que me atraía, no había olvidado cómo eran las cosas.

No había olvidado la ira, ni la repugnancia que siempre me había arrojado.

Estaba caminando por un camino que nunca había caminado, pero no me había perdido.

No. No dejaría que la bestia que vivía allí me quitara el corazón.

Había sobrevivido a cosas mucho peores.

Sobreviví al hielo.

A los eternos inviernos.

Al juicio de la gente ya la soledad de mi aislamiento.

Había sobrevivido a la muerte de mi padre.

Mason también podría ponerse en fila.

Volví a la escuela unos días después.

El dolor en mi tobillo había disminuido, pero mi cuerpo aún presentaba rastros del accidente. John había notado mi palidez más pronunciada y, en algunas ocasiones, incluso había notado que respiraba casi con dificultad. Pero cuando pasó, volviendo gradualmente a la normalidad, atribuyó mi leve sibilancia a la fiebre.

Mason, por otro lado, había comenzado a salir temprano en la mañana con la obvia intención de evitarme. Ni siquiera había tenido que obligarme a no cruzarlo: había alejado su vida un paso más de la mía, y aunque sabía que era lo mejor, no podía estar tan aliviado como debería haber estado.

"Entonces, ¿encontraste una idea?" me preguntó Bringly una tarde. Balanceé mis piernas en un taburete frente al lienzo blanco, un mechón detrás de mi oreja y mis dientes mordiendo mis labios.

"Todavía no", respondí. Pero esta vez no me reservó palabras de aliento.

"Ivy, tienes que empezar. Todos ya terminaron el dibujo subyacente y aún no has decidido qué representar. ¡El tiempo se acaba!"

"No tengo ideas," confesé. "No puedo concentrarme en nada concreto".

era la verdad Cuanto más intentaba pensar en ello, más se expandía mi mente en un cosmos de posibilidades, sin llegar nunca a ninguna parte.

"Eres una persona muy tranquila... usa eso como una fortaleza. Expresa lo que sientes y seguro que no te equivocarás. Muéstrales a los demás que los ojos son suficientes para experimentar algo verdaderamente fuerte».

Me dejó solo con esas palabras, frente al lienzo vacío que observé por una eternidad. Cuando salí del aula al final de la lección, me pregunté por qué la idea de pintar un valle helado ya no me parecía suficiente.

"¡Hiedra!"

Un cabello color miel me golpeó, haciéndome tambalear. Con las manos extendidas, bajé la cara y reconocí al reyezuelo que me abrazaba.

"Dios, estoy tan contenta de verte", murmuró Carly, abrazándome fuerte. "Iba a visitarte a tu casa, pero Mason me dijo que tenías fiebre y ni siquiera podías levantarte de la cama". Me miró, sin soltarme. "¿Cómo estás? ¿Te sientes bien?"

"Sí", le dije, alejándola un poco. "Estoy bien".

"¿En realidad?"

Asentí y noté que sus ojos estaban llenos de remordimiento; antes de que pudiera decir algo, ella me precedió.

"Nunca quise que te pasara algo así", frunció los labios, y sinceramente esperaba que no llorara. «Si no te hubiera convencido a toda costa... Si no hubieras insistido... Ay, Ivy, yo ... »

"Carly," la detuve. "No fue tu culpa. Fue un accidente, no tienes que disculparte por nada".

Bajó la cara. Se acercó, lenta y silenciosa, y sin razón me volvió a abrazar; pero esta vez suavemente, deslizando sus brazos a mi alrededor con un cariño que me desestabilizó.

"Fue horrible", susurró, como si tuviera miedo incluso de decirlo en voz alta. "Pensé que... *que* ..."

"Estoy aquí", dije instintivamente, pero luego recordé cuánto deseaba que papá me llevara con él. Tal vez ahora estaríamos juntos, en un lugar donde aún tendría las manos cálidas y la sonrisa de mis recuerdos.

"Estoy bien, Carly," tragué saliva. "En realidad".

Ella pareció entender. Se separó y, después de pasarse una mano por la cara, me dijo que las otras chicas habían preguntado por mí.

Descubrí que todos se sentían responsables de lo que me había sucedido.

Todos se culpaban de algo que no tenían, creyendo que habían causado directa o indirectamente mi ahogamiento: Carly porque me había llevado a la playa, Fiona porque creía que el helado me había causado un bloqueo intestinal mientras estaba en el agua, Sam porque me había balbuceado, Travis porque no me había detenido y Nate porque se había ofrecido a enseñarme.

Básicamente, fue culpa de todos menos mía.

Absurdo.

"¿Quieres que te lleve a casa?" preguntó después de unos minutos, sacando las llaves de su auto.

Inmediatamente me negué, pero ella no se dio por vencida.

"¿Seguro? Mira, ¡no voy a poner nada allí! No deberías tener que hacer todo ese esfuerzo si acabas de tener fiebre... Entonces corres el riesgo de que vuelva otra vez. ¿Alguna vez te conté sobre ese momento?" Fiona..."

En ese momento me perdí. Mi atención fue atraída por una figura familiar, y miré hacia arriba.

Al final del pasillo, de espaldas a mí, Nate gesticulaba con aire de implicación. Estaba ocupado con una explicación frenética, pero no parecía funcionar mucho.

Apoyado en la fila de casilleros, Mason lo escuchaba con la barbilla ligeramente baja y los brazos cruzados. Su rostro carecía de expresión, pero una dureza inconfundible y aterradora brillaba en sus ojos.

"Ivy... ¿qué pasa?" Carly siguió mi mirada. "Oh..."

"¿Lo que sucede?"

Se rascó la mejilla, vacilante.

"No estoy seguro... pero creo que todavía están hablando de lo que pasó en la playa".

Las cosas no pintaban bien para Nate. No es que Mason lo estuviera atacando, pero conocía muy bien la frialdad acerada en esa mirada.

"Mason está enojado", me explicó Carly. "Nate lo ha estado buscando durante un par de días y trata de explicarse, pero no parece ayudar mucho".

"Pero eso es absurdo", exclamé. "¿Qué se supone que debe explicar?"

Vi a Mason inclinar la cara. Las cejas afiladas le daban una mirada nublada y lúgubre, llena de intransigencia viril. Me obligué a no mirarlo a la cara.

"Bueno... Él era el único contigo..."

"No fue culpa de Nate," dije, sorprendida y molesta de que ella no pensara de la misma manera que yo. "Fue un accidente. ¡Si es culpa de alguien, entonces es mía!"

Pero Mason le advirtió. Le dijo que no sabías nadar..."

"¡Puedo nadar!"

"¡No en el océano, Ivy!" Carly me miró con exasperación. "¡No en la corriente aquí! ¿Sintió lo mismo para ti? Incluso Tommy se lo dijo, pero Nate no quiso escuchar. Creo que Mason tiene todo el derecho de estar enojado. Después de todo, se trata de ti".

¿Se trata de mí?

¿De mí?

¿Estábamos bromeando?

"Pero por favor," respondí bruscamente, incapaz de contenerme. "No ha habido un día desde que llegué que Mason y yo no hemos tenido una pelea".

Fue demasiado.

Puede que haya sido su primo a los ojos de los demás, pero sabíamos cómo eran las cosas.

No estábamos relacionados. No éramos amigos, ni nada.

Mason no se había molestado en dejar eso claro. ¿Con qué coraje estaba ahora actuando así?

"¡Cielos, Ivy!" Carly exclamó sin aliento. "¡ *Estás casi muerto!"* ¿Qué importa una pelea tonta y fútil? Mason... ¡No lo viste mientras estabas inconsciente, pero pensó que te había perdido! ¿No crees que lo que pasó entre ustedes pasa a un segundo plano después de algo así?

La miré durante mucho tiempo, absorbiendo esas palabras como si fueran acceso a un escenario paralelo oculto que no había sido capaz de ver.

¿Es posible que él...

¿Era posible que él hubiera sentido lo mismo?

Mi corazón latía con fuerza. Un destello de luz se abrió en mi alma, un hilo de luz que se deslizó en la oscuridad.

Todo parecía teñirse de ese rayo dorado, asumiendo un matiz nunca antes visto.

Mason mirándome, sorprendido y goteando.

Mason preocupado de que me pueda enfermar.

Mason ayudándome a subir las escaleras. Quien dio un paso hacia mí, antes de que lo congelara en el acto.

Mason bajando la mano y mirándome como... lo lastimé.

Mason alejándose, con el puño cerrado a un lado.

¿Qué había pasado en esa playa cuando me sentí implosionar en una lluvia de estrellas?

Pasé la tarde estudiando en mi habitación.

Luché por concentrarme en los libros, porque en cada momento mi mente volaba a otra parte.

Traté de no hundirme en la red de mis pensamientos. Sin embargo, cuanto más intentaba alejar las preguntas, más pensaba en ellas. Y cuanto más lo pensaba, más no podía evitar preguntarme...

'No todas las naves espaciales van al cielo. ¿Quién dijo esta frase?

Parpadeé.

Esas palabras aparecieron ante mis ojos. El álbum todavía estaba en el escritorio donde lo había dejado por última vez. Casi lo olvido...

Extendí mi mano y lo acerqué. Miré mis pequeñas rodillas manchadas de tierra y pensé que debía haber tenido una buena caída ese día. Sin embargo, mi sonrisa y mis ojos brillantes expresaron una alegría exquisita.

Estudié la escritura de nuevo, pero fue en vano. Una vez más, esas palabras no significaron nada para mí.

¿De qué servía escribirlo allí, junto a una vieja foto nuestra?

Fruncí el ceño, y de repente me vino una duda. Rasqué una esquina de la Polaroid hasta que se soltó de la cinta de doble cara, luego... la levanté.

Y me congelé cuando vi lo que había debajo.

En el centro de la sábana blanca, tres pétalos cóncavos formaban el capullo de una flor.

Y supe lo que era.

Fui yo. Era para mi.

Me puse de pie, el lápiz cayendo, todos los pensamientos corriendo juntos. Miré inmóvil ese dibujo con los ojos bien abiertos, mi mente trabajando frenéticamente. Inmediatamente revisé debajo de la otra foto, la de mi madre, luego debajo de los dibujos y postales, buscando un símbolo, un mensaje, cualquier cosa. Pero no encontré nada.

Se trataba solo de eso.

no entendí

¿Qué significaba esa frase?

¿Y por qué era importante?

Mi celular sonó. Casi salté, antes de sacarlo de debajo de los libros de texto: respondí con la mente zumbando, incapaz de apartar los ojos de la cara de papá.

"Hola, ¿está todo bien?" La voz de John resonó en mi oído, suave y familiar. "¿Cómo te sientes?"

"Bien", dije distraídamente, asegurándole que la fiebre no había regresado.

Parecía feliz de saber eso. Me preguntó cómo había ido el día y me recomendó descansar un rato para evitar recaídas.

"Juan," lo interrumpí.

"¿Sí?"

Dudé con la foto en mi mano.

"... ¿la frase ' *No todas las naves espaciales van al cielo* ' significa algo para ti?"

Parecía desconcertado.

«Hmm... no, no diría».

"¿Alguna vez has escuchado a papá decir eso?"

«No, nunca...», murmuró pensativo, mientras apoyaba una muñeca en mi frente y cerraba los ojos. "¿Porque estas interesado?"

"No hay razón", respondí. Es sólo... una curiosidad. ¿No es posible que pueda usar tu computadora?

"Por supuesto que puedes. Encuéntralo en el estudio. La contraseña es 21 06".

"¿21 06?"

"El cumpleaños de Mason", agregó, con una sencillez que me tomó por sorpresa. No entendí por qué, pero algo, en la dulzura y autenticidad de esa frase, me impactó de manera incomprensible.

"Gracias," murmuré. Luego me despedí, deseándole buen trabajo, y colgué.

Tomé la foto y fui al estudio en la planta baja. Era una habitación ordenada y luminosa, con una librería en la pared y un mostrador de recepción. Me senté en el sillón color crema, observando el escritorio que se presentó frente a mí. Era de madera muy pulida, espaciosa como un tablón y decorada con pequeñas incrustaciones de pizarra. Abrí la computadora portátil de John y escribí la fecha 21 de junio.

Navegué por internet durante bastante tiempo.

No era un experto en la web, el único acceso en Canadá era a través de las computadoras de la escuela. Llevando una vida casi en el borde del mundo, nunca habíamos tenido uno en nuestra cabaña.

Era irónico que la hija de un científico informático tan eminente apenas pudiera usar una computadora portátil. Nunca me detuve a pensar en ello, pero la razón comenzaba a quedar clara: papá realmente había hecho todo lo posible para cerrarse a ese mundo.

Después de una hora, me recliné en mi silla.

Nada.

No había encontrado nada, ni siquiera una vaga referencia. Había encontrado páginas sobre astronomía, mecánica de cohetes, lanzamientos espaciales, pero nada que ver con la cita que escribió papá.

Nadie había pronunciado esa frase.

¿Qué estaba tratando de decirme?

Salí del estudio poniendo la foto en mi bolsillo. Una corriente de aire alborotó el cabello alrededor de mi cara y, al llegar a la entrada, me di cuenta de que la puerta principal estaba abierta.

Fruncí el ceño.

Fui a cerrarlo, pero en ese momento percibí un susurro de páginas.

Miré hacia afuera. Y mi corazón dio un vuelco.

Mason estaba sentado en la silla del porche. El olor a jazmín impregnaba el aire y una ligera brisa acariciaba su cabello despeinado. Tenía un libro de texto sobre sus rodillas, su mano descansando en el pliegue entre las páginas, su cabeza en cambio apoyada contra la esquina de la pared, en la que sus párpados estaban bajados.

¿Estaba... dormido?

Me sentí bajo un hechizo, una magia que me enredaba con hilos de plata. Las piernas se volvieron pesadas pero el corazón se elevó en el aire, atrayéndome hacia esa visión.

Debió estar muy cansado para quedarse dormido así, con el libro aún abierto en su regazo; Sabía que estaba entrenando todo el tiempo para esa pelea que tenía a fin de mes. A veces, incluso de noche, lo había oído bajar a encerrarse en la sala de entrenamiento.

Con mucha cautela, me detuve frente a él. El aire estaba lleno de sonido, pájaros cantando bajo el sol de la tarde, pero todavía tenía miedo de despertarlo. Me sentí incómodo, como si estuviera espiando un fragmento de su vida o haciendo algo de lo que avergonzarme; sin embargo, cuando me agaché, me di cuenta de que no podía evitarlo.

Observé su rostro por primera vez, como si fuera un cuadro.

Tenía una pequeña cicatriz en la comisura del labio, un corte más claro que nunca había notado antes. Tenía otros entre las cejas, casi invisibles; seguramente se debieron a la disciplina que practicaba.

No estaba acostumbrada a verlo así. Los hombros suaves, las pestañas apoyadas en los pómulos esculpidos, el rostro relajado y distendido... Dios, era hermoso.

Sentí una atracción palpitante e irresistible, pero también una profunda vulnerabilidad.

Mason hizo que mi corazón diera un vuelco.

Lo moldeó sin tocarlo.

Ella lo encantó sin mirarlo.

Y todavía tenía esos ojos de bestia, pero era un alma tan cálida como el sol que palpitaba bajo su piel.

A veces pensaba que la veía.

A veces, cuando volvía a esa playa en mis sueños, la veía reflejada en sus ojos muy abiertos.

A veces incluso pensaba que podía lograrlo.

Quería tocarlo.

solo deseaba...

Levanté una mano. Dudé inseguro y la retiré, antes de volver a acercarme a ella como una paloma blanca y tímida. Temerosa y gentilmente, coloqué las yemas de mis dedos en su pómulo.

Su piel era suave y cálida.

El viento movía las páginas, fusionando su olor con el de las flores en una mezcla embriagadora. Dejé escapar un suspiro, aterrorizada e hipnotizada por ese momento.

Siempre había odiado las esencias artificiales de las personas: amaba la fragancia de la tierra, el aroma arrogante del bosque en las noches de verano.

Pero Mason... Fue el olor de su piel lo que me mareó, el olor de su espeso cabello.

me acerque Mi corazón latía con fuerza en mi vientre, mi respiración latía con fuerza. Su boca estaba abierta, suave y hechizante. Respiré en sus labios, mi alma tensa y mi aliento mezclándose con el suyo, lento y profundo...

Me desperté y retrocedí abruptamente, asustado de mí mismo. Lo miré con los ojos muy abiertos y conteniendo la respiración, y él frunció el ceño. Escapa antes de que se despierte, corriendo a mi habitación como un cobarde.

¿Y si abría los ojos?

¿Y si me viera?

"Maldita sea", lo regañé, empujando mis muñecas contra mis párpados.

Fui patético.

¿Por qué no podía alejarme de ese chico?

¿Por qué pensé una cosa y luego hice otra?

yo no era asi Supe endurecer mi corazón, supe manejarlo. No perdí la cabeza así.

Sin embargo, no podía dejarlo fuera.

Me habían enseñado a protegerme de la mezquindad.

Me habían enseñado a protegerme del dolor.

Pero nadie me había dicho cómo protegerme del amor.

No bajé a cenar esa noche.

Me quedé en mi habitación para terminar de estudiar, tratando de borrar la cara de Mason de mi mente.

Cuando ya era tarde, el rugido de mi estómago me hizo bajar la pluma.

Miré la hora y decidí levantarme para comer algo. Mientras bajaba, esperaba que John me hubiera dejado algo.

Una charla inesperada vino de la cocina. La luz estaba encendida y dudé antes de acercarme sigilosamente.

Sin embargo, cuando llegué a la puerta, deseé no haberlo hecho.

John y Mason estaban allí. La mesa aún no había sido despejada y los cubiertos yacían abandonados en los platos ahora vacíos.

Pero lo que me llamó la atención fue que no estaban comiendo; en realidad no estaban haciendo nada.

Estaban sentados uno al lado del otro, las sillas se movieron un poco, Mason decidido a decir algo. Y John estaba con los brazos cruzados, y *se reía* , se reía sinceramente, sus facciones serenas y esos ojos chispeantes que reverberaban en la luz de la habitación. Ni siquiera se habían fijado en mí.

Ni siquiera entendía por qué, pero su intimidad me impactó. De repente me sentí como un completo extraño, como si nunca antes me hubiera dado cuenta del pequeño universo que Mason y John estaban juntos.

Ellos eran eso. Siempre habían sido eso. Eran esa calidez, esas miradas cómplices, ese vínculo tan estrecho que nadie más podía entender.

Eran una familia.

Al igual que yo y papá.

Y yo no había sido capaz de verlo hasta entonces. O tal vez no había querido verlo, la forma en que me sentía sola, la forma en que me aferraba a John como si fuera solo mío. De repente, todo tuvo sentido: Mason no quería llegar tarde a almorzar con John, Mason siempre buscaba sus ojos, nunca respondía. Mason que le sonreía y John que conocía a todos sus amigos, Mason que frente a su padre había tratado de aguantarme, tal vez para no decepcionarlo.

En ese momento se fijaron en mí. Podía escucharlo, esa armonía rompiéndose, como música hermosa interrumpida por una nota desafinada: *yo* .

John me notó y dejó de reírse. Cuando Mason también levantó la vista, instintivamente di un paso atrás.

Oh, hiedra. Te pongo la cena en caliente».

Observé a mi padrino sonreír y la insuficiencia me cerró la garganta. Nunca me he sentido fuera de lugar como en ese momento. *nunca* _

"Yo..." tartamudeé, bajando mi rostro. Apreté los dedos, obligándome a tragar. «Yo... voy a dar un paseo».

Me giré ante el asombro de mi padrino. Mason junto a él solo me miró, pero hice todo lo posible para no mirarlo a los ojos.

"¿Como?" preguntó John, levantándose de su silla. "¿Qué? ¿En este momento?"

"Sí", dije, sin darme la vuelta, y escuché el crujido de ese momento romperse. Crucé la sala y cuando vi mi sombrero en el sofá lo agarré apretándolo fuerte.

"¡Ivy, te salvé la cena!" dijo, corriendo detrás de mí, y me sentí tan mal que fruncí los labios.

No me siga. Por favor...

Solo desearía no haber estado siempre tan en el medio.

"Comeré más tarde", agarré la manija, pero John me detuvo.

"¿Adónde quieres ir solo? Es tarde. Está oscuro afuera, no quiero..."

"Solo necesito dar un paseo", murmuré, pero la verdad era que quería quitarme del camino, huir, dejar de interponerme en su armonía. "Ya vuelvo. Solo camino por el vecindario. Prometido".

Me miró preocupado, tratando de entenderme, de leer en mis ojos el por qué de ese comportamiento.

Pero no lo dejé.

Antes de que pudiera decir algo más, me di la vuelta y me dirigí a la puerta.

Caminé por el camino de entrada, atravesé la puerta y salí a la calle, entre filas de farolas encendidas y las sombras de un cielo sin luna.

Durante un tiempo interminable deambulé sin rumbo fijo.

Caminé en el silencio del barrio, con las manos en los bolsillos y el sombrero calado en la cabeza. El viento se mezclaba con mis pensamientos y la oscuridad calmaba mi espíritu.

Más de una vez experimenté una sensación inusual, como ojos fijos en mí. Ya había sucedido, en realidad, cuando caminé a la escuela por la mañana. Miré a mi alrededor, pero el no ver a nadie no ayudó a tranquilizarme, al contrario, me despertó una extraña incomodidad: aceleré el paso y decidí regresar.

Cuando doblé hacia la calle de la casa, noté que había alguien frente a la puerta.

No, no alguien.

Mason levantó la cabeza. Su rostro emergió a la luz de las farolas y sentí cambiar el ritmo de su respiración.

¿Qué estaba haciendo allí?

Traté de formar una respuesta mientras me acercaba, pero mi corazón comenzó a latir con fuerza y no podía pensar con claridad.

Cuando me detuve frente a él, sus iris brillaron en la oscuridad y sus ojos se detuvieron en los míos.

Haces que mi padre se preocupe.

Su voz profunda era como una caricia a lo largo de la columna vertebral. Apreté la mandíbula y traté de no ponerme rígida.

"Pensé que eras inmune a su paranoia", respondí, "solo han pasado diez minutos".

Debería haber estado feliz de que me hablara de nuevo después de la forma en que lo había tratado. Y, sin embargo, aunque la idea de aferrarme a sus pantorrillas como un pulpo no me molestaba en absoluto, todavía tenía la dignidad suficiente para contenerme.

Lo miré por debajo de su sombrero y vi que estaba frunciendo el ceño.

Aquí, perfecto. Lo había cabreado de nuevo.

¿Por qué sentía que no podía hacer nada más?

Pasé junto a él y puse una mano en la puerta, pero en el último momento mis piernas se detuvieron. Con mis dedos agarrando el metal, expresé el pensamiento sin poder ayudarme.

"No deberías estar enojado con Nate". Hice una pausa y luego agregué: "Lo que sucedió no fue su culpa".

"No tiene nada que ver con eso, de hecho".

Me volví.

Sus ojos penetrantes estaban fijos en mí.

En la penumbra, sus labios se veían grandes y firmes, casi aterciopelados, y por la locura de un instante me pregunté qué pasaría si pasaba un dedo por ellos.

Reprimí ese impulso con un estremecimiento.

"¿Y qué tiene que ver, entonces?"

Fue un susurro suave, y la mirada de Mason se posó en mi boca.

Un escalofrío se apoderó de mi corazón.

Ella inclinó su cara hacia un lado, y vi su mandíbula sobresalir contra la luz mientras torcía una sola palabra alrededor de sus labios: "Otro".

Era su forma de abreviar, de decirme que no debería hacer preguntas. A estas alturas ya lo estaba conociendo, pero por primera vez sentí algo más.

"¿Otro?" Yo pregunté.

Pareces estar muy interesado en lo que le concierne.

Lo miré confundido, pero en ese momento sus ojos parpadearon oscuros y brillantes, y dio un paso adelante.

"¿Desearías que fuera él?" Parecía aún más cercano a mí. "¿Desearías que Nate *te hubiera salvado* ?"

Bajé un poco la barbilla, en un gesto de defensa. Su presencia me llamó, me dominó, como si no pudiera evitarlo.

"Así que fuiste tú", estuve de acuerdo. "Realmente fuiste tú".

Algo pasó en sus iris oscuros. Traté de agarrarlo, de hacer que se quedara, pero apartó la mirada antes de que pudiera.

"¿Qué discutieron tú y Nate?" Insistí.

"No es asunto tuyo".

Aquí estaba él haciéndolo de nuevo.

'No te concierne' me decía. 'Quedarse fuera'. Esa distancia entre nosotros era un abismo que nada podría llenar.

No era parte de su vida, no pertenecía a su mundo, y eso nunca iba a cambiar.

"Tal vez, considerando todas las cosas, hubiera preferido a Nate", susurré mientras mi frustración regresaba.

Era mentira, pero aun así tuvo el mismo efecto: Mason entrecerró los párpados, asustadizo.

"¿Pero *de verdad* ?"

"Al menos es coherente consigo mismo".

"¿Consistente... consigo mismo?" repitió, acercándose. Estaba provocando su orgullo, y eso me dio una onza de poder.

"Sí. Él no me evita y luego me espera fuera de la casa".

Él se elevó sobre mí. "¿Qué hay de mí?"

"Ni siquiera me miras", le espeté con enojo, pero al instante me mordí la lengua. ¿Qué carajo acabo de decir?

Una punzada de pánico se secó en mi garganta. Inmediatamente me puse a la defensiva y ajusté mi tiro.

"Te esfuerzas tanto por evitarme, por fingir que ni siquiera existo. Me tiras a la calle solo para dejarlo claro y luego te metes con Nate por ponerme en peligro como si te importara. ¿Cómo llamas a esto?" Estaba sacando una rabieta que no sabía que tenía. Quería escucharlo admitir que estaba preocupado por mí, que estaba asustado, pero también estaba demasiado desilusionado para creerlo realmente. "El programa funciona con los demás. Funciona con tus amigos, con tus vecinos, incluso con John. Pero no conmigo".

«¿El... *drama* ?» cantó, sus ojos brillando.

Estaba tan cerca que podía sentir la vigorosa carga que emanaba de él y, por un momento, la ira y la atracción se convirtieron en una mezcla letal. "¿Hablamos de *tu* drama?" siseó, haciéndome temblar. "¿Nunca te ha importado este lugar, ni siquiera sabes cómo es una ola y de repente te mueres por saltar al océano? Yo diría que la incoherencia es el *primero* de tus problemas». Su voz ejercía un poder persuasivo muy fuerte, una droga embriagadora.

"Estás equivocado", respondí, apretando los puños.

"No trates de negarlo".

"Tú eres el que vino aquí. ¡Solo quería estar solo!"

Él sonrió mordazmente. "¿Por qué, no lo eres siempre?"

Dio en el blanco con tanta precisión que me silenció. De repente, toda la frustración que había estado tratando de sacar de él se desvaneció dejándome agotada. Bajé la cara sin siquiera palabras para discutir y vi que la mano de Mason se tensaba. Sus dedos se cerraron en puños, pero sabía que no había dicho una mentira.

era la verdad

Y sin embargo... estaba cansada.

Estaba harto de pelear con él nunca más.

Estaba harto de continuar con esa batalla.

Entonces, cuando Mason levantó la mano y la llevó a mi cabeza, cerré los párpados e incliné la cara hacia un lado.

Sus dedos se cerraron sobre la visera de la gorra y se la quitó lentamente. Quizá quería hacer valer su dominio, en cambio lo nuestro era una pelea en la que acababa de ganar.

Su cabello se deslizó sedosamente sobre mi piel pálida, rozando mis pestañas caídas. Un velo de finísima seda, con reflejos plateados, acariciaba mi garganta. Podía oler el olor a pino que despedían mientras el viento susurraba entre nosotros.

Miré a Mason de nuevo.

Pero él... ya no sonreía.

El sarcasmo en su rostro se había ido. Me miró fijamente sin mover un músculo, con la mandíbula contraida y la mano aún levantada en ese gesto.

Capté algo en sus ojos que nunca antes había visto. *Como si, solo por un instante, en el fondo de su mirada... acababa de admitirse a sí mismo que no podía ganar.*

Ojalá pudiéramos entendernos.

Ojalá pudiéramos hablar, escucharnos, comunicarnos. Pero la verdad era que no estábamos hechos para esto.

Siempre había sido un desastre con las palabras.

Y nunca había querido darse a conocer.

Tal vez algún día encontraríamos un terreno común.

O tal vez nos habríamos ido por caminos separados. Habríamos olvidado, como asteroides que se cruzan por casualidad y luego se pierden para siempre.

Habríamos crecido, aún más tercos, aún más tercos, fuertes y orgullosos. Pero él siempre sería el océano en el que yo no podía nadar.

Él siempre iba a ser mi bala en el corazón.

Con esa alma ardiente y esos ojos de tiburón.

Y él nunca lo sabría.

14
De marfil

"¿Se burlaron de ti otra vez?"

Su voz era como un cálido guante. Abracé sus brazos, demasiado pequeños para hacer otra cosa.

No era bueno para hacer amigos. Yo era un niño introvertido y tímido, y papá era el único capaz de consolarme.

"¿De qué se trata esta vez?"

"Es el nombre", sollocé. "Dicen que es ridículo. Cual es malo. Lo que me hace aún más raro".

—No llores, Ivy —dijo—. "Los otros niños no entienden... No saben lo precioso que eres. Eres perfecto tal y como eres."

"Eso no es verdad," dije con mi voz fina. Sabía que no contaba, porque él fue quien me dio ese nombre. Fue él quien lo eligió para mí cuando nací. "Solo dices eso porque eres mi papá".

Pero me sostuvo cerca, y mis lágrimas se fusionaron con los latidos de su corazón. Quería decirle que me dolían las miradas de los otros niños, que me entristecía no poder jugar con ellos. Que, aunque me callara, podría dar algo.

Conocí las estrellas. Y esos juegos de números. Podría sonreír, si esa gente no nos hubiera mirado siempre de esa manera.

"No. Digo esto porque sé lo que vales. Eres mi Flor. Mi pequeña flor de marfil..."

Levanté mis párpados. El océano rugía en la distancia.

No sabía por qué había venido allí, a la sombra de aquellos árboles. Observé la extensión de agua con una mirada vacía, perdida en recuerdos lejanos.

Lo había vuelto a soñar.

Su cara, sus ojos familiares. En mis sueños todavía estaban conmigo.

A veces, cuando lo tocaba, su calor se sentía tan real que me cortaba el aliento. Los párpados temblaron, el corazón se tensó y luego se desgarró de dolor. Yo sangraba en el silencio de la noche, solo, sofocando en mi almohada la agonía que trataba a toda costa de reprimir durante el día. En esos momentos, siempre rezaba para que John no me escuchara.

"Tenías razón," murmuré, mirando hacia el océano. "Es mucho más grande que nuestras montañas..."

Me imaginé escuchándolo reír. Siempre lo hacía cuando admitía que me había equivocado en algo. Nunca me respondió con lo obvio, al contrario. Me enseñó a abrirme, a cuestionarme, pero lo hizo con serenidad.

"Te extraño", susurraste. Mi voz se quebró. Odiaba cuando eso sucedía, porque lo hacía aún más real.

Era como admitir que no estaba allí.

Que no habría más.

Que esos recuerdos eran lo único que me quedaba.

Nunca había tenido una familia *de verdad* . Pero yo había tenido una *familia real* .

Y no tenía por qué ser numeroso, para mí era una sola persona. Habían sido sus ojos, su dulzura y su buen corazón. Habían sido una historia contada en la noche y una sonrisa fuera de la escuela. Había sido un consejo, un perfume, una caricia dada en secreto, había sido él quien me había enseñado a caminar, primero en la vida y luego por el mundo.

Familia es quien da su corazón para hacer crecer el tuyo.

Y la había perdido para siempre.

"Oh", coqueteó Miriam cuando llegué a casa. "¡Bienvenido de nuevo!"

Respondí con un movimiento de cabeza. A pesar de mi mal humor, me ayudó a quitarme la mochila.

Tuve la sensación de que le gustaba mucho; A menudo la pillaba mirando mis delicados rasgos, y cuando empezaba a dibujar en el porche siempre me miraba muy complacido.

"Mason ya está en la mesa", me informó. "John dejó su almuerzo a un lado".

"Gracias," murmuré, y ella me sonrió.

Entré a la cocina algo hambrienta, y quizás por eso mis ojos se posaron en el pollo y no en Mason.

Lo encontré sentado allí solo.

A pesar de mi estado de ánimo, mi corazón dio un vuelco. Su presencia siempre me asombró, pero al mismo tiempo me conmovió. Me acerqué lentamente y, una vez que llegué a la mesa, aparté una silla y me senté frente a él.

Sus dedos sostenían un trozo de pollo blanco; la mandíbula se movía lentamente y los ojos estaban fijos en mí. Su boca estaba llena y roja mientras masticaba, y mi garganta se cerró cuando lamió mi labio inferior.

Agarré un muslo dorado y comencé a comer, manteniendo la cara hacia abajo.

Estaba seguro de que sentí su mirada sobre mí, pero... en ese momento me di cuenta de que era la primera vez que comíamos juntos sin John.

Mason normalmente se levantaba de la mesa, o yo no me sentaba.

Un soplo de calor sopló en mi corazón. ¿Era posible que, a pesar de nuestros enfrentamientos, algo estuviera cambiando?

"Mason", llamó Miriam. Su tono de preocupación me llamó la atención. Caminó hacia nosotros con una cara preocupada, su cabello negro y ralo le caía sobre los hombros. "Mason... Hay alguien en la puerta".

"¿Alguien?"

"Dos hombres", espetó. "Dos hombres... vestidos de negro".

Mason frunció el ceño y se limpió la boca con la servilleta.

“Mi padre no está aquí. Quienquiera que sea, puede volver esta noche.

"No estoy aquí por el Sr. Crane", dijo. Sus ojos se posaron en mí y me congelé. "Ellos la quieren".

Se hizo el silencio.

Mason se volvió para mirarme. Todavía tenía un mordisco atorado detrás de mi lengua, pero no levanté la cara.

"¿Que quieren ellos?" pregunté levantándome.

“No lo sé, señorita. No lo dijeron".

Me limpié las manos en la servilleta y salí de la cocina. Me dirigí a la entrada, y una vez que llegué a la puerta, un par de miradas se dirigieron hacia mí.

Las expresiones de los dos hombres eran serias y glaciales, pero eso no fue lo primero que noté.

En primer lugar me llamaron la atención los trajes oscuros y las corbatas impecables que lucía como seña distintiva. Uno de ellos, el más cercano a la entrada, tenía el pelo canoso y las manos apoyadas una sobre la otra en una pose rígida pero serena.

"Señorita Nolton. Buen día".

Distante, frío, profesional. Incluso la voz me sonaba igual. La sensación de *déjà vu* rozó mis sentidos, manteniéndome a la defensiva.

"Perdona la intrusión. ¿Podemos entrar?"

"¿Quién eres?" preguntó Miriam, parándose audazmente detrás de mí.

Uno de ellos sacó una etiqueta de identificación de su chaqueta y me la entregó.

"Agente federal Clark, señorita Nolton. Tenemos que hablar contigo".

Miré hacia arriba sin tomar la etiqueta. Él no estaba sonriendo.

Sabía por qué habían venido. Yo lo sabía demasiado bien, y ellos también lo sabían.

Una sutil emoción subió a mi corazón. Cada fibra de mi cuerpo luchó para evitar que ese sentimiento se apoderara de mí y me llevara lejos de allí. Di media vuelta y entré.

"Por aquí".

Los dos agentes me siguieron. Miriam tartamudeó algo, pero pasaron sin contemplaciones.

Los conduje al pasillo, abriendo el camino. Esperé hasta que se sentaron, luego me estiré para cerrar las grandes puertas: mi atención cayó sobre Mason mientras tiraba de las manijas hacia mí.

Allí estaba él, de pie, la esbelta figura en el centro del salón. Su presencia me conmovió como siempre, pero fue sólo una mirada indescifrable la que le devolví: sus ojos penetrantes fueron lo último que vi antes de aislarnos dentro de la habitación.

"Vamos", declamé desde atrás. "Estoy escuchando".

"Siéntate, por favor", me invitó uno de ellos.

Obedecí sin entusiasmo. Entonces el otro se arregló la corbata y empezó a hablar.

"Señorita Nolton, ¿sabe qué es la seguridad nacional?"

No me molesté en responder.

“Se trata de proteger al país de amenazas que atenten contra su independencia e integridad. Su campo de acción es amplio, desde el ámbito militar al territorial, desde el campo social al cibernético".

Hizo una pausa y luego continuó.

“Sin duda sabrá que los Estados Unidos de América es la república federal más reservada del mundo. Hay cuerpos encargados de mantener *este* secreto que no tardaron en localizarla cuando llegó aquí. Estamos seguros de que comprende la importancia de una asociación. Necesita entender lo que está llamado a hacer en interés de esta nación. Entonces, si conoce información clasificada, ahora es el momento de hablar".

Eran las mismas palabras. Los mismos discursos, las mismas frases llenas de términos que significaban todo y nada a la vez.

Fue como ese día en el hospital.

La sensación se hundió en mí y de repente sentí que el pasillo colapsaba.

Mi oscuridad me envolvió bajo sus miradas firmes.

Sin embargo, todavía estaba allí, en la misma posición. Simplemente estaba sentado en un universo diferente, que olía a hospital y medicinas.

"Hiedra".

En esa luz, solo el sonido de su voz. El pitido era débil, lejano, demasiado débil.

"Dóblalo, Ivy", repitió entrecortadamente. "Dóblalo".

Las lágrimas me ahogaron. Entrecerré mis ojos torturados, sintiéndome desgarrado por ese dolor sin poder combatirlo.

"No", susurré, pero me estaba desmoronando; Me acurruqué sobre su pecho en un intento de darle todo lo que tenía.

"Todo estará bien", dijo en voz baja, mientras cada fibra de mi cuerpo gritaba y moría de un dolor insoportable. "Te prometo que".

Me aferré a él, mi frente una telaraña de surcos.

Mi corazón se desgarró cuando vi esa sonrisa familiar que nunca se había desvanecido mirándome.

Te lo prometo, Ivy. No estarás solo".

Apreté mis dedos. Dentro de mí todo vibraba como un planeta colapsando.

"No tengo nada que decir. No sé nada que te interese".

"Señorita Nolton, escuche: tenemos razones para creer que está en posesión de..."

Salté sobre mis pies. "No, escúchame. Gente como tú ya ha venido, directo al hospital donde mi padre aún no se había resfriado " le espeté con enfado. "No lo tengo, ni sé dónde está. no me lo dejó a mí. No me dejó nada. Si con todo el oro del mundo pudiera tener un momento más con él, ten por seguro que no sería lo que le pediría.'

Los dos agentes de la CIA me miraron como sabuesos.

"Si está ocultando información..."

"No me estoy escondiendo... ¡NADA!" estallé

No era propio de mí levantar la voz, pero sentí una ira venenosa y corrosiva que no me permitía pensar.

"¿Crees que me quedaría con el monstruo que arruinó su vida? ¿Por qué fue acusado? No —siseé antes de que pudieran interrumpirme. "No me importa lo que fue para él. Ni qué es para ti. Te diré lo que es para mí: lo último en el mundo que me comprometería a proteger».

"¿Y nunca te preguntaste a dónde fue?" El tono indignado del otro hizo que mis ojos se clavaran en él. «Un ingeniero de renombre nacional diseña un arma de información de clase mundial, una verdadera bomba tecnológica capaz de derribar infraestructuras estratégicas enteras, ¿y no te preguntas cómo desapareció en el aire?» Me lanzó una mirada acusadora. "No mientas".

Fue peor que un puñetazo.

"No mientas", habían dicho incluso los de los servicios secretos canadienses. Dinos la verdad.

No le importaba que acababa de morir.

Que había perdido a un padre.

Que el dolor me partía en dos.

No le había importado que yo también hubiera salido con él.

Ellos sólo querían lo que él creó.

"¿Es la verdad lo que quieres?" susurré con los puños temblando. Lentamente, levanté los ojos devastados hacia ellos, chorreando resentimiento. "Bueno, señores, les tengo buenas noticias: el país está a salvo. No tienes de qué preocuparte, Robert Nolton ya no es una amenaza para la seguridad. Ese Código murió con él. Y ahora sal de esta casa.

No se movieron. El momento en que estuvieron allí fue muy largo, con sus hermosos trajes y expresión intimidante. Pero cuando entendieron que no obtendrían nada de mí, se pusieron de pie.

Clark me miró con frialdad.

“Si tuviera alguna revelación milagrosa...” Me entregó una nota. "Contáctenos".

Giré la cara con los puños cerrados y terminó dejándolo sobre la mesa de café.

"Buen día".

Sin responder, los acompañé hasta las puertas y las abrí. Caminé hacia el lado opuesto de la entrada, donde finalmente desaparecieron.

Subí las escaleras con los párpados ardiendo. Solo vi negro. Mi visión palpitaba, se desgarraba, dejando al descubierto lo que llevaba dentro.

Llegué a mi habitación y me detuve en seco.

" *Sopórtalo, Ivy* ".

Con un tirón violento empujé los libros del escritorio. El caos se derramó en el suelo cuando me pasé las manos por el pelo y caí sobre mis talones, apretando hasta que me dolió.

No pude hacerlo más.

Querían lo que papá creó, pero estaba muerto, *estaba muerto* , y a nadie le importaba eso.

Para ellos era solo una ganancia, y yo quería gritar, decir que yo también había muerto con él, que el mundo no tenía más color desde que se había ido.

Que nadie me lo devolvería.

Que todo lo que me quedaba de él era mi nombre.

Mi nombre que de niña había sido fuente de burlas, miradas sarcásticas y malas palabras.

Mi nombre que para mí era el tesoro más preciado, porque él me lo había dado.

Y lo había protegido, lo había escondido lo mejor que podía, porque ya no quería permitir que nadie lo usara como pretexto para lastimarme. No ahora que solo me quedaba eso.

"¿Quiénes eran esas personas?"

Salté con un gran escalofrío.

La imponente figura de Mason estaba de pie en la puerta.

Me puse de pie de inmediato, esperando que no hubiera notado mis lágrimas. Tragué y traté de empujarlo todo de nuevo, sintiendo que se atascaba, se atascaba en mi garganta. No podía soportar verme en ese estado.

"Nadie," mentí.

No había necesidad de mirarlo a los ojos para entender que no me creía.

"¿Qué querían de ti?"

Aprieto los dientes. Por el rabillo del ojo lo vi mirando mis manos temblar.

"Hiedra".

"Nada," escupí. "No querían nada".

Lo hice a un lado y salí de la habitación. Mis sienes palpitaban. Sentí la necesidad de alejarme, de encerrar mi caos, pero Mason no me lo permitió. Sus pasos me siguieron mientras bajaba las escaleras y luego atravesaba la puerta del sótano, tratando de evadirlo. En el último escalón, sentí que me agarraron del brazo.

"No mientas".

No podría haberme dicho nada peor. Tiré del brazo que había comenzado a arder con ese contacto y lo miré con una ira insoportable.

"¡Mantente fuera de esto, no te concierne!"

"¿Estás bromeando? Dos agentes federales acaban de salir de mi casa, ¡dime cómo no debería preocuparme!"

"¿Es tan difícil de creer para ti?" Había llegado al límite. Era demasiado: el dolor, la frustración, esa ira destructiva. Por primera vez sentí una gran necesidad de hacerle daño. Rascarlo con mis manos, con palabras, con todo lo que tenía. "Te quema no ser el centro de atención, ¿eh? No puedes soportarlo. Debe ser difícil vivir en tu ego y no poder ver más allá. Casi siento pena por ti» escupí venenosamente. "Tal vez es hora de que lo superes".

Sus ojos me clavaron donde estaba.

"Para".

"Oh, debe ser difícil", continué, sin desanimarme, "conseguir toda la atención que quieres, sin querer nunca nada. Observas el mundo desde

arriba de tu vida perfecta y crees que todo se debe a ti, pero te equivocas".
—Le di una mirada de hierro— No te debo nada.

Si tan solo Mason hubiera percibido mi angustia.

Si tan solo entendiera cuánto sufría.

Si solo fuéramos diferentes, y no las almas dentadas que éramos, habría visto que detrás de mi intención de lastimarlo había una necesidad desesperada de canalizar el dolor que me estaba desgarrando.

Pero Mason no lo hizo, Mason no vio más allá de mi pared incluso entonces.

Éramos demasiado diferentes.

No...

Éramos demasiado parecidos.

Hecho de los mismos defectos.

Y, quizás, de la misma fragilidad.

Teníamos los mismos miedos, los mismos sueños y las mismas esperanzas.

Y, como dos espejos demasiado cerca, él y yo nos reflejamos.

Pero nunca nos tocaríamos.

"Oh, no lo haces, pero..." Un murmullo bajo, vibrando como las profundidades de un volcán.

Lo miré a la cara y vi los ojos apagados que brillaban en su rostro oscurecido por la ira. Una vez más tuve la impresión de haber tocado una tecla que no debía , una herida abierta que él intentaba ocultar a toda costa.

«Tú lo entiendes todo, ¿no? Miras más allá, está *bien* ». Se alzó sobre mí, ardiendo de furia. «Te rodeas de secretos y los introduces en la vida de los demás, pero ¡ay de quien te intente preguntar! algo. ¿Sabes lo que digo? He tenido *suficiente* ", siseó con ira feroz. "Eres tan bueno juzgando, pero ¿tú? ¿Crees que eres diferente? ¿ *Mejorar?* Estás tan obsesionado contigo mismo que escondes tu nombre de los demás".

Me quedé helada. Lo miré congelado, y él entrecerró la mirada.

"¿Qué pasa, pensaste que no lo conocía? ¿Que todo este tiempo no siempre lo había sabido? *Sé todo sobre ti.* Te preocupas tanto por cosas inútiles como esta, cuando son simplemente *ridículas* —se burló a un palmo de mi cara, burlándose de mí—. Pero tú no, debes tener mil secretos. Lo quieres tanto que no puedes prescindir de él. ¿Disfrutas viendo a otros atormentarse con tus misterios? ¿Disfrutas viendo cómo se desesperan por ti? Te gusta... oh, te gusta tanto *, ¿no es así, Ivory?* »

La bofetada llegó poderosa y precisa.

El cabello de Mason salió disparado hacia un lado y por un momento solo hubo un estruendo en la habitación vacía, como el estallido de un cañón.

Mi mano ya no temblaba ahora. La piel de su palma ardía, pero tristemente sabía que no era por lo fuerte que lo había golpeado.

Después de un momento de quietud, sus ojos volvieron a mí. Me miraban desde debajo de sus matas de castaño, atónitos, y en su mirada vi el reflejo de la mía, tan magullada y torva como siempre.

"Tú no sabes nada".

Debería haber hecho esto hace mucho tiempo.

Debería haberlo hecho de inmediato, desde el principio.

Tal vez él nunca pasaría por mis grietas.

Tal vez no hubiera tocado mi corazón.

Podría haberlo odiado con todo mi ser sin sentir mi alma desgarrada por su aliento.

Mason entrecerró los párpados. Me miró, tan hermoso que dolía. Entonces, de la nada, agarró un pincel de un estante cercano y lo empujó justo en mi cara.

Jadeé, sorprendida, y las cerdas frotaron mi mejilla. Estuve sobre él en medio segundo.

Agarré la primera lata que me pasó por debajo de las uñas y la derramé sobre su pecho: la tapa se abrió y la pintura lo golpeó de lleno.

Se desató una furiosa lucha de manos, jarras y chapoteos, en la que yo agarré todo lo que estuvo a mi alcance y él hizo lo mismo. Agarré el rodillo del pintor y me las arreglé para deslizarlo sobre su boca maldita antes de que me lo arrebatara. Mason me puso un corcho sucio en la cara y yo agarré una lata grande y se la estrellé contra la cabeza: una cascada de pintura azul explotó sobre él y tropezamos hacia atrás, deslizándonos sobre el plástico.

Caímos al suelo en una maraña pegajosa. Peleamos como gatos callejeros, hasta que logró trabar mis dos muñecas y la locura se detuvo.

Solo me di cuenta en ese momento que estaba jadeando.

Me encontré a horcajadas sobre él, mis muslos empapados, mis manos extendidas como garras de águila.

Sus ojos me miraron de par en par. Eran oscuros y grandes, entre riachuelos y huellas dactilares de esmalte. Su respiración se balanceaba debajo de mí, amplia y profunda, y por un momento no hubo nada más.

Sus iris chuparon mi alma.

Me despojaron de la ira, de la furia. También de fuerza.

Me dejaron vacío e impotente... Solo con la conciencia.

Habríamos seguido haciéndonos daño. Para arañarnos y lastimarnos.

Ese camino no tenía salida: la bestia me bloqueaba el paso y ya era demasiado tarde para dar marcha atrás.

Conocía de memoria la ley de la supervivencia: ante el peligro, dispara o muere.

había intentado disparar. Pero había sido un poco como morir.

Lastimarlo me hizo sufrir. Lastimarlo a él y lastimarme a mí se habían convertido en uno.

Y la bestia ahora me enfrentó, pero sus ojos eran demasiado hermosos para no desanimarse.

Y yo... sólo desearía poder tocarla.

"A veces se necesitan más que ojos para ver", susurré. El recuerdo de esas palabras me hizo un nudo en la garganta. «A veces hace falta un corazón... capaz de mirar».

Quería dejarlo entrar.

Confesarle mis inseguridades.

Dile que estaba asustado. Que últimamente siempre tuve tanta rabia, y tanto dolor, demasiado para un cuerpo pequeño como el mío.

Que en realidad... me gustaban las estrellas. Y no tenía un color favorito, pero cada día se parecía más a sus ojos.

Que pudiera patinar, cazar, dibujar.

Que una vez supe sonreír.

Pero había perdido mi arcoíris.

Se había desvanecido frente a mí.

Y nunca lo volvería a ver.

Me levanté de él. Por un instante pensé que lo sentía frenándome.

—Ivy —susurró, pero no me detuve. El mundo se estaba deshaciendo.

Me fui antes de que pudiera verme colapsar.
Porque a veces amar no es suficiente.
A veces se necesita coraje para soportar.
Y yo... nunca tuve eso.

15
Soportarlo

"Dóblalo", me había dicho la primera vez, cuando yo tenía siete años.

Los niños se burlaban de mí, decían que tenía un nombre ridículo, que mi excéntrico padre me había hecho de nieve, que por eso no tenía madre.

—Espera, Ivy —me había dicho después de una mala caída, quitándome las astillas de la rodilla. El suyo era el susurro de alguien que me decía que aguantara, y apreté los dientes, luchando contra el dolor.

"Es el poder más grande que tenemos", había explicado papá. "El que viene directo del corazón".

Él me había enseñado esto porque, para él, el verdadero coraje se medía por la fuerza de no derrumbarse.

"Dóblalo", susurraron sus ojos cuando la luz se desvaneció de su rostro.

Nunca había odiado tanto una palabra en mi vida.

Dawson era pequeño, remoto y desolado, una cáscara de bellota varada en las montañas.

Era un pueblo cerrado y frío, pero la gente que vivía allí lo era aún más.

Él no era como ellos. Nunca lo había sido.

Saludaba a todos, reía radiantemente y siempre tenía una sonrisa para todos.

Nadie sabía de qué estaba huyendo.

Nadie sabía quién era realmente.

Papá tenía el sol en el corazón y un pasado tormentoso, pero tal vez por eso era el arcoíris más hermoso que he visto en mi vida.

"¿Por qué te miran así?"

"¿Así como también?"

"Siempre te miran... así. Todos".

"Tal vez porque soy guapo ".

Yo de ocho años fruncí el ceño. Extendí una pequeña mano y toqué su sonrisa tranquila.

Lo encontré divertido, simpático, con la nariz siempre roja. ¿Pero hermoso?

"¿Es por eso que nos miran así? ¿Por qué somos hermosos?

"Hermoso", susurró papá, con una sencillez que me convenció.

Lo miré con mis ojos grandes y él me dedicó esa sonrisa sincera.

"¿Quieres mirar las estrellas esta noche?"

Vio cosas que otros no vieron.

Había una luz en sus ojos que la gente no entendía, la inspiración de un genio demasiado grande para un lugar tan pequeño.

Conocía las constelaciones, las leyes de los números, los idiomas ocultos en las secuencias cifradas.

Me enseñó cosas que otros niños nunca soñaron y vi en él una magia invisible para todos.

Ojalá pudieran verlo de esa manera también.

Ojalá entendieran lo especial que era.

Pero a veces se necesita más que un par de ojos para ver algo.

A veces se necesita un corazón.

Capaz de mirar.

"¿Que te dijo el?"

Evité su rostro, con los puños apretados.

—Ivy —repitió ella. "¿Qué te dijo?"

"Que estás loco".

El me miró. Luego echó la cabeza hacia atrás y... se rió. Era tan joven, tan alegre, que me pregunté qué estaría haciendo entre gente tan gris.

"¿Y tú lo crees? ¿Estoy loco?"

"Le dije que eres fuerte. Que jugamos con los números, que sabes tantas cosas... Que mi papá es inteligente».

"¿Y qué dijo el pequeño Dustin?"

"Que solo una loca diría que un loco es inteligente".

"¿Es por eso que lo mordiste?"

¿ Por qué?, pregunté *una vez.*

Estaba harto de la mezquindad de los otros niños. 'Fantasma', me llamaban. 'Monstruo mezclado con nieve, con huesos como tu nombre'. Quería ser invisible, no darles más motivos para reírse de mí.

"¿ Por qué no me diste un nombre normal, como todos los demás?" »

« Porque no eres como los demás. Porque cuando hay algo diferente, único y raro, no hay que ocultarlo, sino potenciarlo ».

Me miró a los ojos y vi en ellos la misma luz que siempre le había mirado.

« Tengo un regalo para ti. ¿Quieres verlo? »

Me mostró un colgante blanco. Estaba unido a un collar y lo vi brillar cuando lo cerró alrededor de mi cuello.

« Tiene forma de pétalo. ¿Recuerdas esa flor que vimos ayer en el bosque? » Sonrió. " Es el campanilla blanca. Es pequeño y cándido, como tú. Se llama así porque es el primero en florecer al final del invierno. Aunque parezca frágil, es el único que logra emerger de la nieve antes". todos los demás ».

El colgante de marfil brillaba contra mi piel.

" La gente puede mirarte, Ivy, pero pocos realmente te verán. A veces los ojos no son suficientes. Nunca olvides eso ".

Había sido un invierno difícil en el que nací. Más frío en años.

Fue solo después de un tiempo que papá me confesó que casi no lo logro.

Pero cuando vine al mundo, para él yo era como esas flores blancas que brotan de la nieve.

Como la campanilla de invierno, que se levanta del manto con toda su fuerza.

Como la campanilla blanca, que desafía al invierno para poder emerger.

Siempre había sido como la campanilla de invierno para él.

La flor de marfil.

"¿Por qué nunca visitamos a John?"

Papá no se dio la vuelta. Continuó quitándose la chaqueta, de espaldas a mí.

"¿Quieres ir a California?"

"Él siempre viene," señalé. "Él nos visita todos los años, pero nunca fuimos a verlo. Ni una sola vez".

"No pensé que querías ir. ¿Qué pasa si te enamoras de un joven surfista y decides irte?

Lo miré con el ceño fruncido y dejé el rifle sobre la mesa. La niña en mí era algo escéptica.

"¿Ese es realmente tu miedo?"

"No. La verdad es que todos me mirarían".

"¿Y por qué?"

"¿Tal vez porque soy guapo?"

No parecíamos padre e hija.

Éramos demasiado diferentes: él era extrovertido como el verano, yo callada como el invierno.

Solo me di cuenta de eso con el tiempo.

Cada luna tiene un sol que la hace brillar. Y él fue el único que me hizo sonreír. El único que puede consolarme.

No éramos raros, éramos reales.

Papá tomó mi soledad de la mano y de pronto todo pareció funcionar, como si con los mismos ojos yo también pudiera ver el mundo como él.

Y en el fondo no importaba si no tenía muchos amigos, en el fondo estaba bien si era un espíritu solitario. Mientras él estuviera conmigo, nunca me sentiría solo.

"Mira con el corazón", siempre me decía cuando no podía ver más allá.

Y yo... nunca había dejado de intentarlo.

Entonces un día se cayó por las escaleras.

Llevaba semanas con dolor de espalda, y debido al vértigo no había visto el paso. Lo había encontrado en el sótano, desplomado, con esa palidez preocupante bajo su piel fría y sudorosa.

"Perdí el equilibrio", me había dicho. Y yo no había querido ver.

Yo no quería hacerlo, porque si es cierto que hay que mirar con el corazón entonces hay cosas a las que preferimos estar ciegos.

"Es culpa del sueño. No duermo muy bien", respondió más tarde, cuando le pregunté por qué siempre estaba tan cansado.

Pero entendía cosas que yo no entendía.

Él sabía cosas que yo no sabía.

Siempre había tenido la capacidad de imaginar, de comprender antes que los demás.

Unos días después, me encontré con el término *adenocarcinoma*.

Incluso con la voz del oncólogo sonando de fondo, no había podido asimilar esas palabras. Tratamientos terapéuticos, tratamientos anticancerígenos, ciclos intensivos de administración de quimioterapia...

Yo había mantenido mis ojos en el reflejo plástico del informe. Los dedos entrelazados en mi regazo, la mano de papá en la mía.

"Todo estará bien", susurró.

Nunca había sido bueno mintiéndome.

El hospital se había convertido en mi segundo hogar.

Me había quedado con él durante la administración del medicamento que contenía cisplatino. Mientras se bombeaba a través de sus venas, miré su cuerpo clavado en la cama y esperé que funcionara.

Había obtenido un permiso para dormir allí por la noche. Durante el día, sin embargo, me veía obligado a ir a la escuela con el pensamiento constante de cuándo podría volver con él.

Después de la primera ronda de quimioterapia, creí que había superado lo peor.

Estaba delirando.

Se había pasado toda la noche vomitando. Mientras las enfermeras se apresuraban a ayudarme, lo sentí temblar de la forma en que yo solía temblar cuando era niña cuando me dolían los brazos.

Pronto sus piernas estaban cubiertas de moretones. La quimioterapia, de hecho, había provocado una reducción de las plaquetas y lo había vuelto susceptible al sangrado.

Su piel se había vuelto más y más delgada. Por otro lado, su cuerpo estaba tan hinchado que sus zapatos no cerraban cuando lo llevaba a caminar por la sala.

—Tómalo, Ivy —dijo su voz, un hilo que me mantuvo unido—. Lo llevaba conmigo a todas partes que iba, y cuanto más intentaba soportarlo, más me susurraba que era fuerte.

"Dóblalo hacia arriba", no dejaba de repetirme. Lo tenía clavado en el corazón, y la noche llenó mis sueños de flores blancas manchadas de magulladuras.

"Todo estará bien. Te lo prometo".

Pero su fuerza se debilitó gradualmente y sus ojos se volvieron menos vívidos. Su energía le falló y su cuerpo se secó.

Violentas crisis de dolor se apoderaron de él durante la noche y lo arrancaron de un sueño denso y artificial. A veces era un ardor agudo en su estómago, a veces una tremenda presión detrás de su esternón que parecía empujar su cuerpo hasta romperlo.

Luego vomitaba, una y otra vez, y su dolor era tan real que podía sentirlo debajo de mi piel.

"Desearía que dejaran de mirarte", susurré una noche.

Ese día había sufrido las penas del infierno. Su abdomen estaba tan hinchado que tuvieron que insertar una aguja enorme en su peritoneo y dejar que el exceso de líquido drenara a través de un catéter.

"Siempre te miran... siempre así. No puedo soportarlo".

Papá había sonreído, una sonrisa que era bordes, moretones y dulzura, todo a la vez.

"Tal vez es porque soy guapo".

No había tenido fuerzas para responderle.

Su cabello ahora caía de su cabeza en puñados.

Siempre había tenido el pelo rizado, espeso, castaño, una mata que reconocí entre mil.

En la nuca, entre hebras quebradizas, se veía el cráneo.

Vomitaba con tanta frecuencia que los jugos gástricos le habían ampollado la garganta; a veces no podía respirar, y fui yo quien llegó antes que las enfermeras, fui yo quien apartó las cobijas y lo volteó de lado para que no se ahogara.

"Dóblalo", repitió la voz. Se había convertido en una obsesión, y por la noche me retorcía las pestañas para mantener los párpados abiertos.

"Enbear" me ordenó, hasta que me quitó el hambre y la sed.

Pero cuanto más se desvanecía, más me marchitaba con él.

Cuanto más se apagaba, más mi mundo perdía su luz. Y la noche gritó, una sentencia consumada en la silla del hospital, un dolor desgarrador que me partió el alma y el aliento.

"¿Recuerdas cuando me dijiste que querías ir a ver a John?" Sus ojos eran dos pedazos de cielo sufriente. «Podría ser una buena idea... Puede que te guste».

"No quiero ir a California", dije, con la garganta cerrada.

Yo no quería hacer esos discursos, no en ese momento.

"Es un lugar agradable." Papá me había mirado con ternura. "Yo crecí allí. ¿Alguna vez te dije que John era mi vecino de al lado? Todavía vivía en los suburbios de San Diego en ese momento. Allí el cielo es tan azul que parece nadar en él. Y se podía ver el océano. Es muy agradable, ¿sabes?".

No quería ver el océano.

No quería ver ese cielo.

Solo quería nuestra vida, una casa de troncos, el sol en sus ojos.

Quería el sonido de sus pasos y nuestras botas en el porche, un par más grande y otro más pequeño.

Quería verlo caminar, reír, comer. Y luego corre, sueña y respira.

Quería verlo en vivo.

Además, no me importaba.

"Iremos juntos", respondí. "Cuando estés curado".

Papá me había mirado. Pero esta vez... ella no sonrió.

Porque él también lo había sabido siempre.

Nunca he sido bueno para decir mentiras tampoco.

"Hiedra".

El pitido sonó débilmente en el aire. Ahora ya no sentía nada más.

—Ivy —repitió ella.

Apenas levanté mi rostro demacrado. 'Fantasma', me llamaban de niño. 'Espectro'. Tal vez realmente lo era.

"Tengo algo para ti". Sonrió, y ese gesto le costó un esfuerzo inmenso. "Mirar".

Me mostró el álbum en sus manos.

"Quiero que lo sostenga", dijo mientras lo tomaba lentamente. "He querido dártelo durante mucho tiempo. ¿Por qué no lo abres?"

Miré mi nombre en la portada. Vi el otro lado de ese gesto y sentí que mi corazón colapsaba. Me lo estaba dando como recuerdo.

Como un recuerdo de él.

Las manos comenzaron a temblar.

"No puedes," susurré. El temblor aumentó y apreté los dedos. "No puedes dejarme solo".

De repente toda la angustia que siempre había rechazado estalló como un monstruo.

Me puse de pie y sentí una repulsión muy fuerte, un malestar que me incendiaba el estómago, la mente, el corazón, todo. Necesitaba vomitar el dolor porque me estaba carcomiendo el alma.

No podía respirar.

No podía dormir, comer, vivir.

Fue demasiado.

"Evy..."

"¡No puedes!" Grité, las lágrimas me quemaban los ojos. "Dijiste que te quedarías conmigo, dijiste que todo estaría bien, ¡mírate a ti en cambio!"

Me dolía como un perro, pero él no parecía entenderlo. Deseaba que dejara de sonreír todo el tiempo, que viera mi dolor, la agonía que me desgarraba. Quería decirle que la idea de perderlo me volvía loca, que le daría mi corazón, si tan solo ayudara.

¡Dijiste que iríamos a pescar juntos, que me llevarías a Alaska el próximo verano! ¿Y ahora me das esto? ¿Crees que no sé lo que eso significa?"

En ese momento la realidad se derrumbó sobre mí.

Nunca la volvería a escuchar reír.

Nunca volvería a oler su perfume. Ni el sonido de su voz.

Él nunca me habría visto crecer.

No estaba lista, mi alma se estaba desgarrando. Había un límite para el dolor que una persona podía soportar.

"Eres fuerte. Siempre has sido..."

"¡No soy fuerte!" Lloré, y las lágrimas rodaron por mis mejillas. Me sentí destrozado. Era demasiado joven, demasiado perdida, demasiado insegura.

Tenía miedo, porque me estaba dejando solo en ese mundo.

"¿Quién me ayudará a enfrentar la vida? ¿Quién estará a mi lado? ¿Quién me va a enseñar la diferencia entre el bien y el mal si no estás cerca? ¿OMS?"

Quería desquiciar todas las tuberías a las que estaba conectado.

Quería arrancarlo de esa cama, arrancarlo de ese mal, tomarlo de la mano y arrastrarlo lejos de mis miedos.

Nunca hubiera sido el mismo sin él.

"Ven aquí..."

"¡No!" solté, entre lágrimas.

Papá sonrió con tristeza. Abrió un brazo con dificultad, y las lágrimas partieron mi alma.

Me acerqué y me acurruqué en su pecho como una hoja temblorosa.

"Suficiente", gritó su voz en mi cabeza, y enterré mi rostro en su cuello.

"¿Crees que quiero dejarte?" sopló suavemente. "¿Crees que alguna vez abandonaría a mi niña?" Entrecerré los párpados y él continuó. Sé que tienes miedo. Sé que tienes miedo... yo también. Pero... a veces las cosas no salen como nos hubiera gustado. ¿Recuerdas cuando escuchamos esa composición en la radio? ¿El que tanto nos gustó? Finalmente descubrí cómo se llama. Siempre está conmigo. Siempre estarás conmigo, Ivy. Y yo... siempre estaré contigo. Donde quiera que estés."

Apreté su vestido, ardiendo en lágrimas. nunca lo hubiera hecho. No sin él.

"¿Quieres saber cuál es el significado de la campanilla de invierno?" Papá cerró los ojos. "Esperanza. Y nueva vida. Porque él florece en las dificultades. Y dentro tiene una fuerza que otras flores no tienen. La de vivir. Nadie es como él... Nada es tan fuerte como mi florecita de marfil».

Cerré mis párpados, atormentado por la angustia.

"No puedo hacerlo", supliqué. "No puedo hacerlo, papá..."

"No estarás sola. Te lo prometo, Ivy. Alguien cuidará de ti" me abrazó con las pocas fuerzas que tenía. "Pero tú... nunca olvides quién eres. Sigue tu corazón, siempre. ... Estoy orgullosa de la niña que eres. Y de la adulta en la que te convertirás. Estoy segura de que serás una mujer espléndida... Tenaz, valiente, como tu madre..."

El pico de dolor era insoportable. Quería darle mi aliento, mis años, curarlo con mi amor. Quería traer esperanza dentro de esas paredes, como una campanilla de invierno. Pero no pude.

sólo podía soportar. Y yo no tenía la fuerza.

Papá me acarició el pelo. Lo abracé por lo que parecieron horas, hasta que en un momento preguntó: "¿Cómo están las estrellas ahí afuera?".

Entonces me volví loco. Lo ayudé a levantarse y lo acompañé hasta la puerta de salida de emergencia.

"Ahh", suspiró, y sus ojos brillaron en el reflejo de mil estrellas. El cielo era hermoso, pero lo observé todo el tiempo.

'No me dejes' *gritaba cada centímetro de mí.* ' No me dejes, por favor, quédate conmigo, soy demasiado luna para este mundo y si tú te callas, yo también me callo.

Te presto mis ojos, yo me encargo, aguanta, toma mi corazón. Acuéstate en mi alma, te doy mis sueños, mi voz es tuya. Toma todo, vacíame de todo pero por favor no te vayas. Conté los latidos de mi corazón y eso es suficiente para dos. No me dejes, *le rogué.* 'Te necesito más que el aire que respiro'.

Cerré los ojos cuando papá apoyó su cabeza contra la mía.

"Siempre estarás conmigo", repitió en un susurro que me desgarró por dentro. Lo apreté con fuerza, y en el silencio nuestros corazones se abrazaron. Una vez más.

Se fue unos días después.

Se fue mientras yo estaba con él, mientras su mano estaba apretada sobre la mía.

Él nunca la dejó ir.

Cuando murió su pulso, mi corazón hizo lo mismo.

"Lo siento", susurró alguien.

Una grieta crujió, chilló y luego explotó. Mi alma se partió en dos, algo gritó dentro de mí pero esta vez no fui yo.

" Dóblalo hacia arriba ", *escuché en mi cabeza. Ese siseo me unió como una marioneta, pero nada se mantuvo firme, nada parecía superar el dolor de morir sin morir realmente.*

"Mi más sentido pésame", dijeron las enfermeras, pero ya no sentía nada.

Mi mente se estaba cerrando como un caparazón protector.

Había sellado a papá dentro de mí, protegiéndolo. Y lo había dejado afuera del hospital, sus ojos cansados, el olor a medicinas. Mi corazón estaba anestesiado.

Tal vez todo fue un sueño. despertaría pronto.

Sí, lo habría encontrado en la cocina, preparando el desayuno y silbando en la radio.

Íbamos juntos a Alaska.

Él me había prometido.

"¿Señorita Nolton?"

Dos hombres tomaron asiento en las sillas del pasillo. Ni siquiera levanté la vista: mis ojos en blanco eran el espejo de mi alma.

"CSIS, señorita Nolton. Servicio Secreto Canadiense. Lamentamos su pérdida. Lo siento, pero nos gustaría hacerle algunas preguntas..."

Mira con el corazón, me había enseñado.
Porque a veces los ojos no son suficientes.
Pero mi corazón estaba roto. Mi corazón estaba roto.
Y ya no sería capaz de ver.
Se quedaría, como me prometió...
'Para siempre con él'.

dieciséis
De todos tus porqués

Me acordé cuando era así.

Su abundante cabello, sus mejillas sonrojadas, sus radiantes ojos azules.

Sentada en el suelo, con la espalda apoyada en la cama, estaba mirando la foto mía y de papá.

En ese momento me pareció un gigante, con esos brazos fuertes y la nariz siempre partida; Le había quitado mi metro setenta y dos, pero a pesar de ello nunca había dejado de mirarlo desde abajo.

Al menos hasta los últimos días.

Sentí la alegría de ese instante y lo lamenté.

Quería decirle a esa niña que no lo hiciera enojar. Abrazarlo fuerte, abrazarlo un poco más, no dar un solo segundo por sentado.

Vaciado, contemplé el álbum a mi lado. Encontré el símbolo de los tres pétalos, que representa la campanilla de invierno. Tenía esa forma allí, como una pequeña campana blanca al revés.

No fue un adorno.

Era una señal.

Era el símbolo de nuestro vínculo, de mi nombre, de todo lo que se oculta y resurge en la luz.

No podía estar allí por accidente.

Siempre había una lógica en todo lo que hacía papá; me había enseñado grandes cosas a través de los más pequeños gestos, y el collar que llevaba puesto era prueba de ello.

¿Pero qué me quería decir?

Estudié la Polaroid, dándole la vuelta.

fue inútil No había nada más que películas viejas y números de serie...

Me veía mejor. Algunas figuras eran más oscuras que otras, como si hubieran sido calcadas. Los examiné cuidadosamente, captando algo inusual.

Entonces los vi.

Y el mundo se detuvo.

Mi cerebro hizo clic como una cerradura: la habitación desapareció, la foto desapareció y un recuerdo muy lejano resurgió de mi memoria, desvanecido pero poderoso...

Los zapatos oscuros y brillantes destacaban contra la alfombra de lana.

Me asomé por la puerta, demasiado pequeña para que me notaran.

Los dos hombres de negro hablaron en voz baja.

No entendí quiénes eran. No venían de la escuela. En una etiqueta clavada en su pecho vi que decía CSIS. Pero habíamos estado jugando con números ese día, así que pensé en 3, 19, 9 y nuevamente 19.

Cuando llegó aquí, hace ocho años, afirmó que no lo tenía.

"Así es."

Papá parecía tranquilo, como siempre. Una leve sonrisa se dibujó en sus labios, pero la chispa de una inteligencia afilada brilló en sus ojos.

Nunca he visto esa mirada en él.

"¿Eso es todo lo que tiene que decir?"

“Esta es información confidencial, caballeros. Ciertamente, la inteligencia canadiense no esperará que viole la obligación de secreto de mi país".

Los dos hombres lo miraron, pero él los ignoró.

"¿A qué hora? Ya registraste la casa hace dos años..."

"Sería capaz de esconder una bomba dentro de una uva". El hombre más alto chasqueó los dientes con ira. “Guarda los juegos, Nolton. Un ingeniero de su calibre sabe cómo no ser cogido desprevenido. Te das cuenta de eso, ¿no? Algunos lo llamarían un criminal".

"El Codex ha sido destruido", dijo papá lentamente. "Lo hice yo mismo."

“La gente como tú no destruye a sus criaturas. Eres demasiado sentimental. El hombre le dirigió una mirada penetrante. No me gustó la forma en que ella le habló. “¿Quién destruiría un trabajo como el tuyo? No, la verdad es otra bien distinta. Y ella lo sabe. Por eso no perdió tiempo en salir de su país tan pronto como pudo. Ha construido una buena vida aquí con su hijita..."

"Mi hija no tiene nada que ver con eso". La sonrisa de papá se había ido. En el familiar rostro joven, oculto en la penumbra, la aguda mirada era la de una mente temerosa. "Ella nació aquí y, bajo jurisdicción estatal, es ciudadana canadiense. Como mi esposa".

"¿Qué pasa con sus compatriotas estadounidenses?"

"Oh, entonces ese es el problema..." Papá levantó una comisura de su boca, pero no era su sonrisa. Parecía una bestia nocturna, del tipo que escuchaba aullar por la noche. "¿Quieres registrar a John Crane cada vez que viene a mi casa?"

Viene a menudo a verla.

Me va a traer la tarta de manzana. ¿Viola algún protocolo de seguridad?"

El hombre espetó como un perro guardián: "Salva la comedia", gruñó. "Puede que se esconda como una rata en el último rincón del mundo, pero eso no cambia las cosas".

—Señor Nolton —dijo el otro hombre, más tranquilo. "John Crane no es ajeno al caso Tartarus".

"Es un amigo. No tiene nada que ver con mi trabajo".

El tipo más alto le dirigió una mirada fría, con la mandíbula apretada. "Esto está por verse".

"¿Papá?"

Los hombres de negro me miraron.

Los observé desde la puerta, reacio, con un pequeño puño cerca de mi pecho.

Papá me vio y la sombra desapareció de su rostro.

"Esta bien mi amor." Extendió sus brazos y corrí hacia él, dejándolo levantarme. "Estos señores se van".

No parecían estar de acuerdo. Le dieron una mirada que decía tantas cosas, luego se fueron.

Sin embargo, antes de irse, el hombre enojado volvió su mirada hacia mí.

Lo volvería a ver unos años después, frente a la pared blanca de un hospital. Me habría dicho que no mintiera.

Apreté el cuello de papá mientras caminaban hacia la nieve.

«Entonces... ¿Descifraste mi mensaje?» preguntó cuando estaban fuera.

Asenti.

"¿Y Qué dijo?"

Rebusqué en el bolsillo de mi overol y le di la hoja con los tres números. Luego lo miré y simplemente dije: "Ivy".

Ese recuerdo hizo eco en mis ojos muy abiertos.

El juego de los números.

Cifrado.

"Está loco", dijeron los niños, pero nunca había sido como los demás. Me enseñó cosas que ellos no entendían y dijo que todo se remontaba a números, incluso las letras del alfabeto.

Las técnicas de cifrado eran la base de todos los lenguajes informáticos. Eran tantos y todos diferentes, y me explicaba los mensajes codificados, lo poco que yo podía entender de niño.

Era muy sencillo: bastaba con sustituir los números por las letras correspondientes del alfabeto. También era demasiado intuitivo, por eso papá dijo que era un cifrado débil. Los había más seguros, pero ese fue el primero que me enseñó.

"No hay llave", dijo. "¿Ves? Algunos sistemas tienen la clave, o una palabra mágica para descifrarlos. Un día te enseño, pero esto es fácil, mira... 1 para la letra A, 2 para la letra B, 3 para la C, y así sucesivamente Ivy por ejemplo es..."

"9, 22, 25", susurré, mirando directamente a esos números trazados en la secuencia.

'Hiedra'.

Me incliné hacia adelante, mi corazón latía con fuerza. Acerqué el álbum y lo hojeé apresuradamente en el suelo. Nunca había encontrado otra escritura, pero esos números estaban en todas partes: en el reverso de las postales, en la foto de mamá, incluso en los recortes de periódico de mis dibujos . Pensé que eran secuencias seriales, pero me equivoqué.

Eran más.

Eran un mensaje.

Tomé mi cuaderno de bocetos, lo abrí por una página en blanco y con gestos apresurados comencé a hacer una lista del alfabeto y sus números correspondientes, del 1 al 26, para ayudarme.

Localicé los números trazados, los rodeé, luego los puse en una línea recta donde escribí las letras una tras otra. Mis dedos estaban temblando.

Papá era programador. ¿Y si dejó un mensaje codificado en esas páginas para que yo lo encuentre?

Tal vez ese álbum tuvo una razón, tal vez significó algo, tal vez fue importante, tal vez... *Tal vez...*

Dejé la pluma conteniendo la respiración.

Bajo mi mirada, dos palabras se destacaron claramente.

'Hiedra del oso'.

Me quedé mirando la escritura.

La realidad me golpeó tan fuerte que sentí que me dolía la cabeza. Me puse de pie, mis ojos se abrieron como platos. Mi corazón se aceleró y bombeó con una emoción temerosa y destructiva.

Cogí el álbum y lo tiré.

¡ *No!,* grité, mientras una rabia monstruosa me partía la piel. «¡Dijiste que estaríamos juntos, que nunca nada nos separaría, pero *mentiste* !» Las lágrimas llenaron mi garganta y arrojé nuestra foto juntos, muriendo un poco por el dolor de ese gesto. "¿Cómo pudiste dejarme aquí? ¿Cómo pudiste dejarme? ¡Solo te tenía a ti! ¡Eres un mentiroso *!* "

Arranqué su sonrisa de mi corazón. Su mirada. Nuestros días felices. Ya no los quería. Dolían demasiado, cada recuerdo era como un cuchillo en la carne.

"¡Se suponía que te quedarías conmigo!" Lo acusé con los ojos llenos de lágrimas. "¡Me lo prometiste, *se suponía que te quedarías conmigo!* ¿Dónde estás ahora? ¿Dónde estás, mientras estoy aquí, qué puedo soportar? *¡MENTIROSO!* »

La puerta se abrió. Un paso alarmado se acercó a mí, mi cuerpo que en ese instante se derrumbó en el suelo, desgarrado por el tormento.

Clavé mis dedos en la alfombra, el mundo vibrando a mi alrededor.

"Hiedra".

La voz de John me tocó como una caricia. Mi dolor trató de alejarlo, pero mi corazón reconoció su presencia.

"Ivy..." repitió, arrodillándose a mi lado.

La tristeza en su tono fue el golpe final. Me rompí como una lámina de vidrio y todos los moretones salieron a la luz, rezumando de mi piel. No me moví cuando su brazo se deslizó lentamente sobre mis hombros.

"Soy yo..." susurró. "Estoy aquí..."

Cerré los ojos y John pasó una mano por mi cabeza, enrollándola contra él. Quería quedarme así para siempre, en ese agarre envolvente que me recordaba terriblemente *al de ella.*

«Él... yo también lo extraño mucho» encontró el coraje de decir. "Yo también lo extraño mucho, Ivy..."

En su voz... escuché mi propio crack. Dejé que me encontrara, rozara mis heridas, y su aliento junto al mío fue relajante.

"Extraño su humor, la forma en que sonreía a todo. Siempre ha sido así, incluso de niño... Sabía ver la esencia de las cosas... y encontraba la fuerza para afrontar cualquier obstáculo. A veces lo encuentro en ti —admitió dulcemente. «En tus gestos, en tus ojos cuando me miras. Te pareces mucho a él".

Miré hacia abajo, agotado. Juan no me dejó.

Sé de agentes federales. Miriam me lo dijo. Esas palabras me dieron ganas de llorar de nuevo. "Solo puedo imaginar cómo te sentiste. Lo siento mucho, Ivy..."

"Ojalá estuvieras aquí", interrumpí en un susurro. «Deseaba... tenerte cerca de mí».

John se apartó solo para mirarme, y cerré los ojos.

"Siempre me siento tan enojado... Tengo este enojo dentro, todo el tiempo. Ya no entiendo quién soy... me siento perdido» confesé, adolorida. "Ojalá te tuviera allí. Cerca de mí..."

En ese momento me di cuenta de lo tonto que había sido.

Todo ese tiempo, día tras día...

Nunca había estado solo.

Yo tenía a Juan.

John que siempre estaba tratando de ponerse en contacto conmigo, John que a veces me miraba como si me rogara que le dijera algo, cualquier cosa, solo para poder hablar conmigo.

John, que me amaba como si fuera mi padre , y sentí que se me llenaban los ojos de lágrimas mientras fruncía el ceño, conmovido por mis palabras.

Siempre me había entendido.

Era yo quien no lo había visto.

Si había alguien en el mundo que se preocupaba por papá tanto como yo, ese era John.

"Estoy aquí". Su mano subió a mi cara. Dudó y me acarició lenta, torpemente. Estoy *aquí,* Ivy. No me estoy yendo. Promesa..."

Bajé la cara y una lágrima me corrió por la nariz; Tragué un bulto amargo, luego, lentamente, me incliné y... lo abracé.

John se congeló cuando enterré mi cara en su camisa. Absorbí su olor a limpio y me acurruqué en él como un niño. La angustia con que me correspondió me hizo comprender que llevaba mucho tiempo esperando ese momento.

" *Gracias* , John," logré decir de una vez por todas mientras me abrazaba.

"Sabes cuánto te amo", susurró, involucrado. "Mucho mucho..."

Y entonces pude decirlo.

Con mis oídos pegados a su corazón, cerca de ese hombre que me había esperado todos los días, finalmente encontré la fuerza para responder: "Yo también".

Nos quedamos así por un tiempo indefinido. Con la cabeza apoyada en su hombro, redescubrí después de mucho tiempo el calor envolvente de un padre.

"John... hay algo que tengo que confesarte."

Sentí su aliento golpear mi frente cuando preguntó después de un rato, "Se trata de Mason, ¿no es así?"

Asenti. "Nosotros... no nos llevamos muy bien."

Decir que Mason y yo no nos llevamos bien era como decir que los osos y los salmones son los mejores amigos.

Era un eufemismo vergonzosamente grande, pero también sabía que a John le importaba demasiado como para decirle realmente cómo estaban las cosas.

"Sí..." murmuró. "Lo había entendido".

Me aparté de su hombro para mirarlo y él suspiró.

Mason no te recibió como me hubiera gustado. A pesar de lo que le dije... sé que aún no lo supera. Él nunca lo hará".

Dudó, como si buscara las palabras adecuadas, y sentí que estaba a punto de confiarme las respuestas a muchas de mis preguntas. Nunca me había atrevido a preguntar, había aprendido a respetar tanto sus palabras como sus silencios. Así que me quedé en silencio mientras él se tomaba el tiempo de abrirme esa pequeña ventana.

"La madre de Mason, ella... era una persona muy peculiar. Al igual que su madre, Evelyn también asistió a UC Berkeley con nosotros. En ese momento era una mujer hermosa, inteligente, decidida... y muy ambiciosa. Vio el éxito en su futuro, y créanme, nadie podría quitárselo. Fue *brillante,* literalmente. Un espléndido tiburón en un océano de posibilidades".

Lo escuché en silencio, dejándolo tomarse su tiempo.

"Cuando llegó Mason, Evelyn ya había ingresado exitosamente al mundo laboral. Había sido contratada como gerente por una conocida compañía de automóviles. Su vida estaba tomando forma, al igual que su carrera. Sin embargo, en su inmensa sagacidad, había pasado por alto un detalle. No había tenido en cuenta que su hijo, a diferencia de su trabajo, no era una máquina".

Hizo una pausa y luego continuó.

Mason no siempre ha gozado de la mejor salud. A la edad de tres años era un niño frágil y delicado que a menudo se enfermaba. Los médicos dijeron que muchos niños a esa edad tienen mala salud, por lo que no había nada de qué preocuparse. Con el cuidado adecuado, crecería fuerte y saludable. No era un niño difícil... Era muy dulce, cariñoso y siempre alegre. Solo necesitaba paciencia. Cuidado y amor. Solo necesitaba una mamá. Cualidades que ella no poseía.

Observé mientras cerraba los ojos, amargado.

"Cuando Mason tenía cuatro años, contrajo una infección bacteriana grave en los pulmones. Ella dijo que no era nada, que dada la facilidad con la que se enfermaba, ciertamente era solo otra tos. Elegí creerle, convencido de que sabía lo mejor para su hijo, y esperé. Cuando la fiebre empeoró, Evelyn insistió en que pasaría. La verdad... es que la primera hospitalización involucró a ambos padres, y ella no tuvo tiempo. Recuerdo que unos días después lo llevé a la sala de emergencias porque le costaba respirar. Estuvo en el hospital más de una semana y Evelyn tuvo que perderse un importante viaje de negocios a Japón. Se asustó —susurró John. «Ella despotricaba con los médicos, me acusaba de estorbarla, de no darme cuenta de que se estaba convirtiendo en una persona importante y la empresa contaba con ella. Tenía una carrera impecable por delante, y Mason no le permitió vivir ese ascenso al éxito».

Sacudió la cabeza. Sus ojos estaban vacíos, fijos en algún lugar de la habitación.

"Todavía recuerdo cuando ella se fue. Mason se aferraba a su falda y tenía los ojos llenos de lágrimas. Era algo tan pequeño... Él estaba tratando de sostenerla, como si esos pequeños brazos realmente pudieran hacer que se quedara allí con nosotros. Él la llamó 'mamá', le rogó que se quedara, pero ella nunca miró hacia atrás".

Lo miré durante mucho tiempo, incapaz de decir nada.

Era la primera vez que John me hablaba de ella. Me había preguntado varias veces dónde estaba, por un tiempo incluso había creído que era un destino tan cruel como la muerte lo que los había separado. Pero estaba equivocado.

Me pregunté cómo esa mujer pudo haber decidido dejarlo atrás.

Mientras tomaba su mano suavemente, me pregunté cómo alguien podía abandonar a un buen hombre como él.

"Después de ese día, traté de darle a Mason todo lo que tenía. Intenté por todos los medios que no se lo perdiera, asegurarle que no necesitaba nada más, solo nosotros dos. Y él... Se aferró a mí con todo su ser. Crecimos juntos. Y hemos sido familia el uno para el otro desde entonces".

Nunca había entendido nada sobre Mason.

Siempre había creído que solo era un hijo mimado que trataba mal a sus padres, el clásico chico guapo y arrogante, acostumbrado a recibir toda la atención que quería.

Pero no fue así.

Mason era muy cercano a John.

Y la única persona a la que quería que lo miraran lo había tirado.

Él no había tenido su amor. Ni su tiempo. Sólo su indiferencia.

"Mason te quiere mucho", le susurré. "Se nota en la forma en que te mira".

John sonrió suavemente, un destello de tristeza.

"Lo sé. Solo piensa, cuando tenía trece años, le dije que estaba saliendo con otra mujer. Tenías que ver su mirada... Sentí como si lo hubiera apuñalado por la espalda. Ahora que ha crecido, sé que lo haría". Me gusta verme feliz... pero también sé que la ausencia de Evelyn le ha dejado una cicatriz difícil de olvidar. Él nunca la perdonó. Ni siquiera quiere oír hablar de eso, lo cabrea. La odia, pero sobre todo... odia que se parezca tanto a ella, en carácter, en apariencia... No soporta tenerla a su lado en todo momento».

"Me pregunto cómo puedes ser el hijo de tu padre", le dije una vez. Solo ahora me di cuenta de lo mal que lo había lastimado. Indirectamente, le había recordado a Mason lo parecido que era a la mujer que tanto despreciaba.

Ella lo había arrojado al polvo.

Y ella nunca miró hacia atrás.

"Es por eso que comenzó a boxear", me confió John, agregando otra pieza. "Para demostrarle a su madre que podía ser fuerte. Que él no la necesitaba. Lo cual ya no era una carga para nadie. Cuando ganó la primera pelea, Evelyn le envió una camiseta de los Chicago Bulls como regalo. Oh, a ella siempre le gustaron los ganadores. Siempre le envía un regalo cuando gana.

Lo miré inmóvil.

La remera.

Su mirada incrédula.

La furia, la ira y el resentimiento en su voz.

"¿La camiseta roja?" Susurré. "¿El que... está en el armario al final del pasillo?"

Juan asintió. "Hay una caja llena de cosas. Ahí es donde terminan todos sus regalos".

Me sentí como un tonto.

¿Cómo no lo había visto antes? ¿No conectas las señales?

Nadie lo sabía mejor que yo: las bestias más agresivas son siempre las más vulnerables.

"¿No ha habido una mujer en esta casa desde entonces?" Pregunté, comenzando a entender.

«No... Aparte de las sirvientas, ya no ha habido una presencia femenina. Mason nunca ha traído a una chica, ninguna que solo haya dormido aquí una noche.

Instantáneamente supe lo que estaba a punto de decirme.

"Eres la primera mujer que viene a vivir con nosotros desde Evelyn".

Por eso Miriam me había mirado así la primera vez.

Por eso estaba tan sorprendida.

Miré a John y la verdad de repente se hizo demasiado clara. Esperaba estar equivocado, que estaba equivocado, pero esa premonición escapó de mi boca antes de que pudiera detenerla.

“No le dijiste,” murmuré, expresando mi sospecha. «Que yo venía a quedarme aquí... Él no lo sabía».

El silencio que siguió fue la peor confirmación.

"No había tiempo", admitió John con aire de culpabilidad. “Todo pasó tan rápido... Entiéndeme, yo... ya le prometí a Robert que no te dejaría solo, y... nunca abordé la conversación con Mason. Solo le dije que vendrías y te quedarías con nosotros, sin preguntarle si estaba de acuerdo con eso. Él no sabe nada sobre el pasado de tu padre, Ivy. O por qué finges ser mi sobrina. Siempre ha sido tu secreto... El secreto de Robert. No quería que Mason se involucrara".

“¡John, se sintió traicionado porque estabas saliendo con otra mujer! ¿Y no pensaste en explicarle por qué un extraño vino a vivir contigo?

"No eres un extraño".

"A fortiori", respondí con cansancio. "¿Cómo no pudiste informarle de una decisión tan importante?"

De repente recordé la tarde que le había preguntado a John sobre esa puesta en escena. Masón se había ido. Ahora entendí por qué: estaba enojado con él.

No solo había un extraño en su casa, sino que también le habían pedido que mintiera sin siquiera una explicación.

Y, sin embargo, a pesar de todo... Mason lo había hecho. Había sido en los términos de su padre. No había pedido nada, no había exigido nada.

¿Por qué?

La respuesta, una vez más, era una sola: amor y respeto por ese hombre que estaba cerca de mí.

"Siempre le he contado todo", susurró. Pero no este.

La realidad, ahora, era un orbe brillante que brillaba entre mis dedos.

La bestia todavía me miraba con sus ojos brillantes, pero ya no la encontraba temerosa y enojada. No.

La encontré humana.

Inmanejable y lleno de defectos.

pero sincero

No lo estaba justificando. No después de lo que me hizo pasar.

Y sin embargo, como un tonto... Lo quería más que antes.

Con sus esguinces y sus cicatrices, con las sombras que moldearon ese corazón orgulloso.

Las cosas más bellas brillan con miedo.

Y de todos mis terrores, Mason era la cosa más hermosa que jamás había visto.

"Lo siento", susurró John. "Ojalá tú y Mason se conocieran de otra manera. Quizá no hubiera sido así... Quizá os hubierais llevado mejor ». Me miró inclinando la cara. "Creo que te gustaría mucho, ¿sabes?"

Por suerte me rechazaron, o no habría sido capaz de ocultar mi expresión.

Quería decirle a John que Mason me gustaba demasiado. Que la forma en que electrocuté a su hijo era igual a la avidez con la que a veces irrumpía en el baño esperando encontrarlo en él, vestido con baberos y nada más. O que la última vez que lo monté a horcajadas prefiero seguir golpeándolo que moverme de esa posición.

Así que finalmente, mirando a todas partes menos a John, que seguía agitando los ojos oscuros de la criatura Grulla en mi cara, murmuré vagamente: "No lo sé".

Tal vez en general hubiera estado feliz con eso.

Tal vez le gustaría saber la verdad.

Quizás algún día se lo confesaría.

Pero ese no era el momento.

Todavía no tenía el coraje.

Y por ahora... era mejor así.

"¿Víspera?"

Ese día no empezó de la mejor manera.

Bringly acababa de regañarme como un caballo porque todavía no tenía ni una pizca de idea para el proyecto.

Sin embargo, nunca esperé encontrar a Clementine Wilson junto a mi lienzo vacío, decidida a sonreírme.

"Hola", cantó mientras me ponía de pie. "Disculpe por conducir hasta aquí de esta manera. No sé si te acuerdas, nos conocimos en la playa. Soy Clementine, por cierto. Encantado de conocerte".

Llevaba un chaleco de mezclilla y su cabello estaba recogido en una cola de caballo alta. Era hermosa, totalmente diferente de mi apariencia tímida y poco femenina.

"Oh, estoy tan contenta de que estés bien, por cierto. ¡Cielos, qué cosa tan terrible te ha pasado! Los gritos , tú que no saliste del agua... Una tragedia, de verdad. Es un consuelo saber que no te pasó nada, Eva.

"De hecho..."

"¿Así que eres el primo de Mason?" me interrumpió, cruzando sus manos detrás de su espalda.

Parpadeé. Vi la insistencia disimulada en su rostro y entendí por qué estaba allí. Le di una mirada sostenida y, mientras sacaba mi mochila, exclamé, glacial: "Es *Ivy* ".

"¿Oh?" murmuró tímidamente. "¿En serio? Perdóname entonces, debo haber entendido mal... Ivy. ¿Diminutivo de Ivana?"

"No", respondí escuetamente. Fue muy grosero, pero en lugar de enojarse me miró con una chispa sarcástica.

"Oh mi. No te pongas nervioso... Mira, no te lo robaré» volvió a sonreír, llevándose una mano al pecho. Era casual pero teatral en cada gesto y parpadeo. "Fue aterrador de todos modos. Nunca había visto a Mason reaccionar así... Un verdadero drama. De todos modos, no sabía que tenía un primo.

Yo tampoco.

"¿Y tú estás... cerca?"

Vi el interés brillar en sus ojos y me congelé. Sabía lo que quería oír.

Quería confirmación de que yo no era un obstáculo; que, a pesar de que había salido de la nada, podía fingir que no existía.

Lo deseaba tanto *que dije que no* , que antes de darme cuenta sentí que mi orgullo respondía: "Sí. *Mucho* ».

"¿En realidad?" preguntó con ojos casi hambrientos. Y, sin embargo, nunca habló de ti.

—Pregúntaselo, entonces —la reté, seguro de que no tenía el coraje de hacerlo, o no vendría a mí.

De hecho, Clementine se echó a reír.

«¿Pero tú crees? ¡Es broma!" Mostró sus hermosos dientes y me dio una mirada chispeante. "Quiero decir, por la forma en que Mason te rescató, ya me di cuenta... Pero quizás sea mejor que no vengas más a la playa, si no lo haces". No sé nadar".

"Puedo nadar".

" *Claro* ", susurró, mirándome. «De todos modos, te estaba buscando por otra razón, de verdad. Sabes, va a haber una fiesta en mi casa esta noche. Mis padres están fuera toda la semana y me permiten llamar a los amigos que quiero. Por supuesto, también estás invitado".

De repente tuve la certeza de que si no le hubiera dicho lo *cerca que estaba* de Mason, ella no habría estado allí invitándome.

"Pero mañana hay escuela," señalé, confundida.

"¿Y qué? No me digas que en Canadá solo se va de fiesta los fines de semana, como los niños" soltó una risita, llevándose sus perfectos dedos a la boca. "Vamos, no ruegues".

En ese momento sonó su celular y ella lo sacó de su chaleco.

"Ahora tengo que correr", dijo, respondiendo a la llamada. «Entonces te espero, ¡eh! Nos veremos".

La vi irse con la cola bailando sobre su espalda.

Era tan obvio que lo había hecho para ganarse el favor de Mason que su invitación me molestó aún más.

En resumen, ¿yo? ¿Asistir a otra fiesta de locos fuera de control? ¿Además por mi propia voluntad? Pero, ¿qué estábamos, locos?

Sigue así.

Salí del edificio B y me dirigí al principal. Estaba tan nervioso que ni siquiera me di cuenta del tipo que me abrió la puerta. Lo reconocí cuando lo encontré frente a mí, con su mano en el mango y sus ojos fijos en los míos.

"Oh," murmuró Nate. "Entonces fuiste tú. Vi bien".

Me dejó pasar, pero no me perdí su actitud incómoda. Apartó la mirada y metió las manos en los bolsillos con evidente vergüenza.

"¿Tienes prisa?"

"No," dije más suave, olvidándome de Clementine por un momento.

"¿Cómo estás?" él me preguntó.

"Estoy bien. ¿Tú?"

Me miró fijamente durante mucho tiempo, y en su mirada vi emociones que eran imposibles de ignorar. No me había cruzado con él desde ese día en la playa, y sospeché que no era una coincidencia. Deseaba que no hubiera esperado tanto para venir y hablar conmigo.

—Ivy —tragó Nate—. "I..."

"No lo digas," le precedí. "No tienes que decir eso".

"Lo siento".

Lo miré a los ojos, sacudiendo la cabeza. No necesitaba esto, Nate no había hecho nada por lo que disculparse. Era absurdo que yo fuera el único que pensara eso.

"No quiero oírlo más", murmuré. "¿Está bien? Lo que pasó no fue tu culpa. Deja de culparte a ti mismo".

"Debería haber sido más cuidadoso", se mordió el labio con tristeza. «La corriente me había empujado demasiado lejos... Intenté alcanzarte pero me acalambré por el agua helada y... ni siquiera pude ayudarte. Cuando me recuperé, ya te estaban sacando del agua..."

"Nate, no me debes una explicación". Lo miré directamente a los ojos para que supiera que estaba diciendo la verdad. "Fui desconsiderado. No tenía idea de lo que era el océano antes de ese momento, y lo subestimé. No es tu culpa. Sé que no querías que me pasara nada.

Bajó la cara, como si no supiera si creerme. Traté de hacerle entender que era sincero y me paré a su lado hasta que finalmente, con gran dificultad, pareció convencerse. Le di un ligero asentimiento con la cabeza.

"Vamos, vamos".

Continuamos juntos. Se revolvió el pelo y me miró de soslayo.

Ojalá te hubiera buscado antes.

"Pero no lo hiciste", dictaminé con calma mientras los estudiantes salían de las aulas, en dirección a la salida. "¿Alguna vez volviste a la playa?"

«Sí. Pero sin mesa».

"Todavía tengo que devolverte el traje de neopreno..." dije distraídamente.

"¡Ey!"

Tengo un hombro. Abracé a Nate, y fue la cara de Tommy la que encontré cuando me giré.

"Lo siento, Ivy", jadeó ella. "Tengo que correr a casa. Todavía no he empacado mis cosas para esta noche. ¿A qué hora vienes a la fiesta? Nate, Travis dijo que vendrá a cargar las cervezas. Fiona, en cambio, busca ascensor porque no quiere ir en coche con Carly... ¿Tenemos sitio o la mando con los demás?»

Parpadeé, frunciendo el ceño.

Estaban hablando de *esa* fiesta?

"¿Vas a Clementine's?" Pregunté, incrédulo y un poco cauteloso.

"Claro", dijo Tommy. «¿Y quién no va allí? Hay medio mundo en su casa. Habrá al menos tres colegios y universitarios. ¡Siempre hace fiestas locas! Y luego soy fotógrafo allí esta noche».

"¿Tú?"

"Así bebo gratis y no me tiran a la piscina. El año pasado me tiraron con el celular. Travis jodió su billetera y no te diré cómo estaban los demás. Al menos me estoy asegurando de mi seguridad".

Lo miré estupefacta. Me volví hacia Nate, parpadeando más irritado de lo que pretendía.

"¿Vas a ir allí también?"

"Bueno, sí", dijo vacilante, mirando a Tommy confundida. "Como siempre. Esta noche también tengo que traer una bebida. ¿Por qué, necesitas que te lleve?"

Realmente no necesitaba nada, *yo* .

¿Estábamos bromeando? ¿Era posible que todos fueran a esa estúpida fiesta?

Contuve mi decepción. No iba a explicar por qué no iba a participar.

La idea de presenciar a Clementine frotándose contra la única persona que deseaba desesperadamente para mí fue suficiente para irritarme.

Y sin embargo... no era solo eso.

fui yo No importa cuánto tiempo pasé allí, todavía había una parte de mí que simplemente no podía mezclarse. Me apegaba a mi soledad, a pesar de las personas que había conocido, lo que había visto, lo que había pasado.

Y eso me tocó.

"Bueno, nos vemos luego", nos saludó Tommy, antes de irse a toda prisa. Lo vi alejarse, y cuando Nate comenzó a caminar de nuevo, hice lo mismo.

"¿Todo está bien?"

"Cierto".

Le sonrió a una chica muy linda y luego me miró vacilante. "¿Seguro?"

"¿Por qué?" Pregunté tratando de no sonar duro.

"No me has dicho si necesitas que te lleve o no".

Estaba a punto de responderle cuando de repente la palabra s murió en mis labios. Una figura familiar capturó mi alma, hechizándola.

Mason tenía los brazos cruzados sobre el pecho y el hombro apoyado contra los casilleros.

No, no los casilleros. A *mi* casillero.

Mi corazón comenzó a latir entre mis costillas.

No parecía preocuparse por los estudiantes. Miró hacia abajo y sus ojos afilados se destacaron bajo sus cejas esculpidas, dando intensidad a su mirada. Irradiaba un encanto magnético, áspero y ardiente como la chispa de un fuego artificial. Cuando levantó la cara hacia la luz, su belleza me golpeó como un puñetazo en el estómago.

En ese momento me vio. Se enderezó, pero nunca hubiera estado preparado para lo que pasó: encadenó sus pupilas a las mías y sus ojos se iluminaron de una forma que me impactó.

Me congelé, bañada de repente por una luz hermosa, cálida y aterciopelada, una luz similar a la esperanza.

Lo siento , parecían decir. *Hablemos, exageré, sé exagerar a veces y la ira no me ayuda. Te estaba esperando, quisiera hablar* , mi corazón se leía como la página de un hermoso cuento de hadas, pero duró poco.

"Oye... ¿Ivy?" Nate agarró mi barbilla y la giró hacia él. Soltó una risita y me sonrió, casi con dulzura. "¿Estás aturdido?"

Normalmente no dejaría que alguien me tocara así, pero me tomó por sorpresa. Inclinó su rostro hacia mí juguetonamente, y solo entonces me recuperé. Puse mi mano sobre la suya para bajarla y volví a alejarme.

Mason seguía observándonos. La luz se había ido: la sentí desmoronarse cuando crucé sus ojos, opacos como planetas resecos por el fuego.

Miró a Nate a mi lado, la intimidad entre nosotros, mi mano todavía en la suya, y apartó la mirada. Al momento siguiente se dio la vuelta y se alejó. Lo vi alejarse con mi corazón llamándolo.

No, gimió. *No no no...*

"Oh, maldita sea", susurró Nate, siguiendo mi mirada. Tragué saliva y me retiré un poco, tratando de ocultarle lo molesta que estaba. Se puso rígido.

Todavía está enojado conmigo. No le gusta la idea de que yo esté cerca de ti.

"No seas tonto," murmuré, continuando caminando hacia la salida. Mi garganta se llenó de desilusión y amargura.

«No digo tonterías... lo viste, ¿no? ¿Viste cómo me miró..."

—De la misma forma en que siempre me ha mirado —dije—. "No te pongas paranoia inútil".

"No tengo paranoia inútil. Él me lo dijo".

"¿Qué?"

"Que no quiere verme cerca de ti".

Me detuve en seco. Parpadeé, desconcertado, y levanté la visera de mi gorra para buscar sus ojos.

"¿Como?"

"Sí, bueno..." Nate me miró un poco incómodo. De hecho, me dijo que no me hiciera el tonto contigo. Me acusó de coquetear con todos y discutimos... Pero después de haberte molestado borracho en la fiesta... Bueno, eres su prima, eso lo entiendo».

'Yo no' pensé con urgencia mientras lo miraba con los ojos muy abiertos. Porque yo no era nadie para Mason.

"Él", tartamudeé. "¿Qué más tienes..."

"¡Nate!"

Salté cuando nos interrumpieron.

A unos metros de nosotros, Travis estaba saludando.

"¡Voy a venir a ti esta noche para cargar las cervezas, dile a tu madre que ate al perro!"

"Tendré que atar a mi madre en su lugar", replicó Nate, acercándose al grupo. Dijo que la próxima vez que te vea hará que te arresten.

"¡Ja!" Travis se rió, sacudiendo la cabeza. "Esa mujer me adora".

"Pero derribaste su buzón", intervino Sam, y me sorprendió encontrarla frente a nuestra escuela. "Ha pasado mucho tiempo desde que no te denuncié".

"Exactamente porque *me ama* ", dijo Travis con orgullo. "Y luego fue un accidente. Hubo una apuesta de que no sería capaz de hacerlo en una lata mientras conducía, así que al entrar en la entrada de su casa sucedió que..."

¿Y tú, Ivy? Sam me preguntó, disgustado, volviéndose hacia mí. "¿Con quién vienes?"

No fui el único en darse la vuelta ante esas palabras.

Una larga cola de caballo salió del grupo y la cabeza de Clementine apareció frente a mí.

Dios mío...

"¡Oh, vamos entonces! Estoy seguro de que disfrutarás..."

"A ella no le gustan las fiestas".

Esa voz , fuego y hielo dentro de mí.

Esa voz , y me puse rígido cuando miré hacia atrás frente a mí.

Mason me miró por encima del hombro.

"¿Tengo razón?"

Lo dijo bien, y ambos lo sabíamos.

"¿Ah, de verdad?" Clementine lo miró de soslayo y luego me devolvió la sonrisa artificialmente.

"Bueno, eso es una pena. Bueno, diviértanse. Si cambias de opinión, eres bienvenido".

Parecía ser consciente de su presencia sólo en ese momento. Miró el rostro de Clementine y ella puso una sinuosa expresión de gato, sonriéndole.

Mason la miró durante un largo momento por debajo de sus pestañas. Entonces... él correspondió.

Él la enjauló en un suspiro y le dedicó la sonrisa más hechizante de su repertorio, rezumando una cruel belleza en sus ojos. Fue desestabilizador. Casi me pareció que la estaba acariciando con sus propias manos, y Clementine parecía esforzarse por no convertirse en cera a sus pies.

Me miró mientras lo devoraba sin tocarlo.

Y me di cuenta de que mis puños estaban apretados más allá de lo creíble, mis ojos como flechas clavados en él.

Oh , él siempre había sido un maldito buen jugador.

Nació con esa mirada desafiante, él. No como yo.

Pero mientras me estremecía de rabia ardiente y Mason parecía listo para otra victoria, supe que no iba a dejar que ganara esta vez.

No esta vez, me juré a mí mismo.

Ya había terminado de retroceder.

¿Quería jugar?

Bueno, entonces habríamos jugado.

Jugábamos *a su manera.*

Rodeé a todos y pasé caminando.

Me dirigí hacia un pequeño grupo cercano, marchando con una determinación completamente nueva. Me despojé del desapego, la apatía, incluso la indiferencia. Con el reflejo de Mason todavía en mis ojos, me acerqué a la persona que estaba buscando y me paré frente a ella.

"Fiona", declamé. "Necesito tu ayuda".

Vamos, entonces: vamos a jugar.

17

No es tu muñeca

"¿Estás seguro de que no quieres ir a comer primero?"

"No. Pise ese acelerador".

Carly hizo un giro a toda velocidad y saltamos como bolos. Me agarré al asiento delantero, donde Fiona parecía estar reevaluando sus prioridades; pero eso en sus ojos debe haber sido un verdadero código rojo, así que clavó las uñas en su mochila y no dijo una palabra.

"Dime otra vez qué *emergencia tan grave* es", dijo Sam, quien de repente pareció arrepentirse de haber venido a vernos frente a la escuela.

Carly tomó una roja pero decidió que debería concentrarme en otra cosa ahora mismo.

Me gusta sobre lo que iba a hacer.

Realmente iba a hacer esto?

"Detente frente a la puerta, lo haré rápido", le dije a Carly.

Por supuesto que iba a hacerlo.

Clavó frente a la villa y rápidamente desmonté. Llegué a la puerta, entré y no me detuve ni siquiera cuando John se asomó desde la cocina.

"¡Oh, bienvenida de nuevo, Ivy!" enunció, contento de haber llegado a casa antes de lo habitual. "¿Tienes hambre? Hice pastel de carne... Oye, ¿adónde vas?"

"Hola, John," dije, continuando hacia las escaleras.

Subí las escaleras y cuando llegué a mi habitación, abrí la cremallera de mi mochila y la vacié con un golpe.

Abrí el armario y comencé a llenar mi mochila con ropa cuando John apareció en la puerta.

"¿Lo que está sucediendo?" preguntó atónito.

"No me detendré a comer".

"¿Como?" Vio mi material de dibujo tirado en el suelo y abrió mucho los ojos. "¿Y a dónde vas?"

Para finalmente tomar lo que es mío , quise responder, no muy seguro si se trataba de Mason o de la victoria.

Pero si mi vida de duros inviernos y caza al aire libre me había enseñado algo, era que no podías esperar sobrevivir sin equipo.

Si estuviera en Canadá, habría usado el protector del corazón debajo de la ropa, los guantes de fibra, las botas hasta la rodilla; entonces tomaría el rifle y esa sería mi armadura, mi armadura de batalla.

Pero allí tuve que confiar en algo más, y me encontré lamentando no poder comerciar.

"Voy a una fiesta."

John dejó caer el paño de cocina. Me miró boquiabierto con asombro.

«¿Una... una fiesta? ¿Vas a... ir a una fiesta?

Subí el cierre de mi mochila y vi su mirada sorprendida seguir el sombrero que arrojé sobre la cama.

"Sí", respondí cuando pasé junto a él. Me siguió escaleras abajo con absoluta aprensión.

"¿Y tú dónde comes? ¡No puedes saltarte el almuerzo! ¿Y con quién vas? Yo..."

"Voy con unos amigos", respondí con naturalidad, ahora en la puerta. "Y voy a comer algo de esa chica de allá. Voy a su casa ahora. Nos preparamos juntos".

John se inclinó para examinar a la chica junto al asiento del conductor: Fiona se estaba limando las uñas e inflándose globos rosas en los labios, con sus llamativas gafas de sol levantadas sobre su cabello.

Él la miró en estado de shock, una expresión muy similar al *Grito de Munch* . Ante la duda le di un beso en la mejilla, y eso definitivamente hizo que perdiera todo rastro de color: me miró como si hubiera crecido de golpe, como si un momento antes hubiera sido un cachorro de lémur y luego Me había convertido en un gorila con tutú.

"Nos vemos mañana", le dije, antes de caminar por el camino de entrada.

Crucé el jardín a paso ligero y subí al coche, saludando a Fiona.

"Vamos", ordenó, masticando la goma.

Carly puso el auto en marcha y pisó el acelerador.

"¿Realmente tuviste que parar y comprar una revista en el quiosco?" preguntó Sam, molesto.

"Vamos arriba", anunció Fiona en la puerta de su casa, ignorándola. "Ve a buscar algo de comida".

"¿Qué vamos a tomar?"

"Sushi", respondió; Luego se volvió hacia mí. "¿Está bien para usted?"

La miré impasible, parpadeando.

"Nunca lo he comido", le dije.

"Es pescado crudo".

"¿Hay salmón?"

"Cierto".

"Entonces está bien".

Sam y Carly regresaron al auto y Fiona puso las llaves en la cerradura.

Ella entró y yo la seguí sin dudarlo. Caminaba por el pasillo, cuando de repente se abrió una puerta y una cosa pequeña y muy rápida se aferró a sus piernas.

"¡Fiona! ¡Has vuelto!", gritó el niño, con una vocecita suave. "¿Vemos dibujos animados?"

"Hola, pequeño monstruo", lo saludó, alborotándole el cabello. Él le sonrió felizmente; le faltaba un diente.

Fiona arrancó el plástico de la revista. Sacó el soldado de juguete de sus ganchos y se lo entregó a su hermano, quien lo agarró y lo miró con ojos soñadores.

"¡Es el Capitán América! ¡Lo encontraste!"

"Ese es él", estuvo de acuerdo Fiona, apretando su barbilla en una caricia. Luego me señaló con el pulgar. "Ella es una amiga. ¿Tu comiste?"

Lo vi asentir de esa manera un poco exagerada y decidida que tienen los niños, y me encontré reevaluando mi juicio : nunca imaginé que Fiona tuviera un hermanito.

Siempre me había dado la impresión de ser hija única, tal vez con una casa vistosa en el promontorio y un aura de pompa rodeándola. En cambio, la suya era una de las muchas casas adosadas que se veían desde la calle, con algunos juguetes esparcidos por el suelo y un niño siempre dispuesto a jugar.

"Bravo", ella lo abrazó. Le pellizcó el cuello y él se derrumbó con la lengua entre los dientes. "Conoce a tu nuevo soldado de juguete, Allen. Vamos arriba... Vamos Ivy.

Mientras la seguía escaleras arriba, su hermano me sonrió.

"Entonces," comenzó ella. "Primero dime algo: ¿es un niño?"

Miré alrededor. Esa era sin duda su habitación: la cama parecía un merengue y el caos reinaba en el piso: ropa, zapatos, bolsos abandonados por todos lados.

"Sí".

No iba a decirle quién era. Pero ni siquiera le diría una mentira. Necesitaba su ayuda, incluso si hubiera sido despiadada.

Ella suspiró rápidamente.

"Entonces tenemos mucho en lo que trabajar. ¿Puedes usar un rizador de pestañas?

"¿Un qué?"

"Olvídalo", agitó una mano. "Muéstrame la ropa que trajiste".

Me saqué la mochila e hice lo que me dijo.

"Esta cosa no es buena. Puedes ir a hacer la compra, o sacar al perro... ¿Y *esto qué es* ?» exclamó disgustada, sosteniendo una camiseta con un estampado de alces.

"Es mi camiseta favorita", repliqué, defendiéndola incondicionalmente.

" *Dios mío* ", exclamó. "La situación aquí es más trágica de lo que pensaba".

La miré, haciendo un puchero, y ella apoyó las manos en las caderas.

«Mira, aquí necesito entender. ¿Cuál es exactamente el resultado que quieres conseguir?»

La miré directamente a la cara, e inmediatamente mis pensamientos se trasladaron a una mirada espléndida y aguda, capaz de provocarme como ninguna otra.

Apreté los puños.

" *Nadie* debería poder quitarme los ojos de encima".

"Dios mío", la escuché gemir después de un rato. "¿Qué has hecho con estos dedos, has despellejado conejos?"

"Bien..."

"Cállate, no respondas", lo cortó en seco, jugueteando con mis uñas. "¡Vaya, está todo roto aquí! ¡Y mira estas *cutículas!* Ni siquiera en las peores películas de terror..."

Recibí un golpe en mis dedos y siseé sombríamente.

"¡Deja de comerte todas las rodajas de pepino!"

"Tengo hambre", protesté. "¡Carly prácticamente se comió todo! Y luego me siento como si hubiera estado aquí durante horas.

"Bueno, apenas hemos comenzado. Tú eres el que vino a mí, así que déjame trabajar. ¿Qué color de esmalte de uñas quieres?

"No quiero esa cosa apestosa en mis manos", le dije. «Entonces las marcas quedan en las sábanas blancas cuando borro...»

Mis ojos se abrieron cuando un puñado de rodajas de pepino tapó mi boca.

"Un color claro, entonces", bromeó Fiona, limpiándose la mano.

" *Mira* ", gruñí. "No estoy aquí para convertirme en una muñeca. ¿Quiero decir? No necesito todas estas cosas inútiles, *solo quiero impresionar* ..."

Todos se volvieron hacia mí. Me miraban inmóviles, esperando.

"¿En?" preguntó Fiona, dando voz a la multitud.

Habría sido interesante decirles que era Mason. Sí, solo *ese Mason* , mi primo recién descubierto, que no era un primo después de todo, dadas las fantasías que me despertaban con solo mirarlo.

"Un chico".

"¿Un chico?"

Todos me miraron y me metí una rodaja de pepino en la boca, tratando de parecer ocupado.

"Y este tipo... ¿quieres que vaya allí y hable contigo? ¿Que te sorprendes cuando te ve?"

"¿Que te ves como una princesa?" Carly tentada, iluminada.

"Quiero que le *disloquen la mandíbula", gruñí, solo para ser claro.* "Quiero escucharlo estrellarse contra el suelo".

Me miraron con los ojos muy abiertos, tres búhos asustados.

Quería ver la lengua de Mason tocar el suelo, esos persuasivos ojos de bestia saltando solo para mí. Quería sentir sus pupilas ardiendo sobre mí, así que no dije ni una palabra cuando Fiona volvió a hurgar entre mis manos.

"Entonces tendrás que confiar en mí", murmuró sin ser escuchada por los demás, que habían comenzado a charlar. "Quiero ayudarte, no convertirte en alguien que no eres. Pero tienes que aceptar que no puedes impresionar a una fiesta vistiendo camisetas de hombre y jeans holgados. Puedes ser tú mismo de muchas maneras diferentes, ¿nadie te lo ha dicho nunca?".

La observé en silencio.

No sabía por qué había elegido ir con ella cuando había decidido que haría pagar al hijo de mi padrino, pero no me arrepentí.

Siempre la había visto en un pedestal diferente al mío, un pedestal más cercano al de Mason y Clementine, pero estaba equivocado.

Mientras desenroscaba un esmalte de uñas de color rosa pálido, me pregunté si albergaba un deseo como el mío de que alguien se fijara en ella esta noche.

"Fiona... ¿Te gusta alguien?"

Ella me miró por un instante, estupefacta; definitivamente no esperaba esa pregunta de mí.

"No", respondió simplemente, reanudando su minucioso trabajo. "¿Por que me preguntas eso?"

"Siempre te veo con diferentes tipos", le dije con voz limpia, con cuidado de no sonar ofensivo. "Me preguntaba si era porque hay uno en particular que no puedes quitarte de la cabeza..."

"No, no te preocupes", dijo, pero parecía un poco forzado. "Aquí está lleno de tipos menos brillantes que un caracol de mar, en lo único que piensan es en el próximo polvo o en qué autobronceador comprar para hacer que sus músculos se destaquen. Quiero decir, ¿a quién podría gustarle? Está plagado de imbéciles como si fueran mosquitos».

Quizás un imbécil más imbécil que los demás...

"Y luego me cansé", continuó. "O no te dejan respirar o no te rozan". Sentí un tinte de resentimiento en sus palabras.

Detrás de ella, vi a Sam perseguir a Carly hasta la puerta.

"Travis preguntó por ti".

El esmalte me manchó el dedo. Fiona levantó la vista, sorprendida.

"En la playa, ese momento cuando... Bueno, ya sabes."

"¿Travis?" preguntó en un susurro, y yo asentí.

Tragó saliva y tomó un poco de algodón para corregir la baba.

"Quién sabe lo que él quería", murmuró descuidadamente, pero salió muy mal.

Quería saber adónde habías ido. ¿Quién era ese chico contigo?» Continué, y vi que sus ojos se iluminaban ligeramente.

Me imaginé verla hacer una mueca, agitar una mano y mostrar su habitual cara de disgusto hacia el mundo.

Pero Fiona... ella no hizo nada de eso.

Mantuvo la cara hacia abajo, y no había necesidad de más.

"Te gusta Travis", concluí. De hecho, no me había costado mucho ver en la actitud de Fiona el mismo deseo de llamar la atención que sentía en Mason.

Ella y yo teníamos almas similares, verdes de esperanza; pero la mía más oscura, de un color desencantado, como flores destinadas a pudrirse.

"Ese macho cabrío nunca llegará allí", gruñó enfadada. "Es demasiado tonto para darse cuenta de que hay más que muñecos inflables y aceite bronceador".

"No lo creo", me retracté con calma. "Creo que Travis desearía poder caminar hacia ti sin encontrarte sentado en el regazo de alguien todo el tiempo".

«Imagínese... Siempre está demasiado ocupado agarrando el cuello de una botella».

"Y tú alrededor del cuello de un niño". Esta vez me miró fijamente. Estaba seguro de que había dicho demasiado, pero Fiona pareció entender por mis ojos que no la estaba juzgando en absoluto. Tal vez había sido demasiado directo, pero nunca me permitiría criticarla.

"Una vez, hace un tiempo... nos besamos", susurró suavemente. «Fue una velada como cualquier otra... Habíamos estado bebiendo, es cierto, pero llevábamos demasiado tiempo dando vueltas. Y fue... *Fue...* —tragó saliva, mordiéndose el labio—.

Debe haber sido *agradable.*

En un momento traté de imaginar cómo sería para mí. Si hubiera encontrado a Mason frente a mí... Su aliento en mis labios... Su boca hinchada e irreverente... Y sus manos , *sus* dedos fuertes para apretarme, para levantarme el pelo, para deslizarme entre los mechones...

No, eso no hubiera sido agradable. *Habría sido como volverse loco.*

Fiona negó con la cabeza.

«Y sin embargo no recordaba nada al día siguiente. Vino a mí, alegre como siempre, tratándome como si nada hubiera pasado. Salió con mucha calma y hasta tuve que verlo mientras lo tenía en el estacionamiento, antes de unirse a nosotros... Una goma que nunca se queda quieta, eso es Travis».

"Fiona", la llamé. "Probablemente no lo recuerda porque estaba demasiado borracho".

"Por supuesto que estaba demasiado borracho", estuvo de acuerdo con fiereza. «Y eso fue lo que me vino a decir semanas después, con la desesperación en el rostro, cuando los vapores del alcohol habían dado paso a lo que había habido entre nosotros. Bueno, ¡demasiado tarde, *idiota!* gruñó. «A estas alturas ya había empezado a salir con diferentes chicos y estaba realmente demasiado enfadada con él. ¿Cómo puedes olvidar algo así? ¡Era jodidamente importante!"

No podía culparla.

Travis era ciertamente un tipo peculiar, pero incluso él debe haberse dado cuenta de lo que había hecho.

"Creo que él... solo necesita un empujón", intenté con cautela, y casi me arrepiento cuando Fiona me miró. "Quiero decir, si le haces saber cómo están las cosas, él será el primero en..."

"¡Debería patearlo en las malditas bolas, no empujarlo!" siseó. "No lo voy a perdonar. Nunca me demostró nada".

"No creo que le hayas dado la oportunidad".

Ella me miró escandalizada. Estuvo a punto de tartamudear algo, pero la adelanté: "Deberías hablar con él".

"¿Para decirle qué? No se habla. ¡Tiene que llegar allí por su cuenta!"

—No se puede decir que Travis sea tan inteligente —dije—. "¿No piensas?"

"Creo y confirmo", dijo con dureza.

"Tienes que hablar con él", le dije con determinación, como una serpiente mirando a una mangosta.

"¿Y cómo debo hacerlo, en tu opinión?"

"Deja tu orgullo a un lado, no lo necesitas. Acéptalo de una vez por todas".

"Tú lo haces fácil, pequeña dama de las montañas".

"Nadie dijo nunca que lo será. Pero al menos habrás hecho algo.

Se hizo el silencio. Fiona me miró con ojos duros y brillantes llenos de emociones encontradas.

Luego se dio la vuelta.

"Realmente te debe gustar este chico", murmuró. "Nunca había oído que te preocuparas tanto por un asunto".

Fingí revisar mi esmalte de uñas y no respondí. Sin embargo, cuando la miré de soslayo, estaba seguro de haber visto el atisbo de una sonrisa en sus labios.

"¡Oye, no vale la pena!" una vocecita enojada gritó. "¡El mío es mucho más fuerte!"

Carly entró corriendo en la habitación con el hermano pequeño de Fiona a cuestas.

"¡Sí, pero el mío vuela!" ella anunció victoriosa. "¡Y dispara un rayo!"

"Es una batalla perdida", espetó Sam. "Carly, ¿no puedes simplemente dejarlo ganar por una vez? ¡Tiene siete años!".

"¿Y por qué? ¡Es justo que él también gane experiencia!»

ve allí si vas a *jugar", espetó Fiona, fulminándola con la mirada.* "Tenemos un asunto serio aquí".

"¿Y eso es?"

"Y es que Ivy no tiene nada que ponerse. Y tenemos diferentes tamaños, así que no hay nada que pueda prestarlos", dijo con un énfasis dramático que me perturbó incluso a mí. "Entonces, a menos que tengas un vestido asesino escondido en alguna parte, aquí tenemos un... *Oye* , ¿qué estás haciendo?"

No la escuché mientras me tiraba sobre mi mochila y sacaba mi ropa a puñados. Busqué entre las camisetas sin mangas y las camisetas de la Sra. Lark, y luego... lo encontré.

Lo había olvidado. Lo deslicé sin siquiera darme cuenta, y ahora...

"¿Cosas?" Sam preguntó con curiosidad. Fiona se acercó y sus ojos vieron lo que sostenía en mis manos.

"Oh..." la escuché susurrar con complicidad. "Es *perfecto* ".

"Quédate quieto..." fruncí el ceño. "¡Quédate quieto, dije!"

"¿Pero, qué es esto?" Quería saber, luchando contra sus dedos con otra mueca.

"Es un esclarecedor. Mierda, ¿quieres dejar de arrugarte?

Ya estoy bastante pálido. ¡No hay nada que iluminar!»

"No entiendes nada. Ahora quédate *quieto* mientras te aplico el rímel, de lo contrario te verás como un panda con ojos rosados. ¡Y deja de tirar del dobladillo de ese vestido!"

La miré, a medio camino entre la incomodidad y la irritación. "Además, ¿por qué me pusiste esta banda elástica alrededor del cuello?"

"Es un collar", respondió ella.

"No me gusta. Parece un collar".

"Es fino y delgado", replicó, comenzando a peinar mis pestañas con cuidado. "Lo siento, no tengo colgantes de cabeza de alce a mano. ¿Te pusiste el lápiz labial que te di?

"No", respondí escuetamente. «Me pego por todos lados...» maldije entre dientes. Fiona agarró mi barbilla y la frotó sobre mis labios.

"¡Dios, qué tonto eres!" ella resopló cuando enganché sus muñecas y la miré como si fuera un perro amordazado. "Solo un tonto como tú podría ignorar lo atractivo que eres. Si los demás tuvieran tu carita limpia... ¡Oye, qué carajo! *No intentes morderme de nuevo, ¿de acuerdo?* »

"Chicas, ¿dónde están?" preguntó Carly, luciendo terriblemente bonita en su vestido floreado. "¿Puedo mirar ahora?"

Sam se acercó para tratar de mirar. "¡Yo también quiero verte, Ivy!"

" *Está bien* ", asintió Fiona irritada. Se apartó del camino, dejando la vista despejada. "¿Feliz?"

Se hizo un silencio épico.

Cuando decidí mirar hacia arriba, sentado en ese taburete, vi que me miraban con la boca abierta.

Incluso el hermano pequeño de Fiona, que estaba sentado en el suelo, ahora me miraba con ojos del tamaño de mandarinas.

"¿Bien?" Tragué saliva, perturbada por esa reacción de escena de terror.

"Oh... Dios," murmuró Sam, mientras que Carly parecía muda por primera vez en su vida.

¡Era serio!

Fiona sonrió, complacida. «Sí, bueno... *lo sé* ».

"Pero... ¿qué le hiciste?" preguntó el pequeño, señalándome. "¿Por qué parece un ángel?"

"¡ *Mierda* , Ivy!" Carly se llevó las manos a las mejillas sonrojadas. "¡Eres *increíble* ! Eres... ¡Caspiterina! ¿Te has visto a ti misma? ¡Absolutamente tienes que verte!"

Me agarró del brazo y me arrastró hasta el espejo. Casi me tropiezo. Se paró detrás de mí y colocó sus manos en mis caderas mientras mi mirada se elevaba hacia el reflejo frente a mí.

Entonces me vi.

Tuve que mirarme a los ojos para reconocerme en esa figura envuelta en la tela brillante.

El vestido color glicinia se pegaba a mi piel, y lo enriquecían dos finos tirantes que cruzaban por detrás casi hasta la base de la espalda, dejándola al descubierto. El suave escote se envolvía alrededor de mis senos, enfatizando sus dulces curvas, y la falda caía hasta mis caderas en un juego de reflejos que hacía que el satén fuera aún más espléndido . No solo eso: por primera vez las piernas estaban a la vista, estilizadas por un par de sandalias con un poco de tacón que me había prestado Fiona; No sabía cómo caminar sobre él, pero los cordones subían por la pantorrilla creando un efecto cautivador.

Y mi piel... mi piel brillaba.

El maquillaje no cubrió mi tez, la hizo brillar: los labios resaltaban con un tono rosado y dos ojos color hielo me miraban como faros resplandecientes, rodeados de pestañas oscuras.

"¡No puedo creer!" Carly murmuró con admiración. "Por qué, este vestido es..."

"Demasiado corto", espeté, tratando de tirar de él hacia abajo. Pensé que era *demasiado* . Me daba vergüenza verme así, me sentía expuesta. Lo había querido, pero de repente mis camisas holgadas parecían un refugio seguro.

"Te ves fabulosa, por Diana", replicó Fiona. "¿Pero no puedes verte a ti mismo?"

"Se reirán de mí".

"¿Se reirán de ti?" repitió, alucinada. "¿Estás loco? ¿Tienes un espejo frente a ti o qué?"

«Este color te queda genial. ¡Dios, eres hermosa!" Carly me acarició las piernas, cantando cumplidos. "Quienquiera que sea este tipo escurridizo, se va a desmayar a tus pies".

"Siempre que no me caiga primero", respondí con incertidumbre, mirando mis sandalias. Ya podía imaginarme tropezando frente a todos.

"Estarás bien", me aseguró Fiona, luego se inclinó para ajustar mis cordones para que no me molestaran. "Y ahora", anunció, mirándome a los ojos de nuevo, "vamos a dislocar algunas mandíbulas".

Casa Wilson era una hermosa villa con vista al mar ya la ciudad. Tenía grandes puertas de hierro forjado y un gran césped donde Carly estacionó el auto.

El aire ya estaba lleno de música. El jardín estaba repleto de coches y gente que bajaba de todoterrenos abiertos.

"¿Estás listo?" Fiona me preguntó, como si fuéramos a la guerra.

"Yo..." Estaba a punto de expresar mis dudas sobre mi apariencia nuevamente cuando noté un auto demasiado familiar detrás de ella.

El coche de Mason.

Un par de chicas, probablemente borrachas, tenían lápiz labial en la mano y estaban escribiendo su número de teléfono en el parabrisas.

De repente sentí que la determinación se reavivaba como un fuego caliente. Me olvidé de todo: las incertidumbres, la vergüenza, incluso el constante deseo de ser invisible.

Yo estaba allí. Y no esta vez, esta vez no daría marcha atrás.

"Si vamos".

Caminamos hacia la entrada de la villa.

Tommy tenía razón: había medio mundo. Pasé entre la gente y, a medida que me adentraba en la multitud, sentí diferentes miradas fijas en mí.

"¿Los ves?" dijo Fiona, mientras cruzábamos el umbral de la casa. La música estaba muy alta. "Dios, qué ostentación... ¿Y dónde diablos está Carly?"

"Están ahí", escuché decir a Sam, pero yo ya estaba caminando en esa dirección.

Cerca del bar de la esquina, Travis y Nate se reían apoyados uno contra el otro. Estaban ya perfectamente aclimatados, y vi al primero doblarse de risa cuando el otro eructó sin freno, arrojándole un cubito de hielo pescado de su bebida.

Avancé a través de la conmoción, esquivé a un par de borrachos y me detuve frente a ellos.

"Oye", murmuré, mirando a mi alrededor, y cuando ambos se giraron para mirarme, yo ya tenía la fatídica pregunta en la punta de la lengua: '¿Dónde diablos está Mason? '

Pero de repente, Travis ahogó un grito ahogado y casi escupió su bebida.

Me miró en estado de shock. Pero Nate no se movió. Su boca entreabierta en una expresión estupefacta le hacía parecer alguien que se hubiera enfrentado cara a cara con la muerte y no supiera si estrecharle la mano.

« *Mierda* » resopló Travis con los brazos abiertos, como si un bisonte acabara de cazarlo. "¿ *Hiedra?* »

Los miré a la cara y, tratando de descartar el asunto apresuradamente, gruñí un "Sí".

" *Piedad* ", gritó desesperadamente, "pero ¿cuánto diablos he bebido?"

Carly se unió a nosotros. "¡Oye! ¿Alguien ha visto a Tommy? No hay afuera..." Cuando vio los rostros sorprendidos de sus amigos, una expresión astuta apareció en su rostro. "¿Estás admirando a Ivy? ¿Has visto lo maravilloso que es?"

"Realmente no habría usado esas palabras..." soltó Travis, limpiándose la barbilla, y ella le dio un codazo en las costillas.

Guárdate tus obscenidades para ti mismo. Si Fiona pudiera oírte..."

"Hablando de Fiona", le dije, mirándolo directamente a los ojos. "Él te estaba buscando. Él necesita hablar contigo".

Travis, si cabe, se puso aún más blanco.

"¿A... a mí?"

"Sí. Deberías ir a buscarla".

«Pero... no sé, bueno...»

"Estaba sola", especifiqué, y tragó saliva.

«Ah...» finalmente exhaló, mirando a su alrededor en un intento de escapar. «Entonces... Sí, um... Si lo pones así... *Me voy* ».

Mientras se alejaba, lo vi bebiendo su bebida con la esperanza de reunir algo de coraje.

"¿Fiona realmente lo estaba buscando?" Escuché a Nate preguntarme, mientras Carly mientras tanto saludaba a algunas personas.

"No", respondí; Me di la vuelta y Nate miró hacia otro lado, sonrojándose.

No escuché su respuesta.

Mis ojos lo encontraron con un escalofrío, como si irradiara una gravedad vibrante, muy fuerte, toda suya.

Ahi esta. No estaba tan lejos de donde yo estaba. Siempre demasiado lejos de donde yo quería, pero aún así.

Mason estaba apoyado contra la pared, vestido con pantalones oscuros y una camiseta negra que le sentaba perfectamente. Su cabello despeinado y su actitud intimidatoria exudaban una gracia casi despiadada, y me di cuenta de que no sostenía un vaso en la mano. Parecía una espléndida bestia nocturna mientras dominaba el entorno sin esfuerzo.

Tenía magnetismo incluso en una habitación llena de gente.

Clementine estaba de pie ante él con sandalias altísimas y un vestido tubo tan ceñido que parecía que se lo habían pintado. Ella era hermosa. Solo un loco lo negaría.

La vi reírse, embelesada por la palabra que salía de esos hermosos labios, y la encontré aún más hermosa. Nunca había envidiado otro cuerpo femenino, pero por primera vez me pregunté cómo sería verse tan... bien formada y sensual.

Yo no era seductor.

Cuando era niña, era una niña pequeña con todos los bordes, y ahora en cambio una niña ágil con formas finas.

No podía pestañear, no podía bailar, no podía caminar con tacones o incluso sacar pecho de esa manera.

Pero quizás mi gracia residía precisamente en esto. Una gracia etérea, insospechada. Casi salvaje.

Me pregunté si Mason lo habría recogido alguna vez.

Me pregunté si alguna vez había visto, al menos una vez, esa criatura del hielo que brillaba dentro de mis estrechos ojos de antílope.

Fue un momento.

En ese preciso momento, me miró.

18
Mecum

Sus ojos casi me encontraron por error.

Los vi pasar antes de dispararme, rápido, como si fuera un error garrafal, algo que no creerías.

Me clavaron. Y el tiempo se detuvo.

Un asombro helado aprisionó los rasgos de su rostro: Mason me miró con los párpados fríos, la mandíbula contraida, los ojos de un animal salvaje mirando fijamente al cañón de un rifle.

Y fui yo

Yo era la bala, e incluso la habitación pareció desaparecer cuando lo miré fijamente por debajo de mis cejas, como si por una vez yo fuera la bella y peligrosa bestia.

Aquí estoy , gruñó cada poro de mi piel, como el espanto lo inmovilizaba. Lo vi ceder de repente: las pupilas descendieron sobre mí y resbalaron sobre la tela brillante que envolvía mis caderas, sobre el juego de encajes que subía desde mis pantorrillas y el cabello plateado que caía sobre mis hombros.

Regresó su mirada a la mía. Me miró con un impulso turbio, ardiente, ajeno al mundo, a la gente que nos rodeaba, y en ese momento quise arrastrarlo allí, tocarlo como lo hizo esa mano.

La realidad volvió como un bofetón: el contacto entre nosotros se rompió y lo último que vi fue la cara de Clementine mientras le preguntaba si la había escuchado.

"¡Hiedra!"

Fiona dio un codazo entre los vasos de plástico cuando alguien se acercó para mirarle el trasero. Se unió a mí con la cerveza en la mano y resopló. "Finalmente te encontré. ¿Nate?"

"Estaba... aquí", dije aturdida, dándome cuenta de que lo había perdido de vista. Lo vi en el bar de la esquina, riéndose y llenando el vaso de una chica.

"Le doy diez minutos antes de terminar en la piscina".

Negué con la cabeza, mirándola obstinadamente. ¿Has hablado con Travis?

Hizo una mueca. "No".

Lo envié a buscarte. ¿No te encontró?"

"¿Qué? ¿Qué has hecho?" Me miró indignada. Luego se dio cuenta de que Travis se había escabullido en lugar de buscarla, y pareció enfadarse aún más.

"Ve a hablar con él", le dije.

"¡De ninguna manera!"

"¿Estás hablando de Travis?" Carly pasó por encima de los hombros de Fiona. "Podría jurar que lo vi en el armario de la piscina... Oh, Ivy", se acercó a mí con complicidad. "Hay un amigo mío al que le gustaría conocerte. Está allí, junto a la ventana.

Seguí su mirada y vi a un chico rubio observándonos. Me sonrió, pero yo ya había desviado la mirada, incapaz como siempre de hacer frente a tales situaciones.

"Dile que su mente está en otra parte", dijo Fiona por mí. "Por cierto, ¿lograste impresionar a quien querías?"

"¡Correcto, Ivy! ¿Has visto lo que te gusta?"

Me quedé en silencio, cambiando mi mirada a otra parte.

¡Qué palabra tan tonta! *¿como yo?* No...

como Masón.

Lo deseaba de maneras que ni siquiera podía imaginar.

Quería verlo caer a mis pies tanto como esperaba que me arrastrara hacia una ruina sin fondo.

Estaba respirando, y lo odié por la forma en que me hizo sentir.

era veneno Un delirio viviente.

Pero su rostro llenaba mis sueños.

Y su risa... era música. Nunca supe cómo tocarlo, pero se me quedó grabado en el corazón como la melodía de una hermosa canción.

¿Era demasiado esperar tenerlo cerca?

¿Era demasiado... querer tocarlo?

¿Tocar, vivir, respirar?

Vi a Clementine acercándose a su cuerpo, y mi alma se retorció.

¿Y si la besaba?

¿Justo ahí?

¿Justo en frente de mí?

Aparté los ojos y los fijé en otra parte.

«¿Puedo? *Gracias* ». Le arrebaté la cerveza a Fiona y tomé un largo trago. Cerré los párpados y traté de ahogar esos pensamientos en el sabor amargo.

"Yo diría que es mejor no preguntar", dijo. Me pasé la mano por la boca bruscamente y la miré.

"Wow", interrumpió una voz masculina. "Así es como beben en Canadá".

Una mirada atenta me escrutaba con interés. Pertenecía a un chico al que nunca había visto antes, con las manos en los bolsillos y el pelo oscuro cortado más corto a los lados. Me miró magnético, y las chicas lo miraron sin restricciones.

"Tenemos que calentarnos de alguna manera", dije con cautela. No estaba acostumbrado a que los extraños vinieran a hablar conmigo, no era de los que daban confianza.

Me miró como si le gustara mi respuesta y esbozó una sonrisa.

"¿Y esa es la única forma que conoces?"

Sentí su insinuación, pero por alguna razón no dejé que se me escapara. Tal vez porque no era yo mismo, o tal vez porque en ese momento albergaba demasiada ira como para no provocarme.

"Oh, no. Generalmente calentamos de formas muy diferentes».

Fiona me miró y él ladeó la cara. "¿Por ejemplo?"

Mi respuesta fue interrumpida por un destello cegador. Parpadeé, deslumbrado, y escuché a Tommy animar.

"¡Sí! Mira, ha llegado un espectáculo".

Se acercó y Carly comenzó a rogarle que le tomara una foto.

"Ya te hice cincuenta, Carly. Eres peor que Clementine".

Ella resopló y él me miró, tamborileando con los dedos sobre la lente.

"No te reconocí. Fue Travis quien me dijo que estabas allí. Lo conocí junto a la piscina hace un momento".

"Oh... Cierto, la piscina," dijo el chico a mi lado. "¿Lo bañas?"

"¡Cierto!" comenzó Carly.

"No", dijo Fiona con los brazos cruzados.

"¿Y tú?" Me escuché preguntar.

Levanté la mirada y me encontré con la suya.

"No", dije lentamente mientras Carly perseguía a Tommy por otro trago y Fiona desaparecía, probablemente dirigiéndose a la piscina.

Chasqueó la lengua, mirándome durante mucho tiempo.

"Pecado".

Quedamos solo nosotros dos, en ese caos de luces LED parpadeantes.

Levantó una comisura de sus labios y se acercó a mí. Tomó la cerveza de mis dedos y se la llevó lentamente a la boca, sin quitarme los ojos de encima.

Fue entonces cuando me di cuenta: detrás de él, al otro lado de la habitación.

Por un instante, no vi nada más que Mason en el destello de luz.

Su rostro estaba ligeramente agachado, con cejas afiladas y sombras envolviendo sus perfectos rasgos. Pero los ojos...

Los ojos eran abismos.

Y estaban dirigidos a nosotros.

Sus brazos estaban cruzados y su expresión inescrutable, pero en esa mirada abismal brillaba el reflejo de una emoción que no pude reconocer.

El extraño lo notó y se me acercó irónicamente.

"¿Quien es tu novio?"

—No —dije, mientras Mason nos miraba por debajo de sus mechones de cabello, sus iris oscuros como diamantes negros. Pareció entender lo que decíamos pero no bajó la vista.

"Parece... celoso."

No digas eso. Aparté la mirada antes de creer esas palabras. Engañarme a mí misma era como entregarle mi corazón y verlo destrozarlo.

"Yo..." tragué saliva. "Quiero salir".

Me sentí en confusión. Necesitaba alejarme, escapar de esa música palpitante y reorganizar mis pensamientos por un momento.

"Por supuesto", sonrió. "Vamos".

Apenas era consciente de sus dedos en mi espalda cuando me di la vuelta y caminé hacia la puerta. Mis pensamientos seguían ahí, dentro de esa habitación...

Podríamos salir de aquí. Llegar a un lugar menos caótico..."

Me detuve en el pasillo y me alejé, molesto por ese contacto. ¿Le había dicho que podía tocarme?

"No necesito que vengas conmigo".

"¿Como?"

"Voy solo", le aclaré.

Lo dejé allí y me alejé entre la gente.

Tomé las escaleras que conducían arriba, buscando refugio del caos. El volumen de la música disminuyó detrás de mí cuando emergí a un vasto corredor lleno de habitaciones. Esa casa era enorme.

Cuando finalmente encontré el baño, entré y cerré la puerta. Me apoyé contra la puerta, respirando profundamente.

El espejo de enfrente me devolvió mi imagen. Observé las pestañas negras que bordeaban mis ojos, el suave lápiz labial en mis labios.

¿Por qué estaba vestido así?

¿Por qué me había dejado maquillar como una muñeca?

¿Qué había querido probar?

Traté de hacerle entender que podía ser cualquier cosa que quisiera ser. Incluso uno de ellos.

Pero no fue así.

Me encantaron los suéteres esponjosos, las botas de lluvia. Llevaba calcetines de lana hasta la rodilla y me encantaba un sombrero viejo con un alce bordado.

Miré mi reflejo con ojos tristes, consciente de que había sido un tonto. Ese no fui yo.

Nunca quise ganar.

lo quería Solo él.

Salí del baño con la cara hacia abajo, con la intención de buscar a los demás. Me quería ir. Tal vez Carly me llevaría...

—Ese vestido te queda bien —dijo una voz.

Miré hacia arriba. El chico, el extraño de antes, estaba allí.

¿Me había seguido?

"¿Qué estás haciendo aquí?"

"Dijiste que no querías estar acompañado. Así que te esperé".

Se desprendió de la pared y vino hacia mí, lentamente. Tenía un andar confiado, casi depredador.

"Soy Craig, por cierto. Ni siquiera me dijiste tu nombre —susurró. No me perdí el parpadeo con el que su mirada se fijó en mi boca.

Le di una mirada penetrante.

"Tienes razón. Yo no lo hice".

Pensé en desanimarlo con mi rudeza habitual, pero no funcionó. Levantó una esquina de su boca, como si estuviera complacido con mi temperamento. Se detuvo frente a mí y me miró fijamente.

"Apuesto a que Canadá no es tan hermoso como tú..."

"¿Cómo sabes de dónde soy?"

Él solo se encogió de hombros. "Bastaba con preguntar..."

¿Fue realmente tan fácil? ¿Todos sabían todo sobre todos?

Apenas podía creerlo, pero en ese momento me tocó la boca con los dedos. Retrocedí, sorprendida.

"¿Qué estás haciendo?"

"¿En tu opinión?"

"¿Te pedí que me tocaras?" La irritación apretó mi voz.

¿Pero qué diablos quería? No podía soportar a nadie que tomara ese tipo de confianza, especialmente si era un extraño.

Entrecerré los ojos y traté de pasar, pero él trató de tocarme de nuevo. Aparté su mano. "¡Para!"

"Oh, vamos, realmente no puedes ser tan rígido". Ella se rió de mí. «Pensé que querías divertirte un poco... ¿Tus amigos no te dejaron en paz?»

Apreté los puños. "¿Y con esto?"

"¿Podrías mostrarme lo cálido que eres..."

Tomó mi barbilla entre sus dedos y comenzó a inclinarse sobre mí. Lo empujé del cofre antes de que pudiera acercarse: se tambaleó, desconcertado, y lo pasé.

"¿Hablas en serio?" Lo escuché reír, casi intrigado por mi actitud. Escucharlo venir detrás de mí me inquietó mucho: parecía divertido por mi negativa, como si en lugar de empujarlo, lo indujera a ir más y más lejos.

Estiró la mano y casi desató el nudo de los tirantes que sujetaban mi vestido. Estaba a punto de darme la vuelta para abofetearlo cuando de repente doblé la esquina y alguien me agarró por la muñeca y me hizo a un lado.

Craig corrió hacia nosotros. Un grito de asombro escapó de sus labios: parpadeó y miró el cofre frente a él, antes de levantar la cara.

Dos ojos feroces lo escrutaron desde arriba.

"Tú..."

" *Bájate* ", siseó Mason. " *Ahora* ".

Craig lo miró vacilante y vi que la paciencia de Mason flaqueaba.

" *Te dije* ", repitió, dando un paso adelante, "que tienes que bajarte ″.

"De lo contrario..."

Mason extendió la mano y lo empujó. Craig tropezó y chocó con fuerza contra la pared: me miró con asombro, antes de volverse hacia el chico corpulento a mi lado.

Desafiarlo no era una buena idea. Mason tenía una estatura y un cuerpo intimidantes, por decir lo menos, pero nada como mirarlo a los ojos.

Esa mirada fue *brutal.*

El otro pareció entender. Dio un paso atrás y Mason me apretó la muñeca antes de continuar: me arrastró por el pasillo, obligándome a seguirlo. Caminé tras su paso enérgico, tropezando con sus pies. Traté de reducir la velocidad, pero cerró su agarre y choqué contra él.

fue la gota.

"¡Déjame!"

Me soltó como si estuviera caliente y se volvió hacia mí.

"¿Que juego estas jugando?"

Estaba negro de ira. Tuve que inclinar la cabeza para mirarlo a la cara e instintivamente sentí la necesidad de alejarme de la fuerza persuasiva que emanaba de su cuerpo esculpido.

"No estoy jugando a ningún juego".

"No mientas", dijo. "No lo intentes".

Los músculos debajo de su camiseta negra se veían tensos y sus cejas afilaron sus ojos, volviéndolos hostiles.

Ciertamente esa no era la forma en que esperaba que me mirara.

Giré el mío hacia el suelo. No tuve el coraje de mirarlo a la cara cuando murmuré: "No sé de qué estás hablando".

Una ráfaga de aire, los párpados revoloteando, los pies tropezando hacia atrás. Al instante siguiente, mis omóplatos chocaron contra la pared y el yeso me arañó los dedos.

Fue tan repentino que me desestabilizó. Me aferré a la pared y se me cortó la respiración cuando levanté la cara.

Sus brazos estaban levantados para enjaularme, su pecho a un suspiro de distancia de mi nariz; Así me encontré yo, terriblemente pequeño contra aquella pared, y él, inmenso, alzándose sobre mí.

"Mentiroso".

Su voz ronca fue como un beso caliente en mi espalda. Estaba tan hermosamente cerca que pensé que podía sentirlo en mis huesos, una cinta sensual e insidiosa. Mi corazón estaba en mi boca, mis piernas temblaban, pero recé con todo mi corazón para que él no se diera cuenta.

«Viniste aquí *esta noche*... y lo hiciste por una razón muy específica».

Tragué saliva, sosteniendo su mirada. Su proximidad era un poderoso imán, pero reuní la fuerza para enfrentarlo.

"No parece preocuparte."

"Me preocupa si se trata de *ti* ".

Sentí que los latidos de mi corazón aumentaban hasta que dolía. ¿Qué estaba diciendo?

"¿Y desde cuándo?" Pregunté con desdén. Arqueé mi espalda ligeramente y él apretó mi mandíbula.

"Desde cuándo me ha sido imposible ignorarte".

Me convertí en una estatua de sal. Un escalofrío de sorpresa me recorrió y mi terquedad se quebró.

Entonces no lo hagas , exigía cada rincón de mi cuerpo. Me obligué a ocultar las reacciones de mi cuerpo y tragué un trozo de saliva, mirándolo fijamente.

"¿Es por eso que le dijiste a Nate que se mantuviera alejado de mí?"

Sus músculos se tensaron imperceptiblemente. 'Demasiado tarde, te escuché' pensé separando mis labios. Mason endureció su mirada, como si no esperara esa pregunta.

"¿Y esto qué tiene que ver con eso?"

"Le dijiste que no coqueteara conmigo".

"Le dije que no *fuera un idiota* contigo. Hay una diferencia".

"Tal vez me gustan los idiotas," siseé obstinadamente. Sus ojos se entrecerraron. "Los que no son arrogantes e insolentes. No sé si lo sabes".

Lo estaba instigando, pero no me importaba. Mi corazón bombeaba una extraña locura a través de mi sangre, como adrenalina.

"¿Y qué más te gusta?" preguntó, en un tono tan alterado que resultaba provocador. Reinaba sobre mí y su perfume desprendía una carga abrasadora, afrodisíaca, pero no me resquebrajé.

"Los que no dan órdenes. Y que no se impongan a los demás». Su olor entró en mis pulmones y lo absorbí todo, hasta que me emborraché con él. «Los que... se dejan comprender». Sus ojos se encontraron con los míos y yo los bloqueé. "Los honestos," susurré, fervientemente belicoso. "Aquellos que saben lo que quieren y no tienen miedo de admitirlo".

"¿Y tú? ¿Sabes lo que quieres?" me provocó, inclinando su rostro para sisear esas palabras en mis labios. Su agresividad me hizo estremecer: esa mirada dura me envolvió, y eso fue todo.

Tú , quise gritar, a pesar de todo. *Tú, solo tú* , pero le rogué con todas mis fuerzas que no entendiera.

Que no se percató de los latidos de mi corazón, de ese tamborileo entre mis costillas, de ese asalto desesperado que parecía gritarme: ' *Tapa tus ojos, se te ve el corazón*'.

Pero tal vez... en realidad vio algo.

Una emoción se arremolinaba en su mirada. Un sentimiento oscuro, brillante, tan poderoso que me hace temblar la sangre.

"Encontrarte aquí... tenerte cerca todo el tiempo... podría darme una idea equivocada", murmuró lentamente. "Podría tener la impresión... de que quieres estar *conmigo* ".

«Contigo...» fue el susurro que se perdió entre nosotros. Era adicta a su olor, a su cuerpo, a su aliento en mi garganta.

"Conmigo..." repitió, su voz más baja, su aliento quemando mis labios.

Sentí ganas de mojarlos de nuevo, y los humedecí con mi lengua.

Sus ojos siguieron ese gesto. Sentí morir cuando una respiración más corta que las demás lo obligó a abrir su boca carnosa.

Quería tocarlo . Mi piel ardía, mis manos ardían, cada parpadeo ardía, un fuego violento que me volvía loco.

Lo miré sin respirar, sin pensar, y casi en trance me encontré repitiendo inconscientemente: " *Contigo* ..."

Ahora las palmas de Mason ya no estaban apoyadas en la pared. Su brazo trepó por la pared, se dejó caer y luego... se deslizó alrededor de mi cintura . Me apretó posesivamente.

Un vértigo me partió el corazón. Agarré su camisa con ambas manos mientras me miraba de nuevo con ojos serios y decididos, y susurró roncamente de mis labios: «... *Conmigo* ».

Ya no sentí nada. El corazón volaba.

Y cuando su otra mano se deslizó por mi cabello, y sus dedos, fuertes, apretaron entre los mechones... yo, por un solo, loco momento, *realmente me sentí como si fuera suya...*

"¡Ahí está! ¡Y el!"

Todo se rompió de repente. El suelo cayó de mis pies mientras su aliento desaparecía de mis labios.

Mason volvió la cara y vi un extraño tumulto en sus ojos oscuros.

"¡Ese es el que me amenazó!"

Unos muchachos avanzaban hacia nosotros. Delante de ellos, el chico de justo antes nos estaba señalando.

"¡Tú! ¿Qué diablos le dijiste a nuestro amigo?"

Mason se enderezó lentamente mientras cargaban contra nosotros.

habían estado bebiendo. No fue difícil de adivinar. El alcohol provocaba una extraña agresividad en las personas, casi un impulso animal. Eran cuatro, grandes, impetuosos y enojados.

“¿Pensaste que te estabas escondiendo? ¿Eh?"

Se detuvieron frente a nosotros en una línea desordenada. Desprendían un aura pendenciera y violenta que sentí casi en la piel, como una advertencia peligrosa. Instintivamente me apreté contra la pared, y en ese instante me notaron. era inevitable Esas miradas feroces cayeron sobre mí y me estremecí un poco.

Pero un movimiento silencioso, y Mason levantó una mano. Lo apoyó en la pared, entre ellos y yo, como si yo fuera algo que se suponía que ni siquiera debían mirar.

La ira los inflamó.

Me pareces un verdadero gilipollas ", retó uno, acercándose demasiado. "Del tipo que con gusto rompería".

A mi lado, Mason no se movió. Pensé que desataría su fuerza como una máquina de guerra, pero no reaccionó como hubiera pensado. Se limitó a estudiar sus rostros y sus gestos, como si sus ojos dictaran un límite que nadie, ni siquiera él, debería traspasar.

"¿Qué pasa, ahora que mis amigos están aquí no dices nada?" Craig lo miró burlonamente. "¿Te inclinas y lames mis zapatos?"

Su calma empezó a asustarme. En ese momento me di cuenta de que esos tipos no lo conocían.

« ¡ *Ay, pendejo* , te está hablando! ¿Puedes oírnos o estás sordo?

"Tal vez se está orinando".

"O tal vez prefiera disculparse", siseó otro burlonamente. "¿No es cierto?"

Fue el escalofrío cuando me di cuenta de que su brazo estaba vibrando.

La tensión que irradiaba me hizo mirarlo. Solo podía ver el borde de la mandíbula y los músculos tensos del hombro.

"Alguien aquí quiere pedir un poco de piedad..."

"Detener".

Solo había sido un susurro, pero sus ojos me miraron de todos modos.

"¿Para?" repitió Craig, mientras sus compañeros estallaban en carcajadas. Me miró con insolencia, burlándose de mis palabras. "Pregúntame otra vez, cariño. Después de usted. *Ruégame* ».

Los dedos de Mason se pusieron blancos como la piedra.

Sentí que esa ola nerviosa estalló cuando Craig puso una mano en la entrepierna de sus pantalones e inclinándose hacia mí, me susurró: «Ponte de rodillas y ponte a trabajar...»

Fue un relámpago.

Todo lo que oí fue el crujido del cartílago, el crujido seco al romperse contra los nudillos de Mason. Fue tan rápido que no tuve tiempo de preguntarme por qué Craig estaba de pie un segundo y en el suelo al siguiente, con las manos en la nariz y un chorro de sangre entre los dedos.

Solo sentí el choque contra el suelo, luego su mano me empujó bruscamente: retrocedí y caí al suelo un momento antes de que los demás se abalanzaran sobre él como animales enloquecidos.

"¡No!" Grité en estado de shock: "¡No! ¡Mason!"

Observé la escena sin aliento. Estalló la violencia y fue un caos tremendo de gritos, puñetazos y golpes, un estruendo que desgarró el aire. Ya no pude distinguir nada. Los gritos se volvieron brutales y desapareció en esa paliza infernal justo debajo de mis ojos.

"¡ *No!* »

Las voces ahogaron los gritos: Nate y Travis aparecieron por el pasillo, seguidos de unos chicos. Se sumergieron de cabeza en esa locura en el momento en que me agarraron.

"¡Hiedra!" Alguien tiró de mi brazo, tratando de levantarme. "¡Hiedra! ven! ¡Después de usted!"

No pude moverme. Estaba congelado, paralizado frente a ese espectáculo atroz...

"¡Fuerza!" Carly me tiró con fuerza.

Se las arregló para ponerme de pie y arrastrarme lejos de allí. Sus manos me sostuvieron mientras me cargaba hacia abajo, afuera y arriba del auto. Acabo de notar.

Mi corazón pesaba en mi pecho como plomo. Mi cuerpo se movió mecánicamente, como si no me perteneciera.

Dejamos Wilson Mansion y las grandes puertas antes de sumergirnos en la oscuridad de la noche.

Me sentí entumecido. En mis ojos, esa terrible imagen se imprimió como un hematoma. Todavía veía los golpes, los puñetazos, la violencia aterradora que él mismo había iniciado...

—Ivy —susurró Carly. "Dios mío, ¿qué pasó?"

Miré la carretera con la garganta cerrada, incapaz de ver más allá de las imágenes que se agolpaban en mi cabeza.

Mason empujándome lejos.

Quien estaba tratando de defenderme.

Que no había dejado que se me acercaran.

Yo no había sido capaz de hacer nada. Me quedé de pie en ese suelo, impotente, mientras el aire se rasgaba ante mis ojos.

"Tengo que ir a casa".

habría esperado allí. Necesitaba verlo, saber cómo estaba, para... *Para...*

—Ivy, mírate. Estás temblando y estás molesto. Necesitas recuperarte. Paramos a comprar agua y..."

"No quiero beber. Quiero..."

"Mason está bien, estoy segura", trató de tranquilizarme, pero aún percibía su preocupación. "Travis y Nate deben haber logrado separarlos, ya verás. Pero parece que estás a punto de colapsar. Estás mortalmente pálido... No te dejaré así».

Mis protestas fueron inútiles.

Carly se detuvo en un *7-Eleven* , donde se bajó y me trajo una botella de agua. La apoyé en mis muñecas mientras bajaba las ventanillas y dejaba entrar un poco de aire fresco. Luego tomé unos sorbos en silencio hasta que pareció calmarse.

Cuando llegamos a la puerta de la casa, la noche se desvanecía suavemente en los colores del amanecer.

Apreté la botella ahora vacía entre mis dedos. "Gracias".

Intentó sonreír, pero parecía demasiado cansada para su vivacidad habitual.

«Nos vemos mañana... O mejor dicho, *más tarde* , en la escuela», respondió ella con dulzura.

Bajé tomando la mochila que había dejado en el asiento trasero antes de la fiesta y caminé rápidamente hacia la villa. Cuando llegué al porche, mi corazón saltó a mi garganta.

Su coche estaba allí.

Ya estaba de vuelta.

Entré con urgencia. Con la respiración atrapada en un doloroso agarre, avancé hacia la sala de estar, buscándolo en la penumbra.

Tal vez había ido arriba. Tal vez fue en su habitación ...

Mis pies se detuvieron.

En la oscuridad, una figura silenciosa yacía en el sofá. Me acerqué lentamente, como en un sueño.

Fue el.

Estaba allí de pie, en una posición poco natural, todavía con las llaves del coche en la mano y la cabeza mal apoyada en el apoyabrazos. Su ceja estaba cortada y había un desagradable enrojecimiento en su pómulo que pronto se convertiría en un moretón. Parecía destruido.

Mi corazón se contrajo.

Se durmió así.

Como si se negara a ir a la habitación. Como si hubiera estado allí, hasta que se derrumbó, esperando...

yo _

Y la angustia que sentí se desgarró e inmediatamente se convirtió en Mason buscándome, Mason apartando a todos y corriendo a casa solo para encontrarme. Mason entrando para ver si yo estaba allí, si estaba bien, sin importar la sangre en su rostro o los rasguños en sus manos.

Sólo el que decidió esperarme. Que quedó ahí, *para mí.*

Sólo para mí.

Sentí una lágrima en mi alma.

Antes de que terminara ese pensamiento, ya estaba perdido.

Como siempre lo he sabido, pero le he tenido miedo.

Lo supe en ese preciso momento, con solo mirarlo, con solo escuchar el anhelado sonido de su respiración.

Fue muy tarde.

Caí de rodillas, con los ojos muy abiertos, mientras mi corazón se abría y me di cuenta de una vez por todas de la verdad.

Yo... me enamoré de la única persona en su vida que nunca me había querido; el mismo chico que ahora dormía frente a mí, sin saber cuánto lo reclamaba mi alma.

Yo... estaba perdidamente enamorado de Mason.

19
Sin freno

«Papá... ¿qué es el amor?»

En aquella noche de verano el viento era una caricia en el rostro. Acostados en la parte trasera de la camioneta, miramos el mar de estrellas envuelto en silencio.

«El amor es... algo espontáneo».

"¿Espontáneo?"

"Sí..." Parecía buscar palabras. "Nadie puede enseñarte eso. Es como sonreír: ha sido un gesto natural desde que eras pequeño. Antes de que te des cuenta, tus labios brillan con belleza. Y también lo es el amor. Antes de que te des cuenta, tienes el corazón lleno de esa persona".

"No entiendo", murmuré, y papá se rió.

"Algún día lo harás."

Reflexioné sobre esas palabras. Conocía a los niños de mi ciudad, su maldad aún estaba viva en mi mente. No me habría enamorado de uno de ellos. Nunca.

Solo tenía doce años, pero dije con convicción: "No me enamoraré".

Se volvió y me miró con curiosidad y, tal vez, con una pizca de ternura.

"Pareces confiado".

"Sí. ¿Por qué debería perder mi corazón por alguien?"

Papá levantó los labios y miró hacia el cielo. Siempre hacía esa expresión cuando decía algo que le impactaba. Tenía una disposición peculiar y obstinada, como la flor cuyo nombre llevaba.

"Ese es exactamente el punto, Ivy", murmuró en voz baja. "¿Sabes cuándo sabes que es realmente amor? Cuando en realidad no puedes decir por qué amas a esa persona. Simplemente la amas. Entonces... ahí lo sabrás».

"¿Qué?"

Cerró los ojos. "Que ya perdiste tu corazón hace mucho tiempo..."

Ese recuerdo se perdió en mi mirada atormentada.

No. _ Me lo repetí con incrédula desesperación, como si tratara a toda costa de mantener unidos los fragmentos luminosos que seguían cayendo de mi alma.

Me recordé que no éramos nada, que nunca nos habíamos reído juntos ni compartido nada. No había habido promesas entre nosotros, ni intimidad, nada que nos uniera.

Fue imposible.

Sin embargo, en lugar de caer, mi corazón caminó por ese camino de nubes. Y una poderosa luz allanó su camino, como una fuerza que superó incluso a las estrellas.

Siempre había levantado un muro entre mí y los demás. Yo había mantenido mi distancia con todos. Sin embargo, se las había arreglado para llegar a mí de todos modos. Se había deslizado por las grietas y se quedó allí, en ese desastre, tallando un solo nombre entre los escombros.

Su.

Y ahora... Ahora no podía ver nada más.

Ni siquiera me di cuenta de que había emparejado mi respiración con la de ella cuando finalmente encontré la fuerza para moverme.

Como si no me perteneciera, vi mi mano subir a su rostro...

Salté cuando sonó mi celular. El timbre retumbó en el silencio y Mason abrió los ojos.

Me destaqué en sus iris oscuros, sentado en el suelo, con el brazo todavía extendido.

"Evy..."

Temblé en cada nervio. Se apoyó en su codo y yo retiré mi mano, obligándome a mirar hacia abajo.

Tenía miedo de lo que nos leería. Me sentí frágil, confundida y vulnerable.

«Lo siento...» logré decir, mientras tomaba mi teléfono celular y lo apretaba con fuerza. Me puse de pie y esperé que no viera el peso difícil de manejar de mis sentimientos. "Yo... tengo que responder."

Caminé hacia la puerta principal y salí, donde me tapé los ojos con la muñeca. Traté de detener el tumulto reluciente que orbitaba mi corazón, y un suspiro hizo que mis párpados se cerraran.

"Listo..."

"¿Dónde demonios estás?" Fiona gritó, haciéndome saltar. "¡Me diste un derrame cerebral! ¿Te das cuenta de esto? ¡Al menos podrías haberme avisado cuando te hayas ido! ¡Con toda la mierda que pasó, me he preocupado hasta la muerte!"

Devolví el teléfono que había alejado, metiendo un mechón detrás de mi oreja.

¿Se había preocupado... por mí?

"Lo siento," gruñí. No entendía por qué me estaba disculpando, pero también era cierto que no estaba acostumbrado a rendir cuentas a la gente. "Lo siento, Fiona, yo... me fui a casa con Carly".

"Maldita sea", murmuró ella. «Pensé que te había perdido en ese matadero... ¡están todos locos! ¡Ni siquiera lo creí cuando me lo dijeron!".

"Te refieres a..."

"¡La pelea!" ella tronó, sorprendida. "¡Dios, Ivy! ¡Mason se ha vuelto completamente loco! ¡Tuvieron que intervenir para separarlos, y no les diré cómo los encontraron en un lío!»

Miré el jardín con el estómago revuelto. Esas imágenes volvieron a mis ojos y tuve que apartar la mirada.

"¡Nate casi recibe un puñetazo tratando de interponerse en el camino! Fue horrible... Mason nunca se mete en peleas. Sabe perfectamente a lo que se arriesga, dada la disciplina que practica... Pero, ¿quieres oír la cosa más loca? Dicen que era una niña. Me congelé cuando ella levantó la voz con incredulidad. "Quiero decir, ¿nos damos cuenta? Mason de la nada golpeando a extraños, ¿para quién? ¡Para una niña! ¿Pero en qué mundo?"

"Fiona", la interrumpí. "Fui yo".

No tenía sentido mantenerlo oculto. Sin embargo, la idea de que yo estaba tan involucrado, la duda, la sensación de que yo había sido la causa, hizo que se me encogiera el estómago.

"¿Como?"

"Esa chica... fui yo."

Al otro lado del teléfono, silencio. Fiona se quedó en silencio durante mucho tiempo. "¿Hablas en serio?" preguntó después de un rato.

"Sí", le dije, tapándome los ojos con la mano. "Ellos... nos atraparon en el medio y Mason... Él..."

“Así que es por ti que hizo esto...” Pareció recomponer sus pensamientos, su voz más tranquila. “Pensé que había perdido la cabeza. En fin, es un boxeador deportivo, siempre ha tenido la sensatez de entender que no tiene que responder a provocaciones... Ah, pero yo quiero saberlo todo. De hecho, asegúrate de estar listo, porque te recogeré..."

Pero ya había dejado de escucharla.

¿Mason no responde a las provocaciones? Pero cuando alguna vez?

El recuerdo de la fiesta volvió a la vida. Su silencio. El temblor de su brazo. Él no había reaccionado. Había sentido el esfuerzo que estaba haciendo para no ceder, incluso cuando lo insultaron, incluso cuando gritaron, se rieron y se ofendieron.

Mason había permanecido inmóvil.

Al menos hasta que Craig tuvo...

"Ey".

Me quedé petrificado ante el sonido de esa voz. Todavía sosteniendo mi teléfono celular, me di la vuelta para encontrar su pecho a una pulgada de mi nariz.

Levanté la barbilla.

La cabeza de Mason estaba ligeramente inclinada, sus ojos bajos. La mano en su cabello alborotado se movió de una manera que, si no hubiera sido él, casi habría descrito como... *incierto* .

"¿Podemos hablar?" susurró, tan dócil que el teléfono casi se me escurre de los dedos. Lo miré sorprendida.

"Está bien", quise decir, pero no salió nada. Me las arreglé para sacar lentamente mi mano de mi oreja, esperando no tener una expresión hipnotizada.

Se apoyó en el marco de la puerta. Me miraba desde lo alto de su considerable estatura, y desde esa distancia sentí su cálido suspiro en mi frente.

"Por lo que pasó..." sacudió la cabeza, buscando las palabras adecuadas. “No debería haber reaccionado así. Debería haberme controlado." Su voz era una caricia ronca, lenta y espeluznante. "A veces las cosas me entusiasman. Reacciono de forma exagerada, pero... es una energía que siempre he usado en los deportes. No en este. yo no... así».

Estaba incrédulo.

Estaba *realmente* diciendo lo que pensaba?

"Yo no te tenía miedo", respondí rápidamente.

Tenía miedo por ti.

Sus ojos encontraron los míos. Sabía cómo era, sabía quién estaba frente a mí. Lo había ido conociendo poco a poco, aunque tal vez no lo imaginaba. Mason tenía un corazón ardiente, caliente como el fuego, una disposición vigorosa que doblaba la tierra. Era impulsivo, y en el rigor del boxeo había encontrado la manera de manejar y controlar su lado más volcánico e instintivo. Pero no era violento. Y no lo hubiera pensado así.

"¿Estás bien?" preguntó en voz más baja. Asentí mientras Fiona seguía hablando por teléfono. La intensidad de su mirada me arrancó del mundo.

Mi respiración se adelgazó , se volvió pesada, dulce, adicta al hechizo de sentirlo tan cerca. Ladeó la cabeza, y todos los sentidos de mi cuerpo se perdieron en él.

"Acerca de antes..."

"¡Así que, Ivy!" Fiona gritó. "¿Contéstame? ¿Hiciste lo que te gusta o no?"

Se hizo un silencio, rayado sólo por el zumbido del celular.

Congelado, vi que Mason también se había congelado. Con el rostro inclinado, los labios entreabiertos en el acto de hablar, miró fijamente mi teléfono.

De un tiro colgué la llamada. Inmediatamente volvió a mirarme y yo quise desaparecer, disolverme, caer engullida por el suelo.

"¿Quién es?"

«¿Q... cómo?»

Sus ojos serios y profundos no me dejaban escapatoria. Enjaularon mi corazón y de repente me sentí débil, desnudo y expuesto. Mason se acercó, su sello como cálido terciopelo.

"¿Tienes que dejar que te lo diga?"

Tragué. Evité su mirada y me hice a un lado, pero fue un error. Me encontré clavado a la jamba de la puerta cuando con un movimiento tranquilo de su mano me cerró el paso.

Su volumen se elevaba sobre mí y me sonrojé indecentemente, reprimiendo un ridículo gemido de animal atrapado. Busqué desesperadamente un escape mientras él se acercaba a mí hasta que me estremecí de pánico y deseo.

"La persona que te gusta", susurró en mi oído caliente. "¿Quién es?"

"Nadie".

Debo haber sido un cobarde increíble. El peor cobarde del mundo. Estaba torpemente, completamente enamorada de él, pero nunca tendría el coraje de decírselo.

Confesárselo me trajo recuerdos de niños señalándome con el dedo, riéndose de lo ridículo que era.

Con la esperanza de no lastimarlo, arañé su muñeca y lo obligué a dejarme pasar. Me dirigí a la cocina, tratando de ocultar mi agitación, pero sus pasos me siguieron.

¡Maldita sea, Fiona!

Tomé la leche y agarré la taza de John, caminando hacia el mostrador. Casi se me cae de las manos cuando las palmas de Mason ahuecaron los costados de mi cuerpo, sujetándome contra el borde de mármol.

En ese momento comencé a sospechar que él era consciente del poder que ejercía.

—Contéstame —murmuró, no como una orden, sino como una petición. Su cercanía quemó mi corazón y me estremecí.

"¿Por qué? ¿Qué tiene que ver contigo?" Respondí con más dureza de la necesaria. Me sentía acorralada, acosada por su presencia y por mis innumerables inseguridades. "Y no me digas que te concierne. Porque no es así".

«¿Qué pasaría si te dijera... que estoy interesado en su lugar?»

Me quedé helada.

¿Me estaba engañando a mí mismo? No había forma de que me dijera lo que quería oírle decir. Sonaba demasiado irreal. Demasiado bueno para ser verdad, y por lo tanto demasiado... demasiado irreal...

Mi celular vibró.

'Estoy aquí'.

fiona

La escuela.

El pasaje.

Él me estaba esperando.

"Me tengo que ir", susurré.

Detrás de mí, Mason no se movió.

Quería darme la vuelta y ver la expresión de su rostro. Mirándolo a los ojos, sabiendo que podía creer esas palabras, que podía *esperar* , que podía arrojarme como un ángel sobre esos sentimientos sin romperme todos los huesos.

Pero yo tenía miedo de ese chico gallardo e impetuoso. Tenía miedo de sus ojos. de sus manos De esa hermosa sonrisa que hacía vibrar el cielo.

Tenía miedo de su fuerza y de su inmensidad, porque cuanto más me enamoraba de sus profundidades, más me devoraban los tiburones.

Pero sobre todo, tenía miedo del amor que sentía. Porque ya nada me parecía suficiente, nada era como su toque o el sonido de su voz.

Ya había perdido mi corazón.

Y tenía miedo de verla romperse de nuevo.

Lo empujé con la cara hacia abajo, obligándolo a dejarme pasar.

Subí a mi habitación a buscar mis libros, recogí la mochila que había dejado en el pasillo y salí rápidamente de la casa, huyendo de mí mismo.

Fiona estaba allí, frente a la puerta: me esperaba en un auto blanco, al que me subí después de despedirme.

"¿Qué pasa?" Pregunté, notando su mirada enfocada en el espejo retrovisor.

"Nada", murmuró. "Creo que he visto ese auto antes..."

"Debe ser de alguien en el vecindario", murmuré pensativamente.

«Ayer fue cerca de mi casa, cuando salimos...»

En ese momento también me miré en el espejo.

Al final de la manzana, más allá de las ramas de la avenida arbolada, estaba aparcado un coche oscuro. Estaba casi a la vuelta de la esquina, medio oculto por la cerca de una cabaña blanca.

No entendí lo que era extraño.

"Va a haber miles de autos así".

Sacudió la cabeza y se puso las gafas de sol.

"Creo que todavía estoy borracho. Vamos a desayunar, necesito al menos un litro de café».

Esa mañana se hicieron sentir los efectos de la fiesta de Clementine. Por todas partes, rostros cansados y agotados mostraban los signos evidentes de una noche pasada en nombre del alcohol y la música.

Me puse la ropa del día anterior en el auto después de una parada en el bar donde Fiona me dijo que había logrado encontrar a Travis por fin. Lo había perseguido como loca hasta que alguien decidió tirarla a la piscina: él se había escapado y ya no lo encontraba.

"Ese cobarde", siseó, mordiendo amargamente una dona de arándanos, y no la culpé.

Mientras caminaba hacia Educación Física con los demás, me preguntaba si esos dos alguna vez encontrarían el equilibrio. Si podrían ponerse al día, o si siempre sería así, con ella persiguiéndolo y él sin dejarlo ir...

Me detuve. De pie frente a la ventana de un corredor, noté algo que me llamó la atención.

Las puertas estaban cerradas.

Las grandes puertas de la escuela, las que solo estaban cerradas al comienzo de las lecciones, estaban realmente cerradas...

"¡Nolton!" gritó el profesor. "¿Te estás moviendo? ¡Después de ti!"

Bajé corriendo las escaleras, alcanzando a mis compañeros. No íbamos a hacer educación física afuera hoy, un cielo violáceo amenazaba con una tormenta por primera vez desde que llegué a Santa Bárbara.

Me puse el equipo de gimnasia que guardamos en el vestuario; consistía en un par de shorts elásticos negros y la camiseta roja con el logo de un oso rugiente, el símbolo de la escuela.

El gimnasio era un edificio en sí mismo: los relucientes pisos de madera y las amplias gradas que enmarcaban la cancha de baloncesto parecían monumentales en comparación con mi antigua escuela en Canadá. Todavía no había asistido a un evento escolar, pero pensé que con los gritos de la gente y el eco de esos espacios sería genial.

Cuando entré, vi que había más gente de lo habitual.

¿Por qué había estudiantes de otra sección? Me estaba preguntando cuando de repente vi a Mason entre ellos. Instintivamente me escondí detrás de mis compañeros.

No fue posible. ¿Qué diablos estaba haciendo allí?

"Tus colegas tienen una hora libre", ladró el entrenador. "Démosle a esta mañana un giro productivo, ¿de acuerdo? ¡Lewis, Ramírez, súbanse esos pantalones! Gibson, ¿quieres despertar? ¿Qué les pasa a todos hoy?"

Mis compañeros se balanceaban apáticamente, tratando de moverse.

"¡Después de ti! ¡Quiero esos conos aquí, formando un camino! Nolton, ¿estás dormido?"

Hice una mueca cuando el entrenador me reprendió. Señaló la puerta del gimnasio, mirándome. "¡Ve a buscar dos balones de baloncesto y tráelos aquí! ¡Rápido!"

Me alejé sin tener que repetirlo.

El armario de artículos deportivos estaba en el pasillo junto a los vestuarios: era pequeño, estrecho, con ese típico olor a goma y humedad un poco rancio. Encendí la luz y recogí dos bolas del carrito, luego comencé a regresar. Pero no tuve tiempo.

Alguien entró y me empujó hacia adentro. Las pelotas cayeron de mis manos y rebotaron en el suelo.

Levanté la cabeza de golpe, mirando directamente al intruso que ahora bloqueaba la puerta.

"¿Pero qué...? ¿ *Travis?* Le espeté.

"¡Shhh!" Se llevó una mano a los labios. "¿Quieres que todos te escuchen?"

Lo miré con desconcierto. "¿Qué demonios estás haciendo?"

"Necesito hablar contigo. Sobre la pelea en la fiesta. Todo el lío que pasó. Tengo que saber, Ivy... Tienes que decirme qué pasó".

"¿Y te parece que este es el momento adecuado?" susurré enojado. "¡Vas a despellejarnos vivos!"

"¡Es algo importante! ¡Tú estuviste allí, sabes cómo fueron las cosas!"

—Travis, déjame salir —dije amenazadoramente. Yo era mucho más bajo que él, pero lo habría pateado si fuera necesario.

"No, hasta que me expliques..."

"¡Este no es el momento de discutirlo!"

"¡Eres el único que sabe la verdad!" espetó, sincero. ¡Vamos, Ivy, Mason no me dirá nada! No te haces a ti mismo..."

De repente, Travis se detuvo y abrió los brazos sobre la puerta. Alguien estaba tratando de entrar.

¡El profesor!

"¿Qué estás haciendo?" Siseé en estado de shock, dándome cuenta de que solo estaba empeorando las cosas, pero en ese instante la puerta se abrió.

Nate entró y la puerta se cerró de golpe bajo el peso de Travis.

Los miré alucinado.

"¿Pero estás loco?" susurré ansiosamente. "¿Tienes alguna idea de lo que está haciendo el entrenador si nos atrapa aquí?"

"El tipo siempre está enojado de todos modos..."

"¡Precisamente!"

"¡Noveno! ¡Bien!" ladró Travis. "¡Aún no hemos aclarado! ¡Si mi mejor amigo se mete en una pelea, quiero al menos una explicación!" Se volvió hacia mí. "¿En ese momento?"

"Querían una pelea", respondí con impaciencia, con los puños apretados a los costados. " ¡ Esa es la explicación! Lo provocaron... ¡y reaccionó! ¡Y ahora levántate!

Reaccionó ... ?» Nate repitió.

"Estamos hablando de Mason", señalé. «No sé si lo sabes. Realmente no puedes decir que es alguien que va por lo sutil».

"Mason no pierde el control sobre eso", replicó Travis, desconcertado. "¡Y mucho menos porque algunos pendejos lo provocan!"

Lo miré con las cejas fruncidas. "¿No golpeó a un estudiante de último año solo porque te insultó?"

"¡Ivy, sucedió una vez! ¡Hace un lío de tiempo, solo teníamos quince años! Pero lo que pasó ayer... ¡Él no estaba reaccionando, los estaba matando! Mason también tiene una reunión mañana, una reunión muy importante por cierto, ¡y los días previos siempre son de entrenamiento y concentración absolutos para él! ¡No te das cuenta!"

Me quedé en silencio, incómodo.

Mason... ¿tenía una reunión?

¿Esa pelea para la que había estado entrenando tan duro?

"Incluso me golpeó mientras tratábamos de separarlos", murmuró Nate, y los ojos de Travis se abrieron como platos.

"¡Yo también! ¡Justo aquí en las costillas!" Se subió la camisa hasta el cuello y retrocedí. "¡Mira, Ivy! ¡Mira ese moretón! ¿Lo viste bien? ¡No! ¡Acércate! Te ves mejor..."

La puerta se abrió de golpe.

El silencio que se hizo fue perfecto para escuchar la andanada de insultos mentales con los que quería enterrar a Travis hasta el final de sus días.

Y lo habría hecho de inmediato, si no hubiera estado demasiado helado al ver el carruaje, en la entrada, jadeando como un oso pardo enojado.

Sus ojos ardientes se posaron en nosotros, en Travis semidesnudo a una pulgada de mi cara morada, en mi mano envuelta alrededor de su muñeca en un vano intento de que se bajara la camisa, y en Nate allí, sosteniendo mi brazo.

"¡ *Tú* !" gritó ulcerosamente. «¡Haré que dejes de querer ir al vestuario! *¿Qué creías que estabas haciendo* ?"

Golpeó la carpeta contra la pared y la vena de su cuello latió peligrosamente.

"¡Detención!" gritó histéricamente. "¡Los tres! ¡Y también obtienes una nota disciplinaria por comportamiento indecoroso! ¡Ahora directo al director Moore!"

Travis se bajó la camisa y en ese momento me sentí demasiado humillado como para siquiera atentar contra su vida.

El entrenador nos gritó durante bastante tiempo, confiscó nuestros teléfonos celulares y nos envió directamente a la presidencia.

Mientras esperábamos a ser recibidos, no quería imaginarme la cara de John al descubrir que había tomado una nota disciplinaria por... ¿qué había escrito el entrenador?

Levanté la hoja de castigo.

Ah sí. 'Intento de fornicación masiva'.

Dios.

—Lo siento, Ivy —murmuró Travis, y Nate me miró cabizbajo.

Les di una mirada lívida y obstinadamente miré hacia otro lado.

El silencio sólo fue roto por un ligero crujido de papeles. Detrás del escritorio, el secretario presidencial estaba arreglando algunos documentos.

"Um... ¿señora?" Travis enunció en un punto. "¿Cuánto más tenemos que esperar?"

Lo miré con los brazos cruzados.

"¿Tienes prisa por entrar, por casualidad?"

"Me estoy destrozando el culo en estas sillas diminutas", comenzó, y la secretaria le dio una mirada terrible.

"El director te verá lo antes posible. Sin embargo, tu castigo no escapa. Tendrá tiempo de sobra para pagarlo esta tarde.

Apiló los papeles, golpeándolos contra el escritorio. La miré por un momento y algo volvió a mí en ese momento.

"Disculpe, ¿por qué cerraron las puertas hoy?"

Ella me miró con el ceño fruncido confundido. "¿Por favor?"

"Las puertas de la escuela. Están cerrados".

"Las puertas siempre están cerradas durante la clase", señaló en un tono obvio.

"Pero las persianas del garaje de los profesores también están bajadas".

—Desde luego que no —dijo ella bruscamente—. "La persiana nunca se baja hasta que el instituto cierra".

Yo estaba en silencio, perplejo.

¿Había visto mal?

Pero estaba seguro de que no estaba equivocado...

La espera se prolongó por un tiempo infinito.

Travis resopló de nuevo, haciendo crujir la silla, y en ese momento la secretaria se dignó mirar el reloj de la pared.

Empujó su silla a un lado y decidió levantarse, acercándose a la oficina del director.

Todos nos pusimos de pie juntos cuando llamó a la puerta.

"¿Director Moore? Recuperé los registros del salón de profesores como me pediste. Y hay tres estudiantes con una acción disciplinaria. ¿Puedo dejarlos entrar?"

No hubo respuesta.

"¿Director Moore?"

Frunció el ceño y abrió lentamente la puerta.

La presidencia estaba vacía. El secretario se quedó mirando el estudio desierto, estupefacto. Se subió las gafas sobre la nariz y pasó junto a nosotros.

"No te muevas de aquí", ordenó antes de alejarse, probablemente buscando al director.

Me preguntaba si nos suspenderían. Sinceramente esperaba que no y, agarrando la hoja de papel, me quedé listo para la lección. Pero pasó una eternidad, y ni una sombra del secretario.

Escuché a Travis temblar al menos cuatro veces más antes de perder la confianza.

¿Qué le había pasado a ella también?

Suspiré y me levanté de la silla.

"¿Qué estás haciendo?" preguntó Travis.

"Necesito ir al baño".

"¿Escuchaste lo que dijo?" intervino Nate. No debemos movernos de aquí.

"Me tengo que ir", remarqué, nada relajada por la situación. "De todos modos, dudo que vaya a empeorar ahora".

Travis asintió, poniéndose de pie. "Yo te acompaño".

"No sirve de nada", lo miré.

"Necesito moverme. ¡Si me quedo un minuto más en esta maldita silla, mi trasero será cuadrado!"

"Está bien", dijo Nate. "¡Pero date prisa! ¡No quiero encontrarme aquí solo cuando ella regrese!"

Caminé sin siquiera esperarlo; Travis vino detrás de mí. Salimos al pasillo y él aceleró el paso para seguir el mío. Luego me dio una mirada de soslayo.

"¿Estás muy enojado conmigo?"

"¿De verdad quieres que te responda?" respondí molesto.

"Siempre puedes decir que no..."

" *Por tu culpa,* todos piensan que estábamos teniendo *una orgía* en el vestuario del gimnasio", siseé. "¡ *No* , no es una opción!"

“¡Orgía es una gran palabra! Un gangbang en el mejor de los casos, pero la orgía es exagerada...”

Me detuve para enfatizar en medio del corredor, levantando mis manos como garras. Estaba considerando estrangularlo, cuando de repente pareció notar algo.

"Oye..." Levantó un dedo. "Espera. Escucha por un momento..."

Lo miré durante mucho tiempo, sombrío. Si esperaba salvarse a sí mismo así...

"No siento nada", espeté después de un rato.

«Exacto... No... ¿No te parece extraño todo este silencio?»

Le fruncí el ceño. ¿Qué estaba diciendo?

"No se puede escuchar nada", agregó. "Escucha bien..."

Eso era cierto.

Ni una voz, ni un ruido lejano, un sonido de pasos, nada de nada.

La escuela parecía desierta.

"Estamos en medio de la clase", le dije, mirándolo. "No encuentro nada extraño en ello".

A Travis no pareció convencerle mi respuesta: observó el pasillo, asomándose, y antes de perder la paciencia le insté a continuar. Llegamos al baño de chicas y él se paró afuera.

"Date prisa, porque si nos encuentran aquí es el momento adecuado para que nos expulsen".

Lo miré antes de entrar.

¡Cierto! No podría haber ido peor ahora, ¿verdad?

Pero, ¿cómo llegué allí con ellos? ¿Con Travis, Nate, Fiona y todos los demás? No teníamos nada que ver el uno con el otro. Nada...

Cuando volví a cruzar la puerta, Travis se había ido.

"¿Adónde ha ido ahora?" siseé con exasperación.

Esta vez realmente iba a matarlo. No hay duda. ¿No se estaba quejando John de que se aburría de la maceta?

Bueno, íbamos a meter a Travis en medio de la...

Las luces parpadearon.

Mis ojos se dispararon. Las largas lámparas de neón crepitaban como enjambres de mariposas.

Me quedé inmóvil mientras volvían a la normalidad, dejándome una extraña inquietud.

Tal vez, pensé mientras miraba a mi alrededor, era el mal tiempo. Tal vez se acercaba un huracán. Después de todo, los tenían en abundancia en California... Había visto en la televisión que a menudo se manifestaban en fuertes vientos y tormentas tropicales, pero deseaba estar equivocado.

Seguí caminando por el pasillo.

«¡ *Travis!* » susurré ansiosamente.

Lo busqué durante mucho tiempo sin encontrarlo. Sin embargo, cuando doblé la esquina, me vi obligado a detenerme: en ese momento la pared se rompió y comenzó la sala de química. Travis no podría haber pasado, o lo habrían atrapado deambulando sin rumbo fijo.

La ventana transparente me permitía ver la pizarra al fondo y los alumnos detrás de ellos, sentados en los taburetes de las mesas de trabajo.

La lección debió ser muy importante, porque hubo un silencio absoluto.

Un momento... ¿A quién miraban todos?

"¿Sí?" el maestro pareció repetir. Ella también miraba la puerta.

Solo entonces me di cuenta de que el salón de clases, en el lado opuesto de donde yo estaba, estaba abierto. Había un hombre en la puerta.

"¿Puedo ayudarlos, caballeros?"

No, había más de uno. Vislumbré a otros dos, silenciosos y esperando. Ninguno de ellos respondió. Los ojos del hombre miraban fijamente a la clase casi con desesperación.

"Sí..." murmuró. "En realidad se puede".

Con pasos tranquilos y pesados, avanzó hacia la sala del tribunal. Era grande y fornido, vestía una gruesa chaqueta negra y pantalones igualmente oscuros, metidos en botas militares. Su cabello estaba completamente afeitado en los lados y algo delgado estaba en su boca en su lugar, que sostenía con una mandíbula ancha y afilada.

"Oh, perdón por entrometerme. No te enfades conmigo... La educación ante todo».

La voz cavernosa se redujo a una aguda sonrisa. No había tristeza en esos ojos afilados. Tomó el palillo entre los dedos, quitándoselo de los labios, y noté que tenía las manos del tamaño de piedras.

"No tomaremos mucho de su tiempo. Estamos aquí por una persona".

"Quienquiera que sea puede esperar hasta que termine mi clase", replicó el profesor. "Estoy enseñando."

Él ni siquiera pareció escucharla.

Las suelas de sus botas resonaron en el suelo mientras la profesora lo miraba, indignada por la forma en que había sido ignorada.

El hombre se detuvo frente al escritorio, dominando el entorno con un descaro inusual. Se dirigió a la clase, y el tono que goteaba de sus labios sonaba casi *hambriento* .

“Los caballeros aquí y yo estamos buscando a alguien que asista a esta escuela. Un estudiante de tu año, en realidad. Ha estado aquí no hace mucho tiempo". Miró a los estudiantes uno por uno con una expresión codiciosa antes de enunciar: "Ivory Nolton. ¿Está entre ustedes?"

Abrí mis párpados. Un leve susurro recorrió la sala del tribunal.

'La señorita Nolton no está conmigo hoy', dijo el maestro con impaciencia, pero no se dio la vuelta.

Examinó la clase como si pensara que me estaban escondiendo detrás de un compañero de clase, o debajo de un mostrador, y una vez más repitió: “Nolton. ¿Está en esta clase?

"¡Ahora parar!" protestó el profesor. “¿Con qué derecho vienes aquí a perturbar mi lección? ¡Todo esto es intolerable! ¡Sepa que el Director Moore será notificado inmediatamente! ¡Esto es una escuela, no una oficina de quejas! ¡Y ahora fuera de mi salón de clases!”

Su voz retumbó en el aire. Ninguno de ellos se movió.

Finalmente, lentamente, el hombre volvió la cara y la miró.

Él la miró a los ojos por un largo momento, antes de susurrar con una media sonrisa: "Tal vez no me expliqué".

La violencia con que la golpeó fue atroz.

La bofetada le giró la cara y salió disparada hacia atrás: volcó su silla y se estrelló contra el suelo con un estruendo ensordecedor.

El terror que había congelado a todos me cortó el aliento. Algunos estudiantes se pusieron de pie de un salto, los taburetes cayeron, pero un simple *clic fue suficiente* y el mundo se congeló.

Uno de los hombres de la puerta se había echado hacia atrás la chaqueta y tenía los dedos en la culata de una pistola.

El pánico estalló silencioso, glacial, devastador. Un silencio atónito atrapó todo, roto solo por los gemidos de la maestra.

El hombre cuadró los hombros y reanudó la marcha. El ruido de las suelas de goma parecía amplificarse en el vacío como el andar de una serpiente cascabel.

"Vamos a hacer que pregunte una vez más".

Le dio un puñetazo en la cara con violencia. Los gritos estallaron, la maestra se retorcía en el suelo y él empujó más fuerte, aplastando su cabeza contra el suelo. La oí sollozar mientras se empujaba la suela contra la sien: apoyaba los antebrazos en la rodilla y se apoyaba en ella con todo su peso. Masticó el mondadientes de nuevo, pero esta vez no sonrió.

"El canadiense", siseó entre dientes. "*¿ Dónde está?* "

20

Caza

Ya no sentí nada.

Un escalofrío sangriento llenó mis tímpanos, palpitando, golpeando, nublando mis sentidos.

Lentamente, traje un pie hacia atrás.

El crujido de mis zapatos pellizcó el silencio y me estremecí.

Retrocedí un paso, la urgencia crecía, ardía, latía en mi pecho...

Choqué con algo. Mi corazón saltó a mi garganta y me di la vuelta.

"¡Oh, ahí estás!" dijo Travis. "No pude encontrar..."

Arañé su boca con mis uñas, haciéndolo jadear por la sorpresa. Tropezó con mis pies cuando lo obligué a regresar a la entrada del armario: con la velocidad del rayo lo empujé adentro y cerré la puerta. Me apoyé contra él y llevé mi mano temblorosa a mi boca, mechones de cabello ondeando de mi respiración entrecortada.

No _

No no no. No era posible, no estaba sucediendo.

El pánico me cortó la respiración. Mi corazón dio un vuelco y sentí mi piel temblar bajo el control de un sudor helado.

La negativa me empujó por la garganta hasta casi romperme. *Estábamos en la escuela, no era real,* me latía en el cráneo, un intento desesperado de lucidez, pero mi cuerpo casi se enajenó, bombeando un terror más verdadero que cualquier otra cosa.

Todavía tenía los gritos atrapados en mi cerebro. Todavía tenía la cara de ese hombre marcada detrás de mis ojos...

Habían venido a buscarme . El miedo de John, su pesadilla, estaba ocurriendo – y yo ya sabía lo que querían, ese secreto imborrable que yo llevaba como un estigma.

Mis entrañas se cerraron en un tremendo puño; Jadeé, traté de tragar oxígeno y las náuseas casi me dieron arcadas.

No era posible que estuvieran ahí, en mi liceo...

¿Cómo entraron? ¿Y por qué nadie los había visto?

"¿Hiedra?" Travis me miró confundido. "Qué pasa...?"

espeté de nuevo. Lo agarré por el cuello y puse una mano en sus labios, sofocando esas palabras. Me di cuenta demasiado tarde de que la pequeña ventana del armario estaba abierta.

Pasos en la grava.

Contuve la respiración y la tensión me apretó por dentro.

—Él no está aquí —dijo una voz terriblemente cercana. Una sombra se extendía a un palmo de nosotros. "En ninguna clase".

El sudor enmarañaba mis dedos y apreté mi agarre. Travis me miró, inmóvil, como si el pánico latiera en mis ojos muy abiertos.

"¿Las otras lecciones?" preguntó alguien.

"Ya lo comprobé", respondió otra voz.

"El gimnasio", ordenó el hombre de al lado, después de un leve clic. Hablaba a través de un dispositivo electrónico.

"El gimnasio está hecho. Ella no está aquí".

«Ni siquiera es como nosotros. La sala de música, hecha. El patio, el campo».

El crujido de sus zapatos me partió el corazón. Se detuvo allí mismo, frente a esa grieta muy pequeña.

Travis se puso rígido.

Un escalofrío repentino lo recorrió hasta los dedos de los pies. Lo sentí como un espasmo a través de mi mano: sus ojos estaban bajos ahora, enfocados en ese agujero en la pared.

Y te leo lo que vio.

Un vistazo a un arma dentro de una funda.

"Comprueba los otros dos edificios", fue el zumbido . "Las clases en los pisos superiores. Los baños, la sala de profesores. La vimos entrar. Ella esta aquí. Encuéntrala."

El hombre respondió algo y luego se alejó entre un crujido de grava.

Travis se apartó de mí. Me abalancé hacia la pequeña ventana y la cerré mientras él me miraba alarmado.

"¿Quién... quién fue ese?"

Mi corazón latía con fuerza en mi cerebro, llenándolo de preguntas.

¿Cuántos había?

¿Donde estaban ellos?

¿Cuánto tiempo habían estado en la escuela con nosotros?

—Ivy —me llamó Travis. "¿Lo que está sucediendo?"

"Necesito un teléfono celular", lo interrumpí nerviosa, y mis labios temblaron por la avalancha de esas palabras. "Dame el teléfono, necesito un celular. ¡Lo necesito ahora, dámelo!"

"¡Ivy, quiero saber qué está pasando!"

"¡Dame el celular!"

"¡No tengo un teléfono celular!" Respondió, cada vez más asustado. «El entrenador nos los quitó, ¿te olvidaste? ¿Pero sabes qué diablos está pasando? ¡Ivy, ese hombre tenía un arma!

Me pasé los dedos por el pelo.

Tuve que llamar a alguien. Tuve que llamar a John, a la policía, tuve que...

Sentí ganas de vomitar. Me apoyé contra la puerta y sentí que mi estómago se retorcía como un paño de cocina: mi piel se helaba, mis sienes palpitaban, el pánico literalmente me devoraba.

No tenía sentido. Si era a mí a quien buscaban, ¿por qué no me habían atrapado cuando salía solo?

¿Por qué allí? ¿Porqué ahora?

Estábamos encerrados en un armario claustrofóbico, solos y sin esperanza. ¿Qué estaba pasando en las otras aulas? ¿Qué estaban haciendo con los demás?

Fue por mi culpa. Todo, todo por mi culpa...

"Están esparcidos por la escuela", gruñí. Tragué saliva, porque ni siquiera tenía fuerzas para mirarlo. «Los vi en el aula de química... Atacaron al profesor Wels frente a la clase. Creo que es su culpa que la secretaria no volviera. Ya deben de estar por todo el recinto.

Travis me miró, sin mover un músculo. Mis palabras rebotaron en su cerebro, aturdiéndolo.

"... ¿Qué?" exhaló con voz débil.

“Tenemos que llamar a la policía”, dije, tratando de mantenerme alejado. “Tenemos que alertar a las autoridades, decirles lo que está pasando aquí. Necesitamos un teléfono.

Lo vi parpadear, obligarse a procesar todo.

"No es posible", sopló con incredulidad. «Debe ser una especie de broma... o un simulacro... Sí, de esos que hacen para los atentados terroristas. Debe ser eso, Ivy. No nos avisaron, pero...”

"¡La golpearon *sangrientamente* !" El nudo en mi garganta raspó mi voz, haciéndola ronca. "No vi mal. Esos están armados... Casi amenazaron a los estudiantes con un arma. ¡Y escuchaste! También escuchaste lo que dijeron. Edificio A, edificio B... Podrían estar en cualquier parte. Realmente estoy aquí". Lo miré con determinación, tratando de mantener la adrenalina bombeando a través de mi cuerpo. “Tenemos que pedir ayuda. Necesitamos un teléfono, tenemos que avisar a la policía.

Travis me miró sin pestañear.

Era miedo, pensé, porque yo tampoco. Éramos dos animales asustados en una guarida demasiado pequeña.

" No tenemos celular", sopló después de un momento interminable, dando señales de recuperarse. "Ni tu ni yo..."

"La secretaria. Él tiene el teléfono. Podemos llamar desde allí, pero tenemos que volver.

Y Nate está ahí, recordé con horror. *Nate está ahí* y podrían encontrarlo en cualquier *momento... O tal vez ya lo encontraron...*

Travis parecía pensar lo mismo. Me miró con la garganta contraída, finalmente asintió.

Busqué confirmación en sus ojos, o tal vez solo el coraje para moverme. Me sentí paralizado, pero la sangre bombeaba a través de mi pecho como una explosión casi eléctrica. Me volví. Con dedos temblorosos, alargué la mano y bajé el mango.

Después de mirar por la rendija y asegurarme de que no había nadie, abrí lentamente la puerta.

El pasillo estaba desierto.

Asentí a Travis. Salí y agucé el oído, ansioso, listo para estallar al menor ruido, pero solo nos recibió el silencio.

Recorrimos todo el camino escabulléndonos cerca de la pared y escondiéndonos donde pudimos. Intentamos ir lo más lento posible, pero en el último tramo se impuso el pánico y corrimos como locos.

Entramos en la sala de espera y...

Nate estaba allí, exactamente donde lo dejamos.

Levantó la cara.

"¿Pero qué te pasó?"

No me permití ni un momento de alivio: casi tropecé con el escritorio y levanté el auricular, mis dedos ya en las teclas, listo para marcar el número.

Pero la línea estaba muerta.

La miré sorprendida.

"No..."

Acerqué el auricular a mi mejilla y pulsé los botones del 911.

Fue completamente inútil. Él estaba en silencio.

Solté el auricular con los dedos apretados y me di la vuelta.

Los otros dos hablaban animadamente, pero Nate estaba quieto, escéptico, con el ceño fruncido.

"Hay terroristas para la escuela", decía Travis mientras me dirigía a la presidencia.

Abrí la puerta y mi mirada se dirigió al escritorio; Cogí el teléfono por segunda vez y, sin aliento, cogí el auricular.

Cambia eso también.

"¡Dios!"

La angustia cerró mi garganta y gruñí de frustración y enojo antes de retroceder.

Pasé corriendo junto a Travis y Nate, escuchándolos hablar más acaloradamente. Llegué a la entrada y me estrellé contra las puertas con todo mi peso.

Pero las manijas no hicieron clic. Fueron bloqueados.

No era posible, era como una pesadilla. Mis dedos temblorosos escalaron la superficie sellada, tratando de meterse en la ranura entre las puertas. Los rasqué, tiré, traté de moverlos de alguna manera, incapaz de aceptar que estaba atrapado. Empecé a cargarlos con los hombros, llevado por la desesperación, pero cuanto más crecía el dolor, más me daba cuenta de que todo era inútil.

No había manera de salir de allí.

Sin embargo, tenía que haber una forma, otras formas...

Ignoré el dolor en mi hombro y caminé hacia atrás, sin aliento. Los chicos estaban discutiendo: Nate miraba a su amigo con los ojos muy abiertos.

"¿Y esperas que beba algo así?"

¡Por una vez, Nate, *maldita sea* ! ¡No te estoy tomando el pelo! ¡Los vimos, tienes que creerme!"

"Salidas de emergencia," interrumpí . "¿Dónde estoy?"

Travis se volvió, confundido. "¿Las salidas?"

"Sí, ¿dónde están?"

Me pasó y corrí tras él.

Nos deslizamos más allá de la entrada y tomamos el corredor frente a la secretaría.

Ese silencio irreal tenía algo de espantoso, angustioso como un laberinto sin salida o como un cementerio vacío en medio de la noche.

Travis se detuvo frente a una puerta gris y alcanzó la manija.

"¿Usted llamó?" él me preguntó. "¿Qué dijo la policía?"

"La línea telefónica se cayó. No pude". Lo miré a los ojos y tragué saliva. "Nos aislaron".

Travis se giró y forzó la puerta, pero no se movió. Cuando vio que no se abría se abalanzó sobre él con todo el cuerpo.

Y mientras miraba la salida con los labios fruncidos, me di cuenta de que fuera lo que fuera lo que estaba pensando, ellos ya lo habían pensado. Todo fue inútil.

Nos habían encerrado.

"¡Condenación!" Travis gruñó, golpeando la puerta con la mano.

Era sólo cuestión de tiempo antes de que nos encontraran. No podíamos escondernos mucho tiempo: era a mí a quien querían, y no se detendrían hasta tenerme.

"¿Pero estás loco?"

Ambos nos dimos la vuelta, tensos. Nate nos miró desconcertado.

"¿De verdad quieres que nos suspendan? ¡Si el director nos encuentra aquí, hará que nos expulsen!"

"Tienen al director", quería decirle, otra pieza más que encajaba.

—Nate —murmuró Travis, pero se le adelantó y se giró hacia mí.

"Ivy, ¿también te unirás? ¿Qué pasa, Travis te sobornó? ¡Deja de joderme! De él también espero alguna pirueta así, ¡está a la orden del día! ¡Pero de ti , de ti es realmente...!»

Un grito rasgó el aire.

Todos saltamos, y me empujé hacia atrás, tropezando gravemente cuando Nate vino hacia mí. Nos apretujamos en las esquinas de la puerta, tarareando y acurrucándonos, y me estremecí cuando algo en la distancia se estrelló con fuerza contra el suelo.

El estruendo se apagó y ese silencio teatral volvió a congelarnos la respiración.

Nate estaba blanco como una sábana ahora. Él tampoco respiraba más, y por la forma en que apretaba mi muñeca supe que ya no había necesidad de explicarle nada.

"No es una broma", susurró Travis, pero no le respondió. Se quedó petrificado, con el rostro pálido y los ojos muy abiertos frente a él.

"Tenemos que salir de aquí", le dije. "Tiene que haber una manera".

"Ventanas del salón de clases", sugirió Travis. No pueden haberlos ocupado todos. A partir de ahí podemos..."

"Las ventanas dan al campo, no al exterior. Y las puertas están cerradas. Si intentamos cruzar el jardín, nos atraparán.

"¿Están realmente armados?" vino el susurro tembloroso de Nate, y asentí. "¿Y hay muchos?"

"Tenemos que hacer algo", espetó Travis, la agitación en su voz. "No saben que estamos aquí..."

"¿Hacer algo?" chilló Nate. "¿Qué crees que podemos hacer? ¡Tienen armas!".

"No podemos escondernos como ratas esperando ser encontradas..."

"¡Ni siquiera que te maten!"

"Travis tiene razón," dije. "No saben dónde estamos. A diferencia de los demás, podemos hacer algo».

"Este no es el momento de ser héroes ", gruñó Nate, afirmando nuestras prioridades. «Dime, ¿cómo crees que podemos movernos si estoy cerca de la escuela? ¡Somos descubiertos! ¿Pero escuchaste el grito hace un momento? ¡No están bromeando mierda!"

"Nadie dijo que tenemos que permanecer expuestos".

Nate y yo parpadeamos, estupefactos, y nos volvimos hacia Travis. Miraba fijamente al frente y tenía una expresión que en otras ocasiones me habría hecho correr a esconderme.

Travis... estaba pensando. *No, peor: estaba pariendo una idea.*

"¿Qué quieres decir?" preguntó Nate, expresando mi mal presentimiento.

"Que tenemos que encontrar la forma de cubrirnos las espaldas. Si queremos actuar, ponernos un plan, debemos ser capaces de defendernos. ¿Me sigues?"

defendernos? ¿Y con qué?

"¡Esto no es un arsenal!" espetó Nate salvajemente. «¡No es un maldito juego de *Call of Duty* ! ¿Con qué esperas defenderte, con las mesas de la cafetería? ¿Esperas construirte una armadura con fichas del club de cerámica? ¡Travis, esto es la escuela!

Me lamí los labios, nerviosa. Nate tenía razón. Era una idea totalmente absurda que pudiéramos de alguna manera...

"Depende de nosotros tomar el asunto en nuestras propias manos. ¿Quieres escucharme o no? Si es cierto que ya han ocupado el gimnasio y otras partes de la escuela..."

Fue un instante.

Masón.

Había tratado de no pensar en ello, de rechazar ese miedo agónico, pero en ese momento la angustia se alargó como una mano y me partió el corazón.

Mason estaba con los demás.

Se había quedado ahí, en el gimnasio, en manos de esa gente, y esa conciencia me torturaba con cada respiración.

¿Y si lo lastiman?

¿Lo habían atacado?

Sentí mi pecho arder y congelarse insoportablemente. Lamenté no haber escuchado nunca a John, no haberle creído nunca. Si algo le pasó a su hijo, yo...

"Está bien", dije, apretando los dedos. Ambos se giraron hacia mí y yo levanté la cara. "Nosotros sentimos".

Travis me miró por un momento y luego asintió.

"Si ellos están armados, nosotros también debemos estarlo".

"No veo ningún arsenal por aquí", dijo Nate entre dientes.

"Ahí está el club de airsoft".

Ambos lo miramos fijamente, alucinando.

¿El club de airsoft? ¿Por qué, había un club de airsoft?

¿Era este el plan?

"¿Estás bromeando? ¡Esos son rifles de aire!" —espetó Nate pasándose una mano por la cara— ¡Son prácticamente juguetes!

"¡No hables mierda! ¡No son juguetes en absoluto! ¡Si te golpean en la cabeza, terminarás en el hospital!"

"¡Travis, las balas son de plástico!"

Los vi discutir, nervioso. No... era completamente ridículo. Tenían pistolas reales, armas de fuego reales, y nos las apuntarían a la primera oportunidad. ¿Pero en qué diablos estábamos pensando? ¿De romper? ¿Para hacerles creer que estábamos armados?

No teníamos esperanza.

Ninguno.

A menos que...

A menos que hubiéramos usado otro tipo de bala...

Mojo mis labios. "Tal vez tengo una idea".

"Usted está loco".

Lo ignoré. Seguí revisando el pasillo, acechando a la vuelta de la esquina.

Nos atraparán. Oh, nos atraparán..."

Le di una mirada rápida antes de darme la vuelta.

“Nos sacarán. ¿Y todo para qué? ¡Porque estamos haciendo hermosas figuritas frente a la clase de carpintería! ¿Alguien puede explicarme por qué estamos aquí? ¡Pensé que teníamos un plan!"

Descubrí que Nate manejaba muy mal el pánico. En resumen, peor de lo que pude manejar, o Travis, quien en cambio, después de un congelamiento inicial, pareció responder receptivamente a la descarga de adrenalina.

« ¡ *Los tengo!* —susurró Travis, apareciendo sin aliento desde la puerta.

Los ojos de Nate se desorbitaron ante el puñado de grandes clavos que había robado.

"Estos no," dije, descartando algunos. "No cabrían en el clip. Sin embargo, estos están bien. Creo que podrían ir".

"Oh, no, no me digas..." Nate exhaló cera. "¿Es *este* el plan?"

"¿Tienes uno mejor?"

"Tenemos que movernos", interrumpí, inquieto. "¿Dónde guardan su equipo de airsoft?"

"En el último piso. Solían reunirse en C, pero al director Moore no le gustaba que le hicieran una emboscada al club. Al final, algunos tiros siempre se disparaban en el interior, así que lo movió dos tramos de escaleras más allá.

Estábamos en el sótano; bastaba tomar la puerta contigua a la salida de emergencia para llegar.

Dos tramos de escaleras...

Dos tramos de escaleras sin ser visto ni oído...

"De acuerdo. Vamos".

Ojalá esos dos no fueran tan voluminosos. Éramos el trío más improbable del mundo, y cuando Nate tropezó con mis pies, casi choco contra un extintor de incendios de emergencia.

"¿No puedes ser un poco más elegante?" susurró Travis, que la belleza la había dejado en otra vida, y se inclinó hacia adelante, gruñendo.

"Si empiezas de nuevo, *te mataré* ", siseé, empujándolo hacia atrás con un hombro. "¡Después de usted!"

Nos llevamos toda la vida. Al menor ruido saltamos de terror; Nate agarró mi camiseta y me atrajo hacia él, como si quisiera protegerme y al mismo tiempo usarme como un escudo humano.

Cuando llegamos a las escaleras que conducían al piso de arriba, estábamos húmedos y sudorosos.

Travis nos indicó que esperáramos. Luego, con mucha cautela, asomó la cabeza por encima del muro en la esquina de la rampa.

Miró a su alrededor con cuidado, y nosotros detrás de él esperábamos con la respiración entrecortada, nuestras pupilas dilatadas al extremo.

"Bueno. Yo diría gratis..."

Un ruido espantoso nos hizo retroceder a todos. Nos congelamos contra la pared, contraídos, enredados, con los ojos muy abiertos. Travis todavía tenía la última sílaba atrapada entre los labios.

El golpe había venido de una puerta cerrada del salón de clases.

Mi corazón se estremeció solo de pensar en lo que estaban haciendo en una clase llena de estudiantes. Y yo en cambio allí, escondido, devorado por la conciencia de que si me entregaba tal vez esa maldita cacería hubiera terminado...

No, no, no , me estremecí, apretándome contra ellos. Esa no fue la solución.

No tenía lo que buscaban. Si golpeaban a una mujer así solo porque no cooperó... ¿Qué me harían?

Levanté la barbilla, convulsionándome, y miré a Nate a los ojos. No pude evitar pensar que no me habría abrazado así si hubiera sabido que yo era el objetivo.

—Tenemos que movernos —susurró Travis con voz entrecortada. "Tenemos que llegar a la sala del tribunal. Si nos quedamos aquí..."

No terminó la frase. Apreté los labios y él volvió a inclinarse por la esquina antes de desaparecer.

Esperé unos momentos, luego me armé de valor y lo seguí escaleras arriba.

Llegué al primer piso con las manos temblando y Travis me empujó detrás de la pared. Nate llegó un momento después y casi gritó cuando también lo agarró del brazo.

Nos señaló el salón del club y con el corazón en la garganta nos escabullimos frente a él.

Travis bajó el picaporte, pero la puerta no se abrió.

"No", gruñó mientras la cargaba con el hombro, y Nate se pasó las manos por el pelo.

Hacía demasiado ruido. ¡Demasiado, demasiado ruido!

Con el enésimo golpe, la puerta se abrió. Algo parecía bloquearlo del otro lado, pero me tiré encima y juntos logramos abrirlo.

«Lo hicimos... *¡Ah!* »

Algo rebotó muy rápido cerca de la cabeza de Travis. Se derrumbó y levantó las manos, protegiéndose la cabeza.

"¡Alto! ¡Alto, somos estudiantes!"

El silencio fue puntuado por unos pocos *clics.*

Más allá de las sillas y los bancos apilados contra la puerta, vislumbré un movimiento.

Al fondo, detrás de la silla volcada en el suelo, asomaban un par de cañones de fusil. Eran tres chicos fuertes y bien formados que salieron con expresiones de sorpresa.

Se acercaron a nosotros y Nate les ayudó a montar la barricada improvisada.

"¿Cómo llegaste aquí?"

"Somos miembros del club. Llevamos poco más de una hora encerrados -respondió uno de ellos con fervor-. ¿De qué año eres?

"Último".

"Nosotros también. Este fue el primer lugar que me vino a la mente. No sabemos qué está pasando..."

"¿Cómo te las arreglaste para salir del salón de clases sin ser visto?" Travis continuó.

"No estábamos en clase cuando sucedió", respondió. "Salíamos a fumar sin permiso. Escuchamos gritos, luego vimos a los que estaban allí con las armas en la mano. Nos pidieron que entregáramos lo que teníamos en los bolsillos".

El abatimiento me hizo chasquear la lengua con frustración.

Los teléfonos móviles.

Le habían quitado cualquier posibilidad de pedir ayuda.

"No teníamos otra opción. A nosotros también nos querían internar, agarraron a un amigo nuestro pero logramos escapar en el último momento. ¿Y tú?"

"Secretario. Tuvimos que cumplir un castigo, pero el director nunca volvió. Los vimos en un salón de clases, uno hasta en el patio y nos vinimos aquí. Creo que teníamos la misma idea".

Nos miramos, inquietos y consumidos por la ansiedad.

"¿Qué diablos está pasando ahí fuera?" preguntó el chico en voz baja, y los demás también se dieron la vuelta. Travis sacudió la cabeza con amargura. "No lo sabemos. Pero no tienen buenas intenciones".

"¿Cuántos?" preguntó Nate.

"Hemos visto al menos ocho de ellos. Han sellado edificios individuales, no hay manera de llegar a ellos. De esta manera controlan mejor la institución. Tomaron las clases como rehenes".

"Solo puede ser un acto terrorista", agregó Travis. «Nadie fuera del instituto sabe lo que está pasando aquí , han silenciado los teléfonos y seguro que también el sistema eléctrico del aula de informática. Las puertas están cerradas. No podemos salir, ya lo hemos intentado".

Los demás nos miraban estupefactos, mirándose unos a otros. Uno tragó saliva y susurró: "Así que... estamos jodidos".

Travis se volvió hacia mí y Nate. Metió la mano en su bolsillo y sacó los clavos.

"No. Tenemos un plan".

"¿Dónde los conseguiste?" preguntó uno de los chicos, un rubio con el pelo cortado al rape.

"Del salón de clases de carpintería. Fue idea de Ivy —dijo Travis, clavando clavo tras clavo en una escopeta—. "Por supuesto que no podemos competir con sus armas, pero al menos es algo".

"Y tu plan... ¿cuál sería?"

"No podemos comunicarnos con teléfonos. No podemos dejar que las autoridades sepan lo que está pasando aquí. Nuestra prioridad es poder avisar a la policía. Necesitamos un celular, pero las clases son supervisadas. Están haciendo un lío ahí dentro, no podemos pensar en agarrar un teléfono sin que nos atrapen. La única manera es esperar encontrar uno en la oficina de objetos perdidos.

Como si acabara de hacer una broma ridícula, los chicos nos miraron con los ojos muy abiertos.

"*¿ Qué?* »

"Es la única forma", continuó Travis. "Si se encuentra un teléfono, ahí es donde lo llevan. Puedes encontrar de todo aquí: sudaderas, auriculares, llaves, incluso cosas de hace meses..."

"¿Pero quién pierde su teléfono celular?" preguntó uno nervioso. "¡Y luego tenemos que llegar allí! ¿Crees que es fácil? ¡Tan pronto como te vean, te dispararán en la frente!"

"No creo que vayan tan a la ligera", murmuró Nate, sorprendiéndome incluso a mí. Primero intentarán atraparnos. ¿No? Como hicieron contigo. Después de todo, no somos esta amenaza..."

"¿Y crees que están pensando en eso?" gruñó el chico, nada convencido. Entonces, ¿qué crees que quieren hacer las armas?

"No quieren atacar a los estudiantes". Todos se volvieron hacia mí. "No directamente, al menos".

"¿Qué quieres decir?" preguntó uno gruñón.

Sólo me quieren a mí.

"Cortaron las líneas telefónicas", dije, cruzándome de brazos. "Nos aislaron completamente. Quieren que la escuela se vea ordinaria desde el exterior. No dispararán a la vista, lo volarán todo: el disparo se escucharía a cuadras de distancia.

"¿Cómo puedes estar seguro ? »

"Las armas no tienen silenciadores".

Todos me miraron. Sostuve sus miradas, sin ceder.

"Es necesario tratar de abrir una salida", continué. "Incluso si logramos llamar, las autoridades tardarán demasiado en atravesar las entradas. Debemos tratar de tomarlos por sorpresa. Se encerraron solos, si facilitamos la entrada a la policía no tendrán salida.'

"Las puertas están selladas, al igual que las puertas", continuó Travis. No podemos esperar que la policía entre por las entradas principales. Pero ahí está el garaje de los profesores.

"¿El garaje?"

"Da directamente a la calle. Está lejos de los edificios principales, la persiana está bajada, pero si conseguimos forzarla tenemos una forma de dejarlos entrar».

Reflexionaron sobre nuestras palabras.

Ese piso goteaba por todas partes. Las probabilidades de que fracasara eran tan grandes que probablemente no era la esperanza lo que nos unía, sino la desesperación.

"Está bien", dijeron finalmente, con cautela. "Estaban aquí."

Travis me dio una sonrisa tensa, pero no le devolví la sonrisa.

"Bueno. Tenemos que pensar en cómo proceder".

“Necesitamos conseguir un teléfono celular primero”, explicó uno de ellos. "Una vez que llamen a la policía, pensaremos en ayudarlos a entrar".

“No”, no estuvo de acuerdo Nate. “Una vez que salgamos de aquí, estaremos expuestos. Si nos los encontramos encima, no podremos llegar al garaje».

"Entonces debemos separarnos".

Una repentina tensión vibró en el aire.

“Piénsalo: no hay otra manera. Mudarnos en manadas solo nos hará más voluminosos. Dividiéndonos, en cambio, si un grupo fuera atrapado, el otro todavía tendría una forma de hacerlo».

—Dividirse nunca es una buena idea... —murmuró Travis, pasándose una mano por la cara, pero negué con la cabeza.

"No, tiene razón. Si permanecemos juntos no tenemos esperanza de llegar muy lejos".

Deseaba que hubiera otra manera, pero no la había. Todos juntos éramos demasiados, nunca habríamos logrado pasar desapercibidos.

"Está bien", se dio por vencido. “Entonces lo haremos así. Nos dividiremos en dos grupos. Uno llegará al garaje e intentará abrir la persiana para salir. El otro se encargará del celular».

"¿Cómo nos separamos?" ellos preguntaron.

"Tenemos que separarnos de acuerdo con las armas que tenemos, para que no estemos demasiado desequilibrados".

"Tres de nosotros en el garaje", dijo el chico rubio, y luego le arrojó una escopeta a Travis. "Voy por el teléfono celular. Por cierto, soy Kurt".

“Travis . Y estoy con usted."

"Nate", le llamé con firmeza, "ve al garaje".

Lo vi lanzar una mirada desconcertada a los dos chicos armados a su lado.

"¿Como?"

"Ve con ellos. Me quedaré con Travis".

"¿Qué? ¡No, te daré una mano! ¿Y si te atrapan? Voy contigo, no..."

"Abrirás la persiana", le comenté. "No eres lo suficientemente discreto, simplemente te interpondrás en nuestro camino".

—Ivy tiene razón, Nate —me apoyó Travis—. "Es mejor así. Ciertamente eres más útil con ellos: sin embargo, estaba cerrado, abrir la cerradura requerirá un poco de fuerza. Y tres tipos lo harán mejor. Ella no puede ir".

Nos miró sin hablar. Luego, resignado, asintió. "Aceptar".

"Entonces está decidido. Tomas las escaleras en la parte inferior. Ve al *menos uno* , ahí abajo te será más fácil continuar hacia el garaje. Nosotros, en cambio, tenemos que atravesar el edificio... y llegar a la oficina».

Todos asintieron con la cabeza y, de repente, un silencio incómodo llenó el aire.

Éramos solo un puñado de adolescentes con un piano que no se sostenía, brazos envueltos alrededor de ridículas pistolas de aire llenas de clavos de carpintero. ¿Hasta dónde podríamos llegar?

Nate se acercó a nosotros mientras los demás nos saludaban.

"Asegúrate de que no te maten..."

Travis le dio unas palmaditas nerviosas en el hombro. Tragó saliva y luego susurró: "Tú también".

Se volvió hacia mí; Puso una mano sobre mi cabeza y miré hacia atrás, un suspiro atrapado en mis pulmones. Los tres nos quedamos así, un poco abrazados, con los ojos fijos en el otro. "Ten cuidado".

Los otros ya estaban cerca de la puerta. Estaban empujando las cosas apiladas y decidí no esperar más. Reuniendo algo de determinación, di un paso adelante y exclamé: "Quiero un rifle".

Los chicos se volvieron hacia mí. Nate y Travis fruncieron el ceño.

"Lo siento", preguntó Kurt, "¿cómo?"

"Yo también quiero un rifle", repetí.

Levantó una ceja y miró mis delgados brazos. Vi en su rostro la creencia de que no podría usar uno y me irritó.

"Está fuera de la cuestión."

"¿Qué pasa, no soy lo suficientemente hombre para tus estándares?" Me burlé, porque entendía perfectamente lo que estaba pensando. He estado lidiando con los prejuicios inútiles de la gente durante demasiado tiempo. Se erizó y me lanzó una mirada penetrante.

"Estos son M14 EBR. Carcasa de metal, engranajes de acero. Muy robusto, el más preciso y potente del campo. Excelente rendimiento y un alcance de hasta cincuenta metros. Y pesan más de tres kilos. ¿Debo continuar?"

"Sé disparar", me afirmé. "En casa salía a cazar todos los días. Soy capaz de..."

"¿Caza?" lo repitió con una sonrisa sarcástica. "No estamos apuntando a una bandada de patos de estanque aquí. Solo hay cuatro escopetas, y él lleva la cuarta —dijo, señalando los brazos fornidos de Travis—. «Déjalo para los que realmente saben disparar. Pertenecemos al club, princesa. Así que diría que la discusión termina por sí sola.

Lo miré con ciega frustración. Su razonamiento limitado me lastimó las tripas: se negaba solo porque yo era una niña y, como tal, incapaz a sus ojos de estar a la altura de la ocasión.

"Conducía un Winchester XPR Renegade a Canadá", siseé. «Y pesaba casi cuatro kilos. ¿Crees que insiste en hacer que nos maten?

«Pero no me digas... ¿Has hojeado alguna revista de juegos, por casualidad?» Levantó una esquina de sus labios sarcásticamente. "El hecho de que sepas algunos nombres no significa que sepas de lo que estás hablando".

"¡Sé exactamente de lo que estoy hablando!" Señalé, irritado, dando un paso adelante. "Dame un rifle".

"Olvídalo".

"¡Dame una!"

"¡Dije que no!" tronó bruscamente, suplantándome con una mirada que me hizo rendirme. "Es suficiente. La discusión termina aquí".

Quería demostrarle que estaba equivocado, pero no pude. Kurt era una de esas personas que equiparaban el talento con la fuerza bruta.

Pero no era una cuestión de poder.

Se trataba de la técnica. Y practica. Y precisión milimétrica.

Era una cuestión de *habilidad* .

Y lo sabía bien.

"Estás cometiendo un error", lo amonesté, ardiendo de ira.

"Tomaré ese riesgo".

Se apartó de mí y me mordí la lengua. Mientras me volvía con resentimiento, esperaba al menos que ella supiera lo que estaba haciendo.

No muy lejos, mis amigos me estudiaron sorprendidos por ese argumento. Se quedaron en silencio, y pensé que tal vez incluso compartían las dudas de Kurt de alguna manera. Me encontré con sus rostros, serios, y los vi intercambiar una mirada.

El grupo de Nate se fue antes que el nuestro. Se volvió para darnos una última mirada, pero por primera vez vi algo parecido a la determinación en sus ojos.

Entonces fue nuestro turno.

Salimos y llegamos a las escaleras. La oficina de objetos perdidos estaba en la planta baja, al otro lado del edificio, al lado del baño de la facultad.

Nos agachamos junto a la pared y Kurt se asomó.

"Tal vez deberíamos ir a donde han ido los demás", susurró Travis en voz baja.

"Terminamos en otro lugar en esa dirección", respondió. "Tenemos que pasar por aquí. Para. Voy a seguir adelante".

Se echó el rifle al hombro y se agachó. La tensión era palpable. Lo miramos con los ojos muy abiertos, dos cervatillos escondidos detrás de un arbusto.

Cuando escuchamos su susurro, lo seguimos.

Llegamos a la planta baja y el miedo me recorrió la piel. Sentí su presencia, sus voces, sus pasos a través de las puertas...

Una vez más, mis pensamientos volaron hacia Mason.

Volví a ver sus ojos profundos y mi corazón se cerró.

Tuvimos que hacerlo. Teníamos que hacerlo, todo estaba en nuestras manos...

Me crucé con Travis. Aturdido, negué con la cabeza y levanté la cara. ¿Por qué se habían detenido?

Un crujido de zapatos pellizcó el aire y me congelé.

Una espada de terror me atravesó y presioné una mano contra mi boca, la palma helada.

Había alguien.

Frente a nosotros, Kurt estaba paralizado.

"No", dijo una voz clara. Ya lo hemos comprobado.

Estaba a la vuelta de la esquina. Sentí un escalofrío por mi columna. El zumbido del transceptor chirriaba con varias voces diferentes, y estaba seguro de que la de ella también estaba allí, *dando* órdenes. —Encuéntrala —casi pude escucharlo ordenar. "Ella esta aquí".

"Está bien", gritó el hombre en el pasillo, y mis ojos se abrieron como platos.

Venía hacia nosotros.

El pánico me cortó la respiración y retrocedí, aterrorizado.

Teníamos que escapar, huir, aún podíamos volver...

Pero los otros no me siguieron. No fue hasta que miré mejor que me di cuenta de que habían soltado los seguros de los rifles.

Se miraron a la cara y vi, como si fuera la mía, el terror en sus ojos.

Era como una escena en cámara lenta. Giraron hacia el corredor y les tendí la mano: el grito que me subió a la garganta llegó demasiado tarde.

"¡ *No!* »

El aire estalló a golpes.

Un estruendo ensordecedor retumbó por todas partes y escuché un estruendo en el suelo.

El hombre cayó al suelo sorprendido, tapándose la cara con el brazo. Clavos silbados por él, una lluvia de metal rebotando por todas partes, rozándolo, desgarrando los extremos de su chaqueta.

Maldijo y se deslizó hacia atrás enojado hasta que pudo levantarse.

Huyó en la dirección opuesta y grité en mi cabello.

"¡Piernas! ¡Travis, dispara en las piernas!"

El hombre desapareció detrás de la pared y un clavo arañó el yeso.

Estábamos expuestos .

Jadeé con los ojos muy abiertos cuando el caos estalló a nuestro alrededor. Pasos, gritos, puertas que se abrían y tiré de Travis por la camisa.

"¡Calle! ¡CALLE!"

Tropezamos con nuestros pies y corrimos a una velocidad vertiginosa.

Nuestros pasos resonaron en las paredes mientras una tormenta de voces rugía a nuestro alrededor, amplificada por las paredes.

Cursos, cursos como nunca he hecho en mi vida. Con pelo en la boca, los pulmones arrugados y los tendones doloridos. Corrí más y más fuerte, empujando a Travis hacia delante cuando intentaba manipular la escopeta.

No sentí el corazón.

Casi patinamos en la esquina, y de repente allí estaba: la oficina de objetos perdidos, justo al final del pasillo.

Me empujé al borde, jadeé en mi garganta y puse mis ojos en nada más que eso.

Estuvimos allí... ¡ *Estuvimos allí!*

Nos estrellamos allí.

La puerta encerró nuestros cuerpos y permaneció cerrada.

La cerradura estaba atascada y Kurt le clavó un clavo, pero rebotó y cayó al suelo.

"Pequeños *bastardos sucios* ".

Hice una mueca y me metí entre los dos chicos, el brillo del arma se reflejó en mis ojos muy abiertos.

Temblé cuando la mirada del hombre pasó sobre mis compañeros y me encontró.

Era el final.

Una sonrisa estiró sus labios sobre el cañón del revólver.

Mientras más de ellos nos rodeaban, sancionando nuestra caída, levantó el transceptor y lo último que escuché fue el tono áspero de su voz.

"Encontró".

Luego el sonido del disparo.

21

Sarro

Otro tramo de escaleras.

Puse mal el pie y la mano envuelta alrededor de mi hombro me tiró. El cuello de la camisa vio mi garganta, aplastada en un puño de mármol.

Levanté la cara. Una fila de espaldas corrió hasta la parte superior, donde la puerta estaba abierta de par en par. Un chorro de luz atravesó los cuerpos amontonados y asustados.

Me las arreglé para atrapar los ojos de Travis; me miró un momento entre ese río de cabezas, antes de que otra sacudida me hiciera mover.

Cuando sonó el disparo, sentí que la sangre se helaba en mis venas.

Inmóviles, miramos el arma que nos apuntaba sin respirar.

Pero el cañón se había mantenido frío. traje de neopreno

El golpe había venido de afuera.

Para entonces, se había producido el caos. Los hombres habían maldecido como una manada de lobos furiosos: órdenes, gritos y maldiciones habían rebotado por todas partes, una colmena furiosa y virulenta.

Algo no había salido según lo planeado.

Habían abierto las puertas de las aulas una por una. Armas en mano, ordenaron a los estudiantes y maestros que salieran y los sacaron del Edificio A.

Todos habíamos entrado en la B, la más céntrica de todo el complejo.

Yo había permanecido en la parte de atrás, separado de los demás, sujeto con un puño de hierro.

No sabía por qué nos habían traído allí. Pero luego habíamos tomado las escaleras que conducían al techo, y comprendí que esto era un retiro.

El punto más alto. Lejos de puertas, portones, de cualquier vía de escape. Nadie podría haber llegado hasta nosotros sin ser interceptado.

“Camina”, gruñó el hombre que me sostenía.

Llegué a la puerta abierta de par en par y con un último empujón me encontré bajo el rugiente cielo tormentoso. El techo era enorme. Rodeada únicamente por una barandilla, se extendía tanto a lo ancho como a lo largo en forma de una mamut en L, perfectamente capaz de albergar a una multitud de personas.

Estábamos todos allí.

Incluso los conserjes, el entrenador y los trabajadores de la cantina. Creí ver la cabeza rubia de Bringly, quizás la de la secretaria. Los hombres los estaban arreando en la parte de atrás, atrás, a la vuelta de la esquina y lejos de la cabeza del edificio. Los hicieron arrodillarse en el suelo con los brazos sobre la cabeza y noté que algunos alumnos, los mayores, tenían golpes en la cara y las manos atadas.

Fue allí donde lo vi.

Mason tenía una gruesa cinta negra alrededor de las muñecas. Lo estaban obligando a ponerse de rodillas, pero cuando se dio la vuelta y nuestros ojos se encontraron, mi corazón se detuvo.

Me encadené a él, sus ojos me encontraron bajo la luz enfermiza de ese cielo tormentoso, y mi alma ardía en un deseo desesperado de poder alcanzarlo.

Quería correr hacia él, abrazarlo, tocar su rostro con manos temblorosas y desesperadas, pero me jaló.

Su rostro se congeló cuando vio la mano que me sostenía. Me empujaron por la terraza y él se retorció, tratando de no perderme de vista. Empezó a levantarse, pero el hombre a su lado lo golpeó en la cara y fue lo último que vi.

Sabía a quién me estaban llevando.

Estaba allí, por detrás, la inmensa figura despotricando como un animal.

« ¡ *Perro!* le rugió a uno de sus hombres. “¿Qué diablos dije? *¿Eh* ? ¡No dispares! ¡La orden era *no disparar* !".

“¡Esos hijos de puta me atacaron!” el otro se defendió, señalando el grupo del gimnasio.

"¡Malditos *niños* !"

"¡Intentaron quitarme el arma! Se disparó un tiro, ¡sé cuáles eran las órdenes!".

—Cuidado, McCarter —siseó, mientras le salía saliva con furia de los dientes—, si el plan sale mal por tu culpa, te *arrancaré* ese gilipollas de un mordisco. ¿Tu me entendiste? ¡Sabes que la están vigilando, maldita perra! Si se enteran por la calle, no dudarán en entrar, y reza para que *no* lo hagan.

El otro escupió en el suelo. En ese momento noté la tensión en sus rostros. Parecían inquietos y agitados.

"Teníamos que hacer algo limpio. Llévate a la chica y sal como entramos. Si saben que estamos aquí, cortarán nuestras rutas de escape. Coge a Grover ya Vinson y ve a comprobarlo.

El otro asintió y se alejó.

"Aqui esta ella".

Me empujaron hacia adelante.

Caí con fuerza a sus pies, raspándome las manos. Cuando levanté la cara, vi con horror que sus zapatos se volvían hacia mí.

" *Finalmente* ".

Sus subordinados llegaron al rincón más alejado de la terraza y formaron una trinchera frente a la gente. Desde esa distancia sin límites, apenas escuchaba sus gritos arañados por el viento.

"¿Sabes cuánto te hemos estado buscando?" preguntó con esa voz áspera y rasposa. «Claro que lo sabes... Te escondías con tus amigos».

Me estremecí contra el suelo. Se puso de pie y se colocó frente a mi cara.

"Sabes por qué estamos aquí".

Su rostro parecía esbozado en piedra. Era duro, cuadrado, de facciones toscas y dos pupilas afiladas. Me quedé inmóvil, como un bicho mirando el hocico de su depredador.

"Tu sabes mejor que yo. ¿No es cierto? Hice todo este lío solo para ti. Vine aquí solo por ti. Ahora debes darme lo que *quiero* .

Traté de escapar de su mirada pero me agarró del hombro.

"¿Dónde?"

Lo miré aterrorizado. Su agarre se hizo más fuerte, y la furia brilló en sus ojos.

" *Sé que* lo tienes. No puede habérselo dejado a nadie más. Dime, continúa: ¿ *dónde está el Tártaro* ?"

Ese nombre fue mi condena. Eso es lo que todos querían. El secreto que había arruinado a papá.

Quería cancelarlo.

Sácalo de mí.

Tíralo a la basura del mundo y olvídalo para siempre.

Ojalá tuviera una respuesta. Pero yo no lo tenía.

Y cuando vio que yo permanecía en silencio... lentamente se quitó el palillo de los labios.

"Tal vez no entiendas algo".

Me golpeó en la cara, fuerte, la bofetada como un golpe en el cerebro. Mi cabeza golpeó el suelo, mi visión se nubló y el dolor explotó enfermizamente.

Me derrumbé, pero el hombre agarró mi camisa y me levantó como una muñeca de trapo. "No tengo mucha paciencia".

Era una montaña comparado conmigo, su fuerza era impresionante.

Agarré su gran mano febrilmente mientras se cerraba alrededor de mi cuello. Mis ojos aterrorizados se dirigieron a los suyos, pero no los apretó: solo me miró y una especie de dulce ironía cruzó su rostro en carne viva.

"El famoso ingeniero Nolton", susurró. «Un pionero de la tecnología... Está escondido, ¿eh? Igual que tú. Pero entonces, mira qué caso fortuito... Hace poco, en el periódico, ese parrafo chiquitito sobre el ingeniero americano muerto en Canadá». Acarició mi delgado cuello con el pulgar, como si pudiera romperlo en cualquier momento, y levantó una comisura de sus labios. "Oh, eso fue fácil de entender. ¿Quién más podría ser, sino el gran Robert Nolton? Te encontramos de inmediato. Tan pronto como supimos de ti... su pequeña hija... emigró a los Estados Unidos. *Viniste a encontrarnos* .

Apretó su agarre y su mirada se volvió feroz. Me puse rígido y mis ojos casi se salen de sus órbitas. Agarré su mano convulsivamente, tratando de liberarme, pero mis rodillas temblaban y la sangre se agolpó en mi rostro.

"¿Sabes cuánto tiempo tuve que esperar?" siseó. "¿Cuánto tiempo esperando el momento adecuado? Oh, estabas *tan* vigilado. Cada segundo desde que pusiste un pie aquí, el gobierno ha tenido a sus sabuesos pegados a ti. Desde el primer maldito día. Te divertiste, ¿eh? ¿Pasar el rato bajo su protección? ¿Quién podría *tocarte...* ?

Sonrió despiadadamente, y lo vi en lágrimas calientes, en oleadas de dolor palpitante.

« *Pero en la escuela...* ¿quién podría haberlo adivinado? Nadie. Ni siquiera ellos. Supervisan cada uno de tus movimientos, te observan entrar, pero nunca habrían pensado que alguien vendría y te haría una fiesta aquí. ¿Real?"

Me liberó y dejé caer mi boca. Tosí, con espasmos y arcadas, y llevé mis manos temblorosas a mi garganta. La saliva goteaba de mis labios, mi cabeza palpitaba, pero las palabras me alcanzaron igual.

¿Estaban observándome? ¿OMS? ¿Los federales?

La CIA... ¿siempre me había protegido?

"Sabes donde".

«No...» Soplé congestionado.

"Habla", rugió. O te dejaré hablar.

Me agarró del pelo. Apreté los dientes y cerré los párpados mientras él me levantaba con un dolor insoportable.

"¿Dónde *lo puso* ?"

"¡No lo sé! No..." Agarré su mano, pero él tiró de mí y mi boca explotó en un grito entrecortado.

Ese momento en que me abrazó así, sacudiéndome, aplastándome, gritándome, me pareció un infinito. Y yo me estaba tensando contra ese dolor, rígido, como si me estuviera arrancando la piel del cráneo.

Cuando finalmente me soltó, caí con fuerza al suelo. El hormigón rozó mis rodillas desnudas y el impacto me vació los pulmones.

"Mocoso estúpido", siseó, y no sé de dónde encontré la fuerza para moverme.

Traté de alejarme, lento y temblando, pero me agarró del tobillo y me arrastró de nuevo.

Se alzaba sobre mí y deseaba desaparecer.

Deseabas poder rebobinar el tiempo. Volver a cuando papá todavía estaba por aquí.

Pregúntale por qué.

Porque él me había dejado esa carga. Porque, él que siempre había sido todo para mí, me había cosido una sentencia tan atroz.

Tártaro , gritó el mundo. Y solo quería arrancarme las orejas para no escuchar.

Solo para convencerme de que yo no estaba realmente allí, debajo de ese monstruo, para pagar un precio tan cruel.

Y cuando puso su pie en mi vientre, me di cuenta de que la única forma de salvarme era una respuesta que no sabía cómo darle.

"Tú me lo dirás", susurró con fiereza.

Una lágrima rodó por mi sien. Lo observé desde el suelo, indefenso, atrapado debajo de él.

Me pareció una criatura enorme, más inconmensurable que el océano, el cielo y la tormenta. La negrura de la tormenta la coronaba y no había nada que pudiera hacer para contrarrestarla. Se dejó caer sobre una rodilla y tiró de mi mano. Cuando volvió a llevarse el palillo a la boca, me estremecí.

«P... Por favor...»

"¿Sabes por qué lo llamaron así, niña?" preguntó a quemarropa. "¿Tu querido papá te dijo eso?" Metió el extremo del palillo debajo de la uña de mi dedo anular y continuó: "Cada códice tiene un nombre. Ellos *se lo ganan* . En los mitos antiguos, el Tártaro era un abismo oscuro encajado en las profundidades de la tierra. Es allí donde Zeus encerró a los titanes. Abrir de par en par las puertas del Tártaro significaba liberar los horrores más abominables a la superficie. Ahora imagina que tienes las llaves. Imagina poder controlarlos. Imagina tener poder al alcance de este mundo en la palma de tu mano".

Escuché su voz y la angustia me ahogó.

"¿Y sabes lo que me separa de este poder?"

Negué con la cabeza, rechazando esa respuesta a toda costa, pero me la dio de todos modos.

"Tú".

"No..."

Empujó con toda su rabia. Grité. Las astillas de madera se clavaron en la carne viva, desgarrándola, y las lágrimas quemaron mis ojos. Me retorcí febrilmente, pero me pasó el palillo por debajo de la uña y el dolor me volvió loca.

"¡No lo sé!" Grité de devastación. Rasqué el suelo, convulsionándome, raspándome los dedos. Empujó de nuevo y la desesperación explotó de mi garganta.

"¡Yo se lo di!" Lloré en agonía. "¡Se lo di a ellos, a los agentes! Es la verdad... ¡Yo se los di!»

Él se detuvo.

Un sollozo húmedo escapó de mis labios. No sentí nada más que una masa de músculos temblorosos, enervados por un esfuerzo insoportable. Mi respiración era un sollozo y el sudor apelmazaba mi piel debajo de mi ropa, ensuciándome. Clavó sus pupilas en mí, la furia cristalizó en sus ojos.

"Estás mintiendo", susurró.

Lo miré con los párpados abiertos.

"Tú no se lo diste a ellos. O lo sabríamos. Esos perros sarnosos se vuelven increíblemente buenos filtrando *información* cuando tienen que proteger a algún civil... Habrían filtrado la noticia. Que el Tártaro por fin estaba en sus manos» me miró con ira helada. "Y que ya no eras un objetivo".

Le arrebató el mondadientes bruscamente. Cerré los ojos y el dolor era como una aguja caliente. Sentí sangre goteando por mi palma cuando agarró mi camisa.

"¿Crees que puedes burlarte de mí?" Rodeó mi cara y la empujó contra el suelo, clavando sus uñas en la piel de mi mejilla. "¿Crees que puedes *mentirme* ?"

Olí el olor acre del polvo y temblé por lo que me haría.

Pero él no quería torturarme. No.

Quería abrirme como un caparazón lleno de secretos. Y destrozarme de formas que nunca imaginé.

"Veamos si te apetece".

Me soltó violentamente y se puso de pie. Respiré de nuevo, dando pequeños jadeos, acurrucado como un montón de huesos en mal estado. Sentí un inevitable alivio cuando escuché sus pesados pasos alejarse hacia sus compañeros.

No... No hacia sus compañeros.

Hacia los estudiantes.

Hacia...

"Él vive contigo, ¿ *no* ?"

Agarró a Mason y yo apreté los párpados. Mi corazón se detuvo cuando ella lo arrastró lejos del grupo y lo acercó a mí, poniéndolo de rodillas.

"Lo conoces bien, ¿no?"

Ella lo agarró por el pelo, tirando de su cara hacia arriba con un tirón. Los ojos enojados de Mason brillaron hacia él y el terror lo comió todo.

"No..."

El hombre sacó su pistola.

"¡No!"

Tropecé con mis pies y me lancé hacia adelante. Uno de los suyos me capturó: luché como un desesperado, mi mirada febril fija en ellos.

Mason no, mi corazón gritó.

Lo golpeó fuerte con la culata de su arma y yo grité sin siquiera darme cuenta.

"¡ *No!* »

Pateé, forcejeando, con el pelo delante de la cara. Lo golpeó de nuevo y me incliné hacia adelante.

"¡No lo sé!" Grité, angustiado. "¡No lo tengo! ¡Nunca lo he tenido! ¡Él no me lo dejó a mí!"

Quería correr, alcanzarlo, abrazarlo y protegerlo.

Quería salvarlo, dejarme destruir en su lugar y poner fin a ese tormento.

Pero no pude.

Me vi obligado a ver cómo nos separaban, desgarrados e indefensos. Con cada golpe, me doblaba con él. Con cada golpe sentía su dolor y era insoportable.

"¡No lo sé!" Grité aclarando mi garganta. Vi el esfuerzo de Mason por no mirarme, o tal vez por no ser mirado, y las lágrimas quemaron mi visión.

"¡ *Por favor* !" Lloré, suplicando por primera vez. "¡Por favor, es la verdad! ¡Es la verdad!"

De repente, todo cesó. El hombre del palillo tomó aire y yo me detuve con él, el corazón suspendido y la angustia en el aire. Se volvió hacia mí, pero yo solo tenía ojos para Mason.

Jadeaba con las muñecas atadas. Estaba inclinada hacia un lado, a punto de desmayarse, y me di cuenta de que estaba equivocado.

Había algo más injusto que lo que estaba pasando por lo que papá había creado: Mason pagando por algo que no tenía la culpa.

El hombre me miró con ojos llenos de odio.

"Ya es *suficiente* ".

Cargó la pistola con un chasquido.

Y perdí todo sentido de la gravedad. Un violento mareo me partió el corazón y me horroricé cuando inclinó la cabeza hacia atrás.

"No..."

"Te lo juro", sonrió. Juro por Dios que le volaré la cabeza. ¿ *Me escuchaste* ?"

"¡NO!" Lloré entre lágrimas. "¡Te dije! ¡No se nada!"

Apretó su agarre en sus hebras.

"¡Es la verdad! ¡ *Lo juro!,* grité impotente.

« *Uno* ».

"¡NO!" Pateé tan fuerte como pude, mi garganta arañada por los gritos. El rostro de Mason se desvaneció en mis ojos y el terror me desgarró el alma. "¡LO JURO!"

" *Dos* ", sonó, y una desesperación ensordecedora me arrancó de mí mismo. Quemó cada vena, cada pensamiento, cada onza de lucidez.

Empujó el arma contra su sien y grité, fuerte, fuerte, como si nunca hubiera gritado en mi vida.

Con lágrimas y dientes.

Con el miedo que solo había sentido cuando papá se había cerrado frente a mí.

Con los brazos extendidos y el alma extendida hacia él – y el mundo entero gritó, *mi mundo entero conmigo...*

Un fuerte golpe puso el universo patas arriba.

Fue un momento: la puerta de la terraza se abrió de golpe y uno de ellos se aferró a los marcos de las ventanas.

"¡Estoy aquí!"

Dos palabras y me quedé sin aliento. Dos palabras y esas fueron suficientes para detener la tierra.

"¿Qué?" ladró el hombre del palillo.

« ¡ *Estoy aquí* ! ¡El gobierno, el *SWAT* ! ¡Entraron!".

"¡Esto no es posible!" gritó enojado. "¡Teníamos las entradas selladas! No pueden en tan poco tiempo..."

"¡Ya están dentro!" respondió el otro, histérico. "¡Vinieron del garaje! *¡Vienen* !"

Su agarre sobre mí de repente se desvaneció.

Caí vulgarmente al suelo. Apreté los dientes y noté el sabor de la sangre en la lengua. Mi cuerpo suplicaba misericordia, pero aun así logré levantar la cabeza ante ese rayo de esperanza.

Nate...

¡Nate lo hizo!

Escuché los gritos, las voces alarmadas y finalmente el miedo. El caos se los comió como una estaca. ' *Ya vienen'* serpenteó entre ellos, y la tensión aumentó hasta que explotó en ira.

"¡Se suponía que la atraparíamos cuando saliera sola!" estalló uno.

"¡La estaban mirando! ¡No habríamos recorrido cien metros con ella!"

"¡No los haremos ahora!"

"¡No voy a ir a la cárcel! ¿ *Me escuchaste* ?"

Algunos retrocedieron, agitados, y él estaba enojado.

"¡No te atrevas!" tronó, empujando bruscamente a Mason. Pasó por encima y avanzó hacia ellos. ¡ *Nadie hace nada* aquí sin que yo lo diga! ¿He sido claro?"

Un disparo reverberó en el aire. Vi que la agitación en sus rostros contraídos se convirtió en pánico.

"¡Quédate donde estás!" aulló fuera de sí. "¡ *Bastardos* inútiles ! ¡Tenemos rehenes! ¡No nos tocarán!".

"¡No me matarán!" gritó uno. "¡Ese no era el plan!"

« ¡ *Ya no hay plan!* ¡Metió la pata cuando McCarter disparó el tiro! ¡No te moverás de aquí!"

"¡No me matarán!"

"Yo dije..."

"¡No dejaré que me maten *por ella* !"

Retrocedieron, dirigiéndose a las órdenes. Se lanzaron miradas febriles, y me di cuenta de que todas las fuerzas armadas de la ciudad estaban allí, listas para precipitarse desde cualquier dirección.

Otro disparo estalló en la distancia.

El hombre maldijo cuando sus padres rompieron filas: se empujaron y corrieron desordenadamente hacia la escalera de incendios.

« ¡ *La niña!* gritó, agarrando un par. "¡Llévate a la chica!"

Pero nadie parecía dispuesto a dejarme retrasarlos. Se tiraron al suelo en una carrera enloquecida y yo intenté escabullirme: gritó con toda su rabia y con un gruñido se me echó encima.

"¡Detener!"

Me rodeó con un brazo y me levantó. Pateé gritando mientras me arrastraba con él.

Ahora reinaba el delirio. Gritos, voces, portazos, los pasos de los agentes dentro del edificio. Escuché más disparos en el patio y supe que sus hombres luchaban para no ser capturados.

Luché en su agarre. Intenté liberarme y cuando vi que era inútil le clavé los dientes en el brazo.

Me sacudió y empujó el arma entre mis costillas. "Te dije que..."

Algo lo golpeó con un estrépito.

Tres de nosotros caímos y el arma se deslizó lejos. El impacto me arrancó el aliento del pecho: aterricé brutalmente, justo al lado del cuerpo que se había arrojado sobre él con todo su peso.

Me encontré con los ojos de Mason: tenía un corte en la sien, los pómulos amoratados en los que los iris, sin embargo, brillaban, relucientes. Saqué mis dedos y él los agarró con ambas manos. Me atrajo hacia él, pero el hombre agarró mi pantorrilla.

Traté de golpearlo a ciegas. Mi barriga se arrastró hasta el suelo y cerré mis párpados, rezando para que Mason no me dejara. Me aferré a sus muñecas atadas mientras la sangre y el sudor cubrían mis dedos, haciéndolos resbalar...

Luego, otros muchachos cayeron sobre nosotros: el hombre me soltó y yo terminé sobre Mason.

Sentí su aliento en mi frente. Nos miramos a los ojos y mi alma se enroscó a su alrededor como una cinta de seda.

Busqué a tientas la cinta que ataba sus manos mientras él estaba allí, con la cara inclinada y la barbilla rozando mi cabello.

Detrás de mí, el hombre aullaba como un animal. Luchó furiosamente, arrancando a la gente con sus garras, y cuando finalmente estuvo libre, desistió de llevarme con él: se dirigió hacia la pequeña puerta y se precipitó por la escalera de esqueleto.

Vi a ese monstruo desaparecer y una sensación de calor apretó mi estómago. El repiqueteo del metal se mezclaba con los ruidos que llenaban el aire, con los gritos de los agentes a lo lejos.

Logré liberar a Mason. Se frotó las muñecas rojas pero yo me levanté al instante: me abrí paso entre la gente y llegué a la barandilla de la terraza.

Abajo era un infierno. El camino más allá del muro de la escuela estaba lleno de autos de policía y camionetas con vidrios polarizados. En el campo de fútbol, los hombres corrían, disparaban y trataban de escapar.

Todos menos uno.

Mis ojos se clavaron en él.

Dos oficiales gritaron, pero nada le impidió correr como un loco hacia la cerca.

No... No hacia la cerca. Apuntaba a un rincón lejano del campo, donde la escuela no daba a la calle, sino al patio de una casa particular. Donde no había ningún coche esperándolo.

"¡Se está escapando!" gritó alguien.

Lentamente cerré mis dedos. Volví a ver esa sonrisa despiadada, la crueldad con la que había disfrutado torturándome, y algo se encendió en mi interior con la fuerza de un fuego.

El dolor, el miedo, la angustia y la impotencia , todo hervía y me invadía como el fuego. Un temperamento mortal forjó mi corazón y sentí ese ardor endurecerse como metal en mis venas.

Di media vuelta y me abrí paso entre la gente. Vi a Travis: había recuperado su rifle y estaba ayudando a algunos niños a liberarse. Parecían sorprendidos cuando les arrebaté el arma de las manos.

"¿Hiedra? ¿Qué es lo que quieres hacer? ¡Hiedra!"

Algunos se hicieron a un lado, otros me miraron como si estuviera loco. Di un codazo hacia delante, férreo y decidido, y frente a todo el colegio salté la barandilla.

Chillidos de sorpresa cortaron el aire.

Mis pies aterrizaron en la cornisa y escuché que extraños me llamaban, se inclinaban, extendían sus manos para sacarme. En un instante, ya había echado una pierna hacia atrás.

Con el viento de la tormenta en mi cabello, con todos los ojos puestos en mí y hordas de gritos sobre mí, colgué mi rifle rápidamente, apunté y luego apreté el gatillo.

22

La forma en que cae la nieve

"El canadiense le disparó al terrorista".

Ese susurro me había seguido a todas partes.

En el pasillo, al bajar las escaleras, entre los niños con mantas de rescate, susurrándome señalándome mi nombre.

"Fue en defensa propia".

La oficina del director nunca había estado tan llena. Sentado en la silla frente a mi escritorio, escuché el debate entre el capitán de policía, el agente federal Clark, John y el propio director.

"Desafortunadamente no se puede considerar defensa propia. Por ley, no había peligro grave e inminente..."

"¿ *Ningún peligro grave e inminente?"* repitió John, quien, desde el momento en que llegó, nunca me había dejado. Me sujetó por los hombros, rígido, como si pudiera encontrar un arma apuntando a mi sien en cualquier momento.

Había corrido allí tan pronto como lo llamaron. Había renunciado a su trabajo y estaba allí en un instante, con el rostro sorprendido y las manos temblando.

"Ser tomado como rehén, baleado y amenazado con un arma, ¿cómo lo llamas?"

"Se ha vuelto innecesario".

"¿ *No es necesario?"* »

"La niña es menor de edad", dictaminó el capitán. «Creo que es legítimo querer entender la dinámica de lo que pasó. Todavía le disparó a una persona".

« ¡ *Un delincuente!* »

“Lo golpeó con un clavo de carpintero”, señaló el capitán, enfatizando sus palabras. Bajó los ojos hacia mí y me miró fijamente. Le pegaste con un clavo de carpintero.

"Una pelota de plástico no lo habría detenido", respondí evasivamente.

"Así que no lo niegues".

Levanté la vista y lo miré a la cara. Me habían vendado y vendado el dedo anular, pero el dolor que irradiaba por la mano eliminó cualquier vacilación.

“Golpearon a algunos estudiantes. Los vi golpear a mi maestra hasta matarla mientras ella suplicaba clemencia. Lo siento, capitán, pero me enseñaron a dispararle a ciertas bestias.

Sentí las manos de John apretar mis hombros. Me mordí la lengua, pero no bajé la cara.

El capitán de policía me observó atentamente.

"Le diste en el cruzado de la rodilla izquierda".

"Lo sé".

Oh, no podía correr después de eso. Había caído al instante, una torre en su huida, y los agentes habían tenido tiempo de sobra para abalanzarse sobre él.

Desde esa inmensa distancia, lo había visto mirar hacia arriba.

Y allí yo , de pie en la cornisa, con la culata del rifle apoyada en mi muslo y mi cabello como un halo blanco, una pira de fuego frío. Lo miré sin piedad y él gritó, gruñó, maldijo mi nombre. Sus gritos se habían mezclado con la tormenta cuando finalmente se lo llevaron.

"¿Alguna vez has manejado armas de cualquier otro tipo, aparte de hoy?"

"No en suelo estadounidense", dijo John, defendiéndome.

"No responda por usted mismo", lo regañó el capitán. "Estoy hablando con ella".

La señorita Nolton no representa una amenaza para los civiles.

Todos los ojos volaron hacia el Agente Clark, de pie junto a la puerta. Solo lo había visto una vez, en la casa de John, pero siempre tenía esa expresión impenetrable.

“Ha estado bajo estrecha vigilancia de los servicios secretos desde que aterrizó en nuestro país. La CIA avala su conducta. El desafortunado evento de hoy fue una simple consecuencia de su repetido silencio.'

"Yo no oculté nada", le espeté. "Ya te dije."

“De todos modos”, continuó Clark, “la organización criminal responsable de lo sucedido ha sido arrestada. Para las familias de los estudiantes y los noticieros de toda la nación, fue un atentado terrorista contra esta institución».

"¡Pero es inaudito!" replicó el capitán. “¡Esta chica es un peligro para sí misma y para quienes la rodean! Todo el mundo debe saber..."

"Le recuerdo que el Caso Tártaro está protegido por Secretos de Estado, Capitán", le disparó el agente. “Cualquier divulgación de información relacionada con partes no autorizadas es un delito de alta traición contra los Estados Unidos de América. Manejar la seguridad nacional y el secreto es mi trabajo, no el tuyo. La niña no representa una amenaza, eso es suficiente para que ella lo sepa.

"Tú lo dices", desafió el otro.

"Eso es lo que dice el gobierno estadounidense", dictaminó Clark con frialdad, "y como dije antes, no te concierne".

El capitán lo miró fijamente. Parecía a punto de replicar, pero sabiamente decidió no hacerlo. El oficial Clark desvió su mirada tranquila hacia mí.

“Señorita Nolton, puede irse. La CIA querrá hacerle algunas preguntas, pero puede hacerlo en su casa. Vienes a casa. Los agentes te seguirán hasta allí.

John no me dejó ni cuando me levanté. Se quedó con el cuello un poco metido, como un cóndor en la cavilación, y se echó unas miradas a su alrededor: fustigó al capitán de policía, fustigó al director, que no había dicho nada contra mí, y por fin fustigó Clark también, supongo que más por coherencia consigo mismo que por cualquier otra cosa.

Solo cuando puse mi mano sobre la suya pareció decidir que nadie me iba a apuñalar en los próximos veinte segundos.

Él asintió y me precedió fuera de la silla. Empecé a seguirlo, pero me detuve en la puerta.

Entonces siempre me has observado.

Clark permaneció impasible. Nadie nos escuchaba: el director y el capitán de policía estaban demasiado enfrascados en una discusión para escucharnos.

"Desde el primer momento".

"No estoy seguro de por qué no llamaste a la puerta de inmediato. ¿Cuál fue el punto de esperar todo ese tiempo?

"Pensamos que Robert Nolton había dejado Tartarus en Estados Unidos. Que en realidad siempre había estado aquí, y que tú, cuando volvieras, lo buscarías. Se volvió para mirarme. "Pero no fue así".

Cierto. Todo encaja.

Me habían estado monitoreando desde el principio, esperando para ver si los llevaría al Tártaro. En ese momento intervendrían, me lo quitarían, declarándolo propiedad indiscutible del gobierno.

Pero las cosas no habían salido como habían previsto. Así que se adelantaron y me ordenaron que se lo entregara en sus manos.

Eran ellos en los autos negros que Fiona había visto afuera de nuestras casas.

Ellos fueron la razón por la que me sentí seguida.

Nunca me habían perdido de vista.

"Si me estuvieras viendo las 24 horas del día, los 7 días de la semana, ¿cómo podría pasar esto?" —pregunté, aludiendo a la gravedad de lo sucedido.

"Nuestro propósito era averiguar dónde estaba el Código, así que nos limitamos a eso: seguirlo cuando saliera. Nunca la hemos seguido hasta aquí. Nadie notó ninguna anomalía hoy porque irrumpieron en el edificio en la camioneta de un trabajador del campo de fútbol.

Recordé la primera vez que salí: el amanecer en el cielo, ese hombre corriendo. Recordé su mirada severa, su cara nada sudorosa, y la mirada que me dio...

"Tenían acceso a los horarios, al circuito telefónico", murmuré. "Tenían armas pero no silenciadores. ¿Por qué traer armas si sabían que no podían usarlas?

"Su creencia en el crimen organizado me consuela, señorita Nolton", dijo Clark lacónicamente. «El mayor porcentaje de agresiones de este tipo deriva precisamente de una inexperiencia constante. Y por un error de juicio de las circunstancias", dijo. "Tienden a subestimar la situación si hay menores involucrados".

Lo miré sorprendida. La idea de que esas cosas sucedieran con más frecuencia de lo esperado allí me asustó bastante. Pareció entender eso, y su mirada se suavizó un poco.

"Llevaremos a cabo controles exhaustivos. No habrá otro incidente como el de hoy. Puedes estar tranquilo".

Traté de confiar en esas palabras y asentí, cansado. Mis extremidades dolían, mi cabeza estaba caliente y pesada, mi dedo palpitaba como un corazón de sangre. Literalmente me sentí destruido.

"¡Hiedra!"

Una voz me hizo dar la vuelta. Carly apareció al final del pasillo. No estaba sola: Nate, Travis, Tommy y Fiona estaban con ella.

Corrió por el pasillo y me abrazó. En ese momento vi cómo se reducían: los rostros distorsionados, las ropas sucias y manchadas.

"Oh, Ivy", susurró cuando alguien se inclinó sobre nosotros.

Era Travis. Nos abrazó y su calor me envolvió como una manta.

"Lo hiciste bien," dije temblorosamente. Capté la mirada de Fiona y ella apretó mi mano, sorprendida.

" Sin Nate, todavía estaríamos allí", dijo Travis. "Él era genial".

Nate sonrió, intimidado pero orgulloso. Su apariencia era la mejor del grupo. "Escucharon el disparo. ¿Recuerdas el primero? No sé cómo ya estaban ahí, pero... cuando se acercaron los policías logramos despejar el paso. ¡Y entraron!".

"¡Un héroe!"

"Gracias a Dios, Nate..."

Travis palmeó su brazo, todos comenzaron a hablar; Me quedé en silencio entre ellos, y por primera vez... me sentí en paz.

Como si no hubiera sobrevivido a lo peor. Como si no hubiera hordas de coches de policía afuera, o la televisión nacional transmitiendo en vivo.

Estábamos todos allí juntos.

Y eso estuvo bien...

Todo estaba bien, con Carly colgando de su cuello, Nate gesticulando y Tommy escuchando embelesado. Con Travis y su voz siempre demasiado fuerte y Fiona ahora quejándose de nuevo, pero sin dejarme ir.

Y cuando levanté la cara y miré al frente... lo que vi parecía imbuido de una quietud dorada.

Allí estaba Mason, al final del pasillo. Su cabello estaba despeinado y su camisa era un trapo debajo de la manta de socorro. John frente a él, un poco más bajo, lo abrazó.

Esa escena envolvió mi corazón en una luz cálida y dulce.

Los miré cerca el uno del otro y, después de un momento, Mason levantó la vista y se encontró con la mía.

Un amor ardiente invadió mi alma. Me pregunté cuán loco sería correr y abrazarlo también. Acurrúcate contra él y espera escucharlo corresponder.

Había mirado a la muerte a la cara.

Lo había sentido correr sobre mi piel.

Y sin embargo... en su presencia siempre fui una niña atrapada en sus sentimientos, demasiado enamorada para estar segura.

"Evy..."

El susurro de Carly me despertó. Volví a la realidad y ella me miró, profundamente preocupada.

"¿Pero qué pasó? ¿Por qué ese hombre quería llevarte?"

"La señorita Nolton ha sido víctima de un terrible malentendido", dijo una voz.

Todos nos giramos cuando se acercó el oficial Clark.

El ataque terrorista tenía como objetivo el secuestro de la hija de un conocido empresario de Essex, a cambio de un rescate, suponemos. Suponiendo que era un frente, deben haber asumido que era ella, que acababa de mudarse del extranjero. Por suerte intervinimos antes de que sucediera lo peor. No hay nada más que temer".

Mentiras. Una montaña de mentiras.

Sin embargo, por alguna razón, parecían creerlo. Sabía que no habían visto nada. Sabía que no habían oído. La distancia y el viento en los oídos se lo habían impedido. Y tal vez fue lo mejor.

"Deberían irse todos a casa", continuó Clark. "Tus padres te estarán esperando. Sr. Crane, usted también.

Juan se recuperó.

"Por supuesto que sí. Chicos... si alguno de ustedes necesita un aventón... tengo mi auto afuera. Ivy..."

"Me lo llevo."

Miré a Mason. Desvió sus ojos hacia mí, como si me preguntara si estaba de acuerdo, y un sorprendente calor hormigueó en mi pecho.

Asentí con la cabeza.

"Está bien", estuvo de acuerdo John.

Caminamos juntos. Cuando llegamos a la entrada para salir de la escuela, me sentía cada vez más débil y cansada. Ahora que el peligro había pasado, un extraño entumecimiento se extendía por todos mis huesos.

Afuera era un caos: agentes, familias, ambulancias, autos por todas partes. Estaba lloviendo, pero estaba demasiado cansada para preocuparme.

Salí en medio de la tormenta, tratando de mantener mis rodillas en alto, cuando de repente algo me envolvió. Me di la vuelta y vi la manta de Mason sobre mis hombros: me la levantó por la cabeza con un gesto automático, sin mirarme, y se me derritió el alma.

"Yo..." balbuceé incoherentemente, viendo cómo su cabello se empapaba con la lluvia. Mis mejillas estaban calientes, mi respiración casi dificultosa. No entendía lo que me estaba pasando. Me sentí lento, impotente, como si mi cuerpo hubiera experimentado un golpe muy fuerte y ahora se estuviera apagando.

Una vez que llegué al coche, me deslicé en el asiento del pasajero. Me pasé el cinturón por el torso e intenté abrochármelo con gestos flemáticos, pero el dolor en el dedo me hizo temblar la muñeca.

Lo intenté varias veces, hasta que una mano apareció junto a la mía y la enganché en silencio: me abandoné en el asiento con un suspiro debilitado y sentí su presencia a mi lado.

"Mason," susurré suavemente. Mis párpados se cerraron pero empujé las palabras antes de que se desvanecieran en mis labios. "Yo nunca... nunca querría ponerte en peligro... Si algo te pasara, yo..."

La mente se nubló.

Mis sentidos se embotaron y, antes de darme cuenta, me deslicé en la oscuridad.

Sólo al final me pareció oír algo.

Una mano.

Tocando mi cabello como una caricia.

"Evy..."

La voz de John hizo cosquillas en mi mente.

Luché por abrir los ojos. Aturdida, me concentré en la puerta abierta y su mano en mi hombro.

"Ivy, has llegado..."

Me desabrochó el cinturón y salí de la cabina mientras él agarraba mi mochila.

Me volví hacia Mason, pero solo vi mi reflejo en la ventana: él siguió con el auto y fue a estacionarlo en el garaje.

"La CIA está en camino", dijo John, guiándome dentro de la casa. "¿Quieres un trago? ¿Tienes hambre? No has comido nada desde esta mañana. Cuidado con el paso..."

"John..."

"Deberías tomar té. Necesitas azúcares. Te revisaron tan rápido... ¿Sientes dolor en la mano? ¿Quieres que llame a un médico?

"Juan," lo interrumpí. "Lamento no haberte escuchado".

Él se detuvo. Me miró sorprendido y continué.

"Tenías razón desde el principio. Me lo dijiste tantas veces... Debería haberte escuchado».

Si lo hubiera hecho, tal vez...

"No había forma de que pudieras haber evitado lo que sucedió hoy", murmuró, apretando mi hombro. "Ya escuchaste lo que dijo Clark. Ningún agente encubierto se infiltró en tu escuela. Te vigilaron en todo momento, pero nunca pensaron en ningún peligro real *para ti* . No estaban aquí para protegerte, Ivy, sino para seguirte. Si hubieran imaginado todo esto, también habrían reemplazado a nuestros jardineros por los suyos». Sacudió la cabeza lentamente. "Pensé que me estaba volviendo obsesivo. Me dije que estaba exagerando con todo esto de la sobrina que había venido de lejos, pero en cambio..."

"Tenías razón," terminé en un susurro.

John frunció el ceño y me apretó con fuerza. En su abrazo sentí todo el miedo que él sintió cuando lo llamaron al trabajo y le dijeron que era yo.

"Encontraremos una manera de mantenerte a salvo", lo escuché prometer de todo corazón. Su olor familiar llenó mis pulmones, y lentamente bajé mis párpados.

Estoy bien, papá...

No estoy solo. ya no lo soy

Pero desearía que estuvieras aquí.

Diciéndome que no tengo que preocuparme. Que llegará el día en que por fin pueda dejar de aguantarlo.

El mundo quiere Tártaro, papá. Y me gustaría decirle al mundo que has sido mucho más que eso.

Que fuiste la maravilla de mis días, una alegría que no pude pintar.

Que aún recuerdo tus caricias, cada una de las constelaciones que me enseñaste.

Y no importa cuántos días pasen... No importa cuánto tiempo pase.

Incluso si has estado fuera durante mucho tiempo, no importa.

John y yo te estamos esperando aquí...

Levanté mi rostro, mirando a los ojos de John y él se suavizó aún más.

Tenía que lucir como una chica de una chimenea: camisa de gimnasia sucia, cara manchada de polvo, cabello completamente desordenado.

“Yo... tengo que hacer una llamada telefónica. Por trabajo... Me fui sin decir nada. Junto a la nevera hay un botiquín de primeros auxilios. Lo pongo ahí para ti si lo necesitas..."

Asentí y él sonrió suavemente.

"Me tomaré un momento".

Se fue a telefonear y yo fui a la cocina. Mi mirada se posó en el pequeño baúl blanco. Me acerqué y lo tomé en mis manos, mirándolo por un momento interminable. Luego puse mi brazo alrededor de él y subí las escaleras.

Subí pesadamente las escaleras y salí al pasillo. La puerta de la trastienda estaba abierta. Nunca sucedió.

Me acerqué lentamente, hasta que estuve en la puerta.

Ahi esta.

Estaba sentado en el borde de la cama, con la cara baja, las manos tocando sus muñecas rojas. fue espléndido Me pregunté cómo podría habérmela negado a mí misma cuando lo conocía.

Mason era el tipo más agradable que he visto en mi vida. El cuerpo impresionante, las facciones cinceladas, esos labios carnosos que te hacían temblar. Era una de esas bellezas que nunca olvidas, porque grita como un terremoto o una tormenta en su furiosa fuerza.

Tenía el encanto de un destino impredecible.

Y yo había perdido mi corazón.

Levantó la cabeza y sus ojos me encadenaron, como cada vez. Me hubiera quedado horas admirándolos, para captar sus infinitos matices. Sentirlas puestas siempre fue una sensación íntima y poderosa.

Apreté el baúl entre mis dedos y entré. Me acerqué a él, luego, con un poco de vacilación, coloqué el botiquín en la mesita de noche. Mason observó ese gesto y volvió a mirarme.

Quería decir tantas cosas.

Que lo siento.

Que lo había puesto en peligro.

Que lo había llevado a amarrar, golpear, herir. Y luego hostigado, golpeado y amenazado con una pistola en la sien.

Quería decirle que todo era por mi culpa.

Pero no había necesidad. Él ya lo sabía.

Me sentí responsable de sus magulladuras, su conmoción y su dolor. Si hubiera tenido razones para despreciarme en el pasado... ¿cómo me miraría ahora?

Me di la vuelta, lista para huir de nuevo.

Dispuesto a condenarme por lo que jamás podría confesarle , dispuesto a huir por la eternidad sin siquiera tener el coraje de decírselo...

"Lo siento".

Mis piernas se congelaron.

Incrédulo, me quedé en silencio durante tanto tiempo que olvidé cómo respirar.

Me volví lentamente, sorprendido.

"¿Para qué?" Yo pregunté.

Mason levantó la cara.

Ya sabes lo que parecían decir sus ojos. Y me preguntaba cuál fue el momento exacto en que aprendí a leerlos. Siempre habían sido tan impenetrables para mí, como si no quisieran dejar que ni una mirada los tocara.

"Para todo", dijo su voz profunda y tranquila. "Por... no aceptarte."

Me quedé inmóvil, como si tuviera miedo de romper ese momento. Incluso mi corazón, ahora, estaba suspendido en ese silencio cristalino.

Mason bajó la cara, negándome la mirada, y ese gesto me impactó aún más.

"Yo estaba enojado. Muy enojado. Contigo, conmigo mismo, con mi padre antes que todos». Pasó una mano por su cabello castaño, dedos fuertes agarrando los mechones. "Siempre hemos sido solo nosotros dos. Él..." respiró hondo, obligándose a sí mismo a admitir esas palabras. "Siempre ha sido todo para mí". Apretó la mandíbula ligeramente, apoyando un codo en su rodilla. "No tuve dos padres juntos, no tenía abuelos con los que pasar el tiempo. Pero lo tenía a él. Y el resto no importaba".

Ya sabía esa triste verdad. Aunque nunca la mencionó, incluso ahora, sabía que se refería a su madre. Mason era solo un niño en ese momento: su apego extremo a John había sido desesperado, pero también comprensible.

"Hubo momentos, sin embargo, cuando él también estaba ausente", continuó. "Ella me dejaría al cuidado de su vecino y se subiría a un avión, rumbo a lo desconocido. Y a su regreso me dijo. Me habló de tu padre, de Canadá, de la nieve...» Vaciló. Me estaba hablando de ti.

Mi corazón se aceleró debajo de mi ropa.

"Crecí con esas historias", reveló con esa voz viril y maravillosa que me llegó al alma. «Parecía un mundo de cuento de hadas, una de esas esferas de cristal con pueblos encantados dentro. Y yo... quería verlo con mis propios ojos, quería conocer a la gente de la que me hablaba. Eran importantes, incluso un niño como yo podía entender eso. Pero cada vez que le pedí que me llevara con él... me decía que era demasiado pequeña. Que fue un vuelo largo, agotador, y tuve que esperar a ser mayor». Mason simplemente negó con la cabeza, mirando hacia un lado. "Las cosas nunca han cambiado. Ni siquiera con los años. Me trajo la sonrisa de sus viajes, las historias de un cielo donde de verdad se veían las estrellas. Pero nunca me llevó con él. Prefirió dejarme atrás, y yo no... no entendía por qué. ¿Por qué tuvo que dejarme de lado? ¿Por qué nunca te molestaste?"

Frunció el ceño, ladeando la cabeza.

"No podía aceptarlo", confesó en un tono duro y amargo. "Con los años, dejé de preguntarle si podía ir. Y cuando me contó hace poco lo que le había pasado a tu padre... Vi en él un dolor indescriptible. Un sufrimiento demasiado fuerte para que yo no lo sienta también. Pero al mismo tiempo sentí ira» entrecerró los ojos, como si esas emociones todavía le dolieran. “Porque nunca me dio la oportunidad de conocerlo cuando pude. fue su culpa Y ahora era demasiado tarde. Ya no podía conocerlo. Sólo el mejor amigo del que siempre me había hablado. El hombre al que amaba como a un hermano. mi padrino".

Un músculo se contrajo en su mandíbula mientras tragaba. También apoyó el otro codo en la rodilla, con las anchas muñecas colgando en el aire

.

"Y después..." continuó con voz ronca. “Ella me dijo que vendrías a vivir con nosotros. Sin explicarme nada, sin siquiera detenernos a pensar que siempre habíamos tomado decisiones juntos. Me había dejado fuera de nuevo. Entonces apareciste tú y yo estaba demasiado, demasiado enfadada... La amargura se reflejó en sus ojos. «Tú, realmente tú, que nunca antes habías dado un paso para venir a nosotros. Apareciste de un día para otro, sin importar nuestro equilibrio, sin importar todo lo que no era tu mundo. Y en el momento en que te vi cruzar esa puerta... todo lo que pude pensar fue que no te quería aquí. No te quería, tal como habían ido las cosas, sin que yo pudiera hacer nada. La forma en que, una vez más ... la única familia que he tenido me dejó fuera de nuevo.

Me quedé quieto.

Era la primera vez que realmente me hablaba. Siempre había creído que Mason era un chico retraído y reacio, de carácter rudo y con tendencia a la desconfianza. Siempre lo había culpado porque no podía entender lo que estaba sintiendo.

Pero yo no era diferente.

Nunca había tratado de ponerme en su lugar.

Nunca había tratado de comprender sus sentimientos.

Incluso había olvidado que existía.

Lo miré con ojos que lo miraban por primera vez.

"Todo fue repentino para mí también", susurré. "Yo... no di nada por sentado".

Nunca había querido forzar mi camino en su vida. Nunca.

Ambos nos habíamos sentido excluidos de nuestros mundos, aunque de maneras muy diferentes.

"Sé lo que significa. No tener a nadie más", agregué con dificultad. "Yo también, mi papá..."

Oh, no.

Tragué saliva, parpadeando. El dolor trató de hacerse cargo, pero luché para detenerlo. no hubiera llorado No ahí.

Sentí la mirada de Mason sobre mí, su respiración cautelosa y su presencia quemó como un asteroide en la habitación.

"Creo que... John quería protegerte," dije con voz ronca. "Tenía miedo de que involucrarte... podría ponerte en peligro de alguna manera".

De repente yo también sentí la necesidad de despojarme de mis paredes. Desmontarlos ladrillo a ladrillo y mostrarlos con mis propias manos. Mason tenía derecho a saber por qué tenía una pistola en la cabeza. Y yo... yo no quería mentir más.

«Mi padre...» comencé amargamente, apartando la mirada. "Antes de Canadá... Antes de mí... era ingeniero informático. Un hombre brillante, con una mente extraordinaria. El gobierno se fijó en él casi de inmediato. Le ofrecieron conseguir los medios que no tenía, financiaron su investigación. Papá solo tenía veintidós años —murmuré—, pero sus estudios en programación sensible fueron increíbles. Le pidieron que creara algo que evitara la filtración de datos del gobierno, un software que protegiera la información confidencial".

Agarré el dobladillo de mi camisa, buscando las palabras correctas. El dedo palpitaba, pero el dolor no me distrajo.

"Él cooperó con el gobierno," susurré. "Pasó años en ese proyecto, pero las cosas se salieron de su control. Sus estudios lo llevaron a la formulación de un Código sin precedentes. Ese fue el día que dio a luz a Tartarus —revelé—. El virus informático más poderoso jamás creado en el mundo.

Cerré los ojos, angustiada. En el interior, traté de reunir lo que sabía. Lo había encerrado profundamente, lejos de todo lo que había sido para mí, bajo la luz, la manta y los capullos de campanillas.

«Tartar corrompió cualquier archivo. Atacó y se apoderó de todos los sistemas operativos, y no hubo forma de detenerlo. No era solo un virus, era mucho más; mi padre había encontrado una manera de implementar técnicas inteligentes que le permitieron mutar. Esconder. Incluso... adaptarse».

"¿Adaptar?"

"Una inteligencia artificial", dije en voz baja. "Eso era lo que había estudiado durante años. Un intento experimental de poner la tecnología de la información al servicio del hombre».

Dudé, el cabello rozando mis pestañas.

"Cuando lo encontró en sus manos, estalló el caos". Entrecerré mis párpados, comprometiéndome a continuar. «Los periódicos la llamaron 'el arma del futuro ', fruto de una civilización marcada por el progreso, pero el gobierno censuró la noticia como secreto de Estado y amenazó a mi padre con acusarlo de traición a la patria. Tartaro era capaz de penetrar cualquier sistema de vigilancia, incluso los más avanzados del mundo» mi voz se adelgazó, pero probé la fuerza para no detenerme. "El Pentágono, las bases de datos del Área 51, los códigos de autenticación para ojivas nucleares... Ya nada era seguro".

Apreté los dedos, tragando amargamente. Hablar de eso casi dolía, porque en el fondo sabía cuánto le había costado. Era como descubrir que tenías pequeñas espinas adentro y sacarlas una por una.

"Mi padre *no era* un hacker", susurré con enojo. "No fue necesaria la presión del gobierno para darse cuenta de que lo que él había creado, en el servicio equivocado, podría armar un infierno. Pero el gobierno no lo quería en manos extranjeras... Lo quería para *sí mismo* » Entrecerré los ojos con reproche. "¿Un arma que controlaba todas las demás, incluso las de destrucción masiva? No podía haberse perdido." Negué con la cabeza, tratando de dejar de lado mis sentimientos. "El mundo no estaba preparado para el Tártaro. Y mi padre lo sabía. Así que, antes de que pudieran llevárselo... lo destruyó. para los que todavía creen que existe, y el Código marcó su nombre para siempre».

Finalmente me quedé en silencio.

Sentí una extraña sensación en mi pecho. Como si contar la historia de Mason Dad no me hiciera querer llorar, sino... respirar.

Después de un largo momento, lo miré.

Sus ojos claros no habían dejado de mirarme ni un segundo. Una luz cristalina, cálida y hermosa los iluminaba, y me preguntaba si había algo más hermoso que él escuchándome tan atentamente.

Bajé la cara, tratando de que no supiera lo emocionada que estaba de verlo mirarme así. “El gobierno piensa que papá me lo dejó a mí. Que podría haberlo escondido aquí, seguro de que algún día volvería. Y de la misma manera, esos hombres, hoy...” Me mordí el labio, apartando la mirada. Los recuerdos de ese día aún estaban vivos en mi piel.

"Le hubiera gustado venir", le confesé, segura de esas palabras. “Pero había huido demasiado lejos como para no tener miedo de regresar. Le hubiera gustado conocerte... lo sé».

Tragué saliva y una punzada me recordó los dedos brutales que me habían agarrado. Me cepillé la garganta, preguntándome si me había dejado una marca.

"¿Duele?"

Mason acercó su mano a mi cara. Instintivamente salté, me pilló desprevenido: golpeé el botiquín y se volcó. Un par de gasas rodaron y la botella de desinfectante cayó abierta al suelo.

"Oh".

Me incliné apresuradamente, avergonzado, enderezando la botella.

Pero, ¿por qué siempre fui un lío con él?

"Lo siento..."

Su brazo todavía estaba en el aire. Sentí su mirada en mí mientras la bajaba con cuidado, como si tuviera miedo de asustarme de nuevo.

Lentamente, se inclinó hacia delante y abrió el último cajón de la mesita de noche. Sacó un paquete de pañuelos para secarlos en el suelo, pero cuando estaba a punto de cerrarlo de nuevo algo me llamó la atención.

Contuve la respiración.

No fue posible...

Detuve su mano. Una esquina de papel amarillento asomaba por debajo de un viejo anuario escolar. Apenas era visible más allá del alboroto de llaveros, cargadores y auriculares. Pero allí mismo, cerca del borde, había una y alargada *y torcida...*

Suavemente, levanté el anuario y tiré hasta que la hoja estuvo en mi mano.

Lo miré con los labios entreabiertos, los dedos temblando imperceptiblemente.

"Le di a Mason tu dibujo", fue el recuerdo de la voz de John. "Le gustan mucho los osos. Estaba feliz, ¿sabes?".

Moví mi pulgar. Mi firma temblorosa se destacaba debajo.

Lentamente miré a Mason.

Lo observé con incredulidad, arrodillado en el suelo, ese viejo papel en mis manos.

"Lo guardaste..."

Después de todo ese tiempo, todos esos años... Después de todo lo que había hecho para mantenerme alejada de su mundo.

"¿Por qué?" Soplé sin palabras.

Ladeó la cara y un mechón de cabello oscuro se deslizó sobre su ceja. Lo observé mientras sus ojos se posaban en el dibujo de una manera que momentáneamente me recordó no al niño que era, sino al niño que había sido una vez.

"Es mío", dijo simplemente. Su voz era pura sinceridad. "Me gustó mucho."

Y ese fue el instante en que me di cuenta... que Mason me conocía desde siempre.

Desde que yo era solo un nombre en el papel, la niña blanca de los cuentos de su padre, *corriendo bajo un cielo donde se veían las estrellas de verdad.*

Los pensamientos se dividen. El alma se llenó de luz. Todo dio la vuelta y se convirtió en Mason que me vio cruzar el umbral de la casa... Que me vio a mí, Ivy, la chica de la que John siempre le había hablado.

Mason que me tenía frente a él en la mesa, que me pasaba en las escaleras, que me miraba dibujar en el porche, pensando que a pesar de todo me gustaba como cuando era niño.

Mason, que me vio andar descalza, que en mi apariencia finalmente encontró un significado para el nombre que llevaba, *Mason, que había guardado mi dibujo en el cajón de su dormitorio todo ese tiempo.*

Miré el papel en mis manos, sumergido en un universo en órbita de brillantes emociones, sentimientos y deseos.

Este era definitivamente el momento de decir algo inteligente.

algo profundo

E íntimo. Es apropiado y...

Y...

"Es terrible", espeté, mirando al oso deforme.

Infierno.

Pero cielos, era una lástima. Era casi aterrador, y de niño lo había considerado una obra maestra.

Siguió un largo silencio. Por lo que pareció una eternidad, deseé que un rayo me golpeara o se tragara el piso.

Entonces, de la nada, Mason se echó a reír.

La tensión se rompió con el sonido suave y ronco. Me quedé inmóvil, mi dibujo aún en mis manos bajas.

Mason reía , sus ojos brillaban, su pecho vibraba y su rostro aún estaba manchado de polvo. Y fue la cosa más hermosa que jamás había visto.

Su risa acariciaba mis oídos suavemente, y era seda en mis tímpanos, una melodía que escuchaba mezclada con la sangre.

Absorbí ese momento y sentí mi alma temblar. Ahora que poco a poco me permitía verlo de verdad, que ya no me mostraba solo lo peor de sí mismo... ya no podía percibir los contornos de lo que sentía por él.

Y fue una alegría inmensa, chispeante, tan suave y cálida que pensé que la había olvidado.

Fue la vida lo que inundó mi corazón, y antes de darme cuenta, entrecerré los ojos y correspondí.

Por primera vez desde que llegué a California, sonreí.

Le sonreí a Mason. Al estruendo de su risa. A la felicidad que me trajo poder mirarlo de esa manera.

Sonreí *profundamente* , suavemente después de papá, con mejillas cálidas, ojos brillantes. Con todos los colores que supe mostrar.

Solo después de un momento me di cuenta de que había dejado de reír.

Ahora todavía estaba en cada músculo. Los labios se separaron, la mano que se había levantado para acariciar su brazo, ahora inmóvil. Pero la mirada se clavó en mi boca.

Mason me miró de una manera que nunca antes había visto, sus ojos relampaguearon e incrédulos, el universo se cristalizó con él.

Al instante siguiente, su torso vino hacia mí. Sólo sentí el movimiento del aire, la sombra sobre mí: levanté la cara y su boca se cerró sobre la mía, sus pestañas apretadas contra mi mejilla. Me golpeó con un impulso inesperado y mis ojos se abrieron de par en par.

Un vértigo violento me mordió el estómago: me aparté con un sollozo y el dibujo se me escapó de los dedos.

Jadeé hacia él, totalmente sorprendida. La sangre latía en mis oídos, poniendo mis mejillas al rojo vivo, mis muslos en cambio todo un escalofrío.

Y él como yo, el espejo perfecto de mi expresión. Me miró sorprendido, no entendí si por mi gesto o por el suyo, y respiraba con dificultad como si por alguna razón le hubiera quitado el aliento.

El mundo latía. Nos encadenamos en un suspiro y esa tensión latía en el aire, en nuestras miradas, en nuestras respiraciones, hasta el agotamiento...

Su respiración se atascó en mi garganta: Mason me besó de nuevo y exploté.

Un universo de fuego y estrellas tronaba por mis venas. Me quemé y temblé, y por un momento todo lo que sentí fue el delirio de mi corazón incrédulo.

Su boca era terciopelo caliente, una caricia suave y decisiva que esculpió las paredes de mi alma. Me quedé quieto, tratando de no desmayarme. Casi me desmayo, la carga emocional que sentía era tan fuerte: mi piel brillaba, los latidos de mi corazón sacudían mi pecho.

Su olor empapó mi cerebro y no me di cuenta de lo que estaba pasando.

Sentí su mano deslizarse por mi cabello. Apretó sus dedos lentamente, y cuando movió esos labios carnosos contra los míos, perdí la cabeza por completo.

Mason me estaba besando y no podía respirar.

Traté de inhalar oxígeno, temblando lentamente. Me sentí tenso y vibrante, a punto de derretirme a sus pies como un charco de miel. Inclinó mi rostro hacia un lado y mi cabello se deslizó por su amplia espalda.

me hubiera matado.

Su cálido aliento acarició mi piel, prendiendo fuego a mis labios. Lo sentí en mi garganta como el más dulce de los venenos, y mientras el mundo retumbaba con el chasquido húmedo de su boca, una pira incandescente se encendió en mi vientre.

Extendí la mano y lo toqué.

Nunca había besado a nadie. Ni siquiera sabía cómo hacerlo, pero traté de corresponder con toda la emoción que estremecía mi cuerpo. Moví la boca como él, insegura y ansiosa, mientras con un suspiro tembloroso volvía a respirar. Mi corazón estaba en mi garganta, mi estómago estaba retorcido, mis manos temblaban.

Me senti mareado.

Mis dedos se deslizaron inseguros sobre sus hombros. Apreté, sintiendo los músculos tensos deslizarse bajo mis palmas.

Era cálido, suave y vigoroso.

Me sentí mareado por la euforia de poder tocarlo. Deslicé mis manos por su cabello y me aferré a él con todas mis fuerzas.

Mason jadeó en mis labios. Mi prisa nos emborrachó a los dos, haciendo que su respiración se agitara. Apretó su agarre en mis hilos y me besó apasionadamente: su cálida lengua se encontró con la mía y pensé en morir.

Me fallaron las fuerzas. Mis rodillas cedieron y caí hacia atrás, mis omoplatos contra el suelo. Su cuerpo se elevaba sobre mí: su musculoso pecho presionaba contra mí, y no podía pensar en un lugar más justo que donde su corazón latía contra el mío.

Deseaba que entendiera lo mucho que significaba para mí.

Que sintiera lo mucho que yo temblaba, como me quemaba la piel, solo porque me tocaba.

Quería decirle que lo amaba, que ni siquiera sabía cuál fue el momento en que me penetró así. Que estaba completa y locamente perdida en sus manos, esas manos ásperas y callosas que incluso en mis fantasías había soñado con sostener.

Que me había enamorado de él como cae la nieve , en silencio, suavemente, sin un sonido. Sin siquiera darme cuenta . Y cuando lo hube entendido, a estas alturas, ya estaba sumergido en él hasta el corazón.

En la desesperación inconsolable con que cerré mis brazos alrededor de él, deseé que pudiera sentir cada poro de mi cuerpo gritando: 'Bésame otra vez. Abrázame hasta que me duela, y luego no me sueltes nunca más...

"¿Hiedra?"

Un escalofrío, un sonido de pasos. La voz de John resonó en el aire y mis ojos se abrieron.

Sin pensar, clavé mis dedos en los hombros de Mason y lo empujé bruscamente. Escuché su gruñido molesto y luego el golpe de su cuerpo en el suelo antes de que me alejara.

Cuando John apareció en la puerta, encontró a su hijo sentado a los pies de la cama, pasando nerviosamente una mano por su cabello.

Y yo en cambio allí, en el rincón más alejado de la habitación, con la cara vuelta hacia la pared.

«Ivy, han llegado los agentes...», comenzó, vacilante. Miró entre nosotros antes de preguntar: "¿Estás bien?"

Mi cara humeaba. Metí el cuello en mis hombros.

"Sí," grazné, pero salió muy mal. Me aclaré la garganta y traté de ocultar mi sonrojo. «Estaré allí... inmediatamente».

John se demoró en la incertidumbre, y después de una larga mirada asintió. «Entonces los dejaré entrar mientras tanto. Te espero abajo".

Lo escuché caminar por el pasillo, confundido y desorientado.

Volvió el silencio, amplificado por el aire tenso, e instantáneamente decidí levantarme.

Sacudí el polvo inexistente de mi ropa y caminé boca abajo hacia la puerta. No quería ignorar lo que había sucedido, pero la vergüenza aún me hacía actuar como un tonto. De repente me avergoncé de la forma desesperada en que me había aferrado a él. ¿Se había dado cuenta?

"Esperar".

Su mano alrededor de su muñeca. Mason me detuvo y me detuve, mis labios se separaron.

«Mañana... hay una reunión».

Mi corazón se aceleró.

¿El combate de boxeo?

"Mi padre nunca se perdió uno..."

"¿Quieres ir allí de todos modos?" Pregunté en un susurro sorprendido.

¿Después de lo que había pasado? Después de lo que había pasado... ¿Todavía quería presentarse?

Me volví lentamente.

Todavía tenía ese corte en la ceja, un moretón en la mandíbula, pero sus ojos tranquilos sostuvieron los míos cuando dijo: "Es importante para mí".

Lo miré con el amor fibrilando bajo mi piel. Bajó la cabeza y su presencia alta y fuerte me envolvió en su encanto.

"Me preguntaba... si te gustaría venir", me tocó con el pulgar y vaciló. "Para venir a verme".

Estaba seguro de que podía sentir el pulso rápido a través de la carne delgada de mi muñeca.

me estaba invitando. Me estaba invitando a participar en algo suyo.

Lo miré con el corazón acelerado.

Por supuesto que lo estaba .

¡Sí, sí, sí, absolutamente sí!

"Está bien", solo logré murmurar, un poco aturdida.

Me miró alternativamente a los ojos, como si estuviera íntimamente complacido o sorprendido, y al mismo tiempo quisiera estar seguro.

Se lamió los labios hinchados y las pestañas rozaron sus pómulos cincelados mientras miraba mi muñeca.

«Vale...», murmuró en respuesta, y me perdí en su espeluznante voz.

Me preguntaba si alguna vez aprendería a acostumbrarme a él.

Si alguna vez iba a haber un momento en que no sentiría un hormigueo en mi piel, o esas chispas en mi sangre, por tenerlo demasiado cerca.

Y en el momento en que sus dedos me soltaron... Me di cuenta por primera vez de lo que acababa de suceder.

Mason... me estaba invitando a su vida.

23
De carne y cristal

"¿Todo está bien?"

Parpadeé. John, al otro lado de la mesa, me miraba con aprensión.

Me había levantado muy tarde.

Después de lo que había sucedido el día anterior, la necesidad de dormir me sacó de la realidad inmediatamente después de la cena. Había temido revivir en sueños lo que había pasado, pero en cambio mi cuerpo exhausto se había abandonado a un sueño espeso, pesado, entintado.

"Sí", respondí, un poco aturdida. En general, aparte del ligero dolor en mis músculos y huesos, me sentí descansado.

"¿Cómo está el dedo?" preguntó.

Miré el vendaje y lo agarré con la otra mano.

"Pulsa un poco. Pero nada que no puedas soportar".

John colocó una palma sobre mi cabeza y me entregó un vaso de leche fresca. Siempre compraba mi favorito, así que le agradecí y lo tomé en mis manos.

"Tú y Mason... ¿han tenido una pelea?"

No esperaba esa pregunta. Lo miré y dudó.

«En resumen... Cuando vine a llamarte ayer, tuve la impresión de que acababas de tener una discusión...»

Mis ojos se abrieron y mis mejillas ardían. Avergonzado, me volteé y pegué mis labios al vidrio.

Una parte de mí todavía no podía creerlo.

Mason y yo nos habíamos besado.

Se sentía como un sueño. De esos tan vivos y poderosos que se quedan en tu piel, y viven en tu cabeza. Pero fue real.

Él, sus manos, la sensación dolorosa y fibrilar de su boca contra la mía, asombro y agonía. Si lo pensaba, todavía sentía escalofríos...

"No hemos discutido," dije suavemente, sin mirarlo.

"¿No?" preguntó John, mirándome con ojos preocupados. "Y, sin embargo, tenía una cara... Parecía conmocionado".

La leche casi me ahoga.

"No," tragué saliva, lamiendo el bigote blanco en mis labios. "En realidad lo hemos aclarado".

Juan alzó las cejas. Me miró con asombro, sus iris sorprendentemente brillantes.

«¿Aclaraste...?»

"Sí".

"¿Y cómo?"

Sentí la fuerte necesidad de enterrarme. Me acurruqué en mi silla y observé incriminatoriamente cómo la vaca me guiñaba un ojo desde la botella de leche.

Habría sido demasiado vergonzoso decirle a John que su hijo y yo habíamos pasado de gritarnos insultos a terminar entrelazados en el piso de su habitación.

Esperaba que al menos no se mostrara en mi cara mientras le daba una explicación más aceptable.

“Le hablé de papá. Del Tártaro, de su pasado... todo». Hice una pausa y mi voz bajó. “Sé que siempre lo mantuviste en la oscuridad. Era el secreto de mi padre, y no querías que Mason se involucrara. Pero merecía saber la verdad".

John se quedó mirándome, absorbiendo esas palabras. Observé su rostro familiar y aprecié la forma en que pudimos relacionarnos. Siempre había creído que era un buen padre. Y tuve la confirmación de ello.

"Esa verdad te pertenecía a ti", dijo en voz baja. “Y dependía de ti compartirlo. Sé que de niño no podría haberlo entendido. Pero ahora tal vez entiendas por qué elegí no decírtelo". Inesperadamente, suavizó la mirada y sonrió. "En realidad, me alegro de que te hayas abierto a él . entre ustedes otra vez..."

Negó con la cabeza y se puso de pie. Agarró una pequeña caja de cartón blanca del aparador y volvió a sentarse.

"¿Cosas?" Le pregunté cuándo me lo entregó.

"Y para tí".

Lo miré y John me instó a abrirlo. Así que lo tomé en mis manos y saqué la pestaña de cartón.

Miré dentro y vi algo suave y blanco.

era una taza

Lo saqué y lo giré entre mis dedos, admirándolo brillar bajo el sol del mediodía; era simple, con lados completamente desprovistos de imágenes.

Miré a John. "Así que no tendré que usar el tuyo nunca más", estuve de acuerdo. "Gracias".

"No lo tomé". Él sonrió y yo fruncí el ceño. Mason lo compró.

Casi se me cae de las manos. La acerqué a mi pecho y apreté, sorprendido.

"¿Como?"

«Ya estaba ahí, anteayer. Creo que quería que lo encontraras. Intenté decírtelo, pero entraste apurado, me dijiste que ibas a esa fiesta y no tuve tiempo».

De repente recordé hace dos días, cuando acompañé a Nate por el pasillo.

Vi a Mason apoyado en mi casillero.

Él, que me había mirado con esa expresión en su rostro, como para disculparse.

Él, que ya me había comprado esa taza, quizás para decirme algo que todavía no podía decirme en voz alta...

Miré la cerámica suave entre mis dedos, incapaz de encontrar palabras para expresar lo que estaba sintiendo. Lo incliné frente a mi cara para imitar un sorbo, y en el instante en que lo hice, John se echó a reír.

Le di una mirada inquisitiva; luego, como presa de una súbita intuición, di la vuelta a la taza.

Me equivoqué. No todo era blanco. El lado que descansaba sobre la mesa estaba estampado con la impresión de una nariz de animal ligeramente puntiaguda, con pelaje blanco y negro debajo de un fino bigote.

Me lo llevé a la boca de nuevo, estupefacto; y cuando volví a inclinarlo, los ojos risueños de John me dijeron que, en efecto, era la cara de un mapache bajo mi mirada.

Unas horas más tarde estaba en mi habitación envuelto en mi soledad.

Era sábado y Mason estaba en el gimnasio preparándose para la pelea.

Le dije a John que quería estar sola, pero la verdad era que no podía dejar de pensar en el día anterior, cuando me invitó a ser parte de un aspecto tan importante de su vida.

También hay sitio para ti. ¿Era eso lo que estaba tratando de decirme?

En ese momento noté algo en un rincón, al pie de una caja. Caminé sobre la alfombra, descalzo, y cuando entendí lo que era, dudé. Un poco a regañadientes, me agaché para recoger el álbum de papá. Todavía estaba donde lo había tirado después de mi arrebato de ira: las páginas gruesas se habían doblado un poco, pero lo abrí para mirarlo de todos modos.

Me pregunté si no siempre lo había sabido. Que tarde o temprano sus monstruos me encontrarían.

Quería creer que había una razón por la que me había enseñado a soportar el dolor. Nunca me había criado para rechazarlo, sino para tolerarlo. A vivir con ello y aceptarlo en mi vida, porque hay cosas que no podemos cambiar.

Eso era lo que siempre había tratado de decirme. La verdadera fuerza no reside en la dureza, sino en doblarse sin nunca romperse.

Acaricié el álbum y lo hojeé, encontrando de nuevo nuestra foto. Todavía estaba metido entre esas páginas, justo donde, en el centro, destacaba la florecilla.

De repente, me di cuenta de que la tira de cinta adhesiva de doble cara a la que estaba adherida la Polaroid todavía estaba pegada a la página. Y tenía una esquina elevada.

Fruncí el ceño. Lo toqué con la punta de mi dedo índice, luego... lo aparté lentamente.

Mi corazón dio un latido que me ensordeció por un instante.

Debajo estaba escrita solo una palabra.

'LLAVE'.

Y eso cambió todo.

"No puedo hacerlo", le dije en mi tono descarado de niña.

La chimenea crepitaba al final de la habitación. Era una tarde como cualquier otra, pero el papel frente a mí era incomprensible. Había descifrado muchos mensajes de papá por diversión, pero este era diferente.

"Es porque no usaste la llave".

"No la entiendo. Prefiero el lenguaje oculto que me enseñaste cuando era niño".

Levantó una esquina de su boca.

«Porque es más fácil. Pero aquí tienes que usar este número. ¿Ves? Se llama clave criptográfica. Significa que es el secreto para llegar a la solución».

Me explicó estas cosas en un tono suave y paciente. Aunque me encantaba estar al aire libre y perderme en la naturaleza, la noche frente a un papá de chocolate me abrió las puertas a un universo completamente nuevo. Sus enseñanzas siempre me habían fascinado. Ellos eran lo que lo hacía especial. Parecían pertenecer a un mundo lejano, lisos y metálicos como uno de esos cohetes que desafiaban a las estrellas.

"Es muy difícil".

"No lo es," respiró suavemente. "Mira. La clave es 5. ¿No? Significa que para decodificar el mensaje tienes que reemplazar las letras con esos cinco lugares adelante. Si tienes A, se convierte en F. Si tienes B, se convierte en G..."

Seguí su razonamiento y me pregunté cuál era el punto de todo esto. ¿No era más divertido volver a intercambiar mensajes como antes?

«Es demasiado... tecnológico» murmuré malhumorado, porque me encantaban las cosas simples y eso ciertamente no lo era. Papá se echó a reír y presioné una mano en su mejilla sin afeitar. "¿Por qué te ríes? No te rías", le regañé.

"Porque este es el Cifrado César", dijo mientras tomaba mis dedos. "Es una de las criptografías más antiguas del mundo. Y llamarlo tecnológico, bueno..." Sus ojos brillaban divertidos y traté de alejarme de él nuevamente, ofendido.

Me gustó más cuando explicó cómo seguir huellas en el bosque.

"¿Por qué me estás enseñando esto?" Pregunté, girando el papel en mi mano. Vi que no respondió, así que levanté la cara.

Papá me estaba mirando, pero ahora había un tinte intenso en sus ojos.

"Porque todo, según se mire, tiene un significado diferente", dijo, en un tono que siempre recordaría. La clave de una frase lo cambia todo, Ivy. No lo olvide".

La llave lo cambia todo.

Me puse una mano en la boca y retrocedí, temblando de incredulidad.

no puede ser

Con un nudo en la garganta, corrí a mi escritorio y busqué mi cuaderno. Rebusqué entre los libros hasta que lo encontré y en mi prisa choqué accidentalmente con una caja de cartón, derramando su contenido en el suelo. Empecé a hojear las páginas febrilmente, sin molestarme en arrugarlas.

'Sopórtalo, Ivy' era el mensaje escondido en esos números. Pensé que había entendido su significado, pero la duda de que no era así inyectó una extraña y persistente esperanza en mi pecho.

¿Cómo no había notado esa palabra antes? ¿Ya no prestas atención?

Me senté en la alfombra, dándome la mano y colocando el álbum y el cuaderno uno al lado del otro.

La palabra CLAVE destacaba en la página en blanco, pero no había ningún vacío debajo.

Allí estaba el símbolo de la flor.

La campanilla de invierno.

Esa fue la clave.

Sentí que mi corazón latía con fuerza. Pude haberme equivocado, malinterpretado lo que papá quería decirme. Si la respuesta era campanilla, entonces la clave era 8, como el número de letras que la componían. O podría haber sido una flor, y entonces la clave era 5.

Pasé una mano por el cabello que caía sobre mi frente. Tuve que concentrarme. Razonamiento. Podría haber hecho varios intentos, pero si hubiera ingresado la clave incorrecta, no habría podido descifrar el mensaje correctamente.

Miré el símbolo y traté de verlo a través de los ojos de papá. No era una campanilla cualquiera, no era una flor cualquiera.

Era más que eso, era su significado lo que importaba...

Fui yo.

Miré la página sin respirar. Toda mi mente se reunió en torno a ese pensamiento, y el resto se perdió.

Pensé en Ivory, pero nuevamente me di cuenta de que 5 no era el número correcto. Nunca me llamó así.

Eran las 3. Como las cartas de Ivy. Como los pétalos blancos que formaban el capullo.

La clave era 3.

Tomé la pluma entre dedos temblorosos y comencé a escribir. Paso a paso, descifré las letras de 'soporta, Ivy'.

Traté de no cometer errores, de no apresurarme. Cada personaje importaba, o podría comprometer el resultado. Ni siquiera sabía si lo que estaba haciendo estaba bien, pero no pude evitar seguir mis instintos.

Cuando terminé, dejé el lápiz y levanté el cuaderno. Ante mis ojos había una serie de letras que no reconocí: 'VRSSRUWDLY B'.

Los miré como si quisiera desengancharlos de la sábana, como si quisiera diseccionarlos y comprender su significado.

Tal vez estaban fuera de servicio. Tal vez necesitaban ser ensamblados... Más preguntas se formaron en mi cabeza, y comencé a dudar de mí mismo.

¿Qué pasa si la clave no es 3?

¿Qué pasa si cometí un error?

¿Y si fuera solo otro agujero en el agua?

"¿Qué estás haciendo?"

Salté, asustado. Mi corazón saltó a mi garganta y me giré hacia la puerta.

En la puerta estaba Fiona. Llevaba un bolso colgado del brazo y el pelo castaño rojizo recogido hacia atrás con una gran horquilla. Cerré el cuaderno, desconcertado, y me puse de pie.

"Tú... ¿Qué estás haciendo aquí?"

"Tu tío me dejó entrar", dijo, mirando mi álbum de recortes en el suelo y luego mi expresión atónita. "Vine a ver cómo estabas..."

Cerré los labios, aturdido, y por un momento su respuesta me confundió aún más. ¿Había recorrido todo el camino... para ver si estaba bien?

"¿Qué estabas haciendo?" preguntó ella frunciendo el ceño.

"Yo nada". Bajé la cara y agarré el cuaderno en mis manos. Ese descubrimiento aún crujía bajo mi piel, pero traté de que no lo viera. También recogí el álbum y los puse de nuevo en el escritorio, tratando de contener mis pensamientos.

Iba a hablar con John al respecto. Tal vez fue una locura, tal vez solo estaba equivocado, pero él sabría qué hacer.

"Sé que Mason tiene la reunión hoy", dijo Fiona al entrar. Miró a su alrededor, escudriñando el entorno, luego su mirada se posó en mí. Sabía que no me veía bien. Tenía un moretón en la sien y marcas de huellas dactilares en la garganta, sin mencionar el dedo anular vendado que apretaba constantemente.

Y sin embargo... no pude evitar pensar que Mason me había besado así, como si la sonrisa fuera lo más atractivo en mí.

"Sí", dije, dándome la vuelta. "¿Vas allí?"

Sacudió la cabeza y colocó el bolso en mi cama.

"Es un deporte demasiado violento para mi gusto. Pero Travis siempre está ahí... No te pierdes ninguno".

Me aclaré la garganta y, sin siquiera saber por qué, me encontré diciendo: "Yo también voy".

Estaba seguro de que él percibió mi vergüenza, porque en cualquier momento se quedó helado. Se volvió hacia mí y un tinte extraño brilló en sus ojos.

"¿Oh sí?"

La observé estupefacto. No entendí por qué esa mirada, pero antes de que pudiera responder ella se enderezó y se alejó de mí. Fingió buscar algo en su enorme bolso, el tono forzado.

"¿Sigue siendo para ese chico que te gusta?"

Observé esa escena impasible.

"Fiona", comencé monótonamente. "¿No crees que es Travis?"

Ella se sonrojó, molesta.

"Por supuesto que no". Se encogió de hombros con altivez, pero no me perdí el matiz de fragilidad en su mirada sostenida. "Ciertamente habla más contigo que conmigo. Continúen y terminen en detención juntos..."

"El castigo fue un malentendido", le dije. "Y si no hubiera sido por eso, muchas cosas habrían sido diferentes ayer".

"Lo sé".

"¿Es por eso que estás aquí?"

Ella se congeló. Creí verla ablandarse y confiar, pero en cambio se enderezó bruscamente, enfurecida, y se volvió hacia mí con una expresión llameante.

"Sabes, a veces pareces tan limitado", me acusó a quemarropa, y la miré fijamente.

"¡Eres tú quien es excesivo!"

"Vine porque unos locos querían *secuestrarte ayer* ", dijo entre dientes. "¿Es posible que no entiendas eso?"

Me lanzó una mirada de desaprobación y solo entonces me di cuenta: Fiona *me estaba gritando* .

“¡Tenía miedo por ti! ¡Todos lo hemos tenido! A veces parece que estoy hablando con alguien de otro planeta. Estar cerca de ti es como intentar romper una bola de hielo con las uñas» gesticuló exasperada. Eres terco, introvertido, sin mencionar la forma en que te escondes dentro de tu ropa como si no quisieras que te vieran... Pero, ¿lo estás haciendo a propósito, o realmente estás tan ciego?

La observé estupefacto, asombrado, y ella se acercó.

“¿Puedes aceptar que alguien quiera ser tu amigo? ¿Que si te miran no es porque se ríen de ti? ¿No puedes dejar fuera a todo el mundo todo el tiempo?

Aparté la mirada, sorprendida y profundamente angustiada.

"I..."

"¿Qué?"

Sentí una incomodidad inexplicable.

En ese momento su mirada se posó en unas fotos antiguas. Habían salido de la caja que accidentalmente volqué. Yo estaba allí, siempre solo, en medio de valles blancos y mundos de niebla. Estaba yo en una foto de clase donde nadie sonreía a mi lado. Odié ese tiro, pero terminó entre otros: un compañero de clase extendió la mano para tirar de mi cabello antes de que el maestro pudiera detenerlo.

Fue entonces cuando Fiona pareció entender. El borde de sus ojos se suavizó, pero su voz aún azotaba el aire.

"Antes de dudar de ti mismo, asegúrate de no estar rodeado de idiotas".

Sus labios se fruncieron y su rostro se apartó. Los dos nos quedamos así, uno frente al otro, como dos gatos callejeros que acaban de tener una pelea.

"Lo siento", dijo después de un rato, con voz débil. "Todavía estoy tambaleándome por lo de ayer, y..."

Quería decirle que no lo hice a propósito. Siempre rechazando a todos. Pero no era bueno con la gente. En mi vida me había unido un par de veces, porque tenía razón cuando dijo que yo era terca e introvertida. Ni siquiera podía entender cómo me había enamorado.

“Gracias por visitarme”, dije, tratando de que mi corazón de ermitaño hablara un poco.

Olfateó secamente, acomodando su mechón de cabello, y comprendí que detrás de su actitud un tanto despectiva se escondía el cariño que no era capaz de demostrar.

«Vamos... siéntate».

Me sentó en el borde de la cama y sacó una pequeña belleza de bolsillo de su bolso. Empezó a cubrir el moretón en mi sien con un poco de corrector, frotando suavemente. Olía dulce, tal vez un poco artificial, pero extrañamente no me molestó en absoluto.

"¿Dónde aprendiste a disparar?"

Observé su rostro concentrado. Un ceño había aparecido entre sus cejas oscuras.

"En Canadá".

"¿Me estás diciendo que alguien te enseñó?"

"Tengo licencia", le dije.

Fiona se detuvo y me miró estupefacta.

"¿En qué sentido?"

"Que puedes obtener un permiso en Canadá cuando tienes doce años".

"¿A las doce?" ella enfatizó, incrédula. La miré simplemente y mi reacción la sorprendió aún más. "¿Me estás tomando el pelo?"

"No", respondí con calma. “Se debe contar con el consentimiento de los padres y asistir a un curso de seguridad realizado por la autoridad nacional”.

"Es... ¡Es absurdo!" murmuró.

La observé en silencio, porque sabía que venía de un mundo que pocos entenderían.

“Con nosotros hay familias que viven de lo que logran cazar y pescar”, admití. «En verano se corta la leña para sazonar, a fin de tenerla lista para el invierno. Usamos la nieve para conservar la carne y el pescado. Es otra forma de vida. Y es muy diferente de aquí".

Fiona me miró durante mucho tiempo, absorbiendo esas palabras. Pareció pensar en ello incluso mientras se inclinaba lentamente sobre mí de nuevo, para reanudar su trabajo.

"Solía jugar con muñecas cuando tenía doce años", murmuró. Luego, como movida por algún tipo de curiosidad, preguntó: "¿Qué es este lugar?"

"¿Como?"

"Canadá. ¿Qué lugar es?"

Sentí un calor en mi corazón y aparté la mirada, reuniendo en mi interior las palabras para responder a esa pregunta.

"Bueno, es..." tragué, absorto. "Genial. En verano se llena de flores y el aire huele a infierno. Las montañas se pierden en el horizonte y el cielo es tan grande que te marea. Cuando se acerca una tormenta, entonces, las nubes se vuelven de un amarillo cruel y todo parece inmerso en una luz mágica, extraña, nunca antes vista. Pero en invierno... la noche se enciende y parece caminar entre las estrellas. Se pueden ver las auroras boreales", soplé, con asombro en mi voz. "El cielo se divide en cintas y es como... Es como música. Una melodía colorida y poderosa, que baila en el aire y se eleva sobre el mundo. Hace temblar las piernas".

Me tomó un tiempo darme cuenta de que Fiona hacía mucho que había terminado y me estaba observando.

Me desperté y bajé la cara, avergonzado, agarrándome el dedo vendado. No quería que notara ese parpadeo en mis ojos. No quería que me viera como una bestia cautiva, forzada a abandonar su hogar.

Pero por dentro aún tenía el sonido de aquellas tormentas.

Los escalofríos del viento.

Tenía recuerdos de olores y nieve bajo mis dedos.

Tenía un espíritu selvático que corría entre las montañas y al anochecer descansaba a la sombra de un techo de estrellas.

Tuve los ruidos, y los perfumes, y los colores de una tierra inmensa. Y todos vivían dentro de mí.

"Se ve bien", dijo, con un toque de dulzura.

Sí , quería susurrar. Pero no lo hice.

Tal vez porque algunas cosas no necesitan ser dichas.

Viven en nuestra mirada y vibran a través de nuestra voz.

Animan nuestro corazón.

Y eso ya es suficiente de una respuesta.

Cuando John me dijo que Mason boxeaba a nivel competitivo, nunca imaginé que tanta gente asistiera a las peleas.

Una vez en el lugar de encuentro, me encontré en un contexto nunca antes visto. La arena era un gran óvalo, con un espacio central rodeado de filas elevadas de asientos. El anillo estaba en el centro, bien iluminado, en contraste con la tenue luz que lo rodeaba: a nuestro alrededor, un estruendo de voces llenaba el aire haciéndolo eléctrico.

"Voy a tomar un trago", me informó John. "¿Quieres algo?"

Le dije que no, y me prometió que volvería enseguida.

Miré a mi alrededor, levantando la visera de mi gorra para ver mejor; había muchos jóvenes, familias e incluso algunos niños acompañados.

"¡Hiedra!"

Vi un par de hombros fornidos que avanzaban entre la gente sentada. Travis me sonrió y vino a colocarse a mi lado. Parecía feliz de encontrarme allí.

"¡No esperaba verte! ¿Es tu primera vez aquí?"

Dije que sí y se inclinó hacia adelante para escanear los asientos junto al mío.

"¿Estas aquí solo?"

"Estoy con John", le dije, pero supe por la forma en que me miró a los ojos que eso no era lo que quería escuchar. "Fiona no está aquí", agregué.

Rellenó el cuello. «Imagínese, no era por Fiona... era así, solo preguntaba...»

Fingí creerle, al menos por un momento.

"De todos modos , ahora está soltero", solté. Travis me lanzó una mirada furtiva y lo miré directamente a la cara. "Entonces, solo para decir".

"Claro", murmuró como un niño grande. Sin embargo, tuve la impresión de ver que su estado de ánimo mejoraba notablemente.

Momentos después, las luces se atenuaron por completo en el ring. A un lado, Travis estiró el cuello para ver la llegada del árbitro y la entrada de Mason. Por otro lado, John, que había regresado mientras tanto, sorbía ruidosamente su bebida de un gran osito de peluche de plástico sonriente. Y yo estaba entre ellos, con un vaso idéntico en mis manos.

Infierno. ¡Y sin embargo dije que no quería nada!

Le di a mi padrino una mirada un poco malhumorada, y él sonrió satisfecho.

"Deberían estar llegando en cualquier momento", me informó Travis.

Observé el movimiento cerca de las puertas de los vestuarios y de repente sentí una extraña aprensión.

Había visto las marcas en su cara. Los golpes con los que había sido golpeado en la cabeza. Sin embargo, Mason estaba listo para entrar en ese ring para obtener más.

"Solo saldrá lastimado," susurré, mostrando mi preocupación. "¿Por qué no se dio por vencido?"

Travis me escuchó, y todavía levantó una comisura de su boca.

"Rendirse no es una palabra que entre en su cabeza". Apoyó los codos en las rodillas y observó la plataforma con una mirada profunda. "Mason nunca se ha perdido una reunión. Incluso cuando se lastimaba, incluso si tenía fiebre, siempre aparecía igual. La mayor parte del tiempo perdía, recibía fuertes palizas y faltaba a la escuela al día siguiente porque la fiebre le impedía levantarse de la cama. Pero siempre lo intentó".

Sacudió la cabeza, como si el mero recuerdo lo exasperara y lo divirtiera al mismo tiempo.

"¿Sabes que John, para castigarlo cuando era niño, lo hizo faltar a la práctica?" confió en mí. "Se puso en contacto con el entrenador para avisarle que Mason se iba a perder una semana de entrenamiento, y había dos flipados. ¿Te imaginas... En los niveles en los que estaba Mason, no podía permitirse el lujo de perder ni uno solo. Seguramente sabía cómo aclararlo".

John tomó un trago y lo miré de reojo. Simplemente no podía imaginármelo regañando a un niño Mason y castigándolo.

"¿Siempre asististe a todas las reuniones?" Pregunté, volviéndome hacia Travis.

"Bueno, sí. Los otros también están allí de vez en cuando, pero creo que todavía estaban demasiado conmocionados hoy. Carly generalmente viene a verlo con el hermano pequeño de Fiona. A Mason le gusta". Luego me dio una media sonrisa. "Y ahora estás aquí también".

Metí un mechón detrás de mi oreja, sintiendo mis mejillas arder.

Yo estaba allí con su padre y su mejor amigo. Ante la mera idea, una extraña sensación de júbilo y asombro se apoderó de mi estómago.

"¡Oye, ahí están!"

En un creciente coro de voces levanté la cara.

Dos figuras avanzaron hacia el centro iluminado. Un niño en bata amarilla, con paso tambaleante, caminaba por el pasillo entre las filas con el entrenador a su lado. Su tamaño me intimidó: tenía una constitución maciza, casi rocosa, con hombros rechonchos e inclinados. Lo vi entrar al ring entre los aplausos de la multitud.

Un poco más tarde apareció Mason.

Mi corazón saltó en mi pecho. La capucha de su bata estaba levantada, y en la sombra de la seda sus ojos oscuros brillaban como estrellas. Caminó hacia adelante con un porte orgulloso, exudando calma y tranquilidad, mientras su entrenador le ponía una mano en el hombro y le susurraba algo al oído.

Subió al estrado desde la esquina opuesta.

El árbitro, apoyado en las cuerdas, hablaba con alguien al pie del ring. El retador se quitó la bata y cuando Mason hizo lo mismo, la tensión en mi cuerpo aumentó.

La tela resbaló de sus hombros: la luz inundó su amplio y formado pecho, dibujando una obra maestra de curvas y aristas que te dejaría sin aliento. Sus pectorales eran anchos, ingeniosamente formados, y todo su cuerpo parecía hecho a medida como una máquina perfecta. Tenía una armonía magnética y viril, un hermoso coloso con un vigor explosivo.

Mason sacudió su cabello castaño y, al ver cómo los dorsales se deslizaban bajo su piel, me di cuenta de que lo tenía todo bajo las palmas de mis manos.

"¿Qué le haría a Mason Crane..."

La chica sentada frente a mí le dio un codazo a su amiga. Se rieron, balanceando los tobillos, y cuando Mason separó los labios para colocar protectores sobre los dientes, hicieron un comentario tan punzante sobre su boca que me encontré apretando mi vaso.

—Tómatelo con calma, Ivy —dijo Travis, notando el oso de ojos saltones en mis manos—. "No tienes que estar ansioso. Mason es bastante bueno".

Me mordí el labio y volví a mirar el anillo. Una voz enumeró su categoría y los datos personales de sus respectivos entrenadores en el micrófono, después de lo cual el árbitro se movió hacia el centro y pidió el inicio del partido.

El silencio se apoderó de los espectadores mientras ambos tomaban posiciones. Me acomodé mejor y me preparé para asistir al primer partido de mi vida.

El aire estaba cargado de anticipación, de electricidad, de miradas, de emoción y de expectativas...

Al sonido de la campana, rompieron.

Travis tenía razón: Mason era realmente bueno.

La puntería calibrada, los tiros precisos, los tiros rápidos y limpios. Los puñetazos venían de sus pies e integraban toda la fuerza de su cuerpo, con resultados devastadores.

Permanecí tenso todo el tiempo. Terminó el primer asalto por delante, pero el segundo no fue igual: el otro logró traspasar su defensa y golpearlo en la cara. Las heridas le hicieron apretar los dientes con tanta fuerza que me congelé en mi silla. El corte en su frente se abrió de nuevo; Mason se limpió la sangre de la muñeca mientras su entrenador gritaba algo. Ella lo miró atentamente y asintió antes de volverse hacia el árbitro.

Se movieron al centro para el último tiro. Sus respiraciones eran superficiales y sus pechos perlados de sudor. La mirada de Mason se fijó en el otro mientras volvían a tomar posiciones; Lo vi seguir cada movimiento de su rostro, como para asimilar cada inflexión, cada pequeña ondulación. Cuando bajó la barbilla, vi en él un destello de terror aterrador.

El timbre sonó.

La otra le cayó encima y Mason cerró la defensa; recibió una serie de golpes, pero abruptamente esquivó el último y lo golpeó en el estómago como un rayo.

El oponente se puso rígido y Mason continuó golpeándolo más y más fuerte, como un autómata. La brutalidad y la concentración se fusionaron en una mezcla mortal: el otro hizo para protegerse, pero Mason cargó desde un lado y lo golpeó de lleno en la boca.

El impacto del guante fue terrible. Su mandíbula vibró y su protector bucal salió volando en un chorro de saliva. Su rival puso los ojos en blanco y el choque de su cuerpo contra la lona hizo saltar a todos: Hice una mueca cuando Travis se llevó las manos a la cabeza.

«¡Mierda! *¡Es derribo!* »

«¿Qué es *derribar* ?» Pregunté mientras el árbitro comenzaba a contar los segundos. Junto a mí, John bebía con avidez de la pajita con los ojos pegados al anillo.

"¡Ahí es cuando uno es derribado!" Travis explicó con impaciencia. «¡Si no se resuelve en diez segundos, el partido ha terminado! ¡No... cinco... cuatro... tres... dos...!»

El sonido de la campana sopló el aire.

Travis y John se pusieron de pie de un salto y la voz en el micrófono anunció: "¡ *Knock-out* !"

Mason se quitó la protección mientras el entrenador vitoreaba con los puños en el aire y el rostro sonrojado. El árbitro levantó su brazo en el aire, anunciando su victoria, y mi corazón latía en mi pecho como loco.

Yo también me puse de pie, torpemente, y observé a Mason con ese estallido de voces. Me parecía que siempre lo había visto así, entre las luces de ese universo multicolor, en el centro de un mundo que le sentaba magníficamente. Su expresión era brillante ahora, sus hombros eran un manojo de nervios calientes y temblorosos. Sus ojos recorrieron hasta encontrarnos: John levantó su copa y yo escondí la mía.

Vi la mirada de Mason suavizarse mientras se enfocaba en su padre. En cambio, brilló con ironía ante la bulliciosa figura de Travis.

Finalmente se deslizó sobre mí.

Emergí entre decenas de personas, con la gorra al revés, los dedos envueltos en ese ridículo vaso, unos ojos en los que estaba segura se podía leer el ritmo acelerado de los latidos de mi corazón.

Y cuando Mason relajó su rostro y me miró con un profundo suspiro... mi corazón se rompió.

De repente me sentí envuelto en una luz estupenda, purísima, la misma luz que en ese momento brillaba en sus ojos espléndidos. Me alcanzó y me cubrió como el esmalte de oro.

Ya no estaba fuera de lugar.

Su mirada me había esculpido exactamente donde quería estar: entre su padre y su mejor amigo.

Porque finalmente me *quedé atrapado* , sí, ahí mismo, entre colores y palabras gritadas, tormentas calientes y olor a salitre.

Podría empezar de nuevo.

Podría sonreír de nuevo.

Podía encontrar la felicidad, aunque el dolor hiciera morir cada día centímetros de mi corazón, pero *volvieron a florecer* en los ojos de Mason, se convirtieron en campos infinitos desde los que admirar el cielo.

Podría haber vuelto a tener una vida, incluso si papá ya no estuviera a mi lado.

También había lugar para mí...

Mason se vio obligado a apartar la mirada. Su entrenador le dio un abrazo entusiasta y él se rió divertido.

"¡Qué partido!" Travis comenzó soñadoramente. «Yo también podría empezar a boxear, ¿eh? ¿Qué dices, Ivy? Puedo verme... Mira aquí qué poder». Levantó sus bíceps, asumiendo poses de fisicoculturista. "¡Estallido!" gritó con un chasquido. "Un gancho de derecha, una izquierda... otra derecha..."

"¿Te gustó la reunión?" John me preguntó mientras Travis seguía cantando.

"Era bueno", respondí. "Puedes ver cuánto le importa".

"Sí", murmuró mientras Mason dejaba el ring y desaparecía en el vestuario. "Traté de hacerlo cambiar de opinión, pero no hubo manera. Hoy quería estar aquí, a toda costa». Él sonrió. Al instante siguiente se enderezó con un suspiro y aplaudió. "Bueno, creo que podríamos celebrar con una buena pizza. Travis, ¿estás con nosotros?

"¡Ni siquiera preguntar!" respondió, alegre. "¿Debería hacer una ronda de llamadas telefónicas? ¡También escucho a los demás!"

"Gran idea", dijo John, mirando la hora. "Mason necesita ser informado..." Se volvió hacia mí. "¿Vas a decirle?"

La sonrisa que me dio me hizo darme cuenta de lo feliz que estaba con nuestra buena relación.

"Bueno..."

"¡Ay, Nate!" tronó Travis en el teléfono. «¡Mírate si ese idiota no ganó hoy también! ¡Llama a los demás, celebramos en Ciccio Pizza!»

"¿Pizza Ciccio?" John repitió, un poco alucinado. «No, no, es mejor en King Provolone».

Los ojos de Travis se agrandaron.

«¡Pero Ciccio Pizza hace masas rellenas de manteca!»

«El rey Provolone regala las cornisas fritas en manteca».

«Y Ciccio Pizza, ¿no? ¡Ciccio Pizza te hace sudar, manteca!»

Mientras John y Travis debatían qué pizzería era grasienta y más digna, decidí ir a decírselo a Mason.

Me deslicé entre la gente que convergía hacia la salida y me dirigí hacia donde lo había visto desaparecer. La cortina al final de la arena reveló un oscuro corredor: al final había una puerta entreabierta. La hoz de luz que venía de allí me hizo acercarme.

No quería molestarlo. Quizás estaba con su entrenador y hablaban de cosas importantes...

"Has sido bueno".

Me quedé helada. Esa *no era* la voz de su entrenador.

Acerqué la cara a la abertura: varios casilleros brillaban a la luz de una bombilla. La bolsa de Mason estaba en el banco central, pero eso no fue lo que me llamó la atención.

Clementine estaba sentada en una mesa cerca de la pared. Balanceó sus piernas bronceadas, su largo cabello suelto sobre sus hombros.

Sentí que los nervios se endurecían. ¿Qué estaba haciendo allí?

"No pensé que estuvieras interesado en ese tipo de cosas."

Mason estaba de espaldas a ella; vestía una camiseta blanca y la toalla entre los dedos. Se había quitado los guantes, pero no la miraba.

"Estoy muy interesado. Mi padre es dueño del club deportivo que administra este estadio». La tobillera que llevaba tintineó cuando cruzó las piernas. "¿Esto te sorprende?"

"No realmente", murmuró Mason sin interés. "Lo que no me queda claro es por qué estás aquí".

Ella arrugó la nariz, complacida. "Bueno, ser la hija del dueño tiene sus ventajas, ¿no? Por razones de prioridad puedo romperlo, algunas reglas..."

"Y estos *motivos* ", señaló Mason con sarcasmo, "¿se encuentran dentro de los vestuarios de los atletas?"

Clementina se quedó en silencio. Sus ojos se deslizaron hacia la figura de autoridad, hacia los dedos fuertes que agarraban la toalla, y una chispa ardió en su mirada. Sentí que algo se retorcía en mi interior cuando en voz baja murmuró: "Definitivamente".

Lentamente, Mason apartó la cara.

Se desabrochó las piernas y se bajó de la mesa. Ella se movió sinuosamente hacia él y el piercing brilló en su ombligo expuesto.

"Estas son buenas razones de hecho", susurró. "Pero de una forma u otra... siguen deslizándose entre mis dedos".

Lo rodeó y se detuvo frente a él. Sentí un nudo en la garganta que me impedía tragar.

La mirada hambrienta descendió sobre su pecho; ella se perdió en él, como si esa encantadora cercanía le chupara el alma y le quitara el aliento.

"Sé que lo entiendes ", siseó con un toque de vulnerabilidad. "Siempre lo supiste, pero nunca hiciste nada. Ni una vez... Su barbilla tembló bajo la mirada silenciosa de Mason. Levantó una mano y, con extrema sensualidad, la colocó sobre su pecho. Sus dedos tocaron la tela y su voz se adelgazó. "Si necesitas algo, puedo ayudarte. Para encontrar patrocinadores, o los mejores entrenadores de la ciudad... Tengo muchas conexiones. O para cualquier otra cosa... Para lo que quieras...»

Mason la miró por debajo de sus pestañas. Su expresión permaneció inescrutable cuando Clementine dejó escapar un suspiro y miró fijamente su boca llena.

Luego levantó una mano y la colocó sobre la de ella. La apretó ya esa distancia insignificante lo vi inclinarse sobre ella.

Acercó su rostro al de ella, sus labios a un suspiro de distancia de su piel.

"Hay algo que quiero..." le susurró al oído. "Pero no es nada que puedas darme".

Le quitó la mano y pasó junto a ella.

Mi estómago se agitó cuando Mason comenzó a quitarse las vendas alrededor de los nudillos. Clementine se volvió al instante, con los ojos muy abiertos.

"¿Eso es todo lo que tienes que decir?" preguntó sorprendida.

"No", espetó Mason sin darse la vuelta. "Cierra la puerta también cuando salgas".

Nunca como en ese momento amé su carácter áspero y exclusivo. Podía ser muy directo cuando quería, y yo lo sabía.

En el rayo de luz, vi temblar las manos de Clementine.

"¿Te molesta tanto mi interés en ti?" preguntó, furiosa y herida al mismo tiempo.

"Al revés. No me toca como debería". Mason apretó rítmicamente los dedos y se detuvo, pronunciando esas palabras más suavemente. "Ya te lo dije en la fiesta. Pensé que lo entendías".

No podía apartar los ojos de su ancha espalda. Estaba demasiado feliz para hacer eso. La esperanza era una flor que había trepado por todas partes, en mis huesos y en mi aliento, y ahora la sobrevivía.

Mis ojos se dirigieron a Clementine, seguro de que se daría por vencida.

Pero lo que vi fue otra cosa.

Emoción corrosiva goteaba de sus ojos. La chica sofisticada de antes se había ido: la ira que temblaba en su cuerpo era una tormenta a punto de estallar.

«Oh, claro, *está claro...* » siseó entre dientes. " *Es para ella, ¿no?"* »

Parecía un hermoso demonio enojado. Apretó las uñas y Mason simplemente movió la barbilla hacia ella.

"No sé de quién estás hablando".

"No *finjas* ", espetó enojado. No intentes seguir con esta farsa conmigo. Desde que llegó esa chica... la *canadiense* —escupió enfadada—, ya ni me miras.

Sentí una competencia casi enfermiza en su voz. Sabía que Mason nunca le había prestado la atención que pretendía. Por primera vez, vi a Clementine en su verdadero color: la posesión que albergaba para él era un veneno que ella misma se había alimentado.

"¿Crees que es ciega? Tal vez los otros sean tan estúpidos como para comprarlo, pero yo no. Lo vi —siseó—. He visto cómo la miras. ¿Crees que no ha notado las miradas que le das en la escuela cuando se va? O la forma en que la rescataste en esa playa, gruñéndote. ¿Que todos no respiren cerca de ella? ¿Crees que no sé *—replicó* enfadada— que esa no es tu prima?

Una espina de hielo me pinchó el esternón. Los músculos de Mason se tensaron y ese detalle se notó a través de la delgada tela de la camisa blanca.

"Sí", susurró con satisfacción. "No lo creí ni por un momento. Tu madre no tiene hermana. Y ella tiene mucho que esconder, ¿no es así? Lleno de mentiras, se revuelca en ellas como un *animal* ', siseó. "Le mintió a todo el mundo, sin la menor moderación. Es a ella a quien querían ayer. Pueden decir lo que quieran, pero lo entiendo. Y ya sabes cuánto tiempo tardo en decírselo a los periódicos» sonrió sádica, con una luz de locura en el rostro.

«Si todos se enteraran que fue su culpa... ¿te imaginas lo que pasaría? Apuesto a que se la comerían viva. Lo destrozarían. Oh, realmente me gustaría ver cómo lo verías después. Si aun así corrieras detrás de ella como lo hiciste en la fiesta, o la vieras de una vez por todas por la zorra asquerosa y repugnante que...

Un golpe violento estalló.

Clementine saltó y dio un paso atrás, asustada.

La mano que había golpeado bruscamente el casillero irradió una carga despiadada y atroz. Los nudillos se crisparon y los dedos se apretaron lentamente.

"Debes dejarla en paz" fue el peligroso silbido que serpenteó por el aire.

Ella lo miró fijamente, desconcertada por su reacción. Entrecerró los ojos, hirviendo con un odio loco y desnaturalizado por cada poro de su piel.

"Así que *es así* ", lo acusó ella aún más ansiosa por destrozarme. "Así es, tú el..."

"¡Me importa una *mierda* ella!"

Jadeé. Su voz retumbó como un trueno, azotando mi piel.

Mason se dio la vuelta, temeroso en su inconmensurable omnipotencia, y miró a Clementine con una aguda mirada de ira.

"¿Quieres la verdad? *Esto es todo* ', confesó con genuina repugnancia. "Desde el momento en que puso un pie en mi casa quise verla desaparecer. Ella, su ropa y todo lo que se llevó sin permiso. ¿Crees que algo ha cambiado? ¿Crees que le tengo cariño? Lo único que siento cuando la veo *es lástima* ', me golpeó con repulsión. «Si ahora tolero su presencia, es solo por mi padre. Solo por él, para recuperar la vida que tenía antes de que ella se interpusiera. Pero no puedo soportarlo. Todo sobre ella me molesta, y si estás convencido de lo contrario, realmente no entiendes una mierda.

Está mintiendo , mi corazón susurró desesperadamente. *Está mintiendo, no lo dice en serio...*

"Solo dices eso para protegerla", murmuró Clementine fuera de sí.

"¿ *Protegerla?"* Mason levantó una esquina de su boca y su cruel sarcasmo se sintió como una bofetada. "Fingí acercarme a ella solo para recuperar lo que es mío. Fingí aceptarlo porque no podía hacer otra cosa. ¿De verdad pensaste que me importaba? Espero el día en que ella regrese a donde vino y finalmente pueda volver a mi vida. Pero no quiero problemas para mi padre. Deja a mi familia fuera de esta historia".

"¿Y esperas que te crea?" susurró, confundida sin embargo por el disgusto que revelaban sus rasgos. "¿De verdad crees que eso es suficiente para hacerme cambiar de opinión?"

Ante esas palabras, la expresión de Mason se oscureció. Fue algo impresionante: sus iris se convirtieron en abismos, oscuros espejos de una ira primordial. Se acercó a ella, exudando un aura abrumadora y aterradora que incluso reverberaba en el aire. «Eres como *ella*... Eres como mi madre. Tu egoísmo enfermizo *me repugna* . Él se elevaba sobre ella y Clementine tragó. "Me importa una mierda lo que creas o no creas. Pero si descubro que has hecho algo, *lo que sea* , para causar problemas a mi familia... Su mirada desató una ira que habría hecho temblar a cualquiera. "Sabrás que has cometido un gran error. Aléjate de ella, porque no te lo volveré a decir. Ella no me es menos indiferente que tú. Solo estoy esperando el bendito día en que finalmente pueda verla *desaparecer* y regresar al rincón del mundo de donde vino. Una vez y para siempre. ¿Te quedó claro ahora? escupió sinceramente. "No la quiero aquí, nunca la quise aquí y nunca la querré " .

Di un paso atrás. Lo sentí exactamente como las otras veces: el crujido en mi pecho, el escalofrío, la luz que se desvanecía en mis ojos vidriosos.

Así fue como sucedió. Todo vibró, se desdibujó, se hundió en la oscuridad.

La oscuridad me devoró como las fauces de un monstruo inmenso. Me quitó el valor, la fuerza, la vida. Me arrancó todo.

Me ahogué en mis penas y las lágrimas nublaron mi visión.

Vi el disgusto en el rostro de Mason y el rechazo me empujó a través de mi cuerpo hasta que me rompí.

Ya no podía sostener esa mirada. No de él.

Cerré mis párpados, mirándolo, y de repente la idea de quedarme así para siempre, atrapada entre gritos y bofetadas, entre palabras llenas de odio que ya no podía soportar, me destruyó.

Soportar *una y otra vez* la frialdad de esas miradas, y *no,* mi mundo se estremeció, *por favor no, detente.*

" *Doblalo* ", aulló el dolor, como un dolor eterno, pero *no* , *esta vez no. No quería soportarlo más.*

Sentí el cuerpo girar: una fuerza destructiva se apoderó de mí, despojándome de todo color. Las piernas no me pertenecían, el aliento ya no era mío. Encontré la salida de emergencia un poco más adelante, la abrí y el cielo se abrió sobre mí.

Levanté la cara, aferrándome a la puerta. Mi oscuridad me cubrió como un moretón, me pintó con una necesidad desesperada de sentirme parte de algo.

Ya no quería quedarme allí. No había nada para mí. Nunca hubo nada para mí.

Debería haberlo sabido desde el principio. Donde *estaba* , solo que era su casa. Mi verdadero hogar.

Solté el mango y, sin *oírme* , salí corriendo.

Cursos sin ni siquiera el coraje de mirar atrás.

Corrí como solo lo hacía cuando era niña, cuando corría a los brazos de papá.

Y mientras el mundo se derrumbaba a mi alrededor, amontonándose en un derretimiento helado alrededor de mi corazón, me di cuenta de que el único lugar al que pertenecía era también el que nunca debería dejar.

Mi tierra.

Mi verdadero lugar.

Canadá.

24
Hiraeth

Nunca había sido una persona desconsiderada.

Nunca había dado cabezazos, ni tonterías, nada salvaje en mi vida. Siempre había preferido encerrarme en mí mismo antes que escapar.

yo era así

Me preguntaba cuánto había cambiado desde papá.

Me pregunté si me reconocería en aquella chica gris de rostro arrugado que miraba el mundo desde la sucia ventanilla de un autobús.

Había llegado a la casa de John en un instante.

Tenía recuerdos borrosos de ese momento; las escaleras, mis manos agarrando mi mochila y llenándola con algunas cosas: documentos, ropa, mi cuaderno, todo el dinero que poseía. Una botella de agua y el álbum de papá.

No pude escuchar nada. Ni siquiera cuando dejé esa nota apresurada en la mesa de la cocina. O cuando había empezado a llover y me subí al primer autobús que encontré, partiendo hacia Fresno.

Volvía a ser ese muñeco cosido con diferentes piezas, sentado con la trabajadora social en la mesa de un restaurante.

No me había dado cuenta de lo lejos que estaba mi hogar: tuve que tomar cinco autobuses y un tren solo para llegar a la frontera con Canadá.

Dormí un par de veces bajo los refugios de la estación. De etapa en etapa, sin embargo, el viento se hizo más fresco y más punzante, y por la noche lo había sentido mordiéndome los tobillos, acurrucado en las sillas de metal en las paradas.

Entre los recuerdos borrosos de aquellas horas, había innumerables llamadas de John. Y los mensajes, confusos al principio, luego cada vez más inquietantes, que se habían amontonado unos encima de otros, comiéndose mi batería.

La culpa había roto mi corazón, imaginando su rostro que no podía encontrarme en ninguna parte. El dolor me había consumido y solo había logrado enviarle un mensaje, apático 'Estoy bien', antes de que mi celular se quedara sin batería.

Nunca me había sentido tan vacío en mi vida.

Sin embargo, cuando llegó el momento de cruzar la frontera, hubo un problema.

El autobús se había detenido y la policía de fronteras había revisado los documentos de cada pasajero, hasta que me alcanzó.

"Los menores no deben viajar solos", había dicho uno de ellos, mirándome severamente.

Me dejaron salir y me encerraron en la oficina, donde un guardia inspeccionó mi identificación. También me había pedido el pasaporte y me preguntó adónde iba, los motivos de mi viaje, mientras con un ojo quirúrgico examinaba mi ciudadanía.

Le había explicado que me iba a casa.

"Los menores de edad no deben viajar solos", repetía, revisando la visa de expatriación y repatriación emitida por la Autoridad Canadiense adjunta a mis documentos. Pero yo vengo de allí, nací y crecí allí; Yo no era un extranjero, solo estaba regresando. Ese era en todos los aspectos mi país.

En ese momento, yo había estado en el camino por más de treinta horas. Había contratado a dos más en esa oficina, convenciendo al agente de que mi papeleo estaba en orden.

Al final, después de varias miradas superficiales y otras tantas preguntas, me dejaron continuar.

Habían tardado otros dos días en llegar a la lejana tierra del Yukón. Había pasado el tiempo de espera entre un autobús y otro acurrucado en las salas de espera, con la capucha de la sudadera levantada y el sombrero calado sobre la cara. Mirando a las personas sin hogar al pie de las paradas de autobús, me sentí más como ellos de lo que me gustaría admitir.

Pero todo había cambiado cuando el paisaje tan familiar para mí había comenzado a fluir ante mis ojos.

Cuanto más al norte llegaba, más verdes se volvían los bosques. Las ramas brillaban con gotas de lluvia, como botellas rotas contra la luz.

Y ese sol de cristal brillaba en las laderas, entre nubes blancas y montañas de nieve.

Ese fue mi Canadá.

Finalmente... estaba en casa.

El aire picaba la piel. Sabía diferente, *ese* sabor.

Me golpeó una ráfaga repentina y bajé los párpados, inhalando profundamente: llené mis pulmones con ese viento y me di cuenta de cuánto lo extrañaba.

Realmente estaba de vuelta.

Sentí el suelo crujir bajo mis pies mientras caminaba por el camino. Tenía la sensación constante de moverme como una marioneta rota, arrastrando tras de sí sus cuerdas rotas. Un lamento estaba ligado a cada uno de ellos, pero a medida que avanzaba por las montañas que siempre había conocido, sentí que podía establecerme allí.

Ese fue el ajuste perfecto para mí.

Mi mosaico perfecto.

En un momento miré hacia arriba. El camino se bifurcaba, retorciéndose como una cinta en la nieve. Y ahí, justo ahí, estaba el camino de tierra de mis recuerdos.

Nada había cambiado. Aquí está nuestra pila de madera, la camioneta cubierta con lona, el buzón oxidado.

Y luego la cabaña de troncos al final, recortada contra el bosque de alerces. Todavía, intacto, como la última vez que lo había visto.

Por un momento perdí todo sentido de la realidad.

Volví a cuando llegué a casa de la escuela y pude ver la sala de estar desde las ventanas. Las galletas se horneaban en la chimenea encendida y una fragancia de jengibre flotaba en el aire.

Y él estaba allí, por detrás, todavía con fuerzas para partir leña. Llevaba el jersey arremangado hasta los codos y el halo de su aliento lo hacía más real que nunca. Para hacerlo vivo...

Se me cortó el aliento.

Una sombra se movió detrás de una ventana. Mis ojos se abrieron como platos y una ardiente e ilógica esperanza bombeó febrilmente en mi corazón.

Empecé a correr hacia la casa, tropezando varias veces en el camino. Mi mochila golpeó contra mi espalda cuando saqué el juego de llaves y, llegando al porche, inserté la correcta en la cerradura.

Abrí la puerta con el aliento atrapado en mi garganta.

Se dio la vuelta, frente a la estufa. Sus rizos estaban desordenados, como siempre, y sus ojos brillaban en su sonrisa cuando aterrizaron en mí.

" *Bienvenida de nuevo, Ivy* ".

Una cola peluda se precipitó en las sombras: un mapache corrió sobre un mueble y se deslizó por el agujero de una ventana rota.

Me quedé en la puerta, envuelto en silencio.

Después de un momento, mis dedos se deslizaron del mango. Caminaron de regreso por el costado, como si por un momento realmente creyera que había encontrado a alguien.

Lentamente, me di la vuelta. Cerré la puerta y me quedé mirando las tablas del porche, en las que estaban las huellas de una sola persona: yo.

Él no estaba allí.

El viento sopló a través de las tumbas de mármol, trayendo el olor de la tierra y la nieve.

El silencio reinó a mi alrededor una vez más.

El collar rozó mi piel mientras miraba el plato blanco.

Para recordarme que él había estado allí.

Que una vez lo tuve a mi lado.

Que no era la locura lo que me partía el pecho: aunque el mundo hubiera seguido adelante, había habido una vida en la que él había estado conmigo.

No tuve el coraje de tocarla. Sentí que me derrumbaría si lo hacía. Me quedé allí, frágil e inútil, mirando a papá entre las campanillas que le había traído.

Traté de mostrarle la fuerza que siempre había visto en mí. Pero solo pude volver a verlo cuando era un niño.

Me dijo: " *Mira con el corazón* ", y sentí que me temblaban los párpados. Mis ojos ardían y la angustia me abrumó con todo su poder.

Se inclinó frente a mí y yo colapsé de rodillas frente a él.

Me estaba estrechando la mano , y aplasté mi sombrero entre mis dedos, mi frente reducida a un laberinto de surcos.

Quería decirle que estaba allí. Cerca de él.

Que había intentado seguir adelante, pero todo gritaba su ausencia. El viento gritaba, las nubes gritaban, cada recuerdo que tenía de él gritaba.

Yo había sido un tonto.

Donde él estaba, sólo eso era su hogar. Pero papá estaba muerto y Canadá nunca volvería a tener los mismos colores. Nada volvería a ser igual. El vacío que me dejó era demasiado grande para llenarlo con una casa de troncos.

Mientras sollozaba y me acurrucaba junto a su lápida, me preguntaba si había alguna esperanza de darle todo lo que tenía por última vez.

Él siempre sería mi sol.

Mi estrella en la oscuridad.

Nunca podría brillar de nuevo.

El anciano cuidador del cementerio me despertó.

"No puedes quedarte aquí", dijo, poniendo una mano en mi hombro.

Hice una mueca, mirándolo con los ojos rojos e hinchados. Me miró dolido. Me preguntó si necesitaba algo, si podía ayudarme, pero me levanté rápidamente y me sacudí la ropa, demasiado cabizbajo para responder. Me alejé caminando hacia el frío glacial, con los labios agrietados y la sal de las lágrimas congelada en mis mejillas.

Cuando llegué a casa, las tablas del porche crujieron bajo mi peso. Entré con gestos mecánicos y deslicé mi mochila al suelo.

Estaba todo como lo había dejado. El polvo cubría el suelo. Varias sábanas blancas estaban dispuestas en los sofás y las ventanas cerradas proyectaban una penumbra brumosa y lúgubre en la habitación. Entré a mi habitación, encontrando el colchón cubierto de plástico; Agarré mi mochila y me instalé en la habitación de papá.

Todo era tan familiar, pero la magia de mis recuerdos no se sentía igual. Estaba enterrado bajo capas de gris y abandono.

¿Qué había pensado? ¿Vivir allí solo? ¿Volver a mi vida, como si nada hubiera cambiado?

Miré la casa vacía. Nos vi sentados a la mesa, con una taza de chocolate en la mano y esa luz cálida que se extendía desde la chimenea, escribiendo mensajes en papeles.

Me invadió una antigua determinación. Apreté los dedos y una obstinación abrasadora brilló en mi mirada devastada.

Me quité el sombrero y lo puse sobre la cama. Luego me até el pelo con una goma y me puse manos a la obra. Primero bajé a la bodega: encontré el tablero general y accioné el interruptor de agua y luz, luego me dirigí a la estufa. Puse dos leños grandes y, una vez encendido el fuego, cerré la puerta y volví arriba.

Corrí las cortinas, abrí las ventanas y dejé que el aire circulara. Entonces comencé a limpiar. Barrí el piso, saqué el polvo de la chimenea, la cocina y la sala de estar . Hice lo mismo con el resto de las habitaciones también. Me llevó varias horas pero, una vez terminado, me detuve a mirar el resultado.

Ante mí estaba la sala de estar, ahora cálida y llena de luz. A la izquierda, la gran placa perfectamente limpia y la isla de roble hacen que ese rincón sea rústico y sugerente. A la derecha, en cambio, el sofá de cuero con su mesa de centro y la suave alfombra de lana roja, todo ello inmerso en un agradable contraste con la madera oscura del ambiente; la gran chimenea de piedra dominaba el contexto, dando una impresión sencilla y cómoda.

Numerosas velas y marcos revivieron el ambiente, recreando el aura acogedora y vivida de mis recuerdos.

Ahora todo estaba como siempre.

Fui al baño y me desnudé: reprimí un escalofrío cuando salió el agua fría de la ducha, pero me armé de valor y entré de todos modos. La estufa tardaría un tiempo en hacer su trabajo. Quité la suciedad de los días de viaje, el sudor y el polvo, y salí renovado.

Me vestí con la ropa que había dejado en mi armario: una camiseta térmica, un suéter gris perla suave con mangas abullonadas y mallas deportivas. Me puse la chaqueta, agarré las botas hasta la rodilla y los guantes de fibra y salí al porche, donde me los puse.

El cielo era un manto plateado. A su alrededor, chorros de nieve congelada blanqueaban el suelo y las copas de los árboles.

Saqué la lona de la camioneta e intenté arrancar el motor. Los tambores hicieron una rabieta. Ocurría a menudo en el frío, así que sabía exactamente cómo hacerlo: era necesario sacar la carga y las pinzas del armario trasero, pero después de unos minutos logré ponerlo en marcha.

Fui a la ciudad a hacer algunas compras. Papá me había dejado todo el dinero que teníamos, pero aún tenía que encontrar la manera de valerme por mí mismo. Algunos me miraban, susurrando por lo bajo, preguntándose si realmente era yo, la hija de Nolton, pero me bajé la gorra hasta la cara y no miré a nadie.

De vuelta a casa, una calidez delicada me dio la bienvenida. Arreglé la leche y el resto de cosas que había comprado y, en ese momento, me acordé de mi celular.

Cuando logré volver a encenderlo, una cascada de notificaciones llenó la pantalla: también encontré llamadas perdidas de Carly, Fiona y varios números desconocidos.

Me mordí el labio y le envié otro mensaje a John. Sabía que tarde o temprano tendría que hablar con él. No podía dejarlo así, no después de lo que había hecho. Me había equivocado al irme sin decirle nada y el remordimiento me atormentaba. Quería explicarle que todo estaba bien, que no era su culpa. Que él había hecho todo por mí y que era la última persona en el mundo a la que quería lastimar. Elegí escribirle a él, y esperaba que él entendiera cuán sincero era.

Mientras limpiaba el polvo de mi rifle unos momentos después, sentado en la mesa debajo de la ventana, me pregunté si ella lo creería...

Un ruido repentino me hizo levantar la cabeza.

Pensé que había oído mal, pero poco después me pareció oír un crujido sobre los suaves sonidos del bosque. Tal vez el mapache de esa mañana todavía estaba por ahí. Suspiré y me prometí no dejar la basura afuera, o él nunca se iría.

Continué donde lo había dejado, limpiando el paño sobre el cañón y volteando el rifle hacia el otro lado.

Un golpe fuerte, y salté.

Fue tan inesperado que la tela se me cayó de las manos: me quedé allí, con los ojos muy abiertos y los dedos cerrados sobre el rifle.

Cuando lo escuché de nuevo, mi corazón saltó en mi estómago. Tiré mi silla a un lado y me puse de pie, porque afuera había un mapache de seis pies de alto, o era un maldito oso tratando de entrar.

Me puse la escopeta al hombro, pero en ese momento la puerta se abrió.

El olor del bosque penetró en una ráfaga fría: una figura imponente apareció ante mis ojos helados. Llevaba una mochila al hombro y un gorro de lana, pantalones cargo y un par de botas militares negras debajo de una chaqueta del mismo color. Cruzó el umbral, pasos pesados y un pañuelo sobre la nariz.

Pero fue solo cuando me encontré con esos ojos que mi corazón se detuvo.

Sentí que el mundo se estremecía y mi lengua se convertía en piedra.

No fue posible...

"¿Masón?" susurré con incredulidad.

La consternación me dejó inmóvil, incapaz de darme cuenta de lo que estaba frente a mí.

No, no puede estar ahí.

Estaba en el Yukón, en mi casa, a cientos de kilómetros de él. Eso fue una ilusión. La ilusión más baja y hechizante que pude imaginar...

Mason miró a su alrededor. Sus ojos felinos recorrieron ese entorno desconocido, lentamente, luego llevó sus dedos al borde de la bufanda y la bajó.

Vi el beso de escarcha en sus pómulos, sus labios enrojecidos por el aire de la montaña. Y me sentí desarraigado de mí mismo.

Era real.

No me lo estaba imaginando, él no era como papá. Mason estaba en Canadá, en mi puerta. Y cuando finalmente fijó su mirada en mí, realmente me di cuenta de que lo estaba mirando.

"¿Qué estás haciendo... cómo..." tartamudeé mientras caminaba en toda su altura.

Entrecerró los ojos hacia la marta disecada sobre la chimenea; en el momento en que habló, el sonido de su voz hizo añicos todas mis dudas.

—Desaparecieron todos tus papeles —murmuró sin bromas. "Incluso el visado de expatriación y repatriación que tenías cuando llegaste. Estaba claro que lo necesitabas para pasar el control fronterizo. ¿Dónde más podrías haber ido?

No me saludó, no me dijo nada más que esas palabras, como si fuera completamente normal encontrarlo reinando entre los muros bajos de mi casa.

Fue surrealista.

Lo miré sin palabras, presa de mi desconcierto. Mi cuerpo estaba entumecido, mi mente estaba confundida, me sentía aislado del mundo.

«¿Qué... qué has venido a hacer aquí?»

Mason fijó sus ojos en los míos. Me miró con determinación, y esa mirada me despeinó el alma.

"Me parece obvio. He venido para llevarte a casa".

Todo parecía salir mal. Por un momento, me quedé tan quieto como si me hubieran disparado.

Pero al momento siguiente... una emoción virulenta se disparó por mis venas, y me encontré temblando, aunque esta vez no de asombro.

Masón estaba allí. El conocimiento se endureció bajo mi piel: los recuerdos ardían en mi estómago y le di una mirada radiante.

Estoy *en* casa.

Aparté mi mirada de él y me dirigí a la puerta. Pasé corriendo junto a él, pero sentí que un fuerte agarre me agarraba por encima del codo.

"¿A dónde crees que vas?" preguntó parándose sobre mí, pero sacudí mi brazo y lo miré a la cara, enojado.

Será mejor que vuelvas. Venir aquí fue inútil, viajaste por nada.

"Creo que no entiendo", dijo irritado. Se inclinó hacia mí, y en sus ojos agudos percibí toda su alteración. "¿Sabes el susto que le diste a mi padre? Desapareciste sin decir nada, ¡pasamos horas buscándote antes de encontrar esa nota en la cocina! ¿Es posible saber qué diablos te pasa?"

Apreté mi agarre en el rifle. Masón se congeló. Apretó la mandíbula y miró mi mano. Al instante siguiente me apuntó de nuevo.

Lo apoyé con toda la obstinación de que era capaz.

"Estoy exactamente donde quiero estar. John se equivocó al enviarte, eres la última persona que podría convencerme de volver» siseé, más herida de lo que me hubiera gustado. "Después de todo, eso es lo que siempre has querido, ¿no?" Vi algo brillar en sus ojos y entrecerré mis párpados, gruñendo toda mi ira hacia él. "Deseabas recuperar tu vida. Querías deshacerte de mí. Bueno, felicidades, Mason", concluí, "lo lograste".

Lo pasé y esta vez le di un hombro. Esperaba demolerlo, lastimarlo, pero fui el único que se desmoronó. Me convertí en un laberinto de grietas desde ese único lugar, y fruncí los labios, tratando de no desmoronarme.

Me colgué la cuerda del rifle al hombro y apreté los puños mientras los jirones de alma que me había dejado latían como estrellas moribundas.

"Vete," ordené sin siquiera darme la vuelta. "No quiero encontrarte aquí cuando regrese".

Caminé hacia el bosque, con un nudo en el centro de la garganta. Lo dejé atrás de una vez por todas, tratando de ignorar la llamada en mi pecho.

Había tocado la esperanza, y me había hecho frágil.

Había conocido el amor, y me había roto el corazón.

Finalmente había entendido una cosa: hay miles de formas de morir en el mundo.

Los que te matan por fuera, y los que te matan por dentro.

Pero solo hay uno grabado con tu nombre.

Y late en el pecho de otra persona.

25

Siempre conmigo

Mason obviamente no me escuchó.

No solo no se fue. Pero también vino detrás de mí.

Escuché sus pasos en los arbustos detrás de mí mientras caminaba por el bosque. Sin embargo, permaneció a distancia, como si yo fuera el animal peligroso e indeseable.

Seguí caminando hasta que llegué a la extensión de hierba al borde del bosque.

Avancé entre los tallos quemados por el frío, y cuando encontré una buena posición, saqué la punta de una yerba y la froté entre mis dedos hasta que se desmoronó. Comprobé en qué dirección soplaba el viento y luego esperé.

Hubo que esperar un rato antes de ver movimiento alguno, pero cuando vi vibrar la vegetación me preparé: una pareja de gansos alzó vuelo y el tiro estalló dos veces. El eco subió a las montañas, levantando rebaños distantes.

Vacié el cañón con un clic y los cartuchos vacíos cayeron al suelo. Los recogí cuando una ráfaga de viento se elevó a mi alrededor.

Fue como si la tierra me acogiera y el aire se moldeara a mi alrededor. Mi alma había sido forjada por ese cielo, templada por esa brisa, y nada podía romper ese lazo.

Sentí una sensación en la nuca y, apoyando el rifle en mi hombro, me di la vuelta.

Lo encontré al borde de los árboles. La sombra de las ramas atravesaba su rostro, pero sus pupilas estaban fijas en mí. Le devolví la mirada por encima del cañón, el pelo ondeando al viento.

Es Mason, me susurró el corazón. Recordé lo mucho que deseaba que me viera así. Cómo deseaba que realmente me conociera. Que conocía mi verdadero yo...

Suprimiendo el infame calor en mi pecho, desvié mis ojos. Ese momento de fragilidad revitalizó mi determinación.

No iba a dejar que me hiciera débil.

No otra vez.

Terminé mi trabajo y caminé de regreso, pasando junto a él sin siquiera mirarlo. Me colgué el rifle al hombro y cargué los gansos en la parte trasera de la camioneta, seguro de que finalmente había encontrado una excusa para deshacerme de él.

Al menos hasta que Mason se sentó a mi lado.

Se sentó como si yo se lo hubiera pedido, y cerró la puerta con la arrogancia arrogante de quien no tiene intención de ser evitado.

Agarré el volante, tratando de controlarme. Quería echarlo a patadas, pero sabía que la estrategia a utilizar en su lugar era la indiferencia.

Mason no podía soportar ser ignorado, le molestaba tremendamente. Había *que* darle la debida consideración, era parte de su carácter predominante y orgulloso.

Bueno, se lo habría mostrado.

Puse la marcha y me alejé, ocultando mi irritación en el ceño maníaco con el que mantuve mi atención en la carretera.

Fue más duro de lo que pensaba.

Mason tenía la extraordinaria habilidad de *oler* incluso a través de esa trinchera de ropa en la que estaba atrincherado, y tuve que bajar la ventanilla, molesto, eligiendo la escarcha sobre su inconfundible olor.

Incluso se atrevió a aclararse la garganta, irritado, pero luego el auto *golpeó accidentalmente* un bache y le dio un cabezazo al techo.

Me miró fijamente, mientras yo me preparaba para golpear con furia todos los relieves del camino.

Cuando llegamos a la ciudad, estacioné el auto frente a la tienda general y salí, dando un portazo. Incluso tuvo el coraje de hacer lo mismo.

Entré y dejé los gansos en el mostrador, esperando que el dueño me diera el dinero. Conté los billetes con los dedos mientras salía y los metí en el bolsillo.

"¿Vas a dejar de hablarme mucho más?" Lo escuché decir nerviosamente.

'Hasta que me muera' pensé, abriendo la puerta. Pero en ese momento una mano salió de mis hombros y la cerró de golpe.

"Me gustaría saber cuánto tiempo más pretenderás que no existo".

"Hasta que te vayas," dije, tratando de tirar de la puerta.

Pero Mason no la dejó ir. Se paró detrás de mí, inmovilizándome con el venenoso calor de su cuerpo.

"Giro de vuelta."

Me sentí encadenado por una fuerza invisible, un poder que él solo controlaba estando cerca de mí. Agarré la llave con tanta fuerza que pensé que la rompería. Su voz ronca ejercía una persuasión muy fuerte, capaz de tocar mi alma y leer sus deseos más profundos.

"Ivy", repitió, "da la vuelta".

"Ya te lo dije," siseé, tratando de no temblar, "tienes que irte. No tengo nada que decirte.

"¿En realidad?" gruñó sombríamente en mi oído.

La urgencia por liberarme me impulsó a darle un hombro: Mason se dio la vuelta y yo, sin saber a dónde más correr, entré directo al *pub de Joe.*

El calor me golpeó como una ola, sacudiendo los mechones de cabello a los lados de mi cara. Inmediatamente percibí ese olor acre e inconfundible que olía a malta, a madera y al cuero de las sillas.

Numerosos trofeos de caza y fotografías de finales del siglo XIX llenaban las paredes: carteles y carteles antiguos glorificaban los años en los que Dawson City había sido el símbolo de la fiebre del oro. Letreros de neón salpicaban las paredes, y la gran cabeza de venado dominaba el espacio sobre la barra, acompañada por el silbido de las cervezas de barril que chisporroteaban en el aire.

Nada había cambiado.

"¡Hiedra!"

Levanté la cara y me encontré frente a un par de ojos muy abiertos. Un rostro pecoso me miró con una expresión de sorpresa.

"¡No puedo creer! ¿Eres realmente tú?"

Casi me olvido de que esto no era California. Yo estaba en casa, y todos nos conocíamos allí.

Mandy había estado trabajando en *Joe's* durante bastante tiempo; ella era unos años mayor que yo, razón por la cual nunca habíamos ido juntas a la escuela, pero en las raras ocasiones en que había hablado con ella siempre había sido muy cordial.

Recuerdo que papá me empujaba a hacer amigos cuando íbamos allí: Mandy era amable y poseía una madurez que otras chicas no tenían.

"Joe me dijo que te vio hoy", comenzó, agarrando la bandeja en su mano. "¡Vaya, ese viejo tuerto está más loco que un reno! ¡Creí que bromeaba!"

Pasé por alto la confiabilidad del viejo Joe, que al final hablaba por sí sola, y solo asentí con la cabeza. Mandy pareció encontrar esa respuesta aceptable.

"¡Hígado de ganso!" el exclamó. «No pensé que te volvería a ver por aquí... ¡Te ves bien! ¿Y te quedas? ¿Hasta? Puedo ofrecerte algo para..."

Las palabras se desvanecieron de sus labios. Parpadeó confundida mientras sus ojos se dilataban y se formaban protuberancias rojas en sus mejillas.

No necesité escuchar la puerta cerrarse para saber que Mason acababa de entrar.

Dio un paso adelante y Mandy apretó la bandeja contra su pecho, mirando por encima de mi cabeza.

"Hola", gorjeó. "Bienvenido a *Joe's* ... Er... ¿Una mesa?"

Mason miró a los alrededores con un rostro sombrío y abatido; Observó la procesión de animales disecados que cubrían las paredes y luego bajó las pupilas hacia ella.

Él la miró por debajo de las pestañas, los mechones de pelo rozaban su mandíbula cuadrada, a los lados de su gorra; cuando se detuvo detrás de mí, Mandy parecía sorprendida.

«Un... espera... ¿están juntos?»

Metí la cabeza en mi cuello y le di a Mason una mirada furtiva antes de que ella pusiera una mano en su frente.

«Lo siento, no me di cuenta de que...» Ella sonrió y alisó los pliegues de su delantal. «Oh, Dios... ¡Ven por favor! ¿Por qué no comes algo? Estoy seguro de que aún no has cenado. Hoy es sopa de frijoles, pero si quieres un buen bistec, ¡Joe trajo a casa un oso delicioso ayer!

No vi muy claramente la expresión en el rostro de Mason, pero por la forma en que me miró, con las fosas nasales dilatadas y el ceño fruncido de asco, me di cuenta de que estaba disgustado, asustado e indignado, todo al mismo tiempo.

"Pueden sentarse mientras tanto, si quieren", nos invitó Mandy, y él, mirando como si hubiera preferido pegarse un tiro en el pie, apartó la mirada de mí y obedeció. Se dirigió a la mesa de mala gana, pero cuando comencé a seguirlo, Mandy me detuvo.

—Mierda, Ivy —le espetó con complicidad. "¿Pero quién es ese?"

Debería haberlo adivinado. Estaba claro que un nuevo rostro despertaría la curiosidad en aquellos lares; además, difícilmente se podría decir que alguien como Mason pasara desapercibido.

¿Qué se supone que debía decir?

¿Un amigo? Ciertamente no.

¿Un conocido? Alentador...

¿El arrogante hijo de mi padrino por quien guardaba un rencor inimaginable, igual solo al deseo irracional de verlo postrarse a mis pies y rogarme que hiciera con él muchos hijos rubios?

"Es Mason", dije solo, desesperanzado hasta el final. Después de todo, era un resumen más que exhaustivo.

"Qué hermoso trozo de ternera", silbó, apoyando una mano en su cadera. "Nunca había visto uno así por aquí. Entonces es cierto lo que dicen de los californianos, ¿eh? Si todos son como él..."

No, no lo soy , susurraron mis pensamientos, y mi mirada voló hacia él.

Mason se quitó la gorra; Sacudió la cabeza y capté en sus hombros el movimiento con el que se pasaba la mano por el pelo espeso, la boca carnosa entreabierta.

Mi estómago se apretó.

"¡Felicidades, Ivy!" Mandy me guiñó un ojo, palmeándome el hombro, y me sonrojé mucho.

Estuve a punto de murmurar algo, pero ella me precedió:

«¡Cambiar el aire te hizo bien! Estoy feliz. Ya sabes..." Su sonrisa se desvaneció, y un tinte de contrición llenó sus ojos. «Después de lo que le pasó a Robert... Por cierto, nunca tuve la oportunidad de decirte cuánto lo siento...» Vaciló, mirándome suavemente. Tu padre era un buen hombre.

«Sí...» suspiré, apartando la mirada. "Gracias, Mandy". Estiré una comisura de mis labios en un intento de sonreírle, pero salió muy mal.

Me dedicó una sonrisa llena de ternura.

Me preguntaba qué tan feliz estaría papá de verme hablar tanto con ella. Tal vez hubiera escondido su sonrisa detrás de un bigote de cerveza, sentado en el mostrador; ella se burlaba de mí por la forma en que miraba a la gente, incluso cuando me hablaban de cosas simples, y yo argumentaba que era su culpa que tuviera esa forma de mirar a mi alrededor. Él, que siempre me había enseñado tanto, me había llevado a observar el mundo a su manera...

"¿Como?" Me reuní.

"Yo digo que te mira", susurró Mandy. "Ese Mason tuyo... te está mirando. Quizá sea mejor que vayas con él.

Moví mis ojos hacia donde estaba sentado.

Mason tenía un codo sobre la mesa y una mano frotándose lentamente la mandíbula. Apartó la mirada cuando lo intercepté.

Me quedé atónito por un momento, pero Mandy me dio un pequeño empujón: me guiñó un ojo y se alejó sin siquiera darme tiempo de explicarme que ese chico guapo y muy gruñón sentado al fondo de la sala era todo... excepto mío.

Me uní a él y, aunque le había dicho que desapareciera unos momentos antes, dejé caer las llaves de la camioneta sobre la mesa y me senté también.

Desabroché el cuello de mi chaqueta y comencé a quitármelo, pero involuntariamente choqué con la persona detrás de mí.

"Mundo ogro", gruñó alguien. "Maldita sea, ¿quieres tener cuidado?"

Reconocí esa voz incluso antes de darme cuenta. Cerré los ojos y recé por estar equivocado, pero había aprendido que las oraciones nunca funcionan con suerte.

"Maldita sea", escuché detrás de mí. "¿ *Nolton* ?"

Instantáneamente me encontré deseando que Mason no estuviera allí.

"¡Chicos, miren quién está aquí!" estalló Dustin. "¡Icicle Nolton está de regreso!"

Sus amigos se rieron y abuchearon, apoyándolo. Volví a subirme la chaqueta, recatada, pero él se puso de pie y se detuvo frente a nosotros.

"¿Quién lo hubiera pensado, eh? ¡Carámbano! ¿Qué haces, vuelves y no te despides?

Dustin fue una de las caras más vívidas en mi memoria.

Era un niño gordo cuando era pequeño, con una sonrisa torcida en la boca y unas ganas increíbles de hacerme estallar en lágrimas. Disfrutaba atormentándome y siempre parecía encontrar nuevas formas de hacerme arrepentirme del nombre que llevaba.

Ahora tenía el tamaño de un toro y la piel de sus mejillas estaba llena de acné. Sabía que estaba saliendo con una camarera de un pueblo cercano: en la escuela se jactaba de tener sexo con nosotros en el asiento trasero de la camioneta en la que la recogió.

«Pero ¿cómo, de vuelta ya? Pensé que nunca te volveríamos a ver", insinuó. "¿A dónde fuiste? ¿Eh? ¿En *Florida* ?"

Alguien ahogó una risa y se inclinó sobre mí, mirándome de cerca. Aunque no pareces muy bronceado. ¿Sabes que hicimos una apuesta con los chicos? Decían que si tomabas el brazo y lo ponías al sol, tardarías menos de quince minutos en quemarte. No creo que ni diez. Ahora que estás aquí, ¿nos dejarás intentarlo?

Extendió la mano para tocar un mechón de mi cabello y lo aparté. Dustin pareció encontrarlo divertido.

"Oh, siempre esa cara. Sabes que es una broma. ¿Qué pasa, no puedes reírte? Dame una linda sonrisa, Ivory. Una linda sonrisa huesuda, vamos, todo blanco... ¡Vamos! Y también podrías mirarme cuando te hablo» sonrió, acercándose. "Eso es muy grosero de tu parte, ¿no crees? Cuando el viejo Robert estuvo aquí..."

El violento roce de la silla.

Por un momento sólo hubo la luminiscencia del neón y su figura recortada contra la luz: me pareció ver unas alas luminosas desplegándose de su espalda, el rostro ensombrecido de un ángel vengador.

Mason se destacó con su postura orgullosa y solo entonces Dustin lo notó: levantó la cara y se encontró con una mirada imperdonable. Los iris se oscurecieron, los dedos se cerraron en puños y el silencio tembló alarmantemente.

"Mason", solo dije.

Un músculo se contrajo en su mandíbula.

Sus ojos descendieron sobre mí, alojados en los míos como dardos de hielo. Me miraron con dureza, como si la petición en mi voz fuera intolerable incluso para él. Entonces su mirada volvió bruscamente a Dustin.

Mason extendió la mano y tomó las llaves de la camioneta. Pateó la silla a un lado y Dustin casi se estremeció: finalmente le lanzó una mirada feroz y pasó junto a él, liberándolo de la sombra que le había arrojado.

Escuché el timbre de la puerta mientras miraba hacia donde había estado sentado un momento antes. Entonces, lentamente, me levanté también.

"Hola, Dustin," dije sin tono, pasándolo.

No respondió, sin palabras, pero sentí las miradas de sus amigos siguiéndome hasta la puerta.

Cuando salí, el frío me pellizcaba las mejillas.

Mason estaba apoyado en mi camioneta. Sus brazos estaban cruzados y sus cejas fruncidas en un ceño severo. Parecía enojado.

Enojado conmigo.

Sabía que tenía un carácter impetuoso y cálido, lo que muchas veces lo hacía reaccionar impulsivamente; él mismo me lo había confiado, sin embargo yo sabía que la razón de su nerviosismo era otra.

Se alejó del coche y se subió al asiento del conductor. Puso en marcha el coche mientras yo abría la puerta y, incapaz de levantar la cara, me subí a su lado.

Pasamos el trayecto en silencio.

Mantuve mi mirada fuera de la ventana; a lo lejos, más allá de los bancos de nubes y las montañas, una estela de atardecer púrpura coloreaba el valle con una luz surrealista.

Mason detuvo la camioneta frente a la casa y luego apagó el motor. Por un largo momento permanecimos así, envueltos en la quietud del bosque.

"¿Por qué no respondiste?"

Escuché un toque de frustración en su voz. Sus amigos me habían dicho varias veces que Mason no reaccionaba a las incitaciones, las ignoraba con la conciencia de quien conoce su propia fuerza. Pero por alguna razón, cuando estábamos juntos, simplemente no podía.

"No le respondo a nadie que quiera provocarme", murmuré, desabrochándome el cinturón. "Y tú tampoco".

Sus dedos se crisparon sobre el volante.

«Te contesto porque no sabes defenderte».

¿Como?

«Me puedo defender perfectamente bien» Me giré hacia él, entrecerrando mis ojos azules. "El hecho de que no amenace con golpear a todos en la cara no significa que no pueda cuidar de mí mismo. Y en cualquier caso, ciertamente no necesito que lo hagas.

Le di la espalda y salí de la camioneta dando un portazo.

Ella pensó que no podía hacerlo solo, aunque me había visto cargando una escopeta; aunque en el techo de esa escuela no hubiera dudado.

Aunque hace apenas un año, cuando Dustin se acercó demasiado a mi casa solo para molestarme, le arranqué la gorra de la cabeza con una escopeta.

Sabía cómo manejarlo.

No me intimidaban los chavales de mi ciudad, ni las miradas que me daban. Allí me había criado, mi piel era una armadura hecha a la medida de aquellas montañas.

Si había una persona que realmente pudiera asustarme, la única que pudiera destruirme sin siquiera tocarme... estaba saliendo del auto en ese momento.

"Oye", escuché mi llamada.

Cogí la escopeta de la parte trasera de la camioneta y me dirigí al porche, pero Mason me agarró del brazo antes de que pudiera dar un solo paso.

"¿Quieres parar?"

Traté de alejarlo. Sin embargo, junto a él siempre me sentí débil, abrumada, como si mi alma se rindiera a su presencia: me obligó a retroceder y me inmovilizó contra el pasamanos de madera.

Empujé mi palma sobre su chaqueta, rechazando ese sentido de pertenencia que me cosió. Cavó debajo de mis huesos, y los fragmentos de mi corazón amenazaron con volver a unirse solo para romperse una vez más.

"Ahora parar". Mason me miró, inmovilizándome con iris oscuros. "Vine hasta aquí... vine hasta Canadá, por ti, y todo lo que hiciste fue gruñirme".

"Déjame ir", dije con voz ronca, mi mano apretada firmemente contra su pecho.

"No", dijo Mason con dureza. He recorrido millas y millas para ir a buscarte. No respondiste una llamada. Busqué esta casa todo el día antes de encontrarte aquí, llevando tu vida como si nada —siseó bruscamente—. Y ahora que finalmente te encontré, ni siquiera te dignas a responderme. una explicación, Ivy. Y la quiero ahora.

Me sentí temblar. Mantuve mi mirada en mis dedos, incapaz de mirarlo a los ojos.

"No hay nada que decir", empujé. "Simplemente volví a donde debería haber estado desde el principio".

Apliqué presión en su pecho para hacerle saber que lo quería lejos. Mi corazón bombeaba un dolor similar al veneno, el mismo que me hacía querer lastimarlo, alejar de mí a ese chico que tanto me había lastimado.

"Tal vez ahora estarás orgulloso de ti mismo. ¿Qué dijiste cuando llegué? Si yo fuera tú, no me molestaría en deshacer las maletas. Vuelves a tener tu casa, vuelves a tener tu vida. Misión cumplida, Mason. Finalmente me salí de mi camino".

"Mírame".

Sentí un escalofrío por mi columna. Ese tono devastó mi alma.

Apreté los dientes y Mason cerró de golpe su agarre.

"¡Mírame!" espetó, con un toque de angustia que me impactó: me sobresalté e hice lo que me ordenó.

Fijé mis ojos en los de ella, vulnerable y consciente de que no podía escapar al poder sugestivo de esa mirada.

Pero por primera vez... Vi algo diferente en sus iris.

Un dolor oculto. Un dolor sordo y hirviente que latía como un corazón.

"¿Quieres saber lo que sentí?" susurro. "Cuando vi que te habías ido... ¿quieres saber cómo me sentí?"

De repente, algo brilló en el aire.

Vi la ira cristalizarse en sus rasgos en el instante en que un copo de nieve aterrizó en mi nariz. Lo vio derretirse, sus ojos feroces atrapados en el desconcierto.

Nos quedamos quietos mientras el silencio caía lentamente sobre nosotros.

El aire se dividió en un millón de copos blancos. Espirales danzantes nos envolvieron como un hechizo, deteniendo el tiempo y nuestras respiraciones. Nos encadenamos en la mirada del otro, envueltos en esa magia silenciosa sin poder hacer otra cosa.

Ahora no había más ira en su rostro. Ese matiz se había ido.

Mason nunca había visto la nieve. Solo había soñado con eso. Y ahora que lo tenía, ahora que finalmente podía ver esa magia encantadora con sus propios ojos... mi corazón tembló.

Porque solo me miraba a mí.

En ese espectáculo de la naturaleza, él solo me miraba.

En un mundo que de niño siempre había esperado ver, que había imaginado, esperado y vivido a través de las historias de toda una vida... sólo me miraba a mí.

Mi tierra brillaba en mi piel y Mason se perdía en mi rostro, me miraba como si él fuera el cielo y yo su amanecer. Como si hubiera nacido con esos moños en el pelo, la escarcha entre las pestañas, vistiendo la pureza del hielo en todo su gélido encanto.

Y cuando un copo de nieve se derritió en mis labios, levantó la mano y limpió el invierno de mi rostro.

Me quebré al escuchar cuánto extrañaba su toque. Sentí que mi corazón se derretía, mi alma le pertenecía.

Sopló en mi boca; mi pulso latía en mi garganta y...

Me asaltó el terror: instintivamente abrí los párpados y lo empujé con fuerza.

Tropezó hacia atrás. Me jadeó y me di cuenta de que estaba jadeando.

Lo miré con una mirada aterrorizada y el corazón en mis ojos.

No, no de nuevo.

Ya te lo has llevado todo.

Y me lo arrancaste.

Le di la espalda y subí rápidamente los tres escalones de madera del porche. Abrí la puerta y sentí su presencia llenar la habitación cuando entró detrás de mí.

"Evy..."

"Hay mantas en el cofre. Puedes dormir aquí esta noche. Dejé la escopeta junto al perchero y me quité la chaqueta. "Si tienes hambre, hay algunas galletas, pan y mantequilla de maní en la despensa. Incluso la nevera está llena. Toma lo que quieras".

Fui a la habitación de papá y me encerré adentro.

Tenía una tormenta en el pecho que no me daba paz. Me hundí contra la madera con un aliento tembloroso y mi armadura se balanceó.

Yo no lo hice, no así.

Me estaba alcanzando de nuevo, justo donde estaba más destrozado.

En el silencio, me pareció oír pasos acercándose. Se detuvieron al otro lado de la puerta, y algo se posó en la superficie con un ruido imperceptible.

Habría sido suficiente para abrir.

Habría sido suficiente para dejarlo entrar de nuevo.

Me habría quitado el corazón sin pedir permiso, y en ese momento podría haber dejado de luchar.

Habría sido suficiente para salir de esa habitación.

Pero entonces... ya no tendría la fuerza para mirar hacia atrás.

Siempre me había gustado descansar allí. Me hizo sentir seguro. Envuelta en el frescor del edredón en contacto con la piel, me gustaba dormir solo con un suéter suave y medias de lana hasta la rodilla cubriendo mis piernas desnudas. Era una sensación hermosa y familiar.

Sin embargo, a la mañana siguiente, me desperté con el corazón apesadumbrado y el alma palpitante.

La puerta de la habitación me había estado llamando todo el tiempo. Incluso me había seguido en mis sueños, abriéndose a escenarios que yo no había tenido el coraje de cruzar.

Me senté en el borde de la cama, pasándome una mano por mi pelo claro. Me subí las medias color crema que se me habían amontonado en las pantorrillas durante la noche y suspiré antes de salir de la habitación.

Caminé por el pequeño corredor que separaba los dormitorios de la sala de estar y me detuve en el umbral del espacio abierto.

Una luz brillante iluminó el ambiente. El aire parecía casi lechoso, y se colaba por las ventanas en un paisaje casi cegador: grandes copos de nieve caían silenciosamente más allá del cristal, cubriendo todo.

La figura de Mason estaba apoyada contra el mostrador, mirando hacia afuera.

Llevaba un suéter de papá. Me había olvidado de la ventana rota junto a la chimenea y ella debe haberla encontrado en el baúl con las mantas.

Lo observé sobre él y sentí una cálida flor florecer en mi pecho, haciéndome cosquillas con sus pequeñas raíces. Le quedaba perfecto. El azul era maravilloso contra su piel bronceada, creando un contraste armonioso e intrigante. Siempre había amado ese suéter, y verlo en él me conmovió el corazón.

En ese momento se volvió hacia mí.

Su mirada se deslizó sobre mi cabello alborotado, el suéter de color claro que caía hasta mis muslos y, finalmente, los suaves calcetines que llevaba puestos.

Una vena se le hinchó bajo la mandíbula: inclinó la barbilla y sus iris se clavaron en mí con un calor turbio, invadido por una pulsión voraz y turbulenta.

En ese instante noté lo que sostenía en su mano y un pensamiento animó mi mirada. Me moví y caminé en su dirección, sosteniendo sus ojos firmemente. Lo alcancé con movimientos silenciosos hasta que me detuve frente a él, a una palma de distancia de su hermoso cuerpo. Entonces levanté una mano y, observándolo intensamente, murmuré:

"Esto es mío".

Tomé la copa de sus dedos y Mason entrecerró los párpados cuando la llevé a sus labios bajo sus pupilas brillantes.

Su mirada me quemó mientras me di la vuelta y caminé de regreso a mi habitación. Me cambié y me puse una camiseta sin mangas de lana, un suéter azul suave con botones grandes que me quedaba un poco holgado alrededor de los hombros y pantalones térmicos ajustados. Me puse las botas y los guantes perforados, luego caminé hacia la puerta, donde tomé mi escopeta.

"Mi vuelo saldrá en breve".

Me detuve. Su voz se deslizó en mi pecho, enganchándome profundamente.

Es el mismo en el que viajaste cuando llegaste a California.

Después de unos momentos, escuché sus pasos en el suelo. Odiaba la forma en que me llamaban. Doblaron mi corazón. Lo llevaban a su lado, siempre.

"Sé que esta no es realmente la vida que quieres".

"Tú no sabes nada acerca de lo que realmente quiero," susurré. De repente me sentí impotente, como si ella pudiera ver dentro de mí.

"Entonces dime que estoy equivocado".

No entendí lo que estaba pasando. Era como si mi alma se negara a mentir. Como si, en el fondo, supiera que no estaba diciendo nada más que la verdad.

Mason se acercó más.

"Sabes que es así".

"¿Qué esperas que te responda?" Reaccioné herido, sin darme la vuelta. "¿Qué quieres escuchar, exactamente? No tienes que fingir de nuevo, Mason. Ya no es necesario".

Encontré la fuerza para moverme y me dirigí a la salida. Me agaché y tiré de la manija, sintiéndome desesperado por salir de allí, pero jadeé cuando sentí un agarre en mi codo. Mason cerró la puerta de golpe y me jaló cerca de él, quemando la tensión nerviosa.

"¿Falso?" repitió, incrédulo por decir lo menos. "¿Crees que vino hasta aquí solo para *fingir* ?"

Sostuve su mirada furiosa, y ante esa muda respuesta su rostro me miró con un matiz de conmoción y conmoción. Algo sucedió, algo que nunca había visto antes: un rayo lívido se arremolinó en sus iris y absorbió todo el calor. Al instante siguiente, sus dedos me soltaron.

"He tenido *suficiente* ". Su voz brotó de sus labios, baja y apenas contenida. "He soportado secretos. He aguantado que se crea que soy mi prima. He aguantado verte andar por la casa en camisetas que me hubiera gustado encontrar en el suelo de mi habitación por la mañana... Pero dime qué tengo que probar —susurró—, esto *no* . No acepto esto".

Lo miré en estado de shock cuando se alejó de mí y se alejó, comenzando a jugar con algo.

¿Qué acababa de decir?

Mi respiración quedó atrapada en mi garganta: mi corazón se hundió cuando Mason comenzó a desvestirse. Su espalda desnuda apareció frente a mí y los dorsales emergieron de unos hombros anchos y definidos.

El pánico se apoderó de mí. Instintivamente tomé mi rifle con torpeza, mirando febrilmente a mi alrededor.

¿Qué hacer... apuntar el rifle a Mason?

No, no... ¿En qué diablos estaba pensando? ¿Estaba loco?

«¿Q... qué estás haciendo?» grazné en agitación.

"Me estoy cambiando", respondió, tomando una camisa limpia de su mochila apoyada contra la pared. "No voy a quedarme aquí y pretender creer que sientes que perteneces aquí".

Me encontré mirándolo fijamente, rígida.

"I..."

"Oh, siempre has sido bueno juzgando", me miró enojado, girándose hacia mí. "Tan rápido, tan mal, ¿quieres saber cuál es tu problema? Que lo único que sabes hacer es huir» me acusó con dureza. Huir, ¿eh, Ivy? ¿Es así como lidias con las cosas? No puedes hacer nada más".

Lo miré como si me hubiera abofeteado. Una parte de mí, la migaja más solitaria, frágil y maltratada de mi alma, susurraba que era verdad.

Mason ladeó el rostro, y en su mirada dura brilló una luz capaz de trastornar el cielo. Al instante siguiente, dejó caer su camisa y se acercó de esa manera lenta y peligrosa que me había hecho temblar más de una vez.

"¿Por qué no lo admites?"

"¿Qué?"

"Que estás enamorada de mí. Que sientes algo por mí. ¿Es tan cierto?" Me miró por debajo de las cejas, implacable. "Tu corazón está vibrando, Ivy. *No lo niegues* ".

Fue como un disparo. Lo miré con ojos incrédulos y sentí que la tierra me fallaba bajo los pies.

Mason se detuvo frente a mí y desaparecí bajo el peso de sus pupilas.

Él sabía. Él entendió.

Ya no podía escapar.

Mis defensas se volvieron locas. Vibraron y palpitaron, arrastraron el orgullo, la terquedad, lo desintegraron todo. Me quedé así, vestido sólo con mi alma, con los fragmentos de mi armadura a mis pies.

"Sí..." susurré. "Es verdad".

Lo vi desarmado, sin más fuerzas para luchar. Acababa de admitir las únicas palabras que pensé que nunca tendría el coraje de confesarle.

Podría huir de él.

Podría escapar de su mirada.

Podía escapar de su mundo y del toque de sus dedos.

Pero no podía escapar de lo que estaba sintiendo. Y ambos lo sabíamos.

"¿Estás feliz? Ganas, Mason", concedí. "Finalmente... ganaste".

En sus iris vi una emoción desconocida, nacida cuando admití estar atada a él de formas que no sabía cómo separar.

"No ganaré hasta que te traiga a casa".

Algo en mí tembló ante esas palabras, un torrente de recuerdos que envenenaron mi corazón. La quemadura humedeció mis párpados y Mason se congeló, incapaz de entender. Lo miré directamente a la cara mientras escupía con enojo:

"¿Para que puedas volver a John conmigo como trofeo? ¿Volveré a *compadecerte* para que puedas recuperar tu vida?

"Qué..."

"¿Que estoy diciendo? ¿Es eso lo que quieres saber? Lo interrumpí con lágrimas en los ojos, empujándolo. "¡ *Te escuché!* Escuché lo que le dijiste a Clementine, escuché cada palabra. Fue suficiente agregarlo a todo lo demás para entender que básicamente era lo que querías desde el principio. Nunca ha habido un lugar para mí allí".

"Tienes..." susurró. La urgencia cruzó su mirada, y dio un paso más cerca. "¿Es por eso que te fuiste? ¿Y por esto? Ivy, lo que dije..."

"No estoy interesado".

"Escúchame..."

"¡No!"

Retrocedí impetuosamente cuando Mason empujó hacia mí. Me enjauló contra el cristal de la ventana, con las palmas de las manos presionadas a los lados de mi cabeza.

« ¡ *En lugar de eso, tienes que hacerlo!* La angustia en su voz me sacudió. "No puedes entrar en la vida de otras personas y luego marcharte como si nada hubiera pasado. No puedes interrumpir su existencia y desaparecer. ¡No puedes!"

Aquí está de nuevo. El dolor de antes. Duro, acre, como un veneno que gritaba mi nombre y goteaba de sus ojos oscuros.

"Quizás puedas tolerar que te quieran hacer daño. Tal vez puedas manejar que quieran lastimarte, pero yo *no puedo* ", reveló, empujando esa admisión. "Dije esas cosas porque eso es lo que él quería de mí. Quería golpearme a través de ti y tuvo que convencerse a sí mismo de que no eres importante para mí. No deberías haberlo oído, pero acababas de pasar por un infierno y yo quería..." Apretó la mandíbula y se apartó de mí, obligándose a confesar esas palabras. "Quería protegerte".

Lo miré con un nudo en la garganta y un corazón tembloroso. Sentí que mi alma se estremecía cuando dijo: "No fue mi padre quien me dijo que viniera. Vine porque quiero que vuelvas".

"Nunca me quisiste", respiré en un susurro.

Mason sacudió la cabeza, exhausto, y volvió: apoyó la frente contra el vidrio y yo me hice pequeño debajo de él, mirándolo desde abajo.

"Te quiero ahora..." susurró, sus ojos fijos en los míos.

Como si quisiera tenerme con él.

Como si no pidiera nada más.

Eso sí, sin el orgullo.

Sin hipocresía.

No más fingir que no quieres morir, porque no importa cuánto lo intentes, el océano todavía está loco por la luna.

Sin verme huir, pero quedando nosotros, solo nosotros, imperfectos y un poco equivocados, pero verdaderos.

Me estremecí con un escalofrío casi doloroso.

Mason se acercó y mis ojos se posaron en sus hombros desnudos antes de pasar a su rostro. Sostuve su mirada mientras tomaba mi muñeca con gestos cautelosos y mesurados. Suavemente, tomó el rifle de mi mano y lo apoyó contra la pared.

Luego tiró del velcro que cerraba mi guante. Lo miré fijamente cuando me lo quitó lentamente, liberando mi palma blanca: lo observó por debajo de las pestañas, y luego hizo lo mismo con el otro.

Me despojó de mi armadura.

Hasta la última pieza.

No con ira. No por la fuerza.

Solo con las manos.

Y cuando finalmente levantó la cara de nuevo, me di cuenta de que nunca me había sentido más desnuda que esto.

Ni siquiera cuando me puse ese vestido de raso.

Ni siquiera cuando me había visto en esa tina en la casa de John, cubierta solo de espuma.

Apretó mis manos entre las suyas, alzándose sobre mí con su inmenso bulto, y en sus ojos vi exactamente lo que le acababa de decir: " *Nunca me quisiste* ".

"Te deseo", dijo con voz seria y profunda. "Te he deseado desde que te vi en esa playa, hinchada con tu aliento y nada más. Te he deseado desde que te pillé levantando continuamente la cara para buscar las estrellas, aunque no pudieras verlas en la ciudad. Desde que te vi dibujar, y luego sonreir, porque una rara sonrisa como la tuya solo brilla para unos pocos. Te he querido desde la primera vez que me ayudaste y no sabía cómo darte las gracias».

Mason levantó mis manos y las colocó sobre su pecho.

El calor de los pectorales tensos irradió a través de mis venas. Un escalofrío recorrió mis dedos, pero él los mantuvo quietos, presionados contra su piel.

Sentí su corazón.

Escuché la forma en que latía.

Me encontré mirando su rostro como si hubiera nacido para tocarlo, para tener manos mucho más pequeñas que las suyas y dedos hechos para encajar. Labios para sentirlo y ojos para mirarlo, y hacer que yo lo mire.

Y mientras extendía mis palmas, relajándolas lentamente sobre su pecho, sentí un escalofrío subir por su cuerpo.

Mason separó sus labios carnosos, apretando mis muñecas. Allá arriba, en el rostro inclinado hacia mí, vi sus ojos reclamarme con una expectación ardiente. Mis dedos se deslizaron lentamente sobre su cálida piel, sobre ese maravilloso calor que emanaba de cada centímetro, y llegaron hasta la sensible zona de su cuello.

Lo acaricié con la punta de mis dedos y lo escuché suspirar profundamente. Las reacciones de su cuerpo me sacudieron, dejándome temblando, frágil y aturdida. Su pecho vibró cuando en tono ronco y decidido susurró: "Te quiero conmigo ".

Yo también , gritaron mis manos apretando la parte de atrás de su cuello.

Yo también , mi alma gritó desesperadamente, y mis tobillos se levantaron.

Me puse de puntillas y Mason vino hacia mí: ese beso me abrumó y fue sensacional.

Su boca me aturdió y mi corazón estalló en mi pecho.

Porque pintó mi alma, esa era la verdad, la hizo mucho más que luz y calor. Plantó flores en mi invierno más negro, y me preguntaba si no era de eso de lo que se trataba el amor, de florecer en el corazón de otra persona.

Floreciendo con vuestros defectos y queriéndoos a pesar de todo, a pesar de ser tan diferentes que no podéis abrazaros sin rascaros.

Pasó sus dedos por mi cabello e inclinó mi rostro hacia atrás, presionándome contra su enorme pecho. Me volví loco en su calidez, en su seguridad, en el dominio habitual con el que se impuso sobre mí.

Mason me quería. Incluso si no encajaba, incluso si siempre sería la pieza equivocada.

Me quería por lo que era, tal como era, y sentí que cada parte de mí temblaba con el latido de mi corazón incrédulo.

Así que píntame como Canadá, hazme tu aurora, sé la montaña donde pueda refugiarme. Dame el aliento de un bosque de alerces y toma todo lo que pueda darte... Porque dentro tengo tanto, todavía tengo tanto, y no quiero dárselo a nadie más que a ti.

A usted. Solo tú, el tiempo que quieras...

Le dije con mis manos, con mis labios y con mi corazón. Le dije con todas mis fuerzas, y cuando Mason me levantó sentí que mi alma se elevaba.

Envolví mis piernas alrededor de él, ardiendo con una oleada de pasión. Me moldeé contra su cuerpo, pero él se apartó de mí. Ella jadeó y lo miré a los ojos, frágil y aturdido.

"Ivy... no estoy aquí para quedarme". Me miró con el pelo todo alborotado, los labios hinchados por mis besos. "Estoy aquí para traerte de vuelta".

Me bajó lentamente, y de repente me sentí perdido.

Entendí lo que estaba tratando de decirme. Él se habría ido. Atarnos en esa casa no iba a cambiar el momento en que lo vi cruzar la puerta para siempre. Solo lo haría insoportable.

Tomó mi cabeza entre sus manos y se inclinó sobre mí, presionando su frente contra la mía.

"Ven a casa, Ivy", susurró. «Ven a casa, podré darte las razones para quedarte».

Me encontré mirándolo fijamente con mis brazos colgando a mis costados.

Dentro de mí, un engranaje roto atascó mi corazón. Había un cable quemado en alguna parte, una falla que me mantenía clavado ahí, a esa casa, a un vacío irrellenable que nunca se desvanecería.

Sus manos se deslizaron de mi cabeza. Mason leyó la vacilación en mis ojos y se enderezó de nuevo. Silenciosamente, se alejó y recogió la camisa que había dejado caer al suelo, mirándola por un momento antes de ponérsela.

"Hay un boleto para ti también", murmuró mientras se vestía. "Es tuyo si lo quieres". Entonces se dio cuenta de que se había dejado la gorra en el coche y, tal vez para darme algo de tiempo, salió a buscarla.

me quedé solo

Miré la casa donde crecí. Las fotos. Las muescas en el marco de la puerta donde papá marcó mi altura.

Pertenecían a una vida pasada, una vida que ya no estaba. Una vida que no podía dejar ir.

Estaba articulado a mi alma.

Dependía de su memoria. Lo mantuvo con vida.

Estaba junto a la chimenea. En esa silla. Estaba en la mesa y más allá de la ventana. Estaba dondequiera que miraba, y no importaba que se hubiera ido, todavía podía oírlo susurrar...

" *Sopórtalo, Ivy* ".

Parpadeé. Me froté los ojos, segura de que había visto mal, pero esas palabras no se desvanecieron. Quedaron escritos en blanco y negro justo bajo mi mirada.

Caminé lentamente hacia la nevera, una extraña sensación latía en mi piel.

Un dibujo mío muy antiguo decoraba la puerta. Con dedos inestables, toqué esa escritura con marcador que nunca había notado.

No. Que nunca había estado allí.

Miré las cartas y reconocí la letra temblorosa de papá. ¿Lo había escrito antes de ser admitido?

Tragué saliva y miré el dibujo sostenido por los imanes. Siempre había estado allí, desde que podía recordar. Lo había hecho cuando tenía unos cinco años: estaba yo, estaba papá y un gran árbol nevado al final.

Lo recordé ese día. No había sido una tarde como cualquier otra. Ese fue el día que papá y yo tuvimos...

Levanté mi rostro lentamente, mis ojos se agrandaron, un reflejo de una verdad que de repente me golpeó. Me di la vuelta como loca y corrí a mi cuarto a buscar mi mochila: saqué el álbum y mi libreta y los desparramé sobre la mesada de la cocina.

Tomé la foto que comenzó todo, la de papá y yo abrazándonos al borde del bosque. Era de ese día. El día representado en el dibujo. Miré mis rodillas sucias de tierra y los recuerdos volvieron con fuerza.

no me había caído. Estaba de rodillas.

Con el corazón acelerado, fui al mapa enmarcado en el pasillo. Sabía dónde estaba ese lugar, no estaba lejos de casa. Estaba al suroeste de un camino roto, cerca de un sendero de supervivencia que lleva el nombre de un famoso pionero, Jonathan Bly.

Es posible que...?

En un escalofrío me congelé.

Las cartas. La secuencia de caracteres confundida. Cogí el cuaderno y las sospechas se hicieron realidad.

VRSSRUWDLYB

S y W representaban *South-West* . D y R era la abreviatura común de *Drive* .

Mientras que VSRULYB... representaba a *Surv* y *Bly* .

South West Drive, Supervivencia Bly.

Miré la solución con ojos asombrados. Retrocedí, mi corazón latía entre mis costillas, y rápidamente me di la vuelta, agarré mi escopeta y salí corriendo por la puerta trasera.

Corrí hacia los árboles, atravesando el bosque. La nieve me cegó. Mis botas se mojaron, corrí el riesgo de caer varias veces pero no me detuve: corrí entre los arbustos con los pulmones ardiendo de frío y disminuí la velocidad solo para orientarme, corriendo de nuevo con todas mis fuerzas.

No fue posible. no puede ser...

Me detuve en seco. En ese momento los árboles se aclarearon: un enorme abeto se destacaba majestuosamente en ese rincón del bosque, actuando como su amo. Era exactamente como lo recordaba: la corteza rojiza y las ramas altas y majestuosas que rozaban el cielo.

Lo alcancé frenético y dejé caer el rifle sobre la alfombra de nieve: me tiré al pie de sus raíces y con avidez comencé a cavar.

Sentí que mis dedos perdían rápidamente la sensibilidad. No tenía chamarra ni guantes, pero seguí arrancando la tierra a puñados con los ojos muy abiertos y el frío filtrándose por el escote de mi suéter.

Tenían que estar allí. Tuvieron que...

Mis uñas rasparon una superficie de madera.

Barrí la fachada ansiosamente, sacando un pequeño baúl. Traté de quitarme la suciedad que me rodeaba mientras la imagen de papá se me pegaba detrás de los ojos.

"Son para ser observados en mucho tiempo", dijo su voz en mis recuerdos. Lo había mirado desde abajo, demasiado joven para entender completamente. "Algún día los abriremos y veremos qué ponemos. Se llaman..."

"Cápsulas del tiempo", susurré, y levanté la tapa.

En el silencio del bosque, dos cilindros de metal brillaban en la nieve.

Los miré conteniendo la respiración. Recordaba vagamente lo que había puesto en mi cápsula: la estatuilla tallada de un alce y uno de mis dibujos con rotuladores.

Pero papá...

"*¿ Qué hay en el tuyo?"* »

Lentamente alargué una mano, tocando la taza. Hacía frío contra la piel. Lo levanté y le di la vuelta con labios temblorosos, dándome cuenta de que no era como el mío en absoluto. No... La mía estaba hecha de acero bruto con la tapa para desenroscar, mientras que la de papá era perfectamente lisa, pulida, de un material que parecía inoxidable. No tenía tapa. sin tapa Solo un surco casi invisible que lo cortaba por la mitad.

"Papá", repetí. "¿Qué hay en tu cápsula del tiempo?"

Intenté abrirlo. Tiré, lo rasqué con las uñas, pero permaneció sellado. Lo miré sin poder entender, pero al instante siguiente... Me di cuenta de la pequeña incrustación sobre la línea de la abertura.

Mis rodillas temblaron. Allí, en la superficie de metal, estaba grabada una flor muy pequeña. Tres pétalos, con un surco casi inexistente justo en el centro.

Lo miré sin respirar. La incredulidad fue un estremecimiento que me sacudió en silencio. Con los labios temblando, cambié mi mirada a mi pecho.

El collar de papá.

El recuerdo más importante que tenía de él, el que más quería.

Fue él mismo quien me lo puso. Y nunca me lo quité.

Levanté la pequeña astilla entre mis dedos... y como si pudiera sentir su presencia extendiendo una mano y acompañándome en ese gesto, la empujé hacia el surco.

Un mecanismo resonó en el aire. Con un siseo, la tapa de sellado se levantó.

Y él estaba allí. Siempre había estado allí.

Un segmento muy pequeño, incrustado en el acero.

El poder de un mundo encerrado en mis manos.

"¿Papá? ¿En ese momento?"

Finalmente se volvió hacia mí.

"¡Es un secreto!" confesó, guiñándome un ojo. Siempre parecía un bribón con esa expresión. Tomó la cápsula de mis manos y las colocó a ambas en el baúl abierto. "Un día te lo diré".

"¿Promesa?"

"Promesa".

Sonreí, divertido por ese juego.

"¿Qué pasará cuando los abramos?"

Parecía estar buscando las palabras adecuadas para mí. "Encontraremos los objetos tal como los dejamos. Permanecerán inalterables a lo largo de los años. Y entonces habremos vencido al tiempo».

No podía decir si estaba bromeando conmigo, pero aun así lo miré fascinado. Siempre había una especie de magia con él, como la que veías en las noches de invierno, en el cielo, bailando con colores maravillosos. Solo el mío era papá.

Miré las copas de metal que viajarían a lo largo de los años y me recordaron algo.

"Parecen naves espaciales".

Una curiosa luz revivió su mirada. "¿Alguna nave espacial?"

"Sí", dije con mi vocecita entusiasta. "Son como los que van al espacio... pero los nuestros no. Los nuestros son diferentes. ¿Verdad, papá? Pero está bien, son hermosos de todos modos». Lo miré a los ojos y sonreí. "No todas las naves espaciales van al cielo".

La realidad tembló como un escalofrío.

'¿Quién dijo esta frase?'

"Yo," susurré suavemente. "Fui yo".

Las baldosas cayeron en su lugar, una por una. Finalmente vi la imagen completa, y la comprensión fue más fácil que nunca.

Lo había escrito para llamar mi atención, para hacerme reflexionar sobre esa pregunta.

Nunca había sido una pista. Nunca había sido un acertijo o una adivinanza.

Era un rastro. Como en Canadá, cuando me enseñó a reconocer las huellas en el camino.

Y ahora podía verlo.

Por eso nunca nadie lo había encontrado. Por eso creían que lo destruyó. Papá había enterrado a Tartarus en Canadá, en un lugar que solo yo podría haber encontrado.

Me lo había confiado a mí, a sus pequeñas enseñanzas, consciente de que si alguien llegaba a comprender... ese alguien habría sido yo.

Solo yo.

Un poderoso sentimiento envolvió mi alma. Lo llenó de una dulce calidez, y cuando vi la escritura grabada en el interior de la tapa, que nadie más que yo podría haber leído... sentí que el engranaje roto de mi corazón volvía a funcionar.

Ya no necesitaba buscar.

Perseguir su presencia como si pudiera sentirlo más cerca.

me estaba diciendo Como si todavía estuviera allí, susurrando grabado en el metal: *'Para siempre contigo'.*

Visión borrosa. Mis ojos ardían y mi corazón se ahogaba con esas palabras.

Así que era cierto lo que me había dicho. La clave de cada frase lo cambia todo. Y, desde el principio, había escondido dos significados en esos números. Opuestos, pero complementarios.

Aguanta, Ivy. Porque siempre estoy contigo'.

Lo apreté contra mi pecho, entrecerrando los ojos. Su recuerdo bajó para darme consuelo, acarició mis ojos húmedos y luego se desvaneció dentro de mí.

Y al escuchar caer la nieve, quise decirle que finalmente lo había descubierto.

Es la luna la que necesita del sol.

Sin él, ella no puede brillar.

Pero es el amor que damos a los demás lo que nos hace quienes somos.

Entonces brillaría con un amor que duraría para siempre. Eso hubiera vencido al tiempo y cruzado las estrellas, porque hay hechizos que no solo brillan en el cielo, algunos se quedan cerca de nosotros, nos enseñan a caminar e iluminan nuestro camino.

Nos toman de la mano.

Y en nuestros corazones... nunca mueren.

Después de unos minutos, Tartarus se cerró bajo la presión de mis dedos.

El frío vibraba en mis huesos. Las yemas de mis dedos ardían y palpitaban, e instantáneamente volví a la realidad.

Masón.

Me colgué el rifle a la espalda y caminé calle arriba, ansioso por alcanzarlo.

Quería hablar con él, abrazarlo, demostrarle que lo había encontrado.

Que era verdad, todo era verdad. Papá me lo había dejado a mí.

Y ahora ya no me sentía atrapado en el pasado. Siempre lo llevaría dentro, en mi vieja y en mi nueva vida.

Estaba listo para decirle que sí.

Estaba listo para empezar de nuevo.

Había un futuro en esos ojos marrones. Y me estaba esperando.

La cabaña apareció entre el follaje. Recuperé el aliento contra un árbol, luego, con un último esfuerzo, llegué a la puerta trasera y salí a la sala de estar.

Estaba vacío.

"¿Masón?" Yo lo llamé. El silencio reinó en toda la casa. Busqué en las habitaciones, impaciente por encontrarlo, pero descubrí que no había nadie allí.

Con un mal presentimiento, mi mirada cayó cerca de la puerta.

Su mochila. *Se ha ido.*

No , fue el grito en mis ojos.

Una puñalada entre mis costillas me atravesó como una daga. Me lo imaginé volviendo adentro y sin encontrarme. Me lo imaginé buscándome, esperándome, mirando alrededor con ojos decepcionados. Y finalmente convenciéndose a sí mismo de que tal vez mi respuesta había sido huir de nuevo.

"No..." susurré con angustia. Dejé la taza sobre la mesa y me tiré por la puerta, comenzando a correr por el camino de tierra. Resbalé, la nieve me cegó y la escarcha me quemó el aliento.

Salí a la carretera con el corazón desbocado. Hacía mucho frío, pero apreté los dientes y miré por todas partes los grandes copos que caían del cielo.

En ese momento lo vi.

Estaba muy lejos, apenas visible , un borrón que se alejaba.

"¡Masón!" Grité a todo pulmón. Ese grito resonó en la blancura de la nieve y me sacudió hasta los huesos. "¡Masón!" Lo intenté de nuevo, esperando que me escuchara.

Usé todo el aliento que tenía, grité hasta que mis cuerdas vocales se irritaron, pero fue inútil.

Estaba demasiado lejos.

Regresé lo más rápido que pude y después de quitarme el rifle de los hombros me metí en la camioneta. Giré la llave de encendido, pero la batería me falló.

"¡Vamos!" espeté, tratando de encender el motor. Recé por mi suerte, pero estaba nevando demasiado fuerte como para intentar recargarlo.

Cerré la puerta de golpe y volví sobre mis pasos. Agarré el rifle entre dedos entumecidos, afligido y congelado.

Nunca hubiera sido capaz de alcanzarlo.

Impotente, me di cuenta de que siempre lo había visto de esta manera. Desde el principio, Mason siempre había sido ese par de espaldas que se alejaban.

Mírame , suplicaba cada poro de mi cuerpo . *Mírame por favor, al menos esta vez mírame, porque lo entendí, por fin lo entendí.*

El hogar no era un lugar. El hogar no estaba en California o Canadá.

El hogar estaba en el reflejo de sus ojos.

En el olor de su piel.

En el hueco de su garganta y en los espacios entre sus dedos.

El hogar estaba en sus labios, en sus sonrisas, en sus defectos y en su incurable orgullo.

El hogar estaba donde estaba su corazón.

Y finalmente lo había encontrado.

Mírame , chilló cada parte de mí, *¡estoy aquí!*

Sentí un río arder en mi pecho, y antes de darme cuenta, apreté la mandíbula y entrecerré la mirada. Con un gesto seco empujé la culata contra el muslo y apunté el rifle hacia arriba.

El disparo estalló. El golpe gritó fuerte, muy fuerte, más de lo que había hecho mi voz: partió aquel reino de nieve y elevó los pájaros al cielo.

Y por primera vez en mi vida, su espalda se detuvo.

Mason dejó de caminar. Se quedó quieto por un momento.

El siguiente momento...

Se volvió hacia mí.

Una suave brisa me hizo cosquillas en la piel.

El atardecer tiñó el aire, trayendo consigo el grito de las gaviotas.

Llamé al timbre; en ese silencio, mis botas sucias se destacaban en el suelo del porche.

El mango hizo clic y agarré mi sombrero entre mis dedos. Levanté la cara cuando la puerta se abrió frente a mí: mi mirada subió y se posó en ese rostro familiar.

Lo miré a los ojos y sonreí.

"Hola John".

26

Otro tipo de destino

"¿Hiedra?"

Miré hacia arriba. A mi alrededor, el aire crepitaba con conversaciones.

John vino hacia mí sonriendo.

«Disculpa la demora, me encontré cola en la entrada».

"No llegas tarde", le aseguré, sentándome en el taburete con el sombrero al revés. Pareció aliviado.

El pabellón de la feria era enorme: las gradas estaban todas abarrotadas y sobre los altos muros blancos reinaban con orgullo los estandartes de las escuelas.

Miró a la gente que pasaba.

"¿Donde esta tu profesor? ¿Profesor Bringly?

"Dijo que iba a ver la competencia".

John parecía dudoso, pero asintió de todos modos. De repente, sus ojos se encontraron en un lugar detrás de mí.

"¿Y esto?" preguntó, pero la pregunta era superflua.

La gran pintura estaba justo detrás de mí, colgando de uno de los varios paneles de nuestro stand; Se colocaron pequeñas etiquetas con el nombre al lado de cada lienzo, y John se inclinó para ver mejor.

Me bajé del taburete y me uní a él cuando se detuvo frente a ese cuadro grande.

Había varias personas admirándolo, tratando de adivinar su significado.

Un inmenso valle se abría a lo lejos a brillantes lagos y bosques. Bandadas de pájaros voladores se destacaban entre las nubes lívidas, y pequeñas flores blancas se mezclaban con la extensión de sombras creando una alfombra de pétalos. Los colores tenían fuertes contrastes, y todo estaba bañado por un amanecer tan oscuro que parecía un eclipse.

Pero luego una luz brillante, clara y resplandeciente. Surgió de las nubes en lugar del sol, y tenía la forma de una mano luminosa. Desató la fuerza y doró los picos, dando vida a toda esa oscuridad.

John sonrió con orgullo y melancolía. Sus ojos se nublaron cuando miró esa mano cargada de calidez, poder y significado.

"Creo que a tu padre... a Robert le hubiera encantado".

Levanté la cara. Observé su expresión conmovida, imprimiéndola en mi corazón.

"Ese no es papá", le expliqué. "Eres tú, Juan".

Él no se movió. Sus ojos parecieron picar y parpadeó, todavía mirando el lienzo.

"¿Como?" apenas tartamudeó y miró hacia abajo con asombro cuando tomé su mano en la mía.

"Eres tú", repetí con voz firme. "Me sacaste de la oscuridad".

John había sido la mano extendida que me había agarrado. La luz que me había salvado.

Él nunca se había dado por vencido conmigo. Ni siquiera cuando el dolor me había aislado de todo.

John había sido mi amanecer, mi nueva oportunidad, y finalmente había encontrado una manera de decírselo.

Poder decir *gracias* , por haberme llevado con él, por haberme acogido en su vida sin pedir nunca nada a cambio.

Y cuando vi que su expresión se derretía lentamente... supe que podía alcanzarlo, como siempre lo había hecho conmigo.

Deslizó su brazo alrededor de mí y me apretó contra su costado. Apoyé mi mejilla en su hombro, respirando su olor familiar.

"Siento haberme escapado," susurré.

John puso su cabeza sobre la mía y ese gesto arregló algo dentro de mí. Sentí que mi alma florecía una y otra vez, como si ya no pudiera detenerse. El hielo se había ido.

Nos quedamos en silencio mientras mirábamos juntos el lienzo, sin necesidad de decir nada.

"Desearía estar equivocado", murmuró después de un rato, "pero creo que hay alguien para ti".

Levanté la cabeza de su hombro, confundida, y seguí su mirada.

Entendí la razón de su tono cauteloso tan pronto como intercepté esa figura entre la multitud.

Lo miré y él asintió. Me separé de su abrazo y, acomodándome el sombrero, decidí acercarme a él.

El agente Clark no fue difícil de identificar: entre globos de colores y niños correteando, el traje negro que vestía lo hacía parecer un enterrador.

Me uní a él frente al lienzo que estaba contemplando, al otro lado de la habitación. No se dio la vuelta, pero estaba seguro de que me estaba esperando.

"No pareces sorprendido de verme."

"Estás equivocado", le contradije con calma. "No esperaba encontrarte aquí".

Después de lo sucedido, la CIA interrogó a todos los que trabajaban en nuestra escuela. El profesor de informática había estado detenido toda una tarde cuando le conté a Clark sobre el incidente fuera de su salón de clases. Fitzgerald, sin embargo, había demostrado su inocencia.

Todos los involucrados habían sido capturados. Realmente se acabó.

Sin embargo, todavía estaba allí.

"Pensé que el asunto estaba cerrado".

Ladeó la cara, fingiendo interés en la pintura.

"El gobierno de Estados Unidos podría no estar de acuerdo".

Oh, tenía muy poco con lo que estar en desacuerdo, el gobierno estadounidense. De hecho, el Departamento de Seguridad Nacional tuvo problemas para aceptar más que eso después de que anuncié que tenía algo para ellos.

"Te he entregado el Tártaro", le dije.

Pero sin la llave.

"¿Tus ingenieros no pueden abrirlo?"

"Hay un sistema de seguridad que nos impide acceder al Codex", explicó. "Al forzar la cápsula, se destruye el contenido. Nuestras bases de datos han realizado una prueba de comparación de cadenas y confirman que la estructura interna se utiliza para almacenar el virus. Pero no podemos sacarlo".

Y nunca lo harás , susurró la voz de mi mente.

Muchas veces me pregunté por qué papá no lo había destruido.

Ese Código le había arruinado la vida y, sin embargo, no había podido deshacerse del fruto de su trabajo. Sabía el alcance de lo que había creado. Sabía lo que podía desencadenar.

Sin embargo, había elegido ocultarlo.

Tal vez porque algunas cosas están más allá de nosotros. Significan algo, algo que el resto del mundo no puede entender. A pesar de su naturaleza, a pesar de su forma de ser, representan algo insustituible para nosotros.

de único.

Cuando lo tuve en mis manos, mi primer pensamiento fue volver a ponerlo donde lo había encontrado. Escondido del mundo. Olvidado para siempre en el corazón de Canadá.

Pero ocultarlo nunca sería suficiente. El gobierno no dejaba de acosarme y después de lo que pasó en mi escuela, nada me aseguraba que estaría a salvo.

Otros volverían por mí. Nunca tendría paz.

Entonces, mirando a Mason a la cara, recordé lo que había dicho el hombre del palillo.

"Si se lo hubieras dado, lo sabríamos".

Claro, todos lo sabrían. La CIA habría filtrado el rumor de que Tartarus había caído en sus manos, haciendo valer su autoridad, y yo ya no sería el intermediario.

Clark finalmente apartó la mirada y se dio la vuelta.

"Seremos capaces de conseguirlo ".

Lo miré, mirándolo fijamente.

No, en cambio. Nunca lo tendrás. Porque él no está ahí.

Está en un cilindro hermético, enterrado entre miles de abetos, en el corazón de un bosque normal, a kilómetros y kilómetros de aquí.

Está a salvo dentro de mi cápsula del tiempo y nunca lo encontrarás.

"¿Qué estás haciendo?" Mason me había preguntado, mientras abría mi copa y vaciaba la copa Tartarus. Tomé el pequeño alce tallado que papá había hecho para mí y lo deslicé en la cápsula de acero inoxidable.

"Les doy lo que creó mi padre", respondí, sellándolo herméticamente.

Nunca podrían abrirlo.

Nunca pudieron conseguirlo.

Nadie lo encontraría.

Miré a Clark a la cara, sosteniendo su mirada.

"¿Eso es todo?"

Me miró con desapego. Debe haber estado esperando obtener algunas respuestas de mí. "Vine a informarle que ya no tiene que preocuparse por el asunto de Clementine Wilson. El Departamento ya lo ha hecho. Cualquier divulgación de lo sucedido cae bajo nuestra jurisdicción. La señorita Wilson no violará los protocolos de confidencialidad.

Asentí, reconociéndolo. No había visto a Clementine desde el día de la reunión. Ni siquiera en la escuela. Escuché que después del ataque, su padre había decidido internarla en una institución privada, pero me alivió saberlo.

"Buen día".

Lo vi alejarse. Mientras su traje negro se desvanecía entre la multitud, agarré el colgante de marfil en mi palma. Ese secreto estaría a salvo. *Siempre conmigo.*

Di media vuelta y caminé entre las gradas. Pasé junto a familias y maestros de escuelas afiliadas, y ocasionalmente sentí algunas miradas fijas en mí. Los dedos me señalaron, los susurros siguieron cada uno de mis pasos. Pero esta vez fue diferente.

"Es ella, la canadiense" los escuché susurrar, y los pequeños me miraron con miedo y admiración. Le disparó al terrorista.

"Le voló las tripas", se gritaban entre ellos, y cada vez las historias cambiaban.

"Le pegó en el ojo, ¡fue una locura!".

"Dicen que una vez mató a un oso pardo con solo una honda. Un mayor me lo juró.

Pero ahora nunca miraron hacia otro lado cuando me di la vuelta. Ahora se enderezaron con expresiones animadas y me saludaron.

Saludé a un par de niños con sombreros torcidos; contuvieron la respiración y continuaron susurrando con ojos brillantes.

De repente, algo me sobrevino. Tropecé de lado, y cuando me di la vuelta, vi una maraña informe de brazos y labios. Un inconfundible ruido de succión hizo que mi cara se inclinara.

"¿Travis?"

Sus ojos se abrieron y apartó el cuerpo pegado al suyo.

Fiona lo miró con indignación ya que parecía nada menos que culpable.

"Se me echó encima", se justificó, escondiendo las manos que momentos antes la habían acariciado con pasión.

"¿Qué?" ella gritó indignada. "¡Pero metiste tu lengua en mi boca!"

"¡Bueno, ciertamente no retrocediste!" se sonrojó, apuntándola con un dedo. "Y por cierto, pensé que te estabas ahogando con las palomitas de maíz".

"¿Qué palomitas de maíz? ¡No estaba comiendo nada!".

—Créeme, Ivy —me aseguró con tono de mártir—, yo soy la víctima.

En ese momento, Fiona decidió que Travis realmente tenía que convertirse en víctima, pero de un asesinato: comenzó a golpearlo y lo vi levantar sus fornidos brazos para cubrirse.

«¡Tú feo... sin cojones... que no eres nada más!»

"¡Ay! Fiona! No, las uñas... ¡ay!"

"¡Te daré la víctima!"

«Vamos, bebé, estaba bromeando... ¡AHH!»

Se derrumbó bajo sus puños hostiles y alguien se rió detrás de mí.

"No me digas..." dijo una voz. "¿Empiezan de nuevo?"

Me giré para ver a Tommy y Nate acercándose.

"Creo que deberíamos intervenir", sugerí, mientras Fiona golpeaba al chico del que estaba enamorada como un matón.

"No, no te preocupes, siempre han sido así. Se reconcilian rápidamente".

En ese momento dos delgados brazos me rodearon: Carly asomó la cabeza y me sonrió brillantemente desde abajo.

"¡HOLA!"

Sam, detrás de ella, se acercó con una sonrisa. "¿En ese momento? ¿Dónde está la gran obra maestra?"

"No había necesidad de venir en absoluto", murmuré avergonzado. "No es nada como..."

"Pero si pasaras toda una semana pintando día y noche", replicó Sam. "¿Creíste que nos perderíamos tu debut?"

"Sé modesto", dijo Nate, y le disparé con el ceño fruncido. "Y luego hay una apuesta".

"¿Una apuesta?"

"Ciertamente. Travis lo tiró", respondió, y Tommy trató de ocultar su rostro en la capucha de su sudadera.

«Yo, en efecto, apostamos a que pintarías un paisaje. Definitivamente algo grande, ya que te tomó más de una semana. Algo que dé espacio a tu espíritu libre».

"¿Y qué apostó Travis?"

"Que pintarías un alce".

Se echaron a reír como locos.

Los miré un poco molesto, cruzando los brazos, y Tommy ante la duda tomó una foto de la foto: nos inmortalizó así, conmigo apartando el brazo de Nate, Carly abrazándome sonriendo a la cámara y Sam inclinado hacia adelante con ella. boca bien abierta.

Una voz familiar me hizo girar: John caminaba hacia nosotros, charlando con una lata en la mano. Y junto a él estaba Mason.

Una alegría ardiente se apoderó de mi corazón. Siempre fue así, cada vez que lo veía. Lo vi acercarse y me miró a los ojos. Giré los hombros y sentí que Carly me acariciaba con satisfacción mientras me relajaba en sus brazos.

"¡Los jueces casi han terminado!" anunció Juan. "La ceremonia de entrega de premios llegará pronto. ¿Qué... está tramando Travis?"

En ese momento, Travis se resistió, agarró la cara de Fiona y estrelló sus labios contra los de ella.

Pensé que lo habría estrangulado, en lugar de eso, se aferró a él y correspondió con más ardor que antes. Volvieron a besarse salvajemente entre la gente que pasaba, y dos niños sacaron la lengua, asqueados.

—Ah —dijo John—.

Continuaron durante bastante tiempo antes de decidir que bien podían darse el lujo de respirar: ambos emergieron con la cara roja, pero triunfantes.

«De todos modos, tú me besaste primero», replicó ella, antes de tomar su mano y arrastrarlo hacia nosotros.

"¿Entonces que hay de nuevo?" comenzó Travis, palmeando a Mason. "Ivy, espero que no hayas elegido pintarme al final. Tengo una apuesta para ganar.

Le fruncí el ceño.

"Tienes que dejar de andar diciendo que mato grizzlies con mi honda".

Travis parpadeó, fingiendo inocencia. "¿Quién, yo?"

—Sí, tú —gruñí, recordando la vez que lo atrapé cantando mis alabanzas a un grupo exultante de primer año. "La gente tiene ideas raras".

"Realmente no sé de lo que estás hablando..."

Cierto.

"Creo que es hora de irnos", intervino John, mirando su reloj de pulsera. «La entrega de premios comienza en unos momentos».

Los demás asintieron y Carly vibró como un saltamontes, temblando; ella me soltó, y vi a Fiona sonriéndome, sus ojos sorprendentemente brillantes cuando los crucé sobre el brazo de Travis.

Me pregunté si Bringly había terminado sus rondas en las cabinas de las otras escuelas. Al menos esperaba que hubiera aliviado un poco la tensión, dada la mirada desorbitada con la que había comenzado a masajear los hombros de uno de mis compañeros.

"¡Tómatelo con calma, Cody!" había enunciado, mientras el chico era golpeado como una pelota antiestrés. "¡No te enojes, está bien! ¡Es solo una competencia puramente académica! ¿Qué cuenta el prestigio después de todo? ¿La gloria? ¿El reconocimiento de por vida? ¡Nada, nada! ¡Aquí lo hacemos por caridad! ¡Ah!"

Se rió un poco histéricamente, y ese fue el momento en que comencé a dudar de su completa cordura.

Carly tiró de mi brazo. "¡Vamos!"

"Un momento más".

Sentí que algo me rozaba el pelo. La muñeca de un hombre se deslizó sobre mis hombros y miré a Mason, confundida.

"Hay una última cosa".

"¡Vamos tarde!" dijo Carly. "¡Sea lo que sea puede esperar!"

"No", murmuró, "no puede esperar más".

Luego se inclinó sobre mí y me besó delante de todos.

Lo único que pude escuchar, en el silencio que se hizo de repente, fue el golpe sordo con el que mi gorra cayó al suelo.

Y el sonido de la lata de John, todavía medio llena, desprendiéndose de su mano y estrellándose contra el suelo.

No fue fácil explicarles a los demás que nunca había sido prima de Mason.

Ahora que la cuestión del Tártaro había terminado, ya no había ninguna razón para seguir mintiendo.

Era él quien hablaba: lo escuchaban sin interrumpirlo jamás, algunos con la boca todavía abierta, otros con un color extraño en la cara.

No dijo nada sobre mi padre o el virus, pero explicó que todo lo había hecho por una razón mayor, para protegerme: lo escuché sin intervenir y su apoyo me dio consuelo. Me quedé mirándolo cuando bajó la mirada hacia mí: me apoyé en él y le correspondí con todo el transporte que por fin ya no tuve que esconder.

Nadie se movió: permanecieron durante un largo momento congelados por el desconcierto, demasiado conmocionados incluso para reaccionar.

Entonces estalló el caos.

Preguntas, expresiones torcidas, y Fiona me miró con un tic divertido en los ojos y susurró: "¿Era él el que te gustaba? ¿ Fue *él* ?"

Sam se pasó las manos por el pelo y Travis, después del primer momento de mirarnos con las fosas nasales dilatadas, se echó a reír tan fuerte que casi escupió su hígado.

Tomó mi gorra y se la puso en la cabeza a su mejor amigo: Mason estaba de pie con los brazos cruzados y su expresión molesta mientras cantaba los cánticos del estadio, burlándose de él de formas que ni siquiera podía imaginar.

Nate, en cambio, lo miró con incredulidad, como si de repente hubiera entendido un misterio muy importante del universo.

Pero había más.

Algo asombroso.

Algo más.

Una voz en el micrófono hizo realidad lo increíble: me quedé paralizado al escuchar el nombre de nuestra escuela.

Yo, que en mi vida solo había ganado algo en tiro al blanco en las ferias de los pueblos... No podía creerlo cuando mi nombre resonó en toda la feria.

Me tomó una sacudida convencerme de que me estaban llamando. Me empujaron y arrastraron hasta la sala de conferencias.

«Un... espera» balbuceé, «estamos seguros de que...»

Me tiraron por las escaleras hacia el escenario, frente a la gente que aplaudía.

Bringly se unió a mí con entusiasmo, ayudándome a levantarme. Gritó, exultante, recibiendo las miradas serenas de los otros profesores. El presidente de la feria me entregó el certificado que otorgaba el primer lugar y sentí que me ardían las mejillas mientras posábamos para la foto ritual: mi profesora, roja de emoción, y yo, igualmente roja, con los ojos asomando por encima del certificado. Mi lienzo en cambio detrás, con la escarapela azul pegada encima.

«¡Y tú que no quisiste participar! ¡Ah! replicó dándome una orgullosa palmadita. «¡Sabía que me daríais una gran satisfacción! No te importa, ¿verdad, si me tomo una foto con el certificado?

Al final le saqué la foto, con el documento enmarcado en una mano y con la otra la del presidente, con una sonrisa radiante como si acabara de ganar el Nobel.

Una vez me dijo: "Muéstrales a los demás cuánta belleza puedes encontrar donde ellos no ven nada".

Y yo tenía.

Yo había mostrado mi tierra.

Le había mostrado las flores, los lagos y las montañas.

Yo había mostrado el cielo y su libertad.

Pero sobre todo, había mostrado esperanza.

Y tal vez sea realmente cierto que la fuerza de ciertas cosas es su mayor belleza.

Llegamos a casa muy tarde.

Mi habitación estaba envuelta en una luz rosada: el cielo parecía una acuarela y en el horizonte el océano brillaba como un joyero.

Me detuve en la puerta y dejé que mis ojos vagaran.

No había más cajas cerca de la pared. Ya no quedaban más *peros* colgados en bolsas de plástico .

En una esquina, mi caballete sostenía un lienzo colorido, con varios bocetos a lápiz colgados junto a la ventana. El rosetón de la bandera canadiense colgaba sobre la cama, y la foto ahora enmarcada de papá y yo me sonreía desde la mesita de noche. Estaban mis zapatos, mis libros en los estantes y el muñeco de alce sobre mi almohada, donde Miriam lo dejaba cada vez que venía a limpiar las habitaciones.

Ahora era mío. En todos y para todos.

Apoyé el certificado contra la pared, con cuidado. Toqué el cristal y sentí una emoción rara e increíble que no podía explicar. Dondequiera que estuviera, estaba seguro de que papá sonreía.

Hace mucho frío aquí.

Me giré al escuchar esa voz.

Mason entró, mirando el aire acondicionado, con el labio superior ligeramente curvado. Ni siquiera entendía por qué, pero estaba empezando a amar sus expresiones de molestia.

"¿Crees que tu padre se lo tomó mal?" Pregunté mientras se acercaba.

John no había dicho nada desde lo sucedido.

Casi pensé que le gustaría que pasara algo entre nosotros. Cuando hicimos las paces, vi una alegría genuina en su mirada, como si él también se sintiera más aceptado.

Sin embargo, por su expresión de asombro, entendí que cuando me acogió había asumido inconscientemente los sentimientos y deberes de un padre. *Todos* los deberes, incluso los tácitos y no escritos, los que los padres sienten un poco, como querer patear a cualquiera que me vea de una manera que él, como hombre, conoce bien.

Debió sentirse muy desestabilizado al darse cuenta de que alguien a quien patear no era otro que su propio hijo.

"Lo superará". Sus alumnos se deslizaron distraídamente sobre el certificado. "Él no se lo esperaba".

Nadie lo esperaba, mis pensamientos se cruzaron mientras fijaba sus ojos en los míos.

Incluso tú. Yo tampoco...

Él ladeó la cabeza. El crepúsculo quemó el perfil armonioso de su rostro, convirtiendo sus iris en dos charcos de plomo fundido. Me miró fijamente y levantó una mano, quitándome lentamente el sombrero.

Lo colocó en el escritorio junto a nosotros, su mirada atenta y silenciosa. Me quedé quieto y esperé el momento en que me tocaría. El toque áspero de sus dedos en mi mejilla envió un escalofrío por mi columna.

Los dejé reposar sobre mi piel, acariciándola con una delicadeza que no parecía propia de manos tan fuertes.

Incliné mi rostro, yendo hacia ese gesto: suspiré lentamente y volví a levantar los ojos.

Me había estado mirando todo el tiempo.

"No huyas más, ahora..." murmuró. "¿Real?"

"Tú dime," susurré suavemente.

"No, tú me dices ".

Agarró mi cara con su mano, acercándome a él. Su aliento se mezcló con el mío. Disfruté la presencia de su cuerpo mientras inclinaba su rostro hasta tocar mi frente.

"Quiero oírte decirlo. Quiero escucharlo en tu voz".

"No me iré," respiré, mirándolo a los ojos.

Esas palabras entraron en él y labraron caminos que se perdieron en su alma.

Todavía había mucho que no sabía sobre Mason. Todavía había muchos universos dentro de sus iris inexplorados. Y quería averiguarlo. Todos.

Lo había buscado entre miles de millones de personas.

Lo había perseguido hasta los ojos de la gente. Y lo había encontrado dentro de mí.

Ahora quería vivirlo.

Me puse de puntillas y él se inclinó para besarme. Sentí su fuerza, su mano contra mi mejilla, su pulgar en la comisura de mi boca.

Habíamos vivido nuestras vidas sin conocernos nunca.

Habíamos crecido mundos aparte.

Pero quizás algunos lazos no conocen el tiempo y el espacio. Tal vez crucen alguna barrera.

Soy otro tipo de destino.

Como nosotros dos.

27

Desde el principio

Odiaba los hospitales.

Esperaba no volver a oler ese olor.

Las náuseas sofocantes.

El sentimiento de impotencia.

Me recordaron la época en que lo había perdido todo.

En ese momento, mientras nuestros pasos resonaban en el pasillo, me sentí como esa niña perdida otra vez.

Dimos la vuelta rápidamente, corriendo como locos. Sentí mi corazón latir con fuerza, mis palmas sudorosas, la respiración de Mason entrecortada a mi lado.

La preocupación me impedía pensar y nublaba mi lucidez.

Llegamos a la habitación casi resbalando por el suelo: me agarré a la puerta y se abrió frente a nosotros una habitación llena de luz.

John estaba allí, en la cama.

"Oye", dijo, un poco avergonzado.

No podía respirar. Lo examiné obsesivamente, persiguiendo cada centímetro de su rostro con una mirada convulsa. Sus rasgos estaban relajados, su rostro brillante, su cabello arreglado y... ¿una venda en su muñeca?

"Te dije que estaba bien", murmuró un poco culpable, notando nuestras caras torcidas.

'Me caí y me llevaron al hospital' dice el mensaje que nos envió. Sentí morir. Tremendos recuerdos habían resurgido de mi corazón y no había sido el único: por primera vez había visto en el rostro de Mason una angustia tan profunda como la mía.

"¿Qué pasó?" preguntó su hijo con voz ronca.

"Un colega mío había dejado caer unos papeles. Me resbalé y aterricé sobre mi muñeca", explicó John mientras nos acercábamos.

Me quedé en silencio, pero no pude evitar mirarlo con una extraña necesidad. Observé los ojos claros, la apariencia bien arreglada, la camisa recién lavada que realzaba su tez cálida.

No había pasado nada.

El estaba bien.

Juan estaba bien.

Un suspiro tembloroso escapó de mi pecho. Sentí que Mason se relajaba tanto como si la tensión fuera un escalofrío que nos dejara la piel.

Siento haberte preocupado. John sonrió mortificado y tocó el brazo de su hijo, el más cercano a él. El alivio de ese gesto me alcanzó también a mí, y cuando se encontró con mis ojos atormentados, un rayo de sol volvió a calentarme.

En ese momento me di cuenta de que no estábamos solos.

En el otro extremo de la habitación llena de camas había una presencia que de inmediato exigió nuestra atención. Como un imán de extraordinario poder, la mujer sentada en la silla encadenó nuestras miradas como si las hubiera esperado en silencio.

"¿Qué diablos estás haciendo *aquí* ?" fue el siseo que me hizo saltar. Se me puso la piel de gallina al escuchar esa voz tan cargada de odio: me giré hacia Mason y en sus iris tan familiares vi la sombra de una ira helada, capaz de desestabilizarme.

No eran ojos que yo conociera.

Goteaban con una rabia profunda y devastadora que provenía de lugares dentro de él que nadie había puesto nunca antes.

Ni siquiera tuve una duda: esa era la mujer de la que había oído hablar, el fantasma que se había quedado en esa casa grande durante tanto tiempo.

Esa era su madre.

"Vine a discutir algunos asuntos con tu padre", respondió con calma.

Tenía una voz profunda y elegante que emanaba un encanto fatal.

Me llamó la atención su apariencia más que otra cosa: Evelyn era una mujer espléndida, sofisticada, de una belleza enigmática y voluptuosa. Las piernas cruzadas y la postura orgullosa exudaban un carisma que había visto en pocas personas. "Me enteré de que lo traían aquí y le ofrecí mi ayuda".

"No queremos nada de *ti* ", siseó Mason mordazmente. Un aura nerviosa irradiaba de todo su cuerpo como un veneno ardiente.

Ella levantó una comisura de sus labios.

"Escuché que ganaste la última pelea. ¿Recibiste mi regalo?"

"Puedes pegarlo..."

"Mason", susurró John.

Evelyn chasqueó la lengua lentamente, poniendo sus ojos divertidos en mi padrino.

"Deberíamos haberle lavado la boca con jabón..."

Mason comenzó a chasquear y su padre apretó con más fuerza su muñeca.

Un río de ardiente resentimiento invadió a John: su hijo lo miraba con el espectro de esa ira, sin embargo yo intuía el enorme esfuerzo que hacía para no complacerla.

Podría haber agarrado a la madre y haberla echado.

Habría tenido la fuerza y ciertamente también la voluntad.

Pero no lo hizo.

Una vez más surgió la profundidad de su vínculo: John no era solo su padre, era el hombre que lo crió.

Evelyn no se lo perdió. Vi sus ojos fríos mirar fijamente ese gesto, y vi algo en su mirada que no pude entender.

Un toque de morbo. El apego a un hijo que ella misma había desechado, pero que, sin embargo, era *suyo* . No era sentido maternal: había perdido una carrera y su naturaleza competitiva no podía aceptarlo.

"Por favor espera afuera", murmuró.

"No voy a esperar en ningún lado", respondió Mason, apenas conteniendo su ira.

Me agarró de la mano para alejarme de allí y solo entonces su madre se encontró con mi cara en la sombra del sombrero.

—Candice —susurró.

Me quedé helada. Me miró inmóvil por un momento, dándose cuenta de un pensamiento.

"Eres la hija de Robert".

"Vamos," dijo Mason, sacándome de la habitación. Odiaba el hecho de que su madre me hablara, porque odiaba la intrusión.

Traté de seguirle el ritmo. Me di la vuelta y la vi levantarse para venir en nuestra dirección. Era alta, curvilínea como una pantera, con labios carnosos y cabello oscuro enmarcando su atractivo rostro. Mason tenía mucho de ella.

"¿Conocías a mi padre?" Pregunté a pesar de todo.

"Conocí a tu madre. Oh, te pareces mucho a ella.

"No tienes que hablar con ella", estalló Mason, girando como un terremoto.

Se había acercado a una pulgada de su rostro, escupiendo las palabras en su rostro. Sabía que dolía verla, sabía que él quería dejarla fuera de su vida, pero era el hecho de que no podía hacer eso lo que le dolía tanto.

¿Cuántas veces se había mirado al espejo y la había visto?

"¿Quieres quitarle su derecho a hablar conmigo?" la madre lo enfrentó con esa ironía intocable. "Qué posesivo eres, Mason. ¿Quién eres tú para esta chica?

"Algo que ni siquiera podrías *entender* ".

Estábamos en el pasillo y una enfermera nos miraba de lejos. Su madre captó el mensaje y sus pupilas se deslizaron sobre mí con una curiosidad inesperada.

"Conocí a sus padres. Quizá *quiera* quedarse aquí y hablar conmigo.

Mason apretó la mandíbula y luego me miró. Eso fue suficiente para comprender que tal vez tenía razón. Nunca conocí a nadie que conociera a mamá y papá excepto John, y mi vacilación equivalía a una respuesta.

«Mason...» Traté de detenerlo, pero me soltó y se alejó de mí.

Me dio la espalda y se alejó sin siquiera darse la vuelta. Lo vi desaparecer de mi vista con una sensación de vacío a la altura del pecho.

"¿Quién hubiera pensado eso?", Murmuró, sorprendida. "La hija de Candice y mi hijo..."

Me volví hacia ella. Sus ojos me devoraron viva, con una atención casi quirúrgica. Tenía una mirada hambrienta, una de esas miradas que te pueden atrapar.

"¿Cómo la conociste?" Pregunté con cautela.

"Éramos compañeros de cuarto en la universidad. La chica más desordenada del campus —sonrió, separando sus hermosos labios.

"¿Eran amigos?"

Ella pareció reflexionar. «En cierto sentido. A veces salíamos juntos. Así conocí a John: cuando ella empezó a salir con Robert, conocernos era inevitable».

La observé con sorpresa. ¿John y Evelyn se habían conocido a través de mis padres?

"El parecido es increíble", dijo, todavía estudiándome. "Por un momento realmente creí que era ella".

"¿De qué tipo era él?"

Mordí mi labio. Ella notó el impulso en mi voz y miró la mía, ahora con una nueva conciencia.

"¿No recuerdas nada?" preguntó suavemente.

La respuesta se leyó en mi cara. Sin embargo, no bajé los ojos, lo que ella pareció admirar.

"Sabía que soñaba con volver a casa", comenzó. "Llenó las paredes con carteles de nieve. Amaba este lugar... No había nada allí, pero insistía en que no entendía su belleza. Era una chica extraña, pero quizás por eso extraordinariamente fascinante. Exudaba pureza. Nunca la volví a ver cuando se mudó a Canadá con tu padre.

"Te pareces más a ella de lo que crees", me dijo papá una vez. Pensé que era solo la apariencia, pero no fue así. Tuve una extraña sensación al escuchar sobre ella. Lo hizo aún más real.

"Escuché sobre Robert", admitió. "Estaba triste cuando me enteré de lo que pasó. Qué increíble desperdicio. Podría haber hecho grandes cosas con una mente como la suya." Sacudió la cabeza, sacudiendo su espeso cabello. "Destruir un descubrimiento tan importante... Qué locura. Debería haberlo vendido al mejor postor", agregó con un toque. de envidia, como si quisiera estar en su lugar: "Redimir un puesto de prestigio y vivir como uno de los más grandes creadores de los tiempos modernos. Podría haber tenido el mundo a sus pies... y prefirió no hacerlo". Evelyn sonrió como un hermoso tiburón. "La vida es una paradoja a veces, ¿no crees? Nos lleva a rechazar la realidad como si hubiera algún consuelo en eso. Robert habría sido uno de los armeros más destacados de los últimos tiempos si no se hubiera convencido a sí mismo de que estaba equivocado. como mi hijo No soporta parecerse tanto a mí y ni siquiera se da cuenta de que es idéntico a mí.

Miré a la mujer parada frente a mí y ella se rió irónicamente, disfrutando de esas palabras.

"Estás equivocado", le dije con voz tranquila. Evelyn se volvió y yo la miré fijamente. "No podrías ser más diferente".

Se hizo el silencio. Me estudió durante mucho tiempo y algo cambió en su forma de hacerlo.

"Tengo que corregirme a mí mismo", dijo lentamente. "Tienes la misma perspicacia que tu padre. Mirarte a los ojos es como mirar a los suyos".

Le di una larga mirada, antes de alejarme de ella y caminar por el pasillo.

Sentí que sus pupilas me seguían, clavándose en mí, pero dejé que se desvanecieran en la primera esquina.

Porque la gente como Evelyn no puede ver el corazón de las cosas.

Solo saben ver la superficie, sin llegar a comprenderlos realmente.

Ellos creen que los conocen.

Y este es precisamente su mayor error.

Cuando llegué a casa por la noche, el auto de Mason ya estaba en el garaje.

Me quité el sombrero y los zapatos y subí a su habitación, donde llamé suavemente antes de entrar.

La habitación estaba envuelta en penumbra. Avancé con pasos delicados, vislumbrando su figura recostada sobre la cama. Estaba de espaldas a mí, pero ya lo conocía lo suficientemente bien como para saber que no se daría la vuelta.

Me senté en el colchón, tratando de no romper el silencio. Dudé, luego estiré la mano con torpeza y le acaricié el pelo. Quería consolarlo, encontrar una manera de llegar a él. Siempre me sentí inadecuado en esos momentos, como si los demás tuvieran una sensibilidad que yo, en cambio, no tenía. Sin embargo, elegí intentarlo.

"No importa lo que te une, sino lo que te hace diferente". Busqué las palabras adecuadas, eligiéndolas tan cuidadosamente como pude. "Puedes parecerte... pero tienes un corazón que ella nunca tendrá. Y eso hace toda la diferencia en el mundo." Incliné mi rostro y me detuve, acariciando lentamente esa masa suave. "¿Sabes lo que más me impresionó de ti?" susurré, expresando un pensamiento tan íntimo por primera vez. "Lealtad.

La lealtad que le tienes a tus amigos, a John y a las personas que amas. No eres como ella. Eso es lo que no puedes ver".

Mason permaneció apartado.

Deseé tener las palabras para pavimentar un camino en su alma. Quería caminar de frente, sabiendo exactamente cómo moverme y hacia dónde ir.

Pero no pude.

Bajé los ojos y saqué los dedos, vencido por mis limitaciones. Lentamente, me moví y la cama crujió.

Sin embargo, al instante siguiente, mis manos se envolvieron alrededor de su pecho. Me acosté detrás de él y lo abracé, sintiendo mi pecho vibrar fuertemente bajo mis palmas. Apoyé mi mejilla en su espalda y lo apreté con toda la dulzura que no pude expresar en voz alta.

Ser nosotros mismos no fue un obstáculo.

Fue lo que nos hizo reales.

Con el tiempo entendí que no es ser parecido lo que hace algo especial.

Es poder encontrarse de todos modos, a pesar de las diferencias.

Me desperté con el leve chillido de las gaviotas.

La luz del amanecer atravesó los postigos de la ventana; Parpadeé, aturdido, tratando de concentrarme en la habitación.

¿Me quedé dormido allí? ¿En la habitación de Mason?

En ese momento me di cuenta de la posición en la que me encontraba. En otra historia habría sido la niña que despertó rodeada de dos poderosos brazos, apretada contra el pecho de un joven que la había estado abrazando todo el tiempo.

Pero no en la mía.

En la mía yo era la que se aferraba a él, a él que, por otro lado, todavía me daba la espalda.

Mis mejillas ardían y me tensé. ¿Realmente lo había estado aguantando toda la noche? *Santo cielo...* ¿Y si me encontraba pegajoso? ¿Y si quería mudarse?

Fijé mis ojos en el contorno de su rostro. Observé la tentadora curva de su cuello y, después de un momento de vacilación, enterré mi nariz detrás de su oreja e inhalé su aroma.

Maravilloso.

Dejé que mis pulmones se intoxicaran con esa esencia suave y provocadora y suspiré, pero en ese momento me di cuenta por su respiración que Mason estaba despierto.

Me sonrojé de vergüenza.

¿Se había dado cuenta?

"Háblame de tu padre", le oí murmurar.

La sorpresa me detuvo por un largo momento. Escuché esa petición y relajé mi cabeza en la almohada, tomándome el tiempo para encontrar las palabras.

"Él... era muy diferente a John", comencé, sin saber exactamente lo que quería escuchar. "Era un tipo excéntrico, un poco torpe. Nunca aprendió a enrollar su bufanda correctamente, siempre había un lado que tocaba el suelo. Amaba la criptografía y todo lo relacionado con los lenguajes codificados... Fue eso lo que le fascinó al mundo de la informática. Tenía una mente increíble, pero sabía sonreír como ningún otro. Murió de cáncer de estómago".

Tragué saliva, sin saber muy bien qué decir. Había sido bastante malo, pero no era bueno pintando personas con mi voz, solo con mis manos. Expresarme siempre había sido difícil para mí, y envidiaba a aquellos que, por otro lado, no tenían problemas para hablar de sus sentimientos. Sentí a Mason moverse: su palma se deslizó sobre mi muñeca y mi corazón se hundió cuando entrelazó nuestros dedos en su camisa. Era diminuta en comparación con su inmenso cuerpo, pero me apreté contra él y bajé los párpados.

"Tenía el sol en los ojos", respiré, sintiendo que mi voz se adelgazaba. «El sol aquí, un sol caliente, muy fuerte y brillante. Vio el mundo entero bajo esa luz. Me dijo: 'Mira con el corazón'. Creo que quería decirme que busque el alma de las cosas, que las ame por lo que son. Para verlos de verdad, como él lo hizo».

"¿Y tuviste éxito?" preguntó.

Separé mis labios, levantando lentamente mis ojos hacia él.

"Tal vez".

Después de un momento, la sábana susurró contra mis piernas. Mason se dio la vuelta y finalmente me encontré con sus iris oscuros. Su cabello caía suave sobre la almohada y sus labios hinchados exudaban una extrema sensualidad. Lo encontré a un soplo de distancia de mi cara, cálido, somnoliento y seductor.

Una atracción inesperada me dejó sin aliento. Sentí un repentino deseo de besarlo, de hundir mis dedos en ese cabello desordenado y apretarlo a mi alrededor. Mason me miró a los ojos y la boca, un deseo creciendo dentro de mí que me inundó como un torrente de calor.

Luego me besó.

Despacio.

Sus labios se abrieron flexiblemente debajo de los suyos, permitiéndole saborearme calmada y completamente. Su lengua caliente me invadió y proyectó mis sentidos en una dimensión lánguida y hirviente que me quitó la capacidad de respirar.

Mason besó como un dios. Su boca se movía con una certeza y una carnalidad que me hacían latir la sangre y al mismo tiempo me intimidaban. Quería complacerlo más, pero cuando me tocó, mis nervios se estremecieron y mis músculos se derritieron como la miel.

Jadeé suavemente cuando los estallidos húmedos resonaron en mis oídos, atrayéndome a las garras irresistibles del placer. Traté de normalizar mi respiración, pero no pude. Apretó mi pelvis entre sus grandes manos y reacciones incontenibles brotaron de mi cuerpo.

Yo era vergonzosamente sensible.

"Mason..." susurré sin aliento. Me agarró por las presillas del cinturón y me atrajo hacia él. Su aura de fuego me envolvió mientras me presionaba con fuerza contra su cuerpo, como si quisiera tenerme. Todo.

Traté de no tener un ataque al corazón.

Nunca habíamos compartido tanta intimidad, nunca nos habíamos explorado así. Esto me emocionó y me asustó al mismo tiempo.

Me sentí caliente y eléctrico. Ni siquiera podía dejar que me besara sin desplomarme en sus brazos, ¿cómo podía manejar todas las sensaciones que atormentaban mi pecho?

"Quiero oírte", murmuró, presionando sus labios en mi oído. "Quiero tocarte".

Casi me da un ataque al corazón. Su voz ronca e impulsada vibró a través de mis huesos hasta que me dejó sin aliento.

Me di cuenta de que tal vez siempre se había contenido, que bajo ese carácter predominante ardía una naturaleza voraz y apasionada, reservada sólo para mí. La idea me dio ganas de gritar.

Sentí sus dedos en el cierre de mis jeans. Agarré la tela de su camisa, pero él inclinó la cara y empujó esos hermosos labios por mi cuello, dejándome sin aliento. Lamió la piel sensible de ese lugar y la mordió con lascivia, derritiendo cualquier intención en mi boca. Temblé, los latidos de mi corazón se aceleraron y un extraño entumecimiento se enredó en mi vientre.

me estaba volviendo loco

No estaba acostumbrada a escucharlo así, no estaba acostumbrada a ese tipo de atención. La sola idea de que me estaba tocando me volvía loca. No podía soportar el zumbido loco que invadía mi cuerpo, era demasiado.

Era como combatir un incendio y encontrarlo dentro.

Sentí los jeans deslizarse por mis piernas. Contuve la respiración.

Me soltó los tobillos y me sentí desnuda, aunque todavía tenía la camisa y la sábana cubriéndolos. Instintivamente cerré las rodillas, pero Mason no pareció estar de acuerdo: apretó mi muslo y lo llevó alrededor de su pelvis, respirando profundamente.

Las emociones locas me comieron desde adentro. Sentí el roce de la tela de su traje contra mí y mi corazón estalló en mi pecho.

¿No se dio cuenta de lo que me estaba haciendo?

¿No se dio cuenta de que me estaba enviando a éxtasis con un toque, incendiándome con un soplo o sometiéndome con una mirada?

Tenía toda mi alma en sus manos.

Y no tenía miedo de usarlo.

Cuando volvió a meter la lengua en mi boca, exploté.

Pasé mis manos por su cabello y obedecí con un énfasis casi desesperado. Me estaba quemando vivo. Nunca antes había sentido esas sensaciones, y eran devastadoras.

Sus ásperos dedos agarraron mi esbelto tobillo y luego me estremecieron las nalgas. Los tomaron en sus manos y los apretaron con posesión. Mi cabeza daba vueltas y mi corazón latía con fuerza en mi garganta. Deseé no haber jadeado así, pero Mason continuó jugando con mi cuerpo delgado vigorosamente, como si disfrutara escuchándome hacerlo.

De repente me apretó contra su pelvis y me arqueé: me extendí sobre él y lo sentí *todo* . Gimió en mi boca y mordí sus labios hinchados, completamente fuera de mí.

Con un gesto firme, agarró el hueco de mi rodilla y nos levantó a ambos.

Me encontré a horcajadas sobre él en solo mis calzoncillos. Me modelé en su pelvis y la dureza que sentí entre sus muslos me dejó sin aliento.

Dejé de respirar. Mis ojos se agrandaron y mis mejillas se encendieron, pero Mason pasó sus dedos por mi cabello y me acercó a su boca, sofocando mi desconcierto.

Yo fui quien tuvo ese efecto en él.

Yo fui quien se lo causó.

No es una de las muchas chicas hermosas allí.

No Clementine, con su cuerpo asesino y su descaro seductor que hizo que la gente se volviera.

I.

Mason me quería.

Solo yo.

Quería ser tocado por mí, besado por mí, abrazado por mí. Incluso toda la noche, si tuviera que hacerlo, pero solo.

Nunca había llevado a nadie a esa casa, porque para él esas eran las puertas de su intimidad, de su familia y de todo lo que era más importante en su vida.

Me había obligado a ello. Pero él fue quien me trajo de vuelta allí cuando me fui.

Pertenecíamos juntos.

De una manera loca, enorme, extraña.

Pero eso fue todo.

"Yo también quiero saber de ti", le confesé en un susurro. Le apreté la cara con las manos y él levantó las pupilas, mirándome con el pecho vibrando.

Vi algo en sus ojos, un ardor, una necesidad con la que en realidad me había mirado tantas veces. Cuando nos habíamos peleado, cuando nos habíamos gritado, cuando lo había retado con esa mirada intensa y profunda que tanto me caracterizaba.

Ahora por fin podía verlo. Estaba dentro de sus ojos.

Y estaba gritando mi nombre.

Levanté su rostro y volví a unir nuestros labios, tomándolo todo. Lo dejé ir y mis sentimientos lo inundaron. Exploté como una ola tórrida, inmensa y sensacional.

Mason agarró mis caderas, sorprendido, y lo abracé con todo lo que tenía. Lo besé hasta que lo retorcí, hasta que me quitó el aliento, y me correspondió con el mismo ímpetu que ardía en mi cuerpo.

Nos perdimos el uno en el otro hasta que unos pasos y una voz nos hicieron saltar.

"¿Masón? ¿Estas despierto?"

Nos separamos apresuradamente, y después de un momento la puerta se abrió.

"Quería hablar contigo sobre lo de ayer..."

John se congeló cuando me vio. De hecho, literalmente se petrificó. Agarré la sábana que cubría mis piernas y esperé que el rubor no me delatara. Alternó su mirada entre mí y su hijo e inmediatamente una extraña incomodidad llenó la habitación.

"Ivy, tienes que dormir en tu habitación", dijo, y el significado implícito nos golpeó a los tres. Mason desvió la mirada, John tragó saliva y yo me sonrojé violentamente. Fue la situación más vergonzosa de mi vida.

"C... Claro," tartamudeé.

"No te haré nada", dijo Mason, levantando una ceja molesto, y la sangre se apresuró a mi cerebro.

¿Nada?

"Lo sé", dijo John con voz ronca, pero no parecía saber nada. "Es solo que yo... todavía tengo que acostumbrarme". Recé para que la sábana nos cubriera, o que *nada* fuera muy difícil de pasar por alto. "Quiero decir... Ivy... la vi crecer. Y tú... Bueno, eres mi hijo, entonces...» tragó saliva por segunda vez y la vergüenza nos hundió aún más en esa situación.

Quería decirle que su hijo tomó todo lo que quería incluso sin su consentimiento. Sucedía a menudo que nos interrumpían, que solo hablábamos o estábamos juntos. Vivir rodeado de amigos que aparecían como y cuando querían, además en la casa de un hombre presente como John, no cumplía quién sabe qué intimidad.

Pero Mason ciertamente no era del tipo que dejaba que estas cosas lo detuvieran.

Tuvimos que ser pacientes. Dale tiempo a John para que se acostumbre. En el fondo sabía que le agradaba la idea de sabernos unidos. Era *lo* unido que lo desestabilizó.

"Vamos, vamos," me sonrió dulcemente. "Te haré el desayuno".

No me moví. Lo miré fijamente y él me miró inquisitivamente.

"¿Hiedra?"

"Me voy ahora", respondí, tratando de ocultar mi pánico en mi habitual tono inexpresivo. Estaba en ropa interior y mis pantalones estaban esparcidos quién sabe dónde en la cama, pero hice un esfuerzo por no mostrarlo. "Me reuniré contigo de inmediato".

John nos dio una mirada vacilante. Traté de insinuar que no íbamos a saltar el uno sobre el otro tan pronto como él se fuera, y pareció decidir creerme. A regañadientes, se dio la vuelta y comenzó a bajar las escaleras.

Empujé la sábana a un lado y busqué mis jeans, poniéndomelos de inmediato. Sentí la mirada de Mason sobre mí mientras me vestía; cuando me di la vuelta, lo encontré con un codo en la rodilla y la sien apoyada en los nudillos.

"Mason, sobre tu madre..."

"Escuché lo que dijiste ayer", me interrumpió, en un tono tranquilo. "Cada palabra".

Él clavó sus ojos en los míos y me quedé en silencio, sin añadir nada más. Extendí una mano y acaricié su rostro. Sus pupilas se dilataron ligeramente. Me estaba volviendo más espontáneo en mis gestos, y él también lo había notado.

"Es la verdad".

Se quedó mirándome con esa mirada que significaba tantas cosas, y yo sonreí con un toque de dulzura.

Me dijo que le gustaba. Que lo encontraba raro y sorprendente.

Y al ver la intensidad con la que sus iris se fijaron en mí, me di cuenta de que tal vez... ese era el caso.

Se suponía que nos encontraríamos en lo de Carly después de la escuela ese día.

Sam me recogía en su ciclomotor frente a la casa, donde regresaba solo para cambiarme y ponerme algo más cómodo: sabía que ella vivía cerca de la playa y que usar pantalones largos no era una buena idea.

Llevaba unos shorts de mezclilla oscuros que me había regalado Fiona, comprados en la tienda de ropa vintage de su prima: cuando los vio pensó en mí, y en cómo pensó que eran de mi estilo. Tenían una etiqueta de cuero bordada en filigrana y eran de fina mano de obra, repletos de calidad. No estaban desgastados ni rotos: eran sencillos, con solapas, pero me gustaban así.

Rebusqué entre las cosas de la Sra. Lark y me puse una blusa blanca que se reunía en la cintura con cordones en el pecho y los puños abiertos, para mantenerla ligera y aireada. Tomé mi mochila, me puse el sombrero y, esperando a que Sam viniera a buscarme, esperé afuera de la casa.

Noté que nuestro buzón tenía la alarma encendida.

John acababa de recoger el correo esa mañana, así que fui a revisar: cuando lo hice, vi que era un sobre para mí.

Decía: *'De Evelyn'* .

¿Qué más quería esa mujer?

Lo abrí tirando de la pestaña. Encontré unas pocas líneas escritas en el papel de adentro y las leí con el viento acariciando mi cabello. *'Creo que deberías tenerlo'* ...

"¡Bien, ya estás aquí!"

Me reuní. Sam detuvo el ciclomotor justo en frente de mí y guardé el sobre. Su sonrisa satisfecha iluminó su rostro bajo el casco rojo.

"¡Aparte de recoger a Fiona! Realmente no me haces esperar horas. ¡Qué hermoso!" Se rió entre dientes y me entregó un casco también, que me puse rápidamente. "Espera, por favor".

Puse mis manos alrededor de sus caderas y nos fuimos. No tenía miedo: Sam no era imprudente y confiaba en su sentido de la responsabilidad al conducir. Cuando llegamos a nuestro destino eran solo las tres de la tarde: Carly abrió la puerta con su habitual entusiasmo radiante.

"¡HOLA!"

Su casa era casi en su totalidad de madera blanca, con grandes ventanas luminosas y cortinas blancas que se agitaban con la brisa que venía de la playa. Conocí a sus padres, una pareja muy unida que era propietaria de una cadena de tiendas de artículos deportivos frente al mar. Traté de no ser incómodo al presentarme, pero me sonrieron, mostrando una calidez que me dio una sensación inesperada. Los vi reírse el uno del otro, rozarse y luego encenderse cuando llegó Fiona. Su complicidad aumentó ese extraño sentimiento dentro de mí.

"¿Hiedra?" Carly puso una mano en mi hombro. "¿Todo bien?"

"Sí," siseé, y ella inclinó su rostro con una sonrisa preocupada.

"¿Estás seguro? Te ves triste".

Aparté la mirada de sus padres y me obligué a alejar el sentimiento que había descendido como un velo sobre mi corazón. "Todo está bien." Rápidamente me escapé de su vista y seguí a las chicas bajo la pequeña glorieta instalada en la arena.

Nos acomodamos en las almohadas y Carly trajo una bandeja llena de dulces y jugos para que bebiéramos.

El viento alegró nuestra visita. Fiona nos dijo que Travis los había llevado a ella ya su hermano al carnaval, y me di cuenta de que no la veía más feliz que eso. Todavía seguía gimiendo, pero había algo hermoso en sus ojos que nunca antes había tenido.

"Fui a investigar esta semana para la universidad", dijo Sam. "El último año está llegando a su fin. No queda mucho tiempo..." Cogió algo de la bandeja y se volvió hacia Carly. "¿Y tú?"

Ella se encogió de hombros. "Nada especial. Cuidé de las chicas Thompson. Fui a la tienda de mis padres para ayudar... ¡Oh, sí! Tommy me dijo que le gusto".

Me atraganté con el jugo.

"¿Qué?" Sam murmuró con una dona en la boca.

"Intentó besarme".

Todos la miramos en estado de shock.

"¿Y nos dices así?" espetó Fiona, su orgullo como amiga ultrajada. "¿Qué le dijiste a el?"

Carly se encogió de hombros de nuevo. "Le dije que lo veo como un amigo. ¿Que se suponía que debía hacer?"

"¿Tú...?" Fiona se puso pálida. "¿Lo pusiste en friendzone?"

Fruncí el ceño. Nunca habría entendido completamente su forma de hablar.

"Bueno, es verdad... Somos amigos."

"¡Carly, ese pobre chico te ha estado persiguiendo durante años! ¡Incluso accedió a ser fotógrafo en la fiesta de Wilson para que pudieras tomar tantas fotos como quisieras! ¿Realmente nunca has notado la forma en que te mira?

Ella se cruzó de brazos.

"Tommy es como un hermano para mí. Me encanta. ¡Siempre ha estado ahí cuando lo necesitaba!"

"¿Y qué? Lo das por sentado", analizó Fiona, señalándola con el dedo. "Estás acostumbrada a tenerlo siempre contigo, saliendo como amigos, pero nunca te has conformado con el hecho" . ¡Que siempre lo estás buscando! ¿Cómo sabes que es solo amistad?

"Lo entendería si fuera otra cosa", dijo con convicción.

"¿Me estás diciendo que si se juntara con otra chica no te molestaría?"

Carly parpadeó. Se quedó inmóvil y, por primera vez, vi que la incertidumbre se deslizaba por su rostro genuino.

"Él nunca ha pensado en eso", sonrió Sam, y ella le lanzó una mirada con el ceño fruncido.

"¿Y de ser así?"

"¡Bueno, tienes que hacerlo!" Fiona replicó. "Algún día te arrepentirás de no haberlo pensado. Además, Tommy merece una respuesta adecuada. ¡No puedes dejarlo así!".

Carly bajó la cabeza, jugando con la punta de una almohada. Su cabello color miel se balanceaba con la brisa mientras reflexionaba sobre esas palabras.

Sabía que Tommy era importante para ella. En su actitud un poco infantil no vi una forma de rechazo, sino de miedo.

"Ivy, ¿qué piensas?" me preguntó sin levantar la vista.

La observé y expresé mis pensamientos.

"Creo que estás asustado". Ella puso los ojos en blanco y me miró confundida. "No estás seguro de lo que estás diciendo, pero reaccionaste así porque realmente pensar en eso te asusta un poco. Enfrentar la situación significa aceptar la posibilidad de perderla. Y no quieres".

Fiona relamió sus labios, apoyándose contra mí.

Carly consideró nuestras palabras. Hablamos un poco más del tema y ella nos escuchó en silencio, hasta que un destello de serenidad apareció en su rostro.

"De todos modos, gracias", me dijo después de una hora, cuando me recibió en la puerta de su casa. «Yo... trataré de pensar en lo que me dijiste».

Asentí y ella buscó mis ojos.

"¿Estás seguro de que estás bien?"

Aparté la mirada y dije que sí, pero en realidad estaba pensando en el sobre de Evelyn y en lo que había visto dentro. Carly pareció sentir mi malestar, pero me despedí antes de que pudiera preguntarme algo más.

Sentí la necesidad de estar solo, de realinearme con esa parte de mí que encontraba consuelo en la soledad. Recordé el lugar al que John me había llevado una vez a comer *perritos calientes* : allí era perfecto.

Caminé por la carretera y llegué a un punto donde podía ver el océano. El teléfono no contestó, y eso amplificó la sensación de paz de ese lugar. Me senté en una mesa de picnic y saqué la bolsa de mi mochila.

Solo había una tarjeta adentro.

No.

Era una postal de mamá y papá. Lo habían hecho a partir de una foto porque, en lugar del paisaje, estaban ellos dos frente a nuestra cabaña. Él se rió, con esa nariz roja y esa cara de niño. Ella se aferraba a su regazo y hacía el signo de la victoria. Ellos estan jovenes.

Deben haberse mudado. Tragué saliva y le di la vuelta.

Detrás había unas pocas líneas escritas a mano que supuse que eran de mamá.

'¿Qué te dije? ¡Mira cuánta nieve! Cuélgalo en la nevera y verás que John ya no se quejará del calor...

PD: Decidí dejar que Robert eligiera el nombre del bebé. ¿Qué tan preocupado debería estar?

Nos vemos pronto,

Candice'

Quise explicar lo que me pasó, pero no pude. Tal vez nunca lo hubiera logrado.

Había encontrado una nueva vida.

Había aceptado que mi padre nunca volvería.

Pero mirar a mis padres y darme cuenta de que siempre los vería así, a través de una foto, requería una fuerza que estaba más allá incluso de mí.

A veces pensaba que nunca lo lograría.

A veces, al darme cuenta de que ya no había un corazón en el mundo con mi misma armonía, me sentía derrumbarme.

Esas fueron las veces que regresé del dolor.

Si él vino a mí o yo fui a él, no importaba.

De una forma u otra siempre podíamos encontrarnos.

Regresé a casa a una hora indecente. La cena se había retrasado mucho, pero sabía que John estaría en la oficina hasta altas horas de la noche esa noche. Tenía un negocio importante con un cliente internacional y ya nos había avisado.

Entré en silencio, dejándome envolver por las sombras. Me quité la mochila de los hombros y me dirigí a las escaleras, pero cuando pasé frente a la sala me congelé.

Una presencia silenciosa se sentó en la silla.

Sentí que mi corazón se aceleraba, pero me calmé cuando reconocí esa cara familiar.

¿Qué diablos estaba haciendo allí?

"¿Dónde has estado?" preguntó extrañado. Su sello se deslizó por el aire de una manera que no pude descifrar.

"Me asustaste", admití en voz baja. Su actitud me infundió un dejo de asombro, pero a él no pareció importarle. Me miró con ojos tan oscuros como abismos, vacíos y caóticos al mismo tiempo.

Esa mirada fue suficiente para hacerme dar cuenta de que algo andaba mal.

"Carly llamó," dijo lentamente. Me dijo que te vio en su casa. Quién te vio raro... Y luego te apagaron el teléfono. Hasta ahora."

Había frialdad en su tono, un desapego aterrador. Por primera vez entendí que así se manifestaba la sensación de abandono. Construyendo un muro para ocultar el dolor.

Bajé los ojos y apreté el sobre que aún sostenía entre mis dedos.

"Lo siento", le dije sin mirarlo. "Yo... necesitaba estar solo."

Mason me miró indescifrable. Yo lo había hecho preocuparse. Comprendí que si ahora me miraba así, era porque una vez más había actuado sin tomar en cuenta a los que me rodeaban.

"Pensé que te habías ido otra vez".

Levanté la cara. Esas palabras me tocaron en un punto preciso: la fuerza cedió y mi fragilidad salió a la luz. Suspiré temblando. Quería lanzarme a sus brazos.

Quería abrazarlo, perderme en su perfume y olvidarme de todo.

Fue allí donde me sentí como en casa.

Di un paso adelante, pero una emoción desconocida e insuperable brilló en sus ojos, empujándome con una violencia inesperada.

Mason vio el sobre en mi mano con *'De Evelyn'* y la foto nevada en la otra. Se puso de pie y caminó hacia la puerta.

Lo miré con desconcierto cuando me pasó, me pasó.

Deseaba poder decir que ya lo conocía, que sabía exactamente lo que estaba pasando, pero habría mentido. Todavía había hilos que movían su corazón con los que seguía tropezando.

"Masón ... "

"Si tienes que hacerlo, hazlo".

Se había detenido en medio del pasillo. Su esbelta figura se destacaba a la luz de la luna, pero pude ver sus hombros contraídos y los puños apretados a los costados.

"¿Qué?"

"Si te vas a ir... no esperes. Hazlo".

Lo observé inmóvil. Incluso mi corazón se había detenido. "¿Qué estás diciendo?"

Vi que sus muñecas temblaban ligeramente, pero siguió caminando. Apenas reprimiendo la angustia, me acerqué a él y lo agarré del brazo, con la intención de detenerlo.

"¿Qué significa? ¿Qué significaría eso? Mason", llamé. "¿Te gustaría explicarme qué..."

"Me estoy enamorando de *ti* ", estalló, dándose la vuelta con una impetuosidad que me hizo saltar. Vi furia en sus ojos y una desesperación abrasadora. "Te estás llevando todo, pero si no es aquí donde quieres quedarte entonces vete y no esperes a que pase el tiempo. hazlo *ahora* _ Porque a este ritmo, llegará al punto en que no podré verte partir, y entonces será demasiado tarde —gruñó. "Entonces no seré capaz de soportarlo. Entonces... ya no podrás irte».

Lo miré con los ojos muy abiertos y él apretó los dientes. Me dio la espalda y trajo consigo toda su furia, dejándome abrumada y conmocionada por esas palabras, como si me hubieran trastornado el alma.

Cuando me di cuenta de lo que me acababa de vomitar, sentí que los latidos del corazón llegaban hasta los ángulos más inesperados.

Me recuperé de golpe: corrí tras él y lo abracé con entusiasmo. Mis manos se envolvieron alrededor de su amplio pecho y mi hermoso gigante se detuvo. Sentí su corazón ronco latiendo en su pecho, pero también la dulzura con la que se fundió con el mío.

Lo apreté con todas las fuerzas que poseía, porque ya no tenía miedo de hacerlo.

"Nunca quise tomarlo todo", confesé. "Siempre te he querido solo a ti".

Éramos jóvenes, tercos, incapaces de transmitir nuestros sentimientos.

No se puede vivir allí.

Sin embargo, nos queríamos.

Siempre.

"Estar entre iguales es raro. Pero encontrarte en la persona más diferente del mundo es algo que no puedes explicar".

Cerré los ojos y reuní el coraje para poner en palabras el mundo que había tallado en mí.

"La primera vez que te vi, me recordaste a mi hogar", le revelé. "Ojalá pudiera decirte por qué, pero yo tampoco lo sé. Me recordaste lo que más extrañaba en el mundo. Y nunca he sido capaz de dejarte fuera desde entonces." Dejé que mi voz acariciara su corazón, porque no quería huir de nuevo. "Me enamoré de ti", susurré. "Lentamente, inexorablemente". , sin sentir nada más. No me voy a ningún lado, Mason..."

Me quedé pegada a su espalda, absorbida por su cálido cuerpo de mármol. No sabía si había logrado hacerle entender lo cerca que me sentía de él, pero después de lo que pareció una eternidad, Mason se dio la vuelta.

Lo miré allí, al pie de la escalera, y fue como volver a enamorarme. Las emociones se apoderaron de mí y cerré mis párpados, mostrándole mi expresión más vulnerable por primera vez.

"¿Aprenderás a ser paciente?" Yo pregunté. "¿Confiar en mí? Cuando necesite mi espacio y tiempo... ¿seguirás estando ahí para mí?"

Los ojos de Mason se alternaron con los míos, como si no quisiera perderse ni una pizca de mi cara.

Podría haber dicho que sí.

Me lo podría haber susurrado al igual que su mirada lo estaba haciendo.

Me podría haber respondido: "Siempre y en cualquier caso".

En cambio... optó por besarme.

Lo hizo porque, aunque nunca habíamos sido buenos con las palabras, una parte de nosotros ahora vivía en la otra.

Y era cierto que ya no había un corazón con mi propia armonía.

Pero en ese latido que nos unía, brillaba una música indisoluble y poderosa.

Vibrante como el fuego.

Delicado como la nieve.

Y era sólo nuestra... Nuestra y de nadie más.

Cerré mis brazos alrededor de él, dejándolo levantarme. Puse mis piernas alrededor de él para hacerle saber que le pertenecía, y cuando Mason me quitó el aliento supe que él también me pertenecía.

Me perdí en sus labios, en su sabor, en el ardor explosivo que nos inflamaba cada vez que estábamos juntos. Quería seguir entrando en sus pensamientos, arder en su pecho, esculpir su alma como una obra maestra. *Quería que nunca más me dejara ir* , porque no esperaba nada más que caminar en su corazón.

"Quiero quedarme contigo", susurré, como una oración. "No me dejes ir de nuevo. No me dejes ir de nuevo, Mason..."

Sentí que se aceleraban los latidos de su corazón, la emoción ardiente con que me besaba de nuevo: me golpeaba como una llama y me apretaba las piernas, sintiendo los huesos de su pelvis aserrando mis muslos.

Apenas respiré bajo su toque, pero al instante siguiente su camisa cayó al suelo sin que me diera cuenta de que me la había quitado. Caminé cada centímetro de su pecho caliente, adorándolo y acariciándolo con mis manos.

Me aferré a él con todas mis fuerzas y apenas me di cuenta de que estábamos subiendo las escaleras. Antes de que me diera cuenta, llegamos a su habitación y la tela se deslizó de mis hombros.

Me estremecí, respirando en sus labios. Mason mordió mi mandíbula ligeramente, amplificando las sensaciones que sacudían mi alma. Él la besó y chupó, y sus dedos encontraron el cierre de su sostén.

Todo dentro de mí se enredó. Quería decirle que bajara la velocidad, porque sentía que mis miembros se tensaban, mi garganta palpitaba y mi piel estaba fría y caliente.

Pero yo no quería.

Quería tocarlo.

Quería tener miedo, pero emborracharme con su aliento.

Quería temblar como un niño, pero hacerlo en sus brazos.

Tenía muchas ganas de vivirlo, sin parar nunca.

Me liberó la espalda. Me quitó los tirantes y tiró el sostén al suelo, viajando a lo largo de mis vértebras hasta la nuca. Sus dedos me prendieron fuego y sus ásperas palmas arañaron mi piel, causándome sensaciones impactantes.

Me pregunté si me encontraría demasiado delgada. Si mi tez fuera lo suficientemente suave.

¿Prefería las chicas más suaves?

¿Y si no le gustaba mi cuerpo?

Las inseguridades me comieron viva, pero Mason pasó una mano por mi cabello y besó la curva de mi cuello como si se estuviera volviendo loco.

Una ráfaga me atravesó. Contuve la respiración y me hundí en su sedoso y sensual aroma, sintiéndolo tan ebrio de mí como yo lo estaba de él.

«Me estoy enamorando de ti» fueron sus palabras, y una inmensa emoción embargó mi alma y mi aliento. Casi sentí ganas de llorar cuando el consuelo me inundó.

Él no me quería porque yo era perfecto.

Me quería porque *era yo.*

Porque en el cielo buscaba las estrellas.

Y tenía una sonrisa que brillaba para unos pocos.

Porque yo era orgulloso, terco y taciturno, pero, en mi singularidad, también era la única persona que entraba en su corazón.

Y cuando me estrechó contra él, apretándome los omoplatos como si fueran alas blancas, comprendí que era suya con cada gramo de mi alma.

"Te amo", solté, tirando de su cabello desesperadamente. "Te he amado desde antes de saber lo que significaba".

Besé su corazón y una emoción lo atravesó. Amaba las reacciones de su cuerpo, amaba escucharlo responderme así: eran impetuosas, instintivas y verdaderas. Tal como él.

Terminé en la cama y Mason se paró sobre mí. Me quedé sin aliento cuando se deslizó entre mis piernas y me presionó contra el colchón, besándome con anhelo.

Mis pechos desnudos se presionaron contra su pecho y fue una sensación tan aterradora y emocionante que pensé que me iba a desplomar. Escucharlo así fue impactante. Maravilloso, sí, pero también aterrador.

Mason me liberó de los pantalones cortos; me levantó y me los quitó, luego hizo lo mismo con sus jeans. Tragué saliva ante la vista del físico escultural que se presentó frente a mí. La garganta se cerró, el corazón se hundió en el estómago. Fue poco menos que impresionante. Mason poseía un cuerpo armonioso y monumental, con hombros anchos y músculos capaces de hacerte temblar en un abrasador abrazo sin ni siquiera tocarte.

Me puse rígida cuando sus ojos se posaron en mi esbelta figura cubierta únicamente por unas bragas de algodón. De repente me sentí expuesto, frágil y consciente de todos mis defectos como nunca lo había estado. Por primera vez, deseé que no me estuviera mirando.

«Yo...» tartamudeé, incapaz de soportar el poder de su mirada, mientras buscaba frenéticamente la sábana. Adivinó mis intenciones y sus dedos agarraron mi brazo: me encontré luchando como un tonto para conseguir un trozo de tela, pero Mason tiró de mí debajo de él y me sujetó las muñecas por encima de la cabeza.

Lo miré con ojos grandes y desprevenidos, temblando como un pájaro.

"Te has estado cubriendo todo este tiempo", susurró en ese timbre que me derritió como la melaza. "Siempre te has estado escondiendo en ropa más grande que tú. Quiero verte".

La profundidad vibrante y masculina de su voz me hizo jadear húmedamente. No me estaba obligando, me estaba pidiendo que lo hiciera, pero mis inseguridades aún prevalecían. Volví la cara hacia un lado, conquistada por ese carácter torpe y tímido que formaba parte de mí.

Fui estúpido, probablemente cualquier chica en mi lugar hubiera estado feliz de ser admirada por Mason. Sin embargo, a pesar de todo, incluso en esa ocasión no pude ser otra cosa que yo mismo.

Inclinó la cara, tomándose el tiempo para mirarme. Sentí sus pupilas sobre mí mientras mantenía mis ojos a un lado, más allá de mis brazos levantados. La cruda intensidad de su mirada fue un preludio lento, casi palpitante, que me mantuvo quieta y tensa bajo la posición con la que se elevaba sobre mí.

Al instante siguiente, sentí una palma cálida aterrizar en mi vientre. Contuve la respiración. Mi piel se estremeció, mi corazón comenzó a latir más rápido.

Mason me acarició lentamente, moviéndose con cuidadosos gestos para absorber las silenciosas reacciones de mi cuerpo. El mundo se reducía a ese toque único, flemático, tranquilo, pero no por eso menos decisivo. Su mano se movió hasta mi esternón, rozando mis costillas una por una, y se me puso la piel de gallina.

Dios mío.

Me avergonzaba del efecto que me causaba un contacto tan ligero. Solo me rozaba, pero mis sentidos temblaban, desplegándose como capullos hinchados e indecentes. Su aliento era un terremoto y sus dedos chispas de las que brotaban deseos secretos e inexpresados, que me atravesaban como tormentas.

Avergonzada por mi extrema sensibilidad, me obligué a quedarme quieta mientras él continuaba explorándome, prolongando la lenta locura.

Acarició la curva de mis pechos y un escalofrío se apoderó de mi vientre. Me tensé tratando de manejar esas sensaciones pero mi cuerpo gritaba todo lo que no tenía fuerzas para admitir.

Mis extremidades estaban hinchadas por sus atenciones, mis pezones tan sobrecargados y tensos que mis mejillas ardían. Sentí que me estaba volviendo loco cuando pasó su mano callosa sobre ellos. Frotó su áspero pulgar sobre ese punto hipersensible y la fricción resultante me hizo hervir con la necesidad de arquearme hasta que me quedé sin aliento.

Mi piel se entumeció, impaciente y eléctrica. Ya no podía contener lo que sentía, sentía calor y frío a la vez, subyugado por una pulsión que me gritaba apretar mis piernas y retorcerme alrededor de su rodilla. Jadeé levemente mientras continuaba provocándome más y más intensamente, irradiando sacudidas agotadoras por todo mi cuerpo.

Un gemido se rompió en mi boca. Empujé mi frente contra mi brazo y mis ojos se lanzaron hacia él: lo miraba con el rostro aún de lado y la mirada temblorosa, lúcida con las emociones que solo él podía hacerme sentir.

Mason me admiró como si nunca me hubiera visto tan hermosa.

Agarró mi barbilla y deslizó la punta de su pulgar entre sus húmedos labios entreabiertos, haciendo lo que quería conmigo. La otra mano continuó estimulándome y entrecerré mis párpados, inundando su piel con mis ligeros jadeos.

Estaba aturdido, sin aliento. Ya no entendía nada. Lo sentí por todas partes, marcado en mi carne, impreso como una quemadura.

Ni siquiera tuve tiempo de pensar: con su lengua invadió mi boca ya abierta, encontrándola cálida y dócil para él. Me noqueó bien, luego dobló mi muslo y empujó su pelvis entre mis piernas.

Mis ojos se abrieron. Sentí esa poderosa turgencia contra la tela de mis calzoncillos y una descarga de fuego estalló desde mi vientre hasta mi garganta, pasando por mi pecho. Jadeé, mi respiración se volvió dificultosa y escuché a Mason suspirar profundamente, disfrutando de ese contacto íntimo.

Mi cabeza dio vueltas.

Le gustó.

Le gustaba mi aliento húmedo. El temblor de mi cuerpo tenso. Le gustó la suavidad ardiente que sintió allí y la flexibilidad que hizo que mis muslos temblaran.

Le gustaba tenerme debajo de él.

¿Cuánto tiempo había esperado ese momento?

¿Cuántas veces, durante nuestras peleas, se había imaginado arrebatarme esa mirada combativa y tenerme caliente y temblando frente a él?

Ante la sola idea, me estremecí.

Se aferró a mí en todos los rincones, moldeándome contra él. La hinchazón en sus calzoncillos era tan dura y masiva que quería morir. Mason era grande y fuerte, así que me sentí totalmente abrumado cuando empezó a besarme de nuevo y empezó a balancearse contra mí.

Mis mejillas se incendiaron. Agarré sus hombros con manos temblorosas, abanicándolos sobre los flexibles músculos de la espalda que se balanceaban entre mis muslos. Tenía latidos en la garganta, el aliento sofocado por la vehemencia de su boca. Donde su cuerpo se frotaba repetidamente contra el mío, sentí que cada energía convergía y palpitaba.

Mason pasó una mano por mi cabello, apretando mi muslo para intensificar el contacto entre nosotros. Me quemé por dentro, cada nervio vibraba y suplicaba piedad.

De repente, un suave jadeo escapó de mis labios. Se apartó de mí y agarró mi pecho, tomándolo entre sus labios hinchados. Gemí, sorprendida.

Él había dicho que quería sentirme, tocarme, pero eso terminaría dándome un infarto.

"Mason", jadeé. Su lengua mojó el halo rosado de mi pezón y clavé mis uñas en su espalda.

Casi quería empujarlo lejos tal era la intensidad de las emociones que me estaban desgastando por dentro. Me sentí como si estuviera delirando. Ya no podía distinguir arriba de abajo, alma de cuerpo.

Fue demasiado. *También.*

Un violento escalofrío me recorrió la columna y Mason aumentó el ritmo de sus embestidas, sin dejar de devorarme sin restricciones. Mordió y lamió, apretó y marcó con sus dientes, haciéndome sentir el ardor con el que quería moverse dentro de mí.

"A... Espera," jadeé, temblando. El latido entre mis muslos se hacía cada vez más fuerte. Extraños hormigueos adormecen mi vientre cuando su hombría se estrelló contra mi núcleo, causando que tuviera espasmos involuntarios. Había un punto tan sensible que con cada golpe me parecía que explotaría y brillaría, y luego explotaría y brillaría de nuevo.

Traté de detenerlo, pero apretó su agarre en mi cabello y tiró mi cara hacia atrás, causando que mi boca se abriera en un éxtasis insoportable.

No pude hacerlo más. Me volvería loco, estaría... estaría...

Todos mis músculos se tensaron juntos. Lo sentí venir como una carga impetuosa: arqueé la pelvis y abrí los ojos como platos cuando una ola caliente partió de mis piernas y luego subió hasta mi estómago, privándome del aliento.

Arqueé los tobillos y ese delirio me abrumó: un placer fibrilante irrumpió en todos mis extremos, inundándome con una fuerza imparable. Mi corazón saltó en mi garganta y habría gritado si tan solo tuviera aliento en mi cuerpo. Fue absurdo. Inusual y abrumador. Los muslos vibraron con contracciones rítmicas, amplificando dramáticamente el temblor de mis músculos. Su visión se nubló y por un instante todo se volvió borroso.

Me hundí contra el colchón, exhausto. Las paredes de la habitación flotaban a mi alrededor. El centro de mis piernas todavía palpitaba, sensible y caliente, y solo entonces encontré los ojos de Mason: lo miré sin palabras, sin aliento, solo con los párpados bien abiertos.

¿Estaba yo solo...? Oh mi.

Me crucé de brazos y me tapé la cara.

"No me mires", murmuré avergonzada.

"¿Por qué?" preguntó, casi divertido.

"¿Por qué no?", respondí como un niño.

Mason ladeó la cabeza y sentí sus pupilas deslizarse sobre mi cuerpo antes de murmurar con voz ronca: "¿No te gusta... hacer esto conmigo?"

Un estremecimiento sedoso acarició los recovecos de mi placer. Miré alrededor de mis codos y vi esa boca maldita, sobre mi cara, con la que había estado jugando hasta ahora. Le puse una mano en la cara y se echó a reír.

Dios, cómo odiaba esa maravillosa risa.

«No puedes pedirme que no te mire...» susurró, cálida y provocativa, levantando mis brazos de nuevo. Los acarició con los dedos hasta las muñecas y bajó la voz de una manera malditamente varonil. "Eso sería demasiado cruel".

Sin darme cuenta junté mis rodillas, presionándolas contra sus caderas. Sentirlo emocionado creó un extraño pánico en mí. Yo, que siempre había sido tan reticente a tocarme, no podía dejar de temer y desear que me tocara.

«No sé... no sé tocarte».

Yo no dije eso. No precisamente.

Me mordí la lengua y tragué cuando me miró a los ojos. Me miró fijamente, pero en lo profundo de sus iris no vi presión, solo calma.

"No tienes que hacerlo si no quieres".

Quiero , lloró la parte más enamorada de mí. Se me quedó atascado en la garganta y no pude sacar una voz. Nunca había sentido algo así por alguien. Me sentía tan diferente a mí misma, tan frágil, movida por deseos que tenía miedo de cumplir... así que clavé mis ojos en los de ella, esperando que me entendiera sin necesidad de palabras.

Ese era el único que quería tocar.

Que nunca habría nadie más.

Que lo quería a él y solo a él, porque tenía su nombre grabado en el corazón y ciertas marcas nos acompañan para siempre.

Tímidamente, puse una mano sobre su pelvis esculpida. Tenía su cara sobre mí, su brazo sosteniéndose junto a mi cabeza. Mason sondeó mis ojos cuidadosamente mientras, con un poco de coraje, pasé mis dedos por el centro de su deseo.

Dudé, luego lo toqué ligeramente a través de la fina tela de sus bóxers. Tenía taquicardia, no sabía ni lo que estaba haciendo. Me sentí terriblemente incómodo, pero mantuve mi mirada fija en la suya y no me detuve. Lo acaricié con dedos cuidadosos, buscando en su rostro algo que me dijera si lo que estaba haciendo estaba bien. Mason no emitió ningún sonido, pero cuando alcancé mi mano vi una turbulencia en sus ojos envolviéndolos y desdibujándolos.

Continué sintiéndolo, temeroso de mis gestos. ¿Había peligro de que lo lastimara?

De repente tomó mi mano y la detuvo. Su mirada latió y me envolvió y la intensidad de ese momento marcó los latidos de mi corazón, cada vez más cortos, cada vez más fuertes...

Luego metió la mano debajo del elástico de mis calzoncillos.

Curvé los dedos de mis pies y separé mis labios cuando sentí su calor. Puse mis frías yemas de los dedos sobre su erección y se estremeció. Respiró lentamente; el aliento vibró en su pecho y el color de sus iris se volvió tan vivo y penetrante que me hundí en él.

Moví mi mano lentamente, realmente tocándola, y la sentí por primera vez. Era... era aterciopelado. Duro y poderoso, pero... suave...

Apreté ligeramente y los músculos de su pecho se hincharon maravillosamente.

Miré sus ojos líquidos, oscurecidos y llenos de deseo. Temblaba con emociones muy fuertes, con latidos que nunca compartiría con nadie más. Temblaba con un sentimiento único e ilimitado, porque en el fondo entendía que cuando amas de verdad, ni el tiempo te puede limitar.

Deslicé mi otra mano por su cabello y lo atraje hacia mí, besándolo con todo mi corazón. Lo toqué de nuevo mientras me quitaba las bragas, arrancándolas con tal frenesí que el elástico se hundió en mi piel.

Nos fusionamos y devoramos, finalmente derribando las últimas barreras. Nos queríamos como nunca nos habíamos querido, de hecho, como nos habíamos querido desde el principio. Dejamos que nuestros corazones se tocaran y mezclaran y aniquilaran hasta crear un gran caos, hasta que en mi alma sentí corales y océanos de estrellas de mar, brillantes auroras y hermosos abismos.

Alcancé a ver a Mason hurgando en una bolsa plateada del cajón. Jadeé, sin aliento y aturdido; el calor me hizo cerrar los párpados, entrelacé impetuosamente mis manos detrás de su nuca y él agarró mi muslo, levantándome levemente. Levanté mi pelvis casi por reflejo: se colocó frente a mi centro y sólo entonces nos miramos a los ojos.

Respiraciones rotas, cuerpos calientes, miradas involucradas y conectadas.

Mason ancló una mano en la cabecera de la cama, asomada con todo su corpulencia, y yo me quedé allí, debajo de él, con mis dedos agarrando su nuca y mi alma entrelazada con la suya, vívida dentro de mis iris.

Estaba dispuesto a dárselo todo.

Sin dejar de mirarme, empujó lentamente dentro de mí.

Ahogué un gemido. Respiré con dificultad, tensa y sudada. Mis músculos temblaron y una punzada de dolor me hizo apretar los dientes, pero esta vez... no aparté la mirada.

No me escondí detrás de mis manos.

No me escapé con mis ojos.

Allí me quedé, de corazón y de espíritu, encadenado a esos latidos como una sola armonía.

Y cuando finalmente nos convertimos en uno... Cuando Mason y yo finalmente nos fusionamos en cuerpo y alma, pude sentir cómo cada soledad en mí se llenaba y desaparecía.

Déjame lleno sólo de él.

Sólo de lo que habríamos construido juntos.

Tomé su rostro y lo grabé en su corazón, en sus labios saturados de ese amor que había trepado dentro de mí, como esas flores que parten el hielo. Y que luchan, crecen y finalmente florecen en su espléndida fuerza, asombrando incluso al mundo de que un matrimonio tan perfecto realmente pueda existir.

No importaba si éramos diferentes.

No importaba si no podíamos entendernos.

Los mosaicos más hermosos están hechos de piezas que no encajan entre sí.

Y tal vez nosotros también éramos así.

Desordenado.

Y lleno de errores.

Pero únete, corazón y alma...

Desde el principio.

Epílogo
Cuatro meses después

La campana sonó en el aire.

El olor especiado de la malta me llegó de inmediato, junto con la suave música. El pub de *Joe's* era siempre el mismo: las cervezas de barril en el mostrador, los letreros de neón, esa charla sutil de la gente en las mesas.

Un perrito vino hacia mí, torpe como sólo pueden ser los cachorros. Me lamió la pantorrilla y yo lo miré desconcertado, sin ver al maestro.

"¡Hiedra!"

Mandy me sonrió con calidez y asombro. Se acercó a mí y noté que estaba tan radiante como la última vez que la había dejado. Su cabello llameante estaba recogido en un moño desordenado y el delantal negro envolvía sus formas generosas.

"¡Cómo me alegro de verte!"

"Hola, Mandy", le dije, mirándola directamente a los ojos.

Llevaba una camiseta sin mangas de canalé blanca y pantalones cortos de mezclilla, con un par de botas militares y mi gorra habitual, sin embargo, algo en mi mirada pareció sorprenderla.

"¿Qué estás haciendo por aquí?" preguntó, antes de alegrarse. "¿Viniste para el verano?"

"Durante unos días", respondí, ajustando mi visera. "Mientras dure el clima..."

El cachorro de antes ladraba alegremente, exigiendo mi atención. Meneó la cola y luego se rascó la oreja distraídamente, cayendo con torpe dulzura.

"¿De quién es este perrito?" Pregunté, viéndolo levantarse y corretear por el lugar.

"La de Joe".

"¿De Joe?" repetí con escepticismo. "Pensé que no le gustaban los perros. ¿No se quejaba siempre de no quererlos en el club?

Ella suspiró con una sonrisa. «Qué te puedo decir, el corazón es como la nieve... ¡Lo encontró en el camino y se derritió como un cremino! Quiere llamarlo Little Joe. Qué fantasía, ¿eh?

Intercambiamos miradas significativas y ella negó con la cabeza ligeramente. Entonces me miró mejor.

"Tu cabello ha crecido mucho", señaló, señalando los mechones que ahora llegaban a mis senos. Te quedan muy bien.

"Oye", gruñó una voz gruñona. "¿Dónde está mi cerveza?"

Alguien, sentado en uno de los taburetes del mostrador, se había dado la vuelta. No me sorprendió ver que la cara picada de viruela de Dustin lanzaba una mirada áspera a Mandy, al igual que no era difícil imaginarlo viniendo allí a menudo: como había suspendido un par de veces, ya tenía los diecinueve años que necesitábamos. consumir licores.

«Nolton...» murmuró con voz espesa, examinándome. Una mueca irónica apareció en su rostro. "¿Ya de nuevo en casa? Me imagino lo mucho que te aprecias..."

"Cállate esa pantufla, Dustin", replicó Mandy, poniendo una mano en su cadera. "¡Y mientras tanto págame las otras cervezas, ya te tomaste dos!" ella resopló irritada y se alejó de él, ignorando su desagradable presencia. Regresó a mí y su mirada se calmó. "¿Cuánto tiempo te quedarás? ¿Estás aquí solo?"

"De hecho..."

"¡Mira esas cosas!"

Travis apareció en la puerta, con los ojos exultantes como los de un niño. Detrás de él, Nate y Fiona miraban a su alrededor con idénticas expresiones.

«... estoy con mis amigos » concluí avergonzado, señalándolos con el pulgar.

"Hay un piolet colgado en la pared", murmuró Nate.

"Es todo tan pintoresco", dijo Fiona, levantándose las gafas de sol. "Oh cielos, pero esa cosa... ¿está *muerta* ?"

"¿No te dije que esperaras en el auto?" Murmuré, pero me ignoraron rotundamente. Mandy miró a mis escandalosos y bronceados compañeros, e incluso Dustin miró horrorizado.

"¿Se quedan contigo? ¿Cuánto tiempo te vas a quedar?" ella me preguntó.

—Todavía no lo sé —dije mientras Travis le pedía a Fiona que le tomara una foto con una marmota disecada. "Vinimos a tomar algo y..."

«Ivy» Nate se acercó en toda su altura colgante, «los demás dijeron que compráramos algunos bocadillos también». Solo entonces notó a Mandy. Se detuvo tan pronto como la vio y ella le correspondió con curiosidad, antes de sonreírle a través de sus hermosas pecas. Lo vi sonrojarse de esa manera que ya sabía, y Mandy pareció encontrarlo lindo.

"¿Quieres comer algo? Hoy tenemos algo fuera del menú..."

"¿Oh sí?" él la miró, mostrando su sonrisa descarada. «¿Y qué bueno hay para... *saborear* ?»

Le di un codazo que lo hizo saltar. Se frotó las costillas y me lanzó una mirada, ofendido. Me volví hacia Mandy.

"Vamos al lago. ¿Te gustaría venir más tarde?"

Ella me miró sorprendida. No debería haber esperado una invitación mía, pero la sonrisa que floreció en su rostro me hizo darme cuenta de cuánto, sin embargo, mi gesto la había complacido.

"Cierto..."

Miró a Nate, quien miró hacia atrás, antes de alejarse e ir a buscar las bebidas que pedimos.

"Deja esa mirada de salmón borracho", le aconsejé. "Mandy aprecia las cosas espontáneas".

Él me frunció el ceño un poco, luego miró su cabello rojizo mientras se afanaba detrás del mostrador. Fueron sus manos las que tomaron la bolsa de latas y paquetes de papas fritas que nos entregó, y esta vez le dedicó una sonrisa incómoda.

« ¡ *Tú!* una voz espetó de repente. Me giré para ver a Fiona señalando con el dedo a Dustin. "¡Eres tú! ¡Campesino feo e incivilizado!"

Le había hablado de Dustin, con el tiempo. Y Fiona debe haber reconocido el cabello fibroso y la cara de plato difícil de confundir de la foto que había visto en el piso de mi habitación ese día.

"¿Entonces esa furgoneta de afuera es tuya? ¡Aparcaste como una mierda!

Él la miró como si estuviera loca. "Qué carajo..."

"Oye. ¿Problemas?" tronó Travis, haciendo una gran voz realmente ridícula.

Sabía perfectamente lo pusilánime que era, pero Dustin no, así que palideció al ver aquella masa de músculos avanzar. Por una vez tuve que esforzarme mucho para no sonreír.

"Vamos", les insté con voz suave, arrastrándolos fuera de allí. No vi la expresión de mi antiguo compañero de escuela, pero estaba seguro de que no tenía precio.

Travis subió a la parte trasera de la camioneta y nos acomodamos en los tres asientos delanteros. Volvimos y estacioné frente a la casa, luego caminé hacia el lago, donde los demás nos estaban esperando.

Un espacio inmenso apareció ante nuestros ojos: aquí están las verdes montañas recortadas a lo lejos, vestidas de verano como espléndidas damas. El agua turquesa brillaba a la luz del sol y miles de flores cubrían el valle con un manto de aromas. Fue encantador.

"¡Ah!" gritó Tommy, perdiendo el equilibrio en la caña de pescar. Cayó al agua en un torrente de salpicaduras .

"Oh, querido", dijo Carly, apresurándose a ayudarlo. "¿Estás bien?"

"¡Uno a cero para la trucha!" bromeó Sam, con las manos ahuecadas junto a su boca.

Travis se rió doblado en dos y, cuando Tommy resurgió, en lugar de ayudarlo, comenzó a salpicarlo apasionadamente. Sin embargo, él no era el único que estaba cerca: accidentalmente golpeó a Fiona de pies a cabeza con una pala de agua.

El agua goteaba de su boca abierta, el rímel resbalaba por sus mejillas: ella levantó una mirada ardiente hacia él, quemando una tensión asesina.

"¡Estúpido idiota!" gritó con el puño en alto, escupiendo la mitad del lago. «¡Pero te daré truchas en la cara! ¡Te hago inteligente! ¿Podemos saber de qué carajos te ríes? ¿Eh? ¡TRAVIS!

Siguió maldiciéndolo, hasta que sus voces se cubrieron de salpicaduras.

"¿Dónde está Mason?" Pregunté mirando alrededor.

"Al teléfono con John", dijo Sam, señalando una figura distante cerca de los árboles.

Lo miré con un toque de calidez y sentí que una sensación de paz me invadía hasta los huesos. Escuché las risas de mis amigos, el sonido del viento en las hojas, el chapoteo del agua sobre los guijarros transparentes.

Escuché esa mezcla disonante y me pregunté si la felicidad no estaría hecha sólo de eso, de luz y contrastes, de caos y amor, pero en todos los matices.

Carly colocó una toalla sobre los hombros de Tommy. Ella se rió cuando él estornudó, su cabello pegado a su cabeza como lechuga. No estaban juntos, no eran pareja, pero ya no se veían como meros amigos. Quizás, con el tiempo, ambos habrían entendido que siempre habían tenido esa forma única de mirarse desde el principio.

Enderecé mi sombrero y anuncié: "Voy a casa por un momento para arreglar algunas cosas".

Carly me escuchó y se dio la vuelta. "¡Voy contigo!"

"No, no hay necesidad," le aseguré sinceramente. "Quédate aquí. Disfruten. Y mientras tanto, asegúrate de que Tommy no rompa la caña de pescar.

Me preguntaron si estaba seguro y les tranquilicé; después de lo cual me despedí y regresé a la cabaña.

Revisé la estufa para asegurarme de que había agua caliente, luego bajé más leña, haciendo algunas tareas prácticas que, en lugar de agobiarme, me alegraron el ánimo.

Después de completar mi serie de pequeñas tareas, agarré mi mochila y saqué un marco de fotos.

Crucé el salón y coloqué la foto en el centro de la chimenea, junto a las de papá.

Había sido tomada el 21 de junio durante la fiesta de cumpleaños número dieciocho de Mason en la playa: John, él y yo estábamos abrazados junto al mar. Esa foto me gustó porque, entre sus tonos cálidos y bronceados, destacaba como un copo de nieve; sin embargo, había un hilo dorado que nos unía, una fuerza invisible que envolvía nuestros ojos y los hacía brillar a todos con la misma intensidad.

Tendría dieciocho años en invierno, así que era el primer cumpleaños que celebrábamos juntos. El primero de muchos otros.

Un crujido me llamó la atención. Me di la vuelta y una ligera brisa procedente de la puerta abierta guió mi mirada hacia una figura en el porche.

No tuve dificultad en reconocerlo: ahora estaba tallado en mí en cada esquina y curva.

Mason tenía los antebrazos apoyados en la barandilla de madera, una camisa verde oscuro sobre los codos y los tres botones abiertos, dejando al descubierto su pecho. El viento alborotó suavemente su cabello castaño, haciéndolo bailar frente a su rostro.

"¿Qué estás haciendo aquí?"

Se giró para encontrarme en la puerta. Había algo magnífico en nuestros ojos cerrados que nunca dejaría de asombrarme.

"Te estaba esperando".

Dos palabras simples. Habrían parecido triviales para cualquier otra persona, pero los amaba de una manera que nunca creí posible.

"¿Por qué no entraste?"

Mason permaneció en silencio. Me miró con calma y serenidad, y sus ojos parecían decir: *pensé que querías un tiempo para ti.*

Mi corazón sonrió. Estaba aprendiendo a comprenderme, a respetar las necesidades de mi naturaleza, incluso las más insólitas, las que pocos entenderían. Y lo más importante, me lo estaba mostrando con paciencia.

Me acerqué, y mientras me seguía con la mirada, me tomé varios momentos para estudiarlo con el rostro inclinado.

"¿Qué pasa?"

"Eres más alto", noté simplemente, notando la línea marcada de las piernas, los brazos definidos y la espalda. Mason levantó una ceja y yo pasé una mano por su suave cabello, alisándolo hacia atrás. Estábamos en la flor de la vida, en medio del cambio. Estábamos creciendo juntos, y no había nada más hermoso.

"No estés celoso de eso".

Fruncí los labios con una expresión cautivadora. Se burlaba de mí porque le había confesado que su tamaño, cuando lo conocí, había sido lo que más odiaba. Verlo siempre desafiándome desde arriba, con sus caras delicadas que ahora me gustaban tanto, me había dado ganas de hacerlo tropezar varias veces.

"¿Qué dijo Juan?" —pregunté, todavía acariciándolo con mis dedos. No era para nada como yo, pero había aprendido a entender que en realidad le gustaban esos gestos espontáneos.

«Él te saluda. Y aconsejó tener cuidado».

"¿Todavía te preocupa que estemos aquí solos?"

"Obviamente", admitió con voz profunda. Pero se alegra de que esté aquí contigo. Me dijo que me mantuviera cerca de ti.

"¿Él... me está confiando a tus capaces manos?" insinué con diversión, frunciendo el ceño.

Me lanzó una mirada con la misma ironía, porque ambos sabíamos lo que significaba.

John ya no irrumpía en nuestras habitaciones para comprobar; ya no nos lanzaba esas miradas cautelosas y tensas. Una vez, tiempo atrás, nos había encontrado sentados en el jardín, mis piernas sobre las suyas, yo con mi libreta y un lápiz en las manos, Mason riéndose mientras le dibujaba un retrato. Solo después de un rato me di cuenta de sus ojos sobre nosotros, iluminados por una emoción que no necesitaba palabras.

No solo se estaba acostumbrando a la idea de que nos viéramos. Él también estaba feliz por eso.

Sentí una respiración en mi pecho y entrelacé nuestras manos en la barandilla, hundiendo mis dedos en los espacios entre los suyos. Mason estudió ese gesto y, cuando volvió a mirarme, la paz invadió mi alma. Había surgido entre nosotros una extraña complicidad, hecha de miradas, caricias y silencios, pero llena de significado.

"Me gustaría mostrarte algo", susurré. Era casi el anochecer ahora. La luz estaba adquiriendo ese tono caramelo que hacía que el aire se sintiera mágico. Se enderezó, un tinte de curiosidad en el corte serio de sus ojos, y tiré de él suavemente haciendo que me siguiera.

Cerré la puerta, tomé una alforja de la leñera y luego lo llevé conmigo hacia el bosque. Entramos en los árboles en medio de franjas de un atardecer rosado.

Caminamos por un largo trecho, inmersos en los sonidos de la naturaleza, y después de varios minutos un rincón del bosque se abrió ante nosotros.

Fue un claro. El musgo formaba una suave alfombra que cubría las piedras y los cálidos rayos penetraban las ramas, haciendo radiante el aire. La hierba brillaba como una perla, aún mojada por la lluvia de la mañana, y había una especie de encanto en la forma en que todo parecía bañado en oro.

Miró a su alrededor, observando el raro entorno.

"¿Qué estamos haciendo aquí?"

Levanté una mano y le hice señas para que esperara. La naturaleza requería una paciencia propia, que había que saber aprovechar. Lo había aprendido con el tiempo, apreciando poco a poco las maravillas que podía darme. Fue necesario esperar varios minutos y escuchar sin hacer ruido, y de repente... sucedió.

Mason se volvió cuando escuchó un crujido: desde detrás de un tronco, una criatura colosal y silenciosa avanzaba sobre la alfombra de musgo.

Lo sentí tensarse a mi lado, pero tomé su muñeca, sosteniéndola suavemente. Las largas patas se detuvieron y el alce levantó la cabeza: las inmensas cornamentas se destacaban en la luz transversal, haciéndolo parecer aún más majestuoso.

Olfateó el aire y me imaginé cómo sería verlo por primera vez. Siente que se mueve y existe.

Mason me había mostrado su mundo...

Ahora quería mostrarle la mía.

"Él ha estado viniendo aquí por muchos años," susurré, para no asustarlo. "En cada puesta de sol".

El alce se movía lentamente. Encarnó una fuerza primordial, la de la naturaleza en su esencia más íntima.

"Son animales protegidos. Los ciervos están demasiado asustados para acercarse a ellos, pero ellos..." Suavicé mi rostro mientras giraba su gran hocico hacia nosotros.

Lentamente, me quité la alforja de cuero que llevaba al hombro y la dejé abierta en el suelo: estaba llena de semillas de cereales, una mezcla de centeno y trigo. El alce se movió lentamente hacia nosotros y Mason se dio la vuelta.

"¿Qué estás haciendo?"

"Da un paso atrás", le dije, instándolo a hacer lo que le dije. Era importante no darle motivos para sentirse amenazado. Mason tenía que entender la singularidad de la situación, pero sobre todo que yo fuera consciente de lo que estaba haciendo. "Nosotros no nos acercamos a ellos," expliqué en voz baja. "Nunca. Les damos espacio para alejarse y dar un paso atrás cuando nos encontramos con uno. Son criaturas poderosas y muy fuertes, y pueden volverse agresivos si se sienten amenazados. Por eso es importante respetar sus espacios. Pero él...» Vino hacia mí, dócil, con el hocico ligeramente bajado: "Lo encontramos en este claro un invierno hace muchos años, cuando era un niño. Los cazadores furtivos le habían disparado. Llamamos a las autoridades, pero cuando lo liberaron no dejó de venir. aquí. Todos los días".

El alce se acercó con cautela y olfateó mi olor. Respiré lentamente y me quedé quieto para hacerle saber que no éramos una amenaza. Me conocía desde hace muchos años, y esa fue la única razón por la que le permití estar cerca de mí. Entonces comenzó a rumiar en su alforja. Era nada menos que inmenso: un macho adulto de más de dos metros de altura.

"Por eso tengo el sombrero", le revelé con un toque de ternura. "Papá me lo dio después de que lo conocí por primera vez".

Mason escuchó en silencio, sin dejar de mirarlo. En secreto estudié su rostro, tratando de leer sus pensamientos.

"No tenía idea de que fueran tan grandes", susurró. Verlo allí, en un lugar que solo papá y yo conocíamos, conmovió algo profundo e ilimitado dentro de mí.

"Dame tu mano".

"¿Como?" preguntó, con un toque de tensión que nunca había sentido antes.

Contuve una sonrisa. ¿El tenía miedo?

"Hazlo," dije suavemente.

Me dirigió una mirada penetrante, nada inclinado a escucharme. Tuve que tocar su muñeca y encontrar sus dedos para que me escuchara.

"Confía en mí".

Tiré lentamente y me acerqué al animal con pasos medidos, siempre mostrando mi presencia para evitar reacciones repentinas. Continuó comiendo. Lentamente, sin hacer gestos bruscos, levanté la mano de Mason y la llevé a sus cuernos aterciopelados.

Sentí sus dedos endurecerse, vacilar. Luego despliega lentamente. Permaneció inmóvil mientras la inmensidad de aquel gesto estallaba bajo sus dedos, como un raro, inesperado, pequeño prodigio. Sostuve mi mano sobre la suya y él probó esa pelusa suave y cálida, escuchando a esa enorme criatura vibrar, vivir y respirar.

Al instante siguiente... Mason levantó una comisura de la boca. Se giró para mirarme y la alegría estalló en mi corazón. Sonreí dulcemente, la nariz arrugada, las mejillas cálidas, los ojos arqueados con un sentimiento vívido y poderoso.

Siempre había soñado con verlo en mi mundo. Amando lo que amaba. Ver esa belleza con mis propios ojos.

Había temido que nunca pasara, pero aquí está, en un momento robado al tiempo, en dos miradas encerradas en el crepúsculo de un nuevo comienzo.

Estábamos compartiendo algo único para mí: el amor por mi tierra. Y no había una forma más profunda de sentirse amado.

No sabía lo que nos depararía el futuro.

No sabía qué desafíos marcarían nuestro camino.

No sabía a lo que tendríamos que enfrentarnos.

Pero sabía que lo superaríamos juntos.

Con nuestros sueños. Y nuestras esperanzas.

Simplemente siendo nosotros mismos.

Regresamos al lago cuando ya era de noche. Mandy había llegado y los demás nos recibieron con una ovación: vi que habían puesto frazadas y almohadas en el pasto. La noche fue un espectáculo increíble: las estrellas llenaron la bóveda oscura como una explosión de diamantes.

Mason y yo nos colocamos en la parte trasera de la camioneta, nos acostamos y miramos hacia el cielo que había llegado a amar.

En esa felicidad silenciosa y completa, cerré los ojos y sentí que no quería nada más.

"Te amo".

Fue un susurro inaudible.

Lentamente cerré mis párpados. Giré mi rostro, acariciado por el aroma de las flores. El perfil de Mason, acariciado por el tenue brillo de las estrellas, estaba subido. Miró al cielo durante tanto tiempo que por un momento estuve seguro de que había oído mal.

"¿Como?" murmuré.

Sentí que algo me rozaba la muñeca. Sus dedos se abrieron paso hasta mi mano y la levantó.

Y llenando cada rincón de mi mirada estaban sus ojos mientras se alejaba. Esos iris oscuros e impresionantes que nunca olvidaría. Los vi brillar en la oscuridad, y en el interior vi palabras que durante mucho tiempo había soñado con escuchar.

"Te miré con el corazón", murmuró. «Ahora... ya no puedes irte».

Puso sus labios en mi mano blanca.

Lo hizo con fuerza y delicadeza, con un sentimiento que hizo temblar hasta la tierra.

Sentí mis ojos llenarse de lágrimas. Las estrellas se desvanecieron de la vista, y yo... sonreí.

Sonreí con el alma, con las grietas, con las maravillas que tenía dentro.

Sonreí con todo el amor que vibraba en mi pecho, porque allí siempre llevaría a las personas que amaba.

Y tal vez ese era el sentido de la vida. Un milagro llamado esperanza, atrapado en dos tipos como nosotros.

Acaricié su rostro. Mason observó mis lágrimas, pero le dije que no se preocupara.

Era solo mi corazón de nieve.

Se había derretido para él, y siempre continuaría haciéndolo.

Habíamos crecido sin conocernos, pero habríamos crecido juntos.

Y lo habríamos hecho despacio, con nuestros tiempos y nuestros pasos. Pero sin parar nunca.

Lo habríamos hecho en cada instante, de cada momento, de cada día pasado en esa nueva vida.

Lo habríamos hecho, tercos e implacables...

La forma en que cae la nieve.

Gracias

Desde el principio

Y aquí estamos...

Cuando la historia de Ivy y Mason nació en mi computadora hace varios años, nunca pensé que algún día estaría aquí escribiendo estas líneas.

Para aquellos que me han estado siguiendo durante mucho tiempo, para aquellos que ya saben, *The Way the Snow Falls* fue la primera novela que escribí. A pesar de haber llegado 'más tarde', habla con voz de niña más joven, ríe con otra jovialidad, llora y luego vuelve a sonreír con esa edad que tanto la caracteriza.

Muchas cosas en mi forma de contar han cambiado desde entonces, sin embargo el vínculo y la génesis de estos personajes me llevaron a la opción de no cambiar la historia, sino tratar de valorarla por lo que es, con sus limitaciones y fortalezas. Espero haber conservado su autenticidad, que lo haya expresado a través de los ojos de una chica de diecisiete años introvertida y silenciosa, pero que *todavía tiene mucho dentro* .

Quiero agradecer a Ilaria Cresci, mi editora, que trabajó día y noche para la realización de este trabajo y me apoyó durante todo el camino. Ella ha sido un apoyo constante y precioso, y estoy agradecido por eso.

Agradezco nuevamente a Francesca y Marco por la oportunidad que le dieron a esta novela, por acompañarme en el camino con apoyo y confianza en cada paso.

Agradezco a mis amigos más cercanos, a mis compañeros, a los que siempre han caminado a mi lado, a veces silenciosos y pacientes como lunas, otras brillantes como soles. Agradezco a toda mi familia, en especial a mi padre, quien me transmitió el amor por la naturaleza y los espacios vírgenes con toda la belleza de quien sabe mirar , pero de verdad.

¿Crees que me estoy olvidando de alguien?

Bueno, no es así...

Siempre mantengo a los lectores al final, como ese postrecito favorito que guardas a un lado, para apreciar todo al máximo.

Hablo con ellos, tanto con los nuevos como con los antiguos. Me dirijo a los que leyeron esta historia hace mucho tiempo, ya los que lo hicieron por primera vez.

A los que me conocieron a través de los ojos glaciales de Ivy, ya los que en cambio a través de los perlados de Nica.

Les hablo a todos ustedes... y gracias por lo que me han dado a mí y a mis personajes a lo largo de los años.

No hay palabras para describir el cariño y el apoyo que, aun en los momentos de mayor dificultad e incertidumbre, nunca ha faltado ni por un instante.

Por mi parte, espero haberte transmitido, aunque sea un poco, lo normal que es sufrir. Llorar es normal, al igual que respirar. Siempre he creído que la fuerza no está en el vigor o la fuerza bruta, sino en soportar batallas grandes y pequeñas todos los días.

Entonces intentemos...

Luchamos, respiramos, lloramos y luego volvemos a reír.

Mirémoslo con el corazón, porque está hecha de nieve pero sabe derretirse, si se le permite.

Cometemos errores y tropezamos, porque eso está bien. Nadie dijo que sería fácil.

Sin embargo, no nos detengamos. Seguimos a pequeños pasos.

Y seguimos, inexorables, como cae la nieve. Porque aunque todo parezca ir en nuestra contra, siempre hay algo que vale la pena seguir intentando.

Si la flor de marfil puede hacerlo... ¿por qué no nosotros?

Also by Lila L. Flood

A Snowfall's Way
The Hearts King
Nora and Átila
El camino de una nevada
Une chute de neige

Milton Keynes UK
Ingram Content Group UK Ltd.
UKHW020640010823
426141UK00015B/586